吉本隆明全集
5

1957−1959

晶文社

吉本隆明全集5　目次

凡例

一、本全集は、著者の書いたものを断簡零墨にいたるまですべて収録の対象とし、ほぼ発表年代順に巻を構成した。
一、一つの巻に複数の著作が収録される場合、詩と散文は部立てを別とした。散文は、長編の著作や作家論、書評、あとがき類など形がそろうものは、さらに部立てを別にしたが、おおむね主題や長短の別にかかわらず、発表年代順に配列した。
一、巻ごとに、収録された著作の発表年代を表示した。
一、語ったものをもとに手を加えたものも、書いたものに準じて収録の対象としたが、構成者や聞き手の名前が表示されているものは収録しなかった。
一、原則として、講演、談話、インタヴュー、対談は収録の対象としなかったが、一部のものは収録した。
一、収録作品は、『吉本隆明全著作集』に収められた著作については『全著作集』を底本とし、そのうち『吉本隆明全集撰』に再録されたもの、あるいはのちに改稿がなされた著作は、『全集撰』あるいは最新の刊本を底本とした。また『全著作集』以後に刊行された著作については最新の刊本を底本とした。それぞれ他の刊本および初出を必要に応じて校合し本文を定めた。また単行本に未収録のものは初出によった。
一、漢字については、原則として新字体を用いた。芥川龍之介など一部の人名について旧字に統一したものもあるが、人名その他の固有名詞は当時の表記を底本ごとに踏襲した。また一般的には誤字、誤用であっても、著者特有の用字、特有の誤用とみなされる場合は、改めなかったものもある。
一、仮名遣いについては、原則として底本を尊重したが、新仮名遣いのなかにまれに旧仮名遣いが混用されるような場合、詩以外の著作では新仮名遣いに統一した。
一、新聞・雑誌・書籍名の引用符は、二重鉤括弧『　』で統一したが、作品名などの表示は底本ごとの表記を踏襲した。
一、独立した引用文は、引用符の一重鉤括弧「　」を外し前後一行空けの形にして統一した。

吉本隆明全集5

1957
|
1959

表紙カバー＝「佃んべえ」より
本扉＝「都市はなぜ都市であるか」より

I

高村光太郎

『道程』前期

高村光太郎には、明治四十三年（一九一〇）以前に、詩集『道程』にいれなかった数篇の詩がある。「秒刻」、「マデル」、「豆腐屋」、「博士」、「あらそひ」、「敗闕録」などである。それ以前にさかのぼると、二百七十首ほどの短歌作品がある。時代的にいえば、短歌作品はおおむね欧米留学までの作品であり、『道程』未収録の詩は、がいして渡米中の試作品である。『道程』未収録の詩は未熟なために高村が『道程』に加えなかったのだろうが、短歌作品から詩へうつってゆく過渡的な模索が、どう行われたかをしめしている。しかしそれよりも重要なことは、欧米に留学しなかったならば、歌人高村砕雨（篁砕雨）が詩人高村光太郎に転換することはなかったことを、この未収録の詩が暗示していることである。高村は、後に留学中ボードレールやヴェルレーヌの詩に接してみて、はじめて詩とはかくのごとき自由な表現ができるものか、と納得したといっているように、欧米の近代詩にふれて、短歌からの開眼の機をつかんだのだが、同時に、詩によって「安全弁」的にはき出さねばならなかった、生涯の内面的なモチーフを、欧米留学によってはじめて背負わされたということができる。『道程』未収録の詩は、作品としては、過程的な模索にすぎないため、いうべきことを、無形の形式的な制約にしばられて、よくいえないでいるもどかしい作品だが、内面的なモチーフからみれば、『道程』の初期作品とまったく地つづきであるということができ、そのために『道程』前期にふくめて、独立してあつかわねばならない問題をふくんでいる。この『道程』前期は、欧米留学が、高村光太郎の生涯にあたえた意味を暗示する時期にあたっている。

　高村光太郎が、欧米留学からかえったのは、明治四十二年六月である。あたかも、幸徳事件の突発する一年前であり、近代日本は、はじめて労役大衆の反抗運動を体験しつつあるさなかであった。高村光太郎は、生涯にわたって、いわゆる社会運動に投じることのなかった詩人であるが、また、同時に生涯、大衆にたいするシムパッシィを捨てなかった詩人であった。幸徳事件前後の物情は、高村にどんな社会的見解をも構成させていないのであるが、それにもかかわらず、何故、幸徳事件によって何の影響もうけなかったのかを解明せざるをえないものを、高村光太郎の生涯は背負っている。

　高村が社会運動に投じなかったのは、ひとつの撰択であり、大衆にたいするシムパッシィを失わなかったこともひとつの撰択であった。この生涯の撰択を、まず幸徳事件によってテストしなければならなかったのが新帰朝の高村光太郎であった。わたしは、『道程』以前の詩作品をかんがえたうえで、欧米留学がえりの高村光太郎を、幸徳事件前後の情勢につきあててみなければならないとおもう。明治四十三年五月二十五日、宮下太吉たち四人の社会主義者が、検挙されたのをきっかけにして、いわゆる大逆事件はおこっている。すでに、明治四十年二月には、足尾銅山に暴動がおこり、幌内炭鉱、別子銅山にまで波及している。また、一方では、日本社会党の結社禁止事件、赤旗事件などが相ついでおこり、幸徳秋水たち、革命的サンディカリストが次第に急進化してゆく動向と、「彼の危険なる社会主義者を拘束せん」と機会をうかがっている政府の弾圧政策とが対峙していた。日本社会党が、結社禁止をうけたのは、おもに、幸徳が、第二回大会でやった議会主義を排して労働者の直接行動によって、社会主義を実現しなければならない、という演説のためだとされており、このときから、幸徳たち社会主義者中の急進派は、官辺から抹殺されるべくつけねらわれていたということができる。幸徳事件にまでゆきついた「三四年前から荒々しくやつてゐた革命騒ぎ」（御風）は、日露戦争後、日本の社会が急速に膨脹しなければならなかったところに、すでに胚胎していた。

このとき、日本の資本制生産は、明治三十年代末期から四十年代を中心に、軽工業から重工業の優位に移りつつあり、製鋼工業は発達して、独占的なカルテル、コンツェルンが、はじめて結ばれるとともに、桂内閣の保護下に、はじめての金融シンジケートが設立されつつあったのである。この独占的な段階へうつってゆく社会的な過程で、日露役の戦債を背負ったままの戦後の大衆はよろめかざるをえず、そのうえ、四十年代にはいってから、恐慌と物価高がつづいたため、もっとも苦境にさらされた労役大衆と、もっともこの社会的な動向をするどく洞察した革命的サンディカリストの一群とは、反抗にたたざるをえなかったのである。幸徳事件にいたるまでの一連の事件は、日本の資本制を専制的な保護によって飛躍させようとした政府が、この反抗を、しゃにむに封殺する必要にせまられたとき、当然、突発せざるをえなかったということができよう。

文学的に、この社会的な動向を、いちばん鋭敏に受感し、苦悶をよぎなくされ、そのうえ、幸徳事件をさかいにして決定的な方向変換をせまられたのは、自然主義文学運動であった。自然主義文学運動が幸徳事件からうけた打撃は、おそらく個々の文学者たちがうけた衝激の問題をはるかにこえていた。明治四十四年十二月の『早稲田文学』がこころみた「今年の文芸界に於て最も印象の深かつた事」というアンケートのなかで、戸川秋骨は、自然主義がおとろえ、それにかわって耽美的な傾向が興隆する徴候を指摘しながら、そのよってきたる原因を、「つまり前内閣が政府として持つて居る全ゆる方法、所謂官憲の威力を濫用してたとへば自然主義と言ふ様な思想を一種の危険なものであるかのやうに考へ、それに依つて折角発達しかゝつた文芸を滅茶にした」ところにもとめている。秋骨によれば、快楽主義的な傾向が、文壇を支配するようになったのは、この弾圧の反動にほかならなかったのである。

もともと、文学的な傾向が、うつってゆく原因が、こういうところにきわまるとはいいにくいとしても、不可避的な時代的動向を指摘した秋骨は、おなじアンケートにこたえた他の自然主義派の論客、作家にくらべて、卓抜であったということができる。自然主義文学は（すくなくともその文学理論は）、秋骨の指摘したとおり、幸徳事件を絶対の壁として、おしまげざるをえなくなった。たとえば、田山花袋は、はっきりと幸徳事件を勘定にいれて、その「描写論」のなかでかいている。「排理想、排道徳、これを実行の上から言へば、到底絶対に行はるべきことではあるまい。生存を捨て丶までも、我々は理想を排し道徳を排することは出来ないものである。実行上に、新しい道徳を提断し、旧い理想を排却するのは、それは好い。私などもさうした人間でありたいとは思つてゐる。しかし生死を賭してまでもといふ段になると大に考へなければならない。」花袋は、すくなくともここで、まかりまちがったら生命を奪われるかもしれない、という恐怖感だけは、幸徳事件からうけとっている。花袋の正直な述懐のうちに自然主義文学者がうけた刻印は代表されたのである。花袋は、壁にぶつかってもがく昆虫か何かのように、諸君はその忌憚なき描写の陰に、作者の悲痛なる主観の悶えを見なければならないとし、実行を敢てしない忍耐と知識の間にうまれた傍観的態度によって、はじめてライフが明らかに描かれる、という無惨な結論に到達している。ここで花袋がとなえているのは、いわば客観的描写の観照化ということであり、実行と芸術とをべつだん意識だてずに、現実描写が排理想、排道徳に通じることを確信してきた花袋ら自然主義文学者は、幸徳事件に強迫されて、実行と芸術とを二元的に分離すべきことをせまられた、ということができる。自然主義は、幸徳事件によって、客観描写の観照化か、内在化かの岐路にたった。かれらがあと一歩をすすめるためには、若い啄木が指摘したとおりに、客観描写を内在化(主体化)するほかはなかったはずであった。

しかし、花袋とおなじように、たとえば天弦は、物質的人生観の圧迫にたえてもがき苦しむ主観の力を、ネガチブにおもいえがかねばならなかったし、抱月は、個人の力の及ばぬところの、ある一つの何だか分らないが、とにかく我以外の大きな力がチャンと定まってしまっているところに、宿命観をつくりあげねばならなかったのである。花袋の傍観描写論にしろ、天弦の主観のもだえにしろ、抱月の宿命観にしろ、そこに自然主義理論の必然的な方向にないまぜられた幸徳事件の壁をかんがえずには理解することはできないものである。秋骨の指摘したようには、うまく偶然と必然とをふりわけることができないとしても、幸徳事件を転機として、自然主義が屈折せざるをえなかったのはあきらかであった。合理と非合理とが、封建と近代とが、頭も尻尾もなくからみあっているような、日本の家や、生活や、社会的な環境や、そこからうまれてくる醜美な人間関係に密着し、これを描きつくそうとする生まじめな、オーソドックスな努力は、自然主義の屈折とともに、主線からしりぞいたのである。白樺派の、庶民社会を素通りした汎ヒューマニズム風の主我思想と、新思潮、三田文学、スバル派の庶民社会に背中をあわせてねころんだような耽美的、新ローマン的な文学とが、文学的な主線にかわった。

当時、スバル派の一隅にあった石川啄木は、自然主義の衰弱と、スバル派、白樺派の興隆をうながした四十年代はじめの時代的な危機を、幸徳事件の突発とその終末とのうちに、洞察しつくした唯一の詩人であったということができる。「時代閉塞の現状」は、その洞察の記録にほかならず、自然主義者が、かならずつき当るはずのものをさけて、「傍観的描写や主観のもだえや宿命観に向わざるをえなくなったのが、あまねくゆきわたってしまった強権の力そのものであることを指摘」して、明日への考察、その組織的考察の必要を力説したのである。啄木の「九月の夜の不平」（明治四十三年十月創作）は、おそらく身近の「スバル」派の文学者との内面的訣別の記録であり、「時代閉塞の現状」をかくにいたった動機の自白であった。

秋の風我等明治の青年の危機をかなしむ顔撫で、吹く
時代閉塞の現状を奈何にせむ秋に入りてことに斯く思ふかな

幸徳事件の卓抜な記録「日本無政府主義者陰謀事件経過及び附帯現象」をかき、幸徳が担当弁護人にあてた書簡を、万感のおもいをこめてうつしとった啄木の晩年のコースは、明治四十年代はじめの社会

的動向と、それにともなう自然主義の転換の意味を、洞察することによって決定されたのである。

スバル派は、その時、啄木と比肩しうる近代意識をもった二人の詩人、高村光太郎と木下杢太郎を擁している。杢太郎は、「和泉屋染物店」をかいて、封建情緒と異国趣味に蕩尽していた近代意識をかきたてて、足尾銅山事件から幸徳事件までの一連の事件を、作品のなかにくりこんでみせた。この戯曲で、一連の事件や、税金と不景気で沈滞した世相が、劇構成の素材としてとり入れられているだけだ、という説はかならずしもあたっているとはおもわれない。杢太郎は和泉屋染物店ののれんに封建情緒を託し、息子の「幸一」に近代意識を託し、出奔中の息子が異様な帰宅をし、去ってゆく短い時間に、和泉屋がかもす情緒の騒乱によって、四十年代の薄暗い眠ったような庶民社会の俗情と、自己の近代意識の落差をさぐろうとしたのである。もとより、杢太郎にそれを強いたのは、幸徳事件があたえた衝激にほかならなかった。わたしは、べつに素材のアクチュアリティが、内的なアクチュアリティの反映だという素朴な考えに同じることはできないし、そこに文学的な優位をみとめようとはおもわない。幸徳事件を、作品にかきこむか、かきこまないか、などは好奇心の所在の問題にすりかえても何程のことがあろうかとおもっているのだ。啄木や杢太郎とまったく異質の反応を幸徳事件にしめした高村光太郎の近代意識の特質を、この時代的背景をかりて追求しようとするモチーフが、働く理由のひとつもそこにある。高村は、『早稲田文学』、明治四十四年四月号にかいた「三月七日」の日記で、杢太郎の「和泉屋染物店」にふれている。


（前略）余の母の病気は、余の我がままの為めに、治る処も治らないでゐるのであらう。余とても悲しけれど是非なし。父は学校に出た。

余は父母の家にありながら、心のうち寂寥に堪へがたし。余は極端な我儘者となつてしまつた。

余の心は、閉ぢられた烟突の中に苦しむ烟の様な痛さを味はつてゐる。コオルタアにでもなれ。勝手になれ。

マラルメの「マネエ」論を読む。

相変らずの自炊生活は、単調だけれども興味は深い。些細な食物でも自分の頭の働いてゐるものと思ふと満足が出来る。恐らく余の造るビステキは天下一品だらう。

午後になつて風がやや寒くなつて来た。「ベッド」を直し、室の掃除をやつてから、画きかけの「夜の凌雲閣」を画きつづける。夜の空とタッチとを幾度画き直すかわからず。色は重なり重なつて不思議なものになつたが、タッチが気に入らず。動いてゐる闇黒の空気を描くには、もつと大胆でなければ駄目だ。あの夜の色を眺めに浅草に御百度を踏んでゐたが、此頃は月が大きくなつて空が淡緑色になりかけてしまつた。

三時頃ひと休みして、紅茶を入れながら、木下杢太郎氏の「和泉屋染物店」を読んだ。つい釣り込まれるほど面白いものだつたが、「おさい」を使ふやうなテクニツクが馬鹿に目立つて「ギニヨオル」式に見えた。しかし、しんみりした、雪のつもる音の様な情趣の漲つてゐるところがうれしい。再読を要する事として、又作画にとりかかる。本式の画室でないから光線の都合の悪い事甚だしい。画を見るには台の上に椅子を載せて、其の上へ上つて見下ろさなければならない。画架が木炭画用のだから、がたついて凌雲閣が倒れ相だ。本式の画室を建てるには遊んでゐる金が三千円は無ければ手も出せない。親爺に相談するのも強腹だから無期延期とする。相場ででも儲けたらおつ建てよう。（下略）

ここには、雑多な問題が、はめこまれている。第一に、杢太郎の「和泉屋染物店」の素材的な関心は、素通りされてしまっている。また、とじられた烟突の中にくるしむ烟のような心境が白状されているかとおもうと、すぐあとで、「恐らく余の造るビステキは天下一品だらう。」という料理自慢がかかれている。その隣りに、マラルメのマネエ論が読まれ、「凌雲閣」の絵がかかれている。画室の光線が気に喰わぬ、親爺から金をもらうのは業腹だから、相場ででも儲けたらおっ建ててやろう、というセリフがある。洋行がえりでお高くなった息子が、父親に寄食しながら、とりとめのないことをかき散らしているにちがいない。幸徳事件も何もない。おれの造るビステキは天下一品だろうぜ、というセリフが「三月七日」を支配しているのだ。杢太郎が、作劇上からはあまり巧みだともおもえないセリフを「幸一」に喋言らせたりしたところは、この息子の内面を素通りした。「全く――ここととは全く違つた世界から私は来たのです。それからまた全く違つた世界へ之から行くのです。今迄の奴隷の生活から出て、始めて新しい自由の世界へ行くのです。唯私達は、何にも考へないで、自分達の便利の為め許りに、何時までか古い因襲を護つて行かうと云ふ傲慢な人達を憎んだ許りです。所がそんな人達は権力と云ふものを持つて居るのですね。ですから此方も其代りに心の革命といふ武器を選んだのでしたよ。そしてまづ手始めに鉱山の、あの無智な二万人の眼を開けてやらうとしたのです。」「今度東京で捕つた私の友達だつてえらい人なのです。それを世間が罪人にしたのです。」しかし、素通りされたセリフが舌たらずの新知識であり、このセリフをうけとめている「和泉屋染物店」ののれんの下が、三味線的なふんいきにすぎないとしたならば、この洋行がえりの息子の無関心は、かならずしも単なる無関心とばかりいうことはできないし、そのお高くとまって父親に寄食している息子の捨て鉢なせりふは、かならずしも無意味とはいえないのである。「和泉屋染物店」くらいの作品には、それ相当の儀礼的な感想を呈するのが適当であったのかもしれない。高村は、その頃、世評のたかかった白秋の詩集『思ひ出』を評して、ただひとり、多くの矛盾と重圧とに堪えきれない今の世の空気の中で、追憶は一種の避難所であるとのべるすべをしっていた。「スバル」左派の啄木は、おそらく全身から幸徳事件に震撼されたひとりである。右派の杢太郎は、すくなくとも、芝居のモチーフとする程度には、幸徳事件に関心をしめした。かりに、中間派たる高村は、まったく幸徳事件を黙殺し、その当時の日記によれば、一介のジレッタントたる生活において、おれのビステキは天下一品たることを誇り、相場で一儲けしたら画室をおっ建ててやろうとかいた。高村は、啄木とともに、芸術理念的に、スバル派のなかでは、新思潮、三田派よりも、自然主義派に、親近のこころを示した詩人であった。わたしは、高村のジレッタントたる資格に、なお、掘りさげられるに価する可能性をみとめたいとかんがえる。

わき見出しに、「巴里より」とかかれた高村の「出さずにしまつた手紙の一束」が発表されたのは、明治四十三年七月の『スバル』である。欧米留学からかえって、ちょうど一年、幸徳が検挙されてから一カ月後にあたっている。意識しないままに、あるいは意識されたうえで、幸徳事件によってさらけ出された日本の社会の暗黒、天皇制を幹としてはりまわされた壁に、密封されている社会の暗黒と、そこで、へしまげられざるをえなかった文学の動向にたいして、この未投函のまま留学からもちかえられた手紙の一束は、対峙すべきモチーフをさらけ出したものであった。この外見上のジレッタントが、内面において何をかんがえているかを、はっきりとしめすものであった。まず、第一のモチーフは、芸術上の係累と血統上の係累とが、矛盾し葛藤している深層の問題であった。

「身体を大切に、規律を守りて勉強せられよ」と此の間の書簡でも父はいつも変らぬ言葉を繰り返してよこした。外で夕飯を喰つて画室へ帰つて此の手紙を読んだ時、深緑の葉の重なり繁つた駒込の藁葺の小さな家に、蚊遣りの烟の中で薄茶色に焼けついた石油燈の下で、一語一語心の底から出た言葉を書きつけられてゐる白髯の父の顔がありありと眼に見えた。僕は其の晩MONTMARTRE(モンマルトル)の×××女史を訪ねて一緒にNEANT(ネアン)といふ不思議な珈琲店に行く積りで居たが、急に悪寒を覚えて、其方は電報で断り、ひとり引込んで一晩中椅子に懸けたなり様々の事を考へた。親と子は実際講和の出来ない戦闘を続けなければならない。親が強ければ子を堕落させて所謂孝子に為てしまふ。子が強ければ鈴虫の様に親を喰ひ殺してしまふのだ。ああ、厭だ。僕が子になつたのは為方がない。親にだけは何うしてもなりたくない。君はもう二人の子の親になつた相だな……。今考へると、僕を外国に寄来したのは親爺の一生の誤りだつた。「みづく白玉取りて来までに」と歌つた奈良朝の男と僕とを親爺は同じ人間と思つてゐたのだ。僕自身でも取り返しのつかぬ人間に僕はなつてしまつたのだよ。僕は今に鈴虫の様な事をやるにきまつてゐる。RODIN は僕の最も崇拝する芸術家であり人物である。が、若し僕が RODIN の子であつたら何うだらう。此を思ふと林檎の実を喰つた罪の怖ろしさに顫へるのだ！

さきに森鷗外の留学があり、夏目漱石の留学があり、同時期にも永井荷風の留学があった。留学というのは後進社会の特産物であって、そこに、さまざまな後進国の優等生が演じるさまざまな内的なドラマが象徴されるはずである。わたしには、そういう準備がないが、留学の実態を追及してゆけば、かならず思想的転向のさまざまの実態があきらかになるはずである。×××女史と、おもしろい珈琲店へ遊びに出かけようとする高村が、日本、東京、駒込、のちっぽけなあばらやから、フランス、パリにあてた「身体を大切に、規律を守りて勉強せられよ」という手紙をうけとったときの衝撃は、父親が夜の目もみずに稼ぎためた金をだましとって、ブルジョワ息子と遊び呆ける貧乏人の息子の心理と同じものであった。もちろん、芸術というものが豊富な物質的基礎と、閑暇のうえにしか開花しないものであるとするならば、芸術を志す貧乏息子は、りちぎものの父親の金をだましとっても、ブルジョワ息子を範とするよりほかない。それでは、自分はおよばぬまでも、息子だけは――という発想をするこの父親は、否定されねばならないか。むろん、そのいじらしい心理が否定されねばならないのだ。わたしのみるところでは、あからさまにこの問題にぶつかった留学は、近代文学史のうえでは、高村光太郎だけであった。おおくの学問的留学と芸術的留学と遊び人的留学のあいだで、社会的留学をやったのは一介の歌人・美術学生であった。この貧乏息子は、いじらしすぎる父親を否定するとともに、ブルジョワ息子にも昂然と対峙しなければならなかった。高村に父親―息子のコムプレックスをつきつめさせたものは、西欧と日本との眼もくらむばかりの文化と社会と人間意識との落差であった。ここから、ロダンを芸術家とすれば、父光雲は職人であり、ロダンを芸術上の血族とすれば父光雲は憎悪すべき敵であり、しかも、光雲と自分とは、肉親の父と子であるという宿念がうまれざるをえなかった。このような宿念からは、種の問題が誕生する。高村は、ロダンは西欧近代の嫡子であるが、自分は、どうしようもない辺疆の異人種であるという劣等感からも、腹背をつかれることになった。この種の問題は、ただたんに文化的落差の自覚からもうまれるだろうが、父と子の排反をくぐることは、多くの留学がたどらなかったともおもわれる径路である。おなじ「手紙の一束」のなかにかかれている。

独りだ。独りだ。

僕は何の為めに巴里に居るのだらう。巴里の物凄いCRIMSON(クリムズン)の笑顔は僕に無限の寂寥を与へる。巴里の市街の歓楽の声は僕を憂鬱の底無し井戸へ投げ込まうとしてゐる。君は動物園に行つた事があるだらう。そして虎や、獅子や、鹿や、鶴の顔を見て寂寥は感じなかつたか。君の心と彼等の心と何等の相通ずる処も無い冷やかなINDIFFERENCE(アンディフェランス)に脅されなかつたか。虎の眼を見て僕はいつも永久に相語り得ぬ彼と僕との運命を痛み悲しんだ。此の不自然な悲惨の滑稽を忍ぶに堪へなかつた。かかる珍事が白昼に存在してゐるのに、古来何の怪しむ事もなかつた人間の冷淡さに驚愕した。それだよ。僕が今毎日巴里の歓楽の声の中で骨を刺す悲しみに苦しんでゐるのは。白人は常に東洋人を目して核(かく)を有する人種といつてゐる。僕には又白色人種が解き尽されない謎である。僕には彼等の手の指の微動をすら了解する事は出来ない。相抱き相擁しながらも僕は石を抱き死骸を擁してゐると思はずにはゐられない。その真白な蠟の様な胸にぐさと小刀(クウトウ)をつつ込んだらばと、思ふ事が屡〻あるのだ。僕の身の周囲には金網が張つてある。どんな談笑の中団欒の中へ行つても此の金網が邪魔をする。海の魚は河に入る可からず、河の魚は海に入る可からず。駄目だ。早く帰つて心と心とをしやりしやりと擦り合せたい。
　寂しいよ。

人類（ホモ・サピエンス）である生理的な、または心的な構造の同一性によって、東洋人と西洋人のあいだに了解不可能がありうるはずがなく、その文化に不可解な差異がおこるはずがなく、共通の論理、共通の思考法が存在しないはずがない。また、ところが、もしも、一定の規制力にそってこころが働いているときは、東洋人と西洋人のあいだばかりでなく、ブルジョワと貧民のあいだにも、また、隣人や男女や肉親のあいだにさえも、了解不可能は存在しうることは自明であろう。わたしたちが、こころの働きとして、世界的共通性、了解可能性を真であるとみるか、また、一定の規制力、一定の意識内の目的をもった場合の、隣人さえも了解できないという心の働きを真とみるかは、容易に決定しうるものではないかもしれないが、すくなくとも、このいずれか一方のこころの働きにたよって、一方を脱落することは不可能である。たとえば、西欧の生活様式になれ、西欧の気候や習慣になじみ、西欧の発想や論理を理解すれば、もうじぶんは西欧人とおなじ通行手形を手にいれたと錯覚できる精神構造はありうるだろう。しかし、かれは、もうひとつ、隣人さえも肉親さえもそのこころの働きを理解できないという第二の眼で、西欧をみなければならぬ。一定の意識の目的をもってこころを作動させねばならぬ。おそらく、ほとんどすべての留学は、第一の眼でおこなわれた。少数の留学は、第一と第二の眼でおこなわれた。このいずれが、大きな比重をしめるかは、かれの（後進社会の優等生の）心因の質によってきまるのである。高村が、かれら（白色人種）の手の指の微動すら理解できないとかいているとき、その絶望感には、いくぶんか誇張があるとかんがえられないことはあるまいが、高村に、この西欧人にたいするまったくの「了解不可能」を強いているのは、特定の方向に規制された心因であり、それは、父光雲の方向に形成される心像が、光雲にたいする排反意識によって阻止されてしまうところからくるものであった。この場合に、高村にとって、父光雲は、日本の社会や文化や、父と子の環境や、その社会で流通する考えかたの集中された、ひとつの象徴の作用をなしている。高村は、ロダンの作品が、まるで血肉のようによく了解でき、親近感をもちうるというのを手がかりにして、芸術だけは、人種とか、こころの障壁とかをこえた何かではないかとかんがえている。「手紙の一束」のもう一つ。

芸術こそ其の謎を解くŒDIPE-ROI（エディプロア）であらうと君はいふな。或は然うかも知れぬ。しかし、僕は其の解答を聞くのが怖ろしい。知らずして母を后（きさき）とし、眼を潰して野にさまよふのは厭だ。けれども、RODIN（ロダン）の彫刻を見る時ばかりは僕の心にも花が咲く。人が居なければ彼のNYMPHE（ナムフ）の大理石を抱いて寝るがなあ。RODIN（ロダン）の女は実際僕の肋骨で出来た様な気がする。RODIN（ロダン）が作つたとは更に思へない。RODIN（ロダン）は鍬を持つて土を掘つて居る人だ。何処に何が埋つてゐるかを知つてゐる人だ。彼は其を掘り出して人の前に持つて来る人だ。自然と人間との間に居る仲買人だ。まあ何でも可い。SANTA NOTTE（サンタノッテ）!

芸術の創造や理解や、芸術があたえる衝動のごときものは、世界共通のものであるか。この問題にたいする解答は、前と同じであろう。世界共通のものであるし、また同時に、友人のへっぽこ絵かきの絵でさえ、了解できない、という心因もありうるのだ。ただ、美術と文学とは、おのずから幾分の相違がある。視覚は、ほとんどすべてが人類（ホモ・サピエンス）たる生理的機構の同一性によって規定されるだろうが、文学はすでに言語が抽象的であるために、差別的である。文学の場合では、抽象的、差別的な手段によって構築されたものを、ホモ・サピエンスの心性の構造の同一性をたよりにして測ることによって、世界共通性をつかむよりほかにない。これは、可能であり、同時にまた不可能であることが必須の前提にあるともいわれなければならない。高村が、歌人であり、造型美術家であることは、この問題をはらんでいるわけだが、ここでは、美術家としてのみ振舞っている。これは、ある意味では、「芸術だけは」という希望を高村にあたえたのだが、しかし、逆にこのことは父光雲とロダンとをおなじ対比線上におくことによって、自分と父光雲との、血統や、芸術相伝の宿運やらにたいするコムプレックスを、絶望的な嫌悪感にまで結晶させずにはおかなかったはずである。すくなくとも、おれは辺疆の日本人にすぎないという思いは、そこまでゆきつかざるをえなかった。モデル女のこころがまるでわからないで、ただ形だけを、外から模写しているにすぎないのではないか、という疑いがやってきて、高村は追われるような気持と、嫌悪の象徴にちかづくような気持とを排反させながら帰国しなければならなかったのである。「手紙の一束」のもう一つが高村の帰心の構造をあたえている。

僕は故郷へ帰りたいと共に又故郷へ帰つた時の寂しさをも窃に心配してゐる。あの脛の出る着物を着て、黴の生えた畳に坐り、SPARTAの生活から芸術を引き抜いてしまつた様な乾燥無味な社会の中へ飛び込むのかと思ふと此も情なくなる。僕は天下の宿無しだね。しかし為方がない。今、此処で費してゐる無意味の生活よりはもつと充実した一日が送れるだらう。

僕は今日不図妙な事を考へた。「秘密の価値」といふ事だ。参謀官のいふ秘密ではない。敵に対する秘密ではない。対称者の無い秘密である。考へてみると秘密の無いものに価値はない。又価値あるものに秘密の無いものはない。僕は自分で自分を秘密にするのだ。説明を求め給ふな。強ひて求めたら、僕は指でも一本立てようよ。

わたしは、どうやら高村に、いうべきことをいわしめたらしい。「秘密の価値」とはなにか。自分で自分を秘密にする、とはなにか。たしか、後年、太平洋戦争期に、「回想録」のなかで、人間の生涯には一個処くらい不明のところがあってもいい、と述懐している。「手紙の一束」についていままで解説してきたものが、高村の「秘密の価値」の内容をなしているという、わたしの見当は、それほど外れていないとかんがえる。高村の生涯の道行きをうごかしたものは、この自分で自分を秘密にする、というモチーフに外ならない。この「手紙の一束」によって、『道程』一巻の位置がきまったし、『智恵子抄』をささえている高村の生活史を予言することができるはずだ。いま、ここで具体的には、「秘密の価値」を抱いて、「あの脛の出る着物を着て、黴の生えた畳に坐り、SPARTAの生活から芸術を引き抜いてしまつた様な乾燥無味な社会」へ帰ろうとしている高村の姿勢を描くことができる。帰れば、まさしく幸徳事件を闇から闇にでっちあげ、芸術運動を封殺する明治四十年代の日本の社会がまちうけているのだ。高村が、「出さずにしまつた手紙の一束」を、幸徳事件にさし当って『スバル』に発表したのが、偶然の一致にすぎないとして、西欧留学によって育てあげた「秘密の価値」が、鷗外のようにも、啄木のようにも、杢太郎のようにも、荷風のようにも、幸徳事件をうけとめまいとする高村の意志を暗示していることはあきらかである。

日本での文学的な仕事としては、二百七十首ほどの短歌（「明星」では短詩と呼んでいる）を明治三十三年から三十八年にかけて『明星』に発表して、高村がアメリカにたったのは明治三十九年二月三日である。

二月三日の朝八時。門の前の人力車に乗つた私はもう一度鳥打帽子をぬいだ。皮のカバンを載せて私の車の前に居る人力車はかぢ棒を上げた。茅ぶき門の屋根はおく霜でまつしろだつた。千駄木林町の裏町に其頃まだ繁つて居た竹藪がつめたい朝の風にさやさやと鳴つた。親も弟妹（きやうだい）もみんな門の前に立つてゐた。父はもう後の人力車に乗つた。私の車もかぢ棒をあげた。新橋停車場に行くのである。横浜へ行くのである。学校を出たばかりの二十三の青年がアメリカへ「働きながら勉強」

しに行くのである。母の顔をまともに見るのが気まり悪いやうな気がして私はその胸のあたりを見た。

「それでは。」

「ああ、行つておいで。」と内気な母は僅かに言つた。

今でもはつきり思ひ出すが、その時細かな霰が急に白く降つて来て人力車の泥よけにぱちぱちあたつた。

「おしるしがやつて来た。」と私の降り性を諷した父のさそくの言葉が一同を少し笑はせた。私の車はもう動き出してゐた。

二十年前の話である。

○

アゼニヤン号はたつた六千噸の貧乏さうな船であつた。それですら其頃は波止場に着かずに沖にもやつてゐた。私は甲板に立ちながら、父の乗つた艀（はしけ）が船から遠のくのを、生れてはじめて知る変な、自由にならない、口惜しいやうな、取りかへしのつかないやうな感情に満たされて見送つた。はしけの中の一かたまりの黒い人達の中から髯の生えてゐる白い歯が髯の間に見えた。出帆の銅鑼が鳴つてゐる。薄曇りの空から箱根おろしの強い風が甲板をびゆうびゆうと吹いた。横浜の町が平べつたく、寂しく海の岸に並んでゐた。もう父のはしけも見えない。むき出しの岩壁らしい処に居る一群の人の中にみんなが居るのであらう。たつた今叔父さんから貰つた守札を私はチヨツキのポケツトに入れて試（こころみ）に手を振つてみた。分つたのか分らないのか、唯ちらちら向うでもハンケチを動かしてゐる。この船の難航を予言するやうに二月の風は容赦なく私のつめたい頬を痛めつけた。こんな歌をおぼえてゐる。

悪しきもの追(や)らふとするやわが船を父母(ちちはは)います地より吹く風　（「遥にも遠い冬」）

そのときの歌は、まだおなじものがある。「涙しぬ鰐栖む水もゆくべくば家な恋ひそとありし母ゆゑ」「我ありて世をさまたげず我欠きて父母なげけ今日ぞ然かある」——二十年後にも、高村の心像に、鮮明に定着された欧米留学の出発の光景は、そのまま、日本での高村の父と子、家の関係を鮮やかにさししめす。一介の下町庶民の息子が、外遊を重大にかんがえすぎている母や弟妹にかこまれて、晴れがましさよりも胸苦しさの充ちた雰囲気のうちに出発する光景がある。また、いくぶん心細くなって、一期の別れのような感情になって船にのった青年の姿がしめされている。もちろん、この光景をえらんでこころにとめたのは、高村の「秘密の価値」に外ならない。このとき、父高村光雲は、「神仏人像彫刻師一東斎光雲」ではなく、美校の教授であり、官服をありがたがる気持もある大成した彫刻家であった。この父と子の関係は、ぬきんでた器量をもって世に出た職人と、そのだいじな優等生の総領息子の関係にほかならなかった。

曾祖父、中島富五郎。鰻屋渡世をし、のちに肴屋。富本節の素人名人で、仲間から水銀を呑まされて一生中気でおわった。祖父、中島兼松。富五郎のつくる子供のおもちゃを、子供のころ縁日で売って生計をたてた。俗曲、新内をよく唄った。テキ屋の親分のようなこともやった。代々、下町の下層に、その日ぐらしをやっている小職人または遊び人である。高村が、二十年後にかきとめた外遊の出発の光景は、いかにも、ひっそりしているこの「家」の雰囲気をしめしている。没落した家系のすぐれた息子のように家運を挽回せよというような荷重は、おしつけられるひつようがなかった。父光雲は、すでに小職人と遊び人の素質を集大成しえていたからである。しかし「二代目光雲」になれという眼にみえない叱咤は、光雲の芸術的閥族から絶えずきこえており、気のすすまない高村を、あてにならぬ紹介状と二千円の旅費をあてがってアメリカに立たせた光雲の心底にも、おなじひそかな願いがあったことは疑いない。出発の光景は、いちおうは期待にそむくまいとする高村の心像と、あるいは、思いがけぬことがまちもうけているのではないかという危惧とがしめされている。高村のなかで、日本の庶民的な「家」の典型のような親と子の求めあいが、持続されたのは、船中から渡米の初期においてだけであったとかんがえられる。高村が「秘密の価値」、自分で自分を秘密にする思いから照しだした出発を危惧する光景は、留学そのものにたいする不定の意識、日本、下町の庶民的「家」の環境をぶらさげたまま西欧社会に旅立つものの不安が示されている。

あないかに。かへりみしたる
一瞬に消えし母かな。
おどろきて叫ぶとすれば、
ふくいくと薫る手ありて
我が口をかろく掩ひぬ。
眼にみるは昔の少女。

阿片のにほひ身をまきて、
物もおぼえず、草の上に。

我がねむる耳にけぢかく、
あたたかき息こそかかれ。
『君は世に何を欲りして、
かく遠き海のあなたに

おはするや。』泣くとひびきて
休み無き昔の声す。　（「秒刻」）

この過渡的な渡米初期の作品に、「毒うつぎ」の少女（赤城山小屋の少女か）と、母親の影像とを重ねてあらわれる「君は世に何を欲りして、かく遠き海のあなたにおはするや。」という不安な意識は、ニューヨークからロンドンへ、ロンドンからパリへ、という高村の留学のコースの間に「出さずにしまつた手紙の一束」にまで凝集すべき必然性をもっていた。日本の庶民社会にありふれた親と子の情感や暗黙の約束のようなものが、こころのなかで崩れてゆき、西欧の生活環境や発想にふれて、父光雲にたいする父子排反が具体的な形をあらわし、これに伴うように西欧にたいする劣等感や、隔絶感が煮つめられて純粋醱酵していった。

日本の庶民社会の「家」は、高村の場合に典型的につぎの構図をしめす。代々下町に住んでいる小職人または遊び人渡世である。父親は仏像彫刻の職人であるが、抜群の技量をもって大成している。家のなかで絶対の権威をもち、頑固であるが、旧式の情感に富み、親分的受容性をもつ。母親は、親方が嫁がせたもので、古風で没我的、盲目的な献身性をもつ。兄弟姉妹がおおい。父親には絶対服従である。父親の情感は、「家」全体を包みこんでいる。おそらく、この典型は、庶民社会のなかでは、下層的である。高村が留学した時期には、生活的には下層的でなかったかもしれないが、「家」の構図としては、下層的であったはずだ。中層、上層にゆくにつれて、父親の情感は、「家」において支配的でなくなり、母親は、没我的、献身的ではなくなる、というのが、図式的に日本の庶民社会の「家」の実態である。花袋の「蒲団」は明治四十年、白鳥の「何処へ」は明治四十一年、藤村の「家」は、明治四十三年、秋声の「足迹」は、明治四十三年に発表されている。これら自然主義文学の代表作のテーマになっているような、家父長ヒエラルキィにおしつぶされた日本の「家」のなかの、無気力な夫婦の背離をえがいても、また、「家」に寄生するインテリゲンチャの嫌悪感をえがいても、家にとじこめられ、諦めて老いてゆく女をえがいても、庶民社会の「家」が、濃密な優情で後髪を引かないかぎり、現実に密着して、客観描写をつきすすめていけば、かならず「家」の問題をとおして、それをとりまく社会問題にゆきつくことはあきらかである。幸徳事件前後に、自然主義文学者がぶつかった客観描写と排道徳、排理想の合致点というものは、「家」をめぐる社会環境を、排棄すべき劣悪条件とかんがえた上昇期の自然主義的発想が、当然みちびきだした帰結であった。上昇期の自然主義文学者は、「家」の環境を、濃密な優情として感じないで済む環境にあったために、幸徳事件が、その文学方法にとって決定的な衝激となったのである。石川啄木は、この上昇期自然主義の方法を、理論的に、果てまでたどってみせたということである。啄木は、おそらくスバル派、三田派の文学者たちの影響から、日本庶民社会の封建制が、それなりに封建的優情をもっていることを認識していたため、庶民社会の環境が、かれのいわゆる近代意識にとってかならずしも唾棄すべきものとは、かんがえられなかった。かれは旧式な母親の愛情と、物質的な不如意と、嫁しうとが、昔ながらいがみあって同居している「家」の環境をはなれて、どのような近代意識成立の可能性も、夢みることはできなかったのである。空想するには現実を識りすぎていたのである。スバル派、三田派、新思潮派の文学者たちは、この封建的な優情を逆用した。かれらは、遊里に足をいれ、大川端趣味にひたり、異国情緒を謳歌することで、逆に、そこにのみかれらの近代意識成立の可能性をみたのである。これは、花袋ら上昇期の自然主義者には、おもいもおよばない発想であった。花袋らにとって封建的優情は、日常茶飯の俗情として、もっぱら離脱しなければならない環境であった。だから「蒲団」のなかで、いじらしくも、妻ある男が、女弟子に恋情をかんじ、女弟子の去ったあと、その蒲団に残情をかぐというテーマを排道徳としなければならなかったのである。啄木ならば、妻との無気力な「家」の生活そのものを、近代意識形成の発条(ばね)としたであろうし、スバル派の文学者ならば、さっさと妓楼に出かけてその近代意識を発散させたであろう。高村光太郎にとって、その「家」は、濃密な優情で後髪をひいたはずである。「家」中、ひとりの悪党なし、というのは下層庶民社会の特徴である。高村は、こういう環境からの離脱意識を、一足とびに、西欧社会の実体にふれることによって触発された。圧倒的な社会的、文化的な優位をもってせまる西欧社会のなかにあって、日本の庶民社会の「家」を凝視したとき、とうてい自然主義文学者のやったような、現実密着のまだるこしい方法で、排理想、排道徳にいたりうるものとはかんがえられない、劣性な社会であったにちがいなかった。家の問題は、おそらく社会問題へ通ずるものとしては、高村の課題とはなりえなかったのである。高村にとって、ただ濃密な封建的な優しさで自己の下層庶民的な「家」の環境だけが、自己意識上の問題であった。この自己環境のうえにおおいかぶさる封建的な「家」の旧い人情の牽引力は、西欧社会のなかにあって、父子コムプレックスとなり、心理的な葛藤として追いつめられていったのである。西欧社会と日本社会との落差も、ただ先進社会と後進社会の問題とならず、妙にまつわりつく歪みが、社会意識にからみあって、芸術をもふくめた人種的なコムプレックスとして自覚されてきたのである。

高村は、あとになって、神戸から東京へゆく帰国の汽車のなかで、父光雲から、弟子たちをあつめおまえが中心になって銅像会社をつくって、手広く仕事をしたらどうか、ともちかけられて、頭をがあんとなぐられたようなショックをうけた、と述懐しているが、この述懐は、心因になおせば、子供のとき何か悪戯をして一度父親に頭をがあんとなぐられたことがあり、そのとき何故か籠の中の虫を逃がしてやった、とかいているのとふかく照応している。帰国してからの高村は、父光雲の権威をとりまく徒弟的な派閥や、派閥同士の争いにうごめいている薄暗い美術界から、生活上でも、美術上でも脱出しなければならなかった。文展にも背をむけて、ろくすっぽ出品しなかったので彫刻はうれない。光雲の下請けや代作をしたが生活的に自立できない。それかといって派閥の二代目として勢力を張る気になれない。高村の背後では、西欧近代社会と美術界の最上の部分が原型としてあり、高村の行動をおびやかしたため、土壌のないところで、あてもない空想を構築する混迷と、デカダンスにはしらざるをえなかったのである。帰国後、高村は画廊「琅玕洞」を、弟道利に経営させて、伝習的な文展系に拮抗する若い美術家の世代の新運動の足場をつくるとともに、印象派の紹介者として、また、美術批評家として活動している。抱月が、「文芸上の自然主義」で、ワーズワース等の自然主義と、ゾラ等の自然主義とのちがいを、絵画のうえのルソーやコロー等と、マネー、モネ等の印象主義とのちがいと比較して解説し、ブールジェやユイスマンが、一八八〇年代末期の反動期からあと、たどった屈折に言及したのは、明治四十一年である。明治四十三年から四十四年にかけての高村の批評的な仕事は、この抱月あたりが最初に引いた自然主義文学―印象主義絵画をつなぐ線上で、印象派を日本へ移植することを、主動するところにおかれた。高村の印象派移植の理論は、「緑色の太陽」のなかにあきらかに主張されている。

> 僕は生れて日本人である。魚が水を出て生活の出来ない如く、自分では黙つて居ても、僕の居る所には日本人が居る事になるのである。と同時に、魚が水に濡れてゐるのを意識してゐない如く、僕は日本人だといふ事を自分で意識してゐない時がある。時があるどころではない。意識しない時の方が多い位である。人事との交渉の時によく僕は日本人だと思ふ。自然に向つた時には、僕はあまり其の考が出て来ない。つまり、然う思ふ時は僕の縄張りを思ふ時である。自我を対象のものの中に投入してゐる時には此んな考の起つて来よう筈がない。
>
> 　僕の製作時の心理状態は、従つて、一箇の人間があるのみである。日本などといふ考は更に無い。自分の思ふまま見たまま、感じたままを構はずに行るばかりである。後に見て其の作品が所謂日本的であるかも知れない。ないかも知れない。あつても、なくても、僕といふ作家にとつては些少の差支もない事なのである。地方色の存在すら、此の場合には零になるのである。
>
> 　地方色の価値をかなりに尊重してゐる人は今の画界に中々多い事である。日本の油絵具の運命といふものは、此の日本の地方色との妥協の如何によつて定まるものと考へてゐる人もある様で

ある。日本の自然に或る犯すべからざる定まつた色彩が固有してゐて、其に牴触しては忽ち其の作品の〝RAISON D'ÊTRE〟がなくなつてしまふと考へる所から、自分の胸にある燃える様な色彩も、夢の様なTONも抑へつけようとして踟躕逡巡してゐる人も少くない様である。所謂地方色に絶対の価値を与へて、其に対して稍異色ありと認めた作品は悉く論外として取扱つて、唯のABSCHAETZUNGを与へる寛典すら容さぬ峻厳の態度に居る人もある。そして、地方色の価値は一般から認められて居る様である。「こんな色は日本にない」といふ言が非難の表白になつて居るのを見てもわかる。僕は其の地方色といふものを無視したいのである。芸術家の立脚地に立つて言をなして居る事はいふまでもない。
　人が「緑色の太陽」を画いても僕は此を非なりとは言はないつもりである。

わたしはこの画論を文明批評としてみたい。この「緑色の太陽」の主張は、「出さずにしまつた手紙の一束」と幾分ニュアンスがちがわないだろうか。これは日本的モデルニスムスの主張ではないか。わたしはあきらかにニュアンスがちがうとおもう。このちがいは、「絶対の自由（フライハイト）」という絵画創造上の高村の主張と、色彩が、ホモ・サピエンスとしての生理的機能に依存する世界共通性である、という固有の質の問題によってうらづけられている。そういう点を考慮に入れたうえで、なお高村の内奥の課題から、ニュアンスがちがうのではないか、とおもう。その理由は、「緑色の太陽」が高村にとってスネ囓り理論にすぎない点にある。「出さずにしまつた手紙の一束」では、海の魚は河に入る可からず、河の魚は海へ入る可からず、となっていた世界共通性の眼と、了解不可能性の眼とのはげしい断絶が、「緑色の太陽」では、魚は水を出て生活は出来ないが、魚は水に濡れているのを意識しない、というような了解不可能性の眼を、無意識化する主張にかわっている。留学中にあった父光雲にたいする遠隔的な隔絶感が、ここでは稀薄にされて、それが文明批評の骨格をなしている。これを、かりにスネ囓り理論とよべば、日本の芸術的モデルニスムスの主張は、この高村の「緑色の太陽」あたりに、先駆的な徴候をみつけることができる。「出さずにしまつた手紙の一束」にみられる世界性と固有性との断絶感、「緑色の太陽」における固有性の無意識化、ほぼ、この二つの線のあいだの揺れとして、『道程』前期の高村の実生活と芸術観は、あらわれているということができる。

わたしは、高村の世界性感覚と人種性感覚、世界色と地方色、の揺れと、その裏うちとしてある西欧社会と日本社会の隔絶感と共通感、またその深層にある父光雲にたいする排反と親和感を、この『道程』以前の時期にできるだけ多く見さだめておかなくてはならない。第一に、文展評がある。この時期、フランスの新興芸術運動を目安にした高村の気負ったするどい時評によって、「冠をした猿どもがそこで自派伸長の争ひでひしめき合つてゐる」日本の美術界は手きびしく否定され、そのため「多くの人の恨みをかひ、往来で闇打をしかけられさう」なこともあった。高村の回想によれば、「私は父の弟子たちに対しても用捨はせず、どしどし書いたので、父の立場はひどくまづいことになつた。私はバカ息子と呼ばれるやうになり、会などで父にあつた連中が、『御子息さんはおさかんですなあ。』などといふいや味を父にいふやうにもなつた。三年目くらゐの時その事を父が私に注意したので私も考へ、筆を曲げるよりも筆を折る方がいいと思つて、文展の批評は其後しないことにしてしまつた。父の派閥にとつて私は獅子身中の虫となつたわけである」。（「父との関係」）

高村の美術批評家としての活動は、当時、中村星湖が、もっとも瞠目すべきものとして評価した（『早稲田文学』明治四十四年）ほど、多産で、はなばなしかったが、もちろん、父の派閥にとって、「獅子身中の虫」となったことのほうが重要であった。「出さずにしまつた手紙の一束」の隔絶感は、「緑色の太陽」の美論をこえて当時の高村のこころを衝迫させた。なりふりかまわぬ手きびしい批評のかげには、父光雲に日本の最大の彫刻家をみとめねばならなかった高村の矛盾がこめられていたし、日本の文展アカデミズムの世界は、パリの大「サロン」とおなじように「今世紀にあるべからざる」嫌なものとならざるをえなかったのである。第二に、実生活上のデカダンスの問題がある。ちょうど、「スバル」派の文学者と「方寸」によった若い美術家とが主宰した「パンの会」の集りがあり、帰国した高村はそこに投じた。高村のデカダンスは、白秋、杢太郎のような、日本の密封された社会通念にたいする欧化的な反撥や、そこからくる異国趣味、大川端趣味への韜晦と幾分ちがっていて、もうすこしねじくれた西欧にたいする劣等感と、実生活に自立してゆくことができないところからくるあてどない飢渇感が、からみあっている。これを文明論、美術論でいえば、「緑色の太陽」に照応していて、スネ噛り理論の実践であった。実生活上のデカダンスの問題は、高村の世界共通意識の線上にあった。

第三に、『道程』未収録の詩から、『道程』前期の詩作品の問題がある。微細にみてゆけば、この時期の詩は、渡米中にかかれた短歌から詩への過渡期の作品を除けば、高村の実生活上のデカダンスが主題となっている。それならば、これらの作品は、「緑色の太陽」とおなじ線上にあり、世界共通感覚の産物であろうか。けっして、そうではない。そうではないために、うわべは、「スバル」派の詩の手法をよそおいながら、明治四十年代はじめから自由詩運動がつくりあげたものより、もっと微細な心理のメカニズムを封じた『道程』前期の手法が、あみ出されたとかんがえられる。高村の実生活上のデカダンスの問題が、白秋や杢太郎とも、荷風や潤一郎ともちがっていることを、詩はあきらかにしている。世界共通性の感覚と詩的論理から、日本の後進社会の感覚を否定するのではなくて、世界共通性の感覚や詩的論理が、隔絶感や孤立感とからみあった世界をつくりあげている。

この世界は、ふたつの方向から確認することができる。ひとつは、吉原の娼妓「若太夫」をテーマとする「Les impressions des Oïonnas」の数篇、「失はれたるモナ・リザ」「地上のモナ・リザ」などの詩によって、他のひとつは「寂寥」「あをい雨」「けもの」「恐怖」などの詩篇によって代表させることができるものである。ここでは、実生活上のデカダンスの論理と、詩的世界の論理とが、かさなりあったり、矛盾したり、くいちがったままよじれている。また、この代表的な作品からは、こういうよじれ

が、ある程度単一な要素に分解することができるものとなっている。たとえば「恐怖」は、

そして、にちやにちやと——ああ気味のわるい——真赤な血のいろ。
画筆をもてば、ぷすりと何かがつきぬきたく、しんしんと歯が病める。
たぎり立つ湯は、湯の玉を暖炉の上に弾かせ、
時計はけろりと魔法使ひの顔をして、
高い天井の隅に歯ぎしりの音。
たしかに己は女をころした。
流れてゐるのはたしかに血だ。
どろり、たらたらと、あれ、流れる、落ちる。
血だ。血だ。
ああ、さうよなあ。
いつそ、手も足も乳ぶさも腸もひきちぎつて、かきむしつて、
画布の上にたたきつけようか。

こういった衝動は、フランスにあってロダンの作品をまえにしてくりかえした「僕には何故かう動物電気が足らないのだらう。よくいふやうだが、張り切つた女の胸にぐさと刀を通して迸り出る其の血を飲みたい。」という胸の中の呪文が変形したものとみることができる。このような呪文は、高村の青年期の生理機構そのものからくるにちがいないが、生理機構を掘ってそこに対現実的な、対社会的な意志をはめこんだものということができるのである。「張り切つた女の胸」とか「真白な蠟の様な胸」とは、文明観における西欧であり、情欲における動物電気の根源である。「いつそ、手も足も乳ぶさも腸もひ

きちぎつて、かきむしつて、画布の上にたたきつけようか。」というのは、動物電気の足りないもののサディスムであり、文明観における西欧への劣性の表現であるとみることができる。詩の表現としてみるとき、日本の近代詩の未熟さは、ひどい表現の制約をあたえているが、しかし、『道程』前期の詩は、文明理解、人種理解、人間理解における隔絶感、了解不可能感の表現として極限までつきつめられている。日本の女のイメージにアプローチされても了解不可能感はかわりないのである。

私があなたたなら
それこそ、丸裸にして麻縄でぎりぎり巻にして
天井へでも吊し上げて
あつい焼火箸でもあてがつて
ひいひい言ふほど打つたりのめしたりしてやるのだけれど
あなたにやそんな度胸はないいんでせう
何を言はれても
何をされても
よし、よし位で済ましてしまふのね
（「怨言」）

鶴香水は封筒に黙し
何処よりともなく、折檻に泣く
お酌の悲鳴きこゆ

ああ、走るべき道を教へよ

為すべき事を知らしめよ
氷河の底は火の如くに痛し
痛し、痛し　　（「寂寥」）

誰だらう、ほんとに
おや
まつさをな雨の中で
微かに顫へて吐息する森の中で
暗い若葉の陰にしくしく泣いて
ぬれしよぼたれて
私の名を呼んでゐる
若い女の人が――
若い眼の大きい女の人が
警察の分署ではだかにされて
髪の毛を振りみだしてもがきながら
呼んでゐる、私を――
ああ、行く、行く
たとへ責め折檻されても
私の行くまできつと我慢おし
白状した花井お梅が待つてゐる
寄席で、大川端で

そして
ミステリアスな南米の花
グロキシニアの花弁の奥で
薄紫の踊子が、楽屋(フオワイエ)の入口で
さう、さう
流行(はやり)の小唄をうたひながら
夕方、雷門のレストオランで
怖い女将(おかみ)の眼をぬすんで
待つてゐる、マドモワゼルが
待つてゐる、私を――

（「あをい雨」）

「責め折檻された女」あるいは、責め折檻されたい女は、日本の女であり、文明観における日本の社会であり、情欲における高村の憐れみと執着と矮小感の象徴である。この女のイメージによって、幸徳事件前後の窒息的な庶民社会が直接に指定されているとみてもあやまりではない。世界共通論理から日本の社会がみられているのではなく、世界拒絶感から日本の社会や人事がみられている。高村のこの時期の実生活的なデカダンスを、情欲的な放蕩にしぼるとすれば、一方に「真白な蠟の様な胸」があり、他方に「責め折檻された女」があり、責め折檻された女を醒めたよく見える眼でみることと、そのなかに真白な蠟の様な胸をみつけ出そうとする願望に終始したということができる。吉原の河内楼の娼妓「若太夫」をテーマにする一連の「モナ・リザ」物は、高村にとっては真白な蠟の様な胸と、責め折檻された女のイメージが合致した場合の表現にほかならない。女性のイメージについては、特別高価な欲求を支払った高村が、この「若太夫」を相手にして、放蕩以上のことをかんがえようとした。「『パン』の

会の流れから、ある晩吉原へしけ込んだことがある。素見して、河内楼までゆくと、お職の三番目あたりに迚も素晴しいのが、元禄髷に結つてゐた。元禄髷といふのは一種いふべからざる懐古的情趣があつて、いはゞ一目惚れといふやつでせう。参つたから、懐ろからスケッチ・ブックを取り出して、素描して帰つたのだが、翌朝考へてもその面影が忘れられないといふわけ。よし、あの妓をモデルにして一枚描かうと、絵具箱を肩にして、真昼間出かけた。ところが昼間は髪を元禄髷に結つてゐないし、髪かたちが変ると顔の見わけが丸でつかない。いさゝか幻滅の悲哀を感じながら、已むを得ず昨夜のスケッチを牛太郎に見せると、まあ、若太夫さんでせう、といふことになつた。いはゞ、それが病みつきといふやつで、われながら足繁く通つた。お定まり、夫婦約束といふ惚れ具合で、おかみさんになつても字が出来なければ困るでせう、といふので『いろは』から『一筆しめし参らせそろ』を私がお手本に書いて若太夫に習はせるといつた具合。」であった。高村は、もちろん元禄髷にひかれたのではない。それは、モナ・リザという仇名からも知られるが、「モナ・リザ」をあいだにして、高村とトラブルをおこした木村荘太が、『魔の宴』で、「若太夫」のセリフをかきのこしている。「黒を着て、お店を張つてた時分のことなの。坐つてると、そばのひとが、『あ、あのひとおまえさんを描いてるよ。』つて教えたの。そういわれて見ると、ほんとに！　向うのお店のわきであたしを描いてるひとがあるんじゃないの、よ。いやだから、あたし、すつと立つて、奥へ行つちまつた。そうすると、そのひとが来るようになつたの。なんでもフランスにいたとき好きだつた、ジョーゼツトつてえひとに、あたいが似てえるからなんだつて。」この記載を信じれば、高村は、「若太夫」がジョーゼットというフランス留学中に知った女に似ているから好きになった、ということになる。ジョーゼットはどんな女か。欧米留学中のことを語りたがらなかった高村は、生涯それにふれていない。高村には、鷗外にすれば、「舞姫」に相当するとでもいえるような「珈琲店(カフェ)より」という短篇があり、ジョーゼットのモデルを求めるとすれば、この作中の女よりほかにみあたらない。この推定は多分外れないとおもう。『道程』前期の、高村の内的な動きと、実生活的な動きと、情欲的なデカダンスの実体を考えあわせて、このことが結論できるはずである。「珈琲店（カフェ）より」の女が、ジョーゼットであるとすれば、この女は、高村にとって「西欧」そのものを象徴するほどの意味をもってくる。そうすれば、「若太夫」は、日本のなかの西欧ではなくて、真白な蠟の様な胸と責め折檻された女との複合であった。いいかえれば高村の世界共通感覚と、了解不可能感覚との錯合であった。日本のなかの西欧に出合うには、長沼智恵子までまたねばならなかった。
「珈琲店（カフェ）より」の主人公「僕」は、ある夜パリの街で偶然三人連れの女と知合いになる。その中の一人と一夜を、共にすることになった翌朝、洗面器の前に行って、熱湯の蛇口をねじるとき、はからずも上を見ると見慣れぬ黒い男が寝衣のまま立っている。非常な不愉快と不安と驚愕とをおぼえて、よくみるとそれは、鏡のなかの「僕」であった。「ああ、僕はやつぱり日本人だ。JAPONAISだ。MONGOLだ。LE JAUNEだ。」と頭の中でバネの外れた様な声がした。夢の様な心は此の時、雪崩のように崩れた。その朝、早々に女から逃れた。そして、画室の寒い板の間に長い間坐り込んで、しみじみと苦しい思いを味わった。

この体験は、高村の生涯を決定している、とかけば誇張になるかもしれないが、ここにしめされた隔絶感は、高村の生涯に何度も散見している。作品の出来ばえを問題にする必要はあるまい。この「珈琲店（カフェ）より」の結末を、「舞姫」の結末である「エリスが生ける屍を抱きて千行の涙を濺ぎしは幾度ぞ。大臣に随ひて帰東の途に上ぼりしときは、相沢と議りてエリスが母に微なる生計を営むに足るほどの資本を与へ、あはれなる狂女の胎内に遺し、子の生れむをりの事をも頼みおきぬ。」と比較してみれば、一方には、社会の、人事のいかなる支配をも受け容れないだろう優等生の孤絶が予見され、一方には、世界に伍して劣らずとする、自信をもってかえる後進国優等生のさっそうたる上向の生涯が予見される。「モナ・リザ」は、「珈琲店（カフェ）より」のジョーゼットが、元禄髷を結った女に外ならなかったとすれば、この女にたいする高村が、日本のなかの西欧というような単一なイメージをもちうるはずがなかった。「若太夫」は、ねじくれた複合によって、女を抽象せずにはおられなかった高村みたいな男よりも、ただの遊治郎のほうが好きな、ありふれた娼妓にしかすぎなかったが、この女をテーマにして『道程』前期の詩がかかれ、そこに日本近代詩の最初の微細な心理詩が、七五調から自立させられたのは、まったく、高村の内的体験の独自さによるものであった。情欲的な放蕩に意味づけをするわけにはいかないだろうが、情欲的な放蕩が、社会意識と無関係であることはできない。高村の放蕩は、父光雲の生活上の庇護からぬけ出し生涯の軌道にはまるまではおさまらなかった。「モナ・リザ」から「よか楼のお梅さん」へと対象をうつしても、デカダンスは手がつけられなくなるばかりであった。「一にも二にもお梅さんだから、お梅さんが他の客のところへ長く行つてゐたりすると、ヤケを起して麦酒壜をたたきつけたり、卓子ごと二階の窓から往来へおつぽりだした。下に野次馬が黒山になると、窓へ足をかけて『貴様等の上へ飛び降りるぞツ』と呶鳴ると、見幕に野次馬は散らばつたこともある。」(「ヒウザン会とパンの会」)このばかばかしい放蕩の背後には「うす気味わろき」父と子の排反があり、西欧近代にたいする共通感と骨をさす孤絶感が錯合し、幸徳事件前後の密封された社会通念にたいするやむない反抗があった。「幸徳事件」によって、決定的にうごかされて晩年の天皇制への対決のコースをきめた啄木の詩業と、幸徳事件をまったく黙殺するがごとく、生涯のコースを決められないままにデカダンスにふけった高村の詩業の意味がわかれるのは、ここからである。放蕩の意味を、よく天皇制に密封された社会に対比する比重をもってしめしえたのはひとり高村光太郎のみであった。詩「涙」は、明治天皇危篤(または死)に対比して、高村がおのれのデカダンスの意味を確認したものと解され、「いみじき事」は、天皇の危篤(または死)を、明治の終焉をさししめしている。

世は今、いみじき事に悩み
人は日比谷に近く夜ごとに集ひ泣けり

われら心の底に涙を満たして
さりげなく笑みかはし
松本楼の庭前に氷菓を味へば
人はみな、いみじき事の噂に眉をひそめ
かすかに耳なれたる鈴の音す
われら僅かに語り
痛く、するどく、つよく、是非なき
夏の夜の氷菓のこころを嘆き
つめたき銀器をみつめて
君の小さき扇をわれ奪へり
君は暗き路傍に立ちてすすり泣き
われは物言はむとして物言はず
路ゆく人はわれらを見て
かのいみじき事に祈りするものとなせり
あはれ、あはれ
これもまた或るいみじき歎きの為めなれば
よしや姿は艶に過ぎたりとも
人よ、われらが涙をゆるしたまへ

『道程』論

詩集『道程』はすでに古典的な序列にはいっている。現在、詩集『道程』をよみかえして昭和のモダニズム詩と比較しても古びたとはかんがえられないが、それは当り前なことで、すでに一度亡んで、また蘇生できた詩と、おそらく、どれがどうなるかわからない現在との時間続きの詩とを一律に比較するわけにはいかないだろう。すでに、詩集『道程』が、古典的序列にあるが故に、古くなっているとする受感性は、かくじつに存在権をもっているが、詩集『道程』を、同年に出版された白秋の『真珠抄』や『白金の独楽』と比較して古い、という観点は、ほとんど存在することができないのはあきらかである。まして、詩集『道程』のはじめの詩「失はれたるモナ・リザ」を、同年の白秋の『思ひ出』のなかの一篇にくらべて古くなっている、ということはできないのである。このことは、好みや技法上の問題をはなれて一般化しうるのではないかとかんがえる。じぶんは、詩集『道程』ばかりでなく、高村光太郎の詩が気にくわぬ、という見解と、高村光太郎の詩集『道程』から学ぶべきテクニックをもたないという見解とは、当然ありうるが、高村光太郎の詩集『道程』(一般には高村の詩)を、同時期の他の詩集とくらべて古い、という見解は、ほとんどありえない、と断定できるとおもう。このことを、詩集『道程』に即して解明してゆくのは、近代詩評価の一つの課題である。これと関係があるのだが、詩集『道程』を(一般には高村の詩を)好まないという見解と好むという見解とには、どういう特徴があるかを解明することは、また一つの課題である。たとえば、昭和三十一年五月『文芸』の臨時増刊、『高村光太郎読本』の巻末に、一、あなたは高村光太郎の芸術（詩、彫刻、その他）をどう思われますか？　二、高村光太郎の作品で何が一番好きですか？　三、高村光太郎からあなたの学んだものは？　というアンケートがかかげてあるが、これにこたえた文学者、詩人、芸術家、その他から、どうも高村光太郎の詩が好きらしいのと、嫌いらしいのとを、手あたり次第あげてみると、好きらしいのは、例えば、小田切秀雄、市原豊太、片山敏彦、江口渙、八木義徳等。嫌いらしいのは、例えば、北園克衛、村野四郎、高橋義孝等ということになる。これだけでも何かあるのが判るが、具体的にいえば、それを解明することは近代詩評価のおおきな一つの課題であるとおもう。これらとは、関係がないが、詩集『道程』が（一般には、高村の詩が）高村にとってどんな意味をもつか、を解明するのは、べつに創造上の一つの課題であるということができる。

明治三十年代までの日本の近代詩の概念によれば、詩とは、何よりもまず七五調またはそのヴァリエーションとしての定型であった。主題の側からいえば、何よりもまず自然に対する抒情、語り物、恋情の雰囲気であった。七五調を基本の律とする定型と、これに制約された主題は、西欧詩の影響よりも、古典詩型からの継続の意味をもつものであった。或る種の新体詩人、たとえば、北村透谷、島崎藤村などは、この定型詩のなかで、何とかして日常現実のあいだに当面する心理、理性の矛盾や継続をできるかぎり精密にとらえ、あたかも、かれらが日常社会において内的に当面するこころの波長を、詩の波長としようと試みた、とかんがえられる。とくに鋭い近代意識の所有者である透谷、藤村は、七五調のなかでのこの試みに、はき物をへだてて足を掻くようなもどかしさを感じたはずである。透谷は、批評をかくことによって、藤村は、小説におもむくことによってこのもどかしさを充たした。かれらにとって、詩とは、内的な継続のすべてを入れる容器ではなく、その一部をうたう容器としかなりえなかった。

もしも一転して、詩を、日常現実のあいだに当面する心理や理性の矛盾、衝突、継続をできるかぎり精密にとらえる容器とかんがえず（それを散文の機能とかんがえる）、むしろ定型のなかで、コトバの音律、視覚効果、意味、影像などの機能をあげてつくりあげる建築物とかんがえたならば、どうなるか。この対照的な問題は、まさしく、有明、泣菫などを頂点とする日本のサンボリストたちをとらえた最大の課題にほかならなかった。有明や泣菫などは、詩における思想というものを、コトバのもたらす効果をすべてあげてとらえる建築物そのものにおいたのである。ここでは、もはや、われわれが日常現実において当面する内的問題と、詩のなかで当面する内的問題とは別個のものであった。サンボリストたちの試みは、七五定型を破壊するほどの強力な建築物となりえなかったが、定型に種々のヴァリエーションをもたらすだけの苦闘はなされたのである。日本の近代詩とは何かについて、透谷、藤村のようにかんがえるか、有明、泣菫のようにかんがえるかは、ひとつの大きな問題であった。透谷、藤村の時代から有明、泣菫の時代に移っていった時期に、新体詩は、難解であり、朦朧であるという非難がおこり、詩壇は「現時の文壇に在りて最も群疑の府」となったのである。『中央公論』明治三十九年、八月号の附録につけた「現時の新体詩の価値」というアンケートから回答を勝手に抜き出してみよう。

山路生（愛山──註）　詩人は人民の言はんと欲して言ふ能はざる所に明白なる形を与ふべき筈のものなり。胸中一個の想を鋳らば其辞何ぞ明ならざるを得ん。朦朧として捕捉し難きは想に非ず。想の熟せざるものなり。今の新体詩の多くは未熟の物耶非耶。

岩野泡鳴　今の新体詩が難解又は朦朧と言はれ候は、作者の不熟練に由る場合もあらんかなれど、また、読者或は評者の側に於て、詩を読むだけの用意なき事情も大いに有之候。（中略）不用意と無趣味と不熱心の社会には、とても一般に誰れでも分ると言ふ工合にはまゐり兼候。たま〳〵普通人のうちに、詩を云為する奇特者あり候ても多くは、外国の詩を忠実に字引きと首引きで熟読し、わが邦のはたゞ冷淡に寝転んで率読するのみにて、外国詩の方が邦詩よりも分り易いと自慢する手合ひに有之べく候。（中略）詩は到底一種のアリストクラチックな産物に有之、之に対する趣味と素養ある人々の範囲——乃ち、一種の貴族——の読むべきものに候。庶民はたゞこの貴族の受けたる詩興を間接に味ひ得るものと存ぜられ候。（中略）現今の詩の価値を云為すると同時に、たとへば、泣菫氏が特にクラシック派の傾きを現はせるに反して、有明氏又は泡鳴が、その詩想上に多少の形式はあるに致しても、自然主義派やシムボリスチック派に向へることに言ひ及ぶ人あり候や、如何に？

薄田淳介（泣菫——註）　われら詩について何をか知り候はんや、歌ひて自家に忠実ならむとする、唯それのみに候、芸術の批判に衆何の効か候べき、唯少数の同情ある読者と卓越せる評家と或はよくこれを弁へ候のみ。而もなほ『時』の老判者が公平なる将た峻厳なる決定には及びもつかずとこそ存じ候へ。

福本誠　寄青年子　韻もあらず調もあらざる新体詩書くひまあらばせんずりをかけ

詩人と批評家との、このような対立、このような相互理解、相互改訂の拒否は、日本の前期サンボリスムが、おちいった袋小路を、そのまま象徴しているということができる。直接には、象徴詩そのものにたいする批判であるにもかかわらず、難解、朦朧という批判は、日本近代定型詩がたどった全歴史にたいする批判ということができるものであった。川路柳虹が、「塵溜」「覇王樹の実」「愛」（『詩人』明治四十年九月、「新詩四章」）などをかいて、はじめて口語自由詩の実作を投げたときは、あたかも、前期サンボリスムが袋小路にはいった時期にあたっている。泡鳴がアンケートのなかで言及しているように、自然主義運動の興隆とともに、口語自由詩の出現は予感されており、ほぼ同時期に泡鳴、御風なども、おなじ試みをやっている。柳虹などの試みは、定型を近代詩の強固な旧制度とみたてて、排道徳、排理想を提唱するにひとしいものであったということができる。理論として、口語自由詩の意味を、もっとも適切に指摘しているのは、「自ら欺ける詩界」「詩界の根本的革新」「自殺か短縮か無意味か」をかいた相馬御風である。御風によれば、有明や泣菫などの象徴詩がむつかしいコトバをつみかさね、無意味な袋小路にはまりこんでしまったのは、形式上の定型と、内容とが分裂してしまったためである。形式は、七五調を基本律とする定型のほうへ行きたがる傾向があり、詩の内容は、実生活上に当面する内的な問題のほうへ行きたがる傾向があるのは、思想が現実からうまれるかぎりやむをえないものがある。象徴詩は、いわば、この定型の牽引力と実生活の牽引力の分裂を極端にまでしたもので、まず、形式の厚い壁をやぶらなければ、詩は現代人の胸にじかに触れることはできないだろうと、主張したのである。定型のなかで、詩人がどんなに複雑に主観を表現しようとしても、つまりは音律と漢語の視覚効果と影像を複雑にするばかりで、読者が（大衆が）生活のなかでぶつかった主観上の問題とは、かかわりがすくなくなって、ますます迷路にはまりこんでゆくばかりである。例えば、泣菫『白羊宮』（明治三十九年）の「ああ大和にしあらましかば」の一節。

ああ、大和にしあらましかば、
いま神無月、
うは葉散り透く神無備の森の小路を、
あかつき露に髪ぬれて、往きこそかよへ、
斑鳩へ。平群のおほ野、高草の
黄金の海とゆらゆる日、
塵居の窓のうは白み、日ざしの淡に、
いにし代の珍の御経の黄金文字、
百済緒琴に、斎ひ瓮（いはべ）に、彩画（だみゑ）の壁に
見ぞ恍（ほ）くる柱がくれのたたずまひ、

常花かざす芸の宮、斎殿深に、
焚きくゆる香ぞ、さながらの八塩折
美酒の甕のまよはしに、
さこそは酔はめ。

これを日常感情になおしてみれば、大和にいたとしたならば、古代さながらの森や、神殿跡が、斯く斯くのごとくあって陶酔させられるだろうな、ということにすぎない。ほとんど無内容な感情である。それを、漢語、古語の音と定型と視覚効果によって何やら詩らしい建築物ができあがっている。詩とはかくのごときものか。もしも、日常現実において当面する心理や、理性の葛藤や継続というものが、詩の表現にうつされるべきであるという立場にたてば、泣菫の荘厳なコトバの構築物も、ただ、幼児のような願望を表現した無内容なものと断ずるほかはない。御風の主張のうしろには、こういう疑問があったことはうたがいない。御風によれば、定型を破壊し、コトバを口語にすれば、このような形式上の錯覚はなくなるはずで、主観がもっと自由な表現をあたえられることになる。しかし、実際は、御風のいうようなものではないかもしれない。泣菫の作品にしても、有明の作品にしても、荘厳なコトバの建築と貧弱な内容とは不可分の関係にあって、御風のような云い方をすれば、貧弱な感情や思想内容を詩にするために、荘厳なコトバの建築を組立てることを余儀なくされたものかもしれない。形式上の自由と、主観の自由とはかならずしも一致するものではなく、前期サンボリストたちの場合、定型がかれらの主観の自由を保証しているのだ、という問題は、御風のかんがえからこぼれておちてしまったのである。それにもかかわらず、御風の主張のうち、とくに注目しなければならないのは、詩と散文のあいだにもうけた区別である。「現代人が生活の客観さながらの形式を小説に於て主張すると同時に、詩歌に於て主観さながらの形式を縦まにすべきではないか。小説に於て一切の邪念を排して、自然そのもの姿を描かうと主張する現代人は、詩歌に於ても亦一切の邪念を排して、『我れ』そのもの、声を聴き且つ歌ふべきである。そこに何等の制約が要らう。何等の障碍があらう。直截に、自由に自己中心の声さながらの形式こそ、まことの詩歌の形式ではないか。」（「自ら欺ける詩界」）自然主義小説における客観描写は、詩では主観描写に移しなおされている。なぜ、御風は、「詩界に於ける自然主義を主張する」のに、客観描写をではなく、主観描写をかんがえたのだろうか。なぜ、詩と小説の区別を破壊するというところに、口語自由詩の主張をおこなわなかったのだろうか。おもうに、用語は口語たるべし、詩調は自由たるべし、行と聯の制約は撤廃すべし（「詩界の根本的革新」）と提唱しながらも、御風は、定型の亡霊におびえていたにちがいなかった。形式的自由の主張は、詩の散文化をもたらすのではないか、という危惧がたえず御風の頭にあったにちがいないのである。御風は、詩の形式というものが、外在的なものではなく、内在的なものであることを洞察しなかったため、外形式の自由の代償として、客観描写を主観描写といい直さずにはおられなかったのである。もしも、御風が、口語自由詩の主張を、主観の自由に結びつけず、客観描写の自由に結びつけ、詩と小説との区別を撤廃したうえで、小説的な発想からの詩をかんがえていたら、運動の生命はもっとながかったことはうたがいない。主観の自由に結びつければ、はじめから象徴詩と密通するみちをつけることになり、また、無制約にひろげられた形式上の自由さから逆に復讐をうけ、概念の表現になりおわることは必至であった。川路柳虹、人見東明、加藤介春、福田夕咲、三富朽葉、今井白楊ら自由詩社系の詩人たちが、つづいて興隆した白秋、露風などスバル派系の、象徴詩と自由詩を折半した、外部印象詩の光彩にくわれ、自身たちもその影響をうけざるをえなかったのは、詩の形式と主張の表現とがおたがいにからみあった不可分の関係にあって、いずれか一方が独走することはゆるされないことを洞察した「スバル」派の詩人の優位性によるものであった。ただ、ここに注意すべきは、御風らの理論的な盲点を洞察して、口語自由詩の理論をスバル派と逆方向にひっぱってみせた啄木の「喰ふべき詩」である。啄木は、口語自由詩の「主観の自由」を内的世界の

「判断＝実行＝責任」、つまり、実生活と内的生活とのかかわりあいにおける主体性ということろに引きもどしたうえで、「然し詩には本来或る制約がある。詩が真の自由を得た時は、それが全く散文になって了った時でなければならぬ」とし、詩と小説のあいだにある区別を破壊して、御風らの主観描写を客観描写に転化すべき理論的な道行きをあきらかにしたのである。そして、口語自由詩の問題をここまで徹底して引っぱっていった啄木が、当時の詩壇では孤立を余儀なくされたのは当然であった。詩壇は、孤独な啄木を理論的なら
ち外にほうりだして「スバル」派を背景とする白秋、露風時代に移っていった。すでにあきらかなように、スバル派を、方法上から反自然主義的なネオ・ロマンチシスムと総括することは、まったく当っていない。白秋自身が、『明治大正詩史概観』で、杢太郎、白秋、秀雄、勇が「明星」を脱退した理由の一つとして、与謝野寛が反自然主義の旗じるしを掲げようとしたことをあげているように、方法上からは、自然主義口語詩運動は、自身の衰運をかけてスバル派に養分を供給している。前期サンボリスムから口語自由詩へ、口語自由詩からスバル派時代の印象詩へとめまぐるしく交替する明治四十年前後の詩壇の問題は、コトバの形式からは文語定型脈から口語自由脈へうつる過渡期の問題であり、定型のうえに構成された荘厳なコトバの建築物を打ちこわして、日常現実と内的な世界のかかわりあう地帯に微妙な感応地帯をつくりあげようとする欲求の問題であった。啄木のように詩をやめて散文へと主張する詩人を例外にして、詩の性格上、形式の自由が、そのまま内容の自由を保証するともいえず、定型を破れば、主観はほしいままに表現できるともいえないところに、過渡期の問題があらわれたのである。よくしられているように、スバル派の詩人たちは、文語的口語脈または口語的文語脈ともいうべき語体で詩をかき、口語自由詩からの、いわば必要な後退をおこなっている。この語体は、現在どんなにぎこちなくおもわれるとしても、定型のささえをうしなって主観の自由どころでなく、戸惑いして概念の詩に堕した口語自由詩から、自由な表現を奪回するために必要だった語法上の試みであった。

明治四十年前後の近代詩の問題を、手法のうえから一言にして特徴づければ、擬人法の乱用というところに帰着する。観念でも、具象でも、自然そのものであっても、詩の対象となるものは、主観のままに擬人化することによって、声をあげたり、動作したりする。対象を内的に把握することが表現としてできないために、主観の自由は、主観の勝手な表白にまかされてしまった。主観の表白のうえに、次元のちがう対象がみなおなじ線となって流されるのである。人見東明、三富朽葉、出野青煙などの一九一〇年代の詩や、白秋、露風の初期の詩からこのような例を多くあげることができる。

白い夜はため息を洩しながら
睫をつたひ
蚯蚓脹れした眼のふちをすべり落ちる

（人見東明「酒場の一夜」）

見よ、脚を病む亜刺比亜人は
水際の水松に裸形を投げて
空しい死の心を凝視む。
　いつしか
　遠ざかる青いくちづけ。

（三富朽葉「午睡の歌」）

怖えたる老女の如き眼は
かしこここの山茶花にせせら笑ひ
また薔薇は鬱金に狂ひ咲けども
そは凄惨なるすべての調和を破らず。

（出野青煙「秋はふかし」）

ここで故意にわたしは詩集『道程』によくみられる用法にちかいものをあげているのだが、白秋の『邪宗門』にも、この具象や観念の擬人化した手法をたやすくみつけることができる。
歓楽の穂のひとつだに残さじと、
はた、刈り入るる鎌の刃の痛き光よ。
野のすゑに獣らわらひ、
血に饐(す)えて汽車鳴き過ぐる。
（「接吻の時」）

鬱金(うこん)の百合は血ににじむ眸をつぶり
（「魔国のたそがれ」）

瘋癲院の陰鬱に硝子は光り、
草場には青き飛沫の茴香酒(アブサント)冷えたちわたる。
（「狂人の音楽」）

いんきは赤し。――さいへ、見よ、室の腐蝕に
うちにじみ倦(うん)じつつゆくわがおもひ、
暮春の午後をそこはかと朱をば引けども。
（「鉛の室」）

白い夜がため息を洩らしたり、怖えた老女のような眼がせせら笑ったり、血にすえて汽車が鳴き過ぎたり、鬱金の百合が血ににじむ眸をつぶったりするこれらの手法は、詩人たちが内的な世界にある継続された像をもち、それはひとつの意味の色合いを喚起しているにもかかわらず、コトバがその内的な像

にいりこむことができないことを意味していた。かれらが、有明、泣菫ら前期サンボリストよりも複雑だと信じた心象の風景は、具象物も観念も意志があるように独白するよりほかに表現するすべがなかったのである。有明、泣菫ら前期サンボリストたちが、定型のヴァリエーションの上に築いた荘厳なコトバの建築物は意外にも強固であり、柱につかわれたコトバは柱以外には使用できず、壁につかわれたコトバは壁以外には使用できないほど固定観念化していて、スバル派および自由詩派をくるしめたのである。もちろん、こういう見解はたぶんに現在はじめていいうるのであり、かれらにしてみれば、その鮮やかな外光のアラベスクと、近代的デカダンスの表現であると信じた擬人的な凄みがかもしだす雰囲気を誇ったはずである。かれらはひとしなみに「是まで画家が絵具を了解しないで、青は青、紅は紅で描いて居るやうなのが昔の詩だつた。赤色の真箇のキヤラクテールを了解して、それを味ひ乍ら描いて行くといふ味（あぢはひ）が、詩の方にも出て来た。」（「詩壇の進歩」高村光太郎）と信じたのである。

高村光太郎の詩集『道程』はこのような、口語自由詩の衰退と、スバル派を背景とする印象詩の興隆と、白樺派の汎ヒューマニズムの進出とにはさまれて、二段または三段の屈折にあざなわれた過渡期の産物であった。高村自身にとっても、例えば一九一一年（明治四十四年）のリーチに呼びかけた詩「廃頽者より」と、一九一三年（大正二年）のおなじリーチに呼びかけた詩「よろこびを告ぐ」の内容に、デカダンスとヒューマニズムの差があるように個人的に二段に屈折した詩集であるということができるものであった。この詩集から、つとに高村が弁明しているように単一な印象をひきだすことは難かしい。まず河内楼の娼妓「若太夫」との別離をのべて失恋の心理を、当時の水準からはとびぬけた微細なメカニズムでうたった「失はれたるモナ・リザ」からはじまり、北海道月寒に、酪農と芸術創造の両面生活をゆめみて失敗した心事をうたった「声」があり、「芝居音曲に関する趣味」にたくしてデカダンスの心理を表現した「河内屋与兵衛」「心中宵庚申」があり、また、「雷門にて」があり、長沼智恵子との恋愛をうたった、後の『智恵子抄』にはいる詩篇があり、「狂者の詩」「戦闘」のような直立した自嘲があり、「道程」、「秋の祈」のようなヒューマニズムがあるといったものであった。この雑多な内容と過渡期の手法とであざなわれた詩集を、どのような観点から統一的にみてゆくかは、ひとつの問題であろうが、わたしは、高村の出生としての庶民と教養としてのインテリゲンチャとの矛盾や対立やアウフヘーベンの過程の記録としてみたいし、手法上からはスバル派ことに白・露二家の全盛期の影響から発して、それを離脱する過程としてみたいとかんがえる。ひとりの詩人の一時期の詩集にとって、なにがその詩人の固有にぞくし、なにが時代にぞくするかを区別してみせることはむつかしいとおもうし、また、なにが一時の出来ごころでつくられた即興品であるか、なにが生涯の課題につながるかを区別することは容易ではない。それにもかかわらず、すでに五十年近くをへた詩集『道程』の時代的な意味をできるだけ復元する過程で、現代的意味をその内容の手法に与えることのほかにこの詩集の批評は成り立ちようがないのである。

わたし自身の体験では、『道程』前半の詩は、はじめ難解で、「泥七宝」の短詩をのぞいては、あまり意味のある詩とはおもえず興味もひかなかった。しかし、いくらか成長するにつれて、この傾向はなくなり、かえって後半の「秋の祈」のような詩のほうが興味をひかなくなってきた。デカダンスの社会的意味というものが、かなり重要なものにおもわれてきて、はじめて『道程』前半の詩が意味をもちはじめてきたのである。デカダンスとは、かならずしも社会的な無意義ではなく、個人の生存上の無意義であるかもしれない。情欲は社会的な無意義ではないが、生存上の無意義のうえにたつかぎり、それは社会的無意義に通じている。高村が、詩集『道程』から故意にはずした詩「涙」は、デカダンスの社会的な意味を主張しようとした詩であったが、生存上の無意義から脱却したとき、これを詩集から落したのである。青年期の蕩児が、中年以後になって生真面目な生涯をおくるということはよくあることだが、人は人を理解することができない、という原則と、人は人たるかぎりで環境の特殊性をこえて世界共通性をもつ、という原則とを、断絶させたところに、デカダンスを描いてみせたのは『道程』前半の高村のみであった。いわば、個人の生存上の無意義と、社会批判意義の有意義のあいだにデカダンスの境地をえがいたのであった。このような高村のデカダンスは、じぶんの孤絶性と世界性意識のあいだに、環境社会をすえつけることができなかったために、うまれたものということができ、環境社会の脱落が、この時期の高村の「寂寥」の本質であった。

赤き辞典に
葬列の歩調あり
火の気なき暖炉(ストオブ)は
鉱山(かなやま)にひびく杜鵑(とけん)の声に耳かたむけ
力士小野川の嗟嘆は
よごれたる絨毯の花模様にひそめり

何者か来り
窓のすり硝子に、ひたひたと
燐をそそぐ、ひたひたと——
黄昏(たそがれ)はこの時赤きインキを過(あやま)ち流せり

何処(いづこ)にか走らざるべからず
走るべき処なし
何事か為さざるべからず
為すべき事なし

坐するに堪へず
脅迫は大地に満てり

いつしか我は白のフランネルに身を捲き
蒸風呂より出でたる困憊(こんぱい)を心にいだいて
しきりに電磁学の原理を夢む

朱肉は塵埃に白けて
今日の仏滅の黒星を嗤ひ
晴雨計は今大擾乱を起しつつ
月は重量を失ひて海に浮べり

鶴香水は封筒に黙し
何処よりともなく、　折檻に泣く
お酌の悲鳴きこゆ

ああ、走るべき道を教へよ
為すべき事を知らしめよ
氷河の底は火の如くに痛し
痛し、痛し

高村は、出生の環境としては、父光雲の家に象徴される下町庶民の生活につき、このころは光雲の家に寄食していたはずである。たとえば「力士小野川」とか「仏滅」とか「お酌」とかいうコトバは、その出生環境と地続きのはずであった。「何処にか走らざるべからず　走るべき処なし」というのは、出生の環境があるにもかかわらず、心意の上で環境が存在しなかったことをうたっている。この詩の混濁した印象は、まったく異質の概念を同列に、同時的に詩の表現にもちこむことによって、生活の実体のない生活環境を象徴させているところからきている。「赤き辞典に　葬列の歩調あり」、「火の気なき暖炉は　鉱山にひびく杜鵑の声に耳かたむけ」、「朱肉は塵埃に白けて　今日の仏滅の黒星を嗤ひ」、「晴雨計は今大擾乱を起しつつ　月は重量を失ひて海に浮べり」こういう概念は、いずれも他人が了解するには、あまりに独断すぎる心意のうえに築かれているが、もちろん、時代的な詩の慣用法がつかわれていることは、既に例示した同時代の擬人法と対比してみればあきらかである。また、日露戦争後の観念化してゆく戦後思想の飛沫をも浴びているし、膨脹してゆく社会がとり残したインテリゲンチャが近代意識の成立する過程で、さまざまな奇怪な影を実体のように追おうとする姿勢ともかさなっている。高村の「寂寥」は、西欧同時代の水準をみてきた眼が、どこにすえようもなく宙にうかび生活環境を設定する場所をもたなくなった孤絶感が、混濁した色調のなかに表明されているところからきている。そして、そのために「力士小野川の嗟嘆は　よごれたる絨毯の花模様にひそめり」、「鶴香水は封筒に黙し　何処よりともなく、折檻に泣く　お酌の悲鳴きこゆ」という日本庶民環境の情緒が、生活環境を脱落したインテリゲンチャの心象として、あざやかに裏がえしされて照しだされている。他者が了解するには、あまり独断すぎる心意のうえに築かれた、高村の孤絶性は、『道程』前半のデカダンスの詩をひとつの特徴としてうらづけている難解な表現の原因であるが、これによって、はじめて高村の環境喪失（宿なし）は定着されたのである。「白の毛布につつまれしギオロンセロは　あつくるしき其の低音に汗ばみ　油ぬりたる瓦斯の開閉器は　忍び出づるするどい臭気に色青ざめ」（「夜半」）、「太陽は薄い板のやう

なものにて　わが横面をぴしりとうつ　肉からしみ出す汗をふいて　木の根に休めば石炭酸の冷笑ぞ気味わろき」（「あつき日」）、「夏の夜のうれしさは俄かに翼をひろげ　晴れた瑠璃色の星天（ほしぞら）さへ気まぐれきつて燥（はしや）ぎ出し　何喰はぬ顔の下からぺろり、ぺろりと舌を出す」（「夏の夜の食慾」）、「みえざる魔神はあまき酒を傾け　地にとどろく終列車のひびきは人の運命をあざわらふに似たり　魂はしのびやかに痙攣をおこし　印度更紗の帯はやや汗ばみて　拝火教徒の忍黙をつづけむとす」（「或る夜のこころ」）、「するどきモツカの香りは　よみがへりたる精霊の如く眼をみはり　いづこよりか室の内にしのび入る」（「冬の朝のめざめ」）、高村のこういう不安定でしかもよく了解できない喩法は、方法としてみるときは、同時代の詩人たちに負っている。たとえば「戦闘」は白秋の「敵」に負っているし、『思ひ出』のなかの「秘密」「太陽」などは、『道程』の詩に影響をあたえ、また、露風の詩集『廃園』のなかの「雨の歌」――「静かなる心の上に　やはらかに落つるひゞき　雨の音こそはなつかしけれ。つく〴〵と聴き入れば　雨のひゞき　そはさながら、白き額を寄せかけ　はづかしき彼の女の泣くに似たり。」、「夏の日のたそがれ」――「見よ、何者のおほいなる力か、我たましひを脅かし、我肉を挑む。」などは、「新緑の毒素」、「失はれたるモナ・リザ」などの、あるスタンザをほうふつさせるし、「去りゆく五月の詩」の去りゆくという発想も、同じように、失われたるという発想に影響をあたえている。『道程』のなかの難解な表現は、技法としては当時の一般的な傾向のなかに溶解することができるものであった。いわば、日本の社会が本格的な近代資本主義に移行する過程で、インテリゲンチャ文学者が日露戦役後に当面した心意上の問題のなかに溶解することができるものであった。高村の詩の難解さを、インテリゲンチャの一般的な傾向とわずかに区別しているのは、おそらく過敏な嗅覚――感覚的な原始性と情欲上のフライハイトということにつきているが、これが社会環境上の土壌を喪失した高村の唯一のよりどころであったのである。この地点によりながら、血統上まったく了解できない異邦人であるロダンが芸術上の血族であるが、血統上の父である光雲が芸術上の最大の敵でもあり、異邦人でもあるということで父光雲の芸術的門閥に反抗し、しかも光雲の庇護がなければ生活がたたないというこの時期の内的課題を模索したのである。「かの亡命の日の淋しさに　身を隠したる家なれど　猫の背よりもうつくしき　黒髪をもつ少女等は　むざんなる力もて　ゐたりけり」（「亡命者」）、これが高村の内的亡命と情欲との論理的関係をしめすものであった。

詩の難解さは、もともと心意上の無方向とおなじことを意味している。心意上の亡命者の詩に難解性があるとすれば、その無方向性によるものであった。ただ、有明、泣菫など前期サンボリストたちの詩の難解性は、心意上の充足感にうらうちされていたのにたいし、スバル派の詩人たちにとっては、心意上の崩壊感のやむをえぬ結果であることが、まったくちがっていた。白秋や杢太郎は、この崩壊感をさけるため、一方において平易な俗謡調の詩をかいたが、高村もまた、「泥七宝」、「庭の小鳥」、「鳩」、「風」、「めくり暦」、「赤鬚さん」、「青い葉が出ても」などの俗謡詩を『道程』でこころみたのである。白秋、杢太郎たちは、それによってインテリゲンチャの意識から庶民的心情をとらえようとしたのだが、高村の場合は、環境を喪失した心意上の拒絶感から、自己の出生の土壌をみようとこころみたものであった。

——つうい、ちろちろ——

何の小鳥か庭に来て
めづらしい声に啼く

——つうい、ちろちろ——

流暢なあの声きけば

日本の鳥ではないさうな　（「庭の小鳥」）

鳩に豆やろ、豆くへ、鳩よ

鳩が豆くふ、親鳩子鳩

馴れて吾が手に豆くふ子鳩

観音堂に夕日がさせば

鳩を見てさへ泣いたもの　（「鳩」）

これが、庭にとんできた小鳥をみているとき、浅草観音で鳩に豆をやっているときの高村の心意上の位置である。庶民意識の環境を平易な俗謡調でなぞりあげながら、宙に浮きあがった自己の意識の位置は、「流暢なあの声きけば　日本の鳥ではないさうな」、「鳩を見てさへ泣いたもの」というようなスタンザのなかに微かにしめされている。「寂寥」や「夜半」や「夏の夜の食慾」などの難解さと、これら俗謡詩の平易さとの隔たりは、高村にとって、心意上の環境脱落と、出生とのあいだの隔りとしてあらわれている。ひとりの孤独なインテリゲンチャが、西欧近代の水準を意識に入れたうえで、自己意識の社会環境を無としている状態と、出生としての庶民環境のうえにたって、インテリゲンチャたる自己の孤独をみている状態との差が、高村の『道程』の難解さと平易さとの隔たりであった。北原白秋は、帰国直後の高村が「スバル」派にちかづいてきたことを、『明治大正詩史概観』のなかで、「荷風と同じく前後して帰朝した高村光太郎も、之等頽唐の『心』の放蕩者のなかに大きな手と高い背と、気品のある微笑とを以て入つて来た。彼も亦人道的趣味的芸術放蕩の中に爆発した」とかいているが、おそらく高村のデカダンスは、これとはちがっていたのである。インテリゲンチャが、擬態をしめして庶民的環境のなかにねころぶデカダンスではなくて、庶民環境のなかにねころんでも、なお残りがある孤独なデカダンスであったことは、高村の俗謡詩と白秋、杢太郎らの俗謡詩との差によってあきらかであった。

高村の本質は白秋が描破した「大きな手と高い背と、気品のある微笑とを以て」というところにはなかった。また啄木が、「我を愛する歌」のなかで「手が白く　且つ大なりき　非凡なる人といはるる男に会ひしに」とうたった「男」が、高村を指しているという一方の伝説が事実だとすれば、これもまた高村の本質とはかかわりの少いものであった。『道程』のなかで、高村がやむをえず生理的特質をあらわにしているとするならば、白くかつ大きな手のごときものではなく、情欲としての生理的な特質であった。

(1)青くさき新緑の毒素は世に満てり　見よ　河岸随一の醜女　樽屋のおちかは溜息して　まろき乳首をまさぐり泣けり　見よ　宗林寺の納所坊主　青瓢箪の妙円は朝の勤行に船をこぎ　門前の下駄屋に赤き鼻緒ををののき見つむ　見よ　大野屋の手代　四十男の佐太郎は　路地のくらやみに世にも始めて白鼠となれり　見よ　金庫を傾けて新しき紙幣の束を握り　上気したる青女房は素足も軽く　間夫の清人劉一章と広東に走れり　見よ、見よ、見よ（「新緑の毒素」）

(2)熊の毛皮の心地よさよ　なめらかに、さらさらと　肌にふる　その長き毛に頰をうづめよ　その黒き毛に身をなげかけよ　不思議なる歓楽は　血管を走る可し　湯より出でたる女等を　こころみに熊の毛皮に伏せしめよ　美しきものは　更に生きたる光を得む　熊の毛皮の心地よさよ　なめらかに、さらさらと　肌にふる（「熊の毛皮」）

(3)白の毛布につつまれしギオロンセロは　あつくるしき其の低音に汗ばみ　油ぬりたる瓦斯の開閉器は　忍び出づるするどい臭気に色青ざめ　隣りの杢(むく)は気狂ひのごとく　くらやみの空に吠えかかる　下水に捨てし魚の腸(わた)の腐りゆけば　わが眼はねどこの中に病みつかれて　山椒のごとき昂奮に神経はののしる　むしあつき夜はじくじくと　痘瘡やみの乳牛のくるしみに似たり（「夜半」）

難解な詩、平易な俗謡詩にかかわらずこの情欲としての生理的な特質はあらわれている。これは平易な詩では解放的な情欲の表現となり、難解な詩では性的な鬱屈となってあらわれている。おそらく、情欲をムードとしてではなく高村のように生理的に表現したものは同時代にも、また、近代詩の歴史のなかでも類がなかったとおもう。この『道程』の特徴は、高村が、情欲の生理的な表現をほとんど出生としての庶民と同義にかんがえているところからきたのではあるまいか。高村のデカダンスも、情欲の生理的特質までくるとき、高村にとって頑丈な江戸職人の環境まで自然にかえることと同じことではなかったろうか。性欲の表現は詩集『道程』で、ほとんどその内的世界の環境脱落を補償するためにつかわれている。

詩集『道程』のデカダンスは、もちろん、情欲としての生理的特質の讃美や、強調にあるのではなく、世界性と孤絶性とのあいだに自己の生活環境をすえることができなかったところにあることは、明瞭である。性欲の讃美や強調それ自体は、『道程』のなかでは、むしろ阿呆らしいほどの健康な意識となっている。あらゆる思想上の悩みも、ニヒリズムもシニシズムも、情欲の生理的機能にたちかえれば、みな救われるとでもいいたげな健康な表現となっているのである。だから、高村の孤絶性は、かえって性的な鬱屈の表現としてあらわれている。詩集『道程』の特異性は、だから情欲として生理的特質の讃美や強調、いいかえれば高村の出生における庶民にたいする自己肯定のなかにも、世界性と孤絶性とのあいだに環境を脱落した状態、いいかえればインテリゲンチャ意識にたって日本の庶民社会を無とするところにもあらわれず、内的世界の世界性と孤絶性のあいだに、生活環境を奪回しようとする努力のなかにあらわれた。『道程』の当時における比類ない独創性は、スバル派のあらゆる影響や模倣にもかかわらずこのような内的世界の問題を微細にうがとうとした表現のなかにあきらかに示されたのである。

釜からあげた
清国名産甘栗の
やはらかい皮をむけば
琥珀の様な栗の実が
ころころところげたり
——みりんくさい湯気がちる——
ワニラの 酒(リキウル) に似た
舌つたるい甘さが
鬼の息のやうに体を包んだ
——気の遠くなるやうな南清の大河
揚子江(ヤンツウキヤン)の岸の白楊に日があたる
チヤルメラの唄が
とほく、とほく——

よせば可いのに、その時
ころげた栗の実を
拾つて拭いて手にのせた

最後のスタンザをのぞけば、この「甘栗」は、スバル派の俗謡詩にひとしいといわなければならない。いいかえれば四十年代インテリゲンチャ意識の庶民情念への韜晦にひとしいのである。しかし、最後のスタンザは高村にとって、このような庶民情念の世界に生活環境としての確乎たるリアリティをあたえようとする意欲のあらわれとみるべきである。当時においてこの最後のスタンザの微細な心理性のごときものを表現しえたのは、それぞれの理由によって詩集『道程』における高村と、短歌、晩年の口語詩における啄木のほかになかった。(「手套を脱ぐ手ふと休む　何やらむ　こころかすめし思ひ出のあり」啄木の、このような意識と対応するものとおもわれる。)このような例は、「河内屋与兵衛」の「無頼の随一　河内屋与兵衛のあこがれこそ悲しけれ　丁稚太きどんふあんの眼(まなこ)こそ痛はしけれ」のごとき表現のなかに、「泥七宝」の「たてひき知らぬ人に　雨ふりそぼち、うなだれ、酒も冷えぬる」、「たとひ離れて目には見ずとも　おもつて居ればうれしいと　女はこんなへまをいふ」のような短詩に、「青い葉が出ても」のなかの「青い葉が出ても　とんまな人からは便りさへないよ　女だてらに青い葉が出ても　やあれ青い葉が出ても　ちよいと意地を張つたよね」のような表現のなかにたくさん見つけだすことができる。これらの作品で、庶民社会の情念は、韜晦的に容認されているのでもなく、自己肯定されているのでもなく、またインテリゲンチャ意識から無とされているのでもなく、確乎たる批判的リアリティをもって奪回されようとしている。脱落した環境社会として奪い返されようとしている。この批判的リアリティは、高村のなかの世界共通性の意識が、日本の庶民環境のなかにたしかな場所をみつけようとする努力のあらわれであった。詩集『道程』の独創性は、このような世界意識と孤絶意識とのなかに環境社会を奪回しようとする意欲のなかに、はじめて開花したのであった。庶民情念のなかにあっては高村の世界性の意識が、スバル派によった詩人インテリゲンチャの発想をたどって、かれらの水準を抜いたのであり、また、反対に孤絶世界のなかにあって社会環境を奪回しようとする努力は、「出さずにしまつた手紙の一束」、「珈琲店より」などによって、持続された独特な留学体験を克服しようとする意力となってあらわれたのである。いわば、日本にきたリーチにたいして、「君に故郷あり　余に故郷なし」といわねばならなかった「亡命者」の孤絶性に、環境をあたえようとする努力となってあらわれたのである。「わが心は蝕へり　うつろに、くろく、しんしんと　潮時来れば堪へがたし　かの亡命の日の淋しさに　身を隠したる家なれど　猫の背よりもうつくしき　黒髪をもつ少女等は　むざんなる力もて　ゐたりけり　女とは悪しきものの名なるかな　わがうつろなる心は　この名によりて痛し　女とはあやしきものの名なるかな　わがおびえたる心は　この名によりてをののけり　げに女こそ世にも悲しきものなれ　わがさびしき心は　この名によりて寂寥を極む　げに女こそ世にも呪ふべきものなれ　わがあたたかき心は　この名によりて、見よ凍らむとす　女よ　されど我に調伏の力なし　ただ哀れなる俳優のごとく　人知れず、ものの陰より　しづやかに、しとやかに　何時となく　舞台を去らざるべからず――　わが心は蝕へり　静かなる夜も、しんしんと　潮時来れば堪へがたし」(「亡命者」)、猫の背よりもうつくしい黒髪をもった少女たちがいた、という表現は、孤絶された意識が見出した生活環境上のリアリティにほかならない。この意識は「失はれたるモナ・リザ」、「寂寥」、「食後の酒」などを一貫してつらぬいたのである。詩集『道程』の特徴は、ヒューマニズムの表現によってあらわれたのではなく、このような世界性と孤絶性のうえに環境社会を奪回しようとする表現のなかにあらわれた。それによって高村が独創した心理上の微視的なリアリティこそ『道程』の手法上の独創につながったのである。おそらく詩集『道程』の代表作は「友の妻」と「根付の国」の二作に帰せられようが、ここに、世界性と孤絶性のあいだに日本の環境社会を奪回しようとする高村の意欲が、もっとも完璧にあらわれている。前者は柳敬助夫妻をモデルにとり、独身時代の友人が、いま、妻によって物を見、自分をみているインテリゲンチャ意識の妥協を、孤独な世界意識から、微細に摘出したものであり、後者は「根付の国」にひとしい矮小な日本の庶民社会を痛罵したものである。

『道程』一巻を、長沼智恵子との恋愛、結婚の時期を境にして前後にわけ、後期の詩、たとえば「冬が来る」、「狂者の詩」、「戦闘」、「冬が来た」、「牛」、「道程」、「秋の祈」などに、高村の本領と特徴がある、というのは一種の定評である。現に、高村自身が「某月某日」その他で、そういう意味のことをのべている。しかし、わたしのかんがえでは、『道程』後期において高村は、白樺派の影響をうけ、ホイットマンやエミイル・ヱルハァランの自然児意識に影響をうけ、重要なものを落丁していった。自然主義派と「スバル」派とが、協同してうけつぎ、高村が白秋や杢太郎の歌口をかりて表現しつづけた庶民情念や風俗にたいする愛着と批判とは後期になるにつれてなくなり、剛直なヒューマニズムの詩の実質に転じた。高村は、自己の世界性と孤絶性のあいだに、環境社会を架橋しようとする努力をうしなって、突如として個人的環境の肯定に転じたのである。作品に則していえば、「人形町」を失い、「新緑の毒素」を失い、「亡命者」を失い、「河内屋与兵衛」を失い、「心中宵庚申」の、

死んでも去りは仕りませぬと
立派に誓言(せいごん)しやつた仁左衛門が
あれ、去り状を書く
女房のお千代どのに——

ぢつと嚙みしめたふところ紙を落して
思はず驚く成駒屋の顔
梅雨(つゆ)の夜風が何処からか吹いて来て
ちよぼでは、わつと泣き落す

ふるい、ふるい人情の烈しいひかりが
もののかげから忍んで泣く
死ぬるは切ない美しさ
今の世でも

こういう密封された庶民社会の情念と執念を、世界共通の意識から奪回しようとする努力をうしない、ついに「根付の国」の日本人批判を失って、白樺派的、フラマン詩人的な汎ヒューマニズムに転じたのである。おそらく高村にこの転向をうながした発想は、はじめに、世界性と孤絶性とのあいだの環境社会の脱落――（デカダンス）を補償するためによった情欲の生理的特質を、「自然」の理法であるとかんがえることによって生じた。いわばデカダンスを補償するためにやむをえず拠りどころとした性欲の生理的解放の表現を人間の「自然」性とおきなおしたのである。「人間を思ふよりも生きた者を先に思へ」という即物的な自然性の讃美を、孤絶性や思想性や、環境社会の奪回よりも優先する絶対的なよりどころとしたために、もはや高村が設定した「自然」の絶対性のうえには、高村の個人的環境のほかには乗るものがなかった。自己の個人的環境の肯定と拡張のうえにたって、庶民社会は、情緒を卑俗的なセンチメンタリズムとし、剛直な生産性とするモデルニスムスにちかい、ヒューマニズムの主張に転化されたのである。詩集『道程』は、はじめに世界共通意識と、人は人を理解することができないとする孤絶意識のために、日本の庶民環境を脱落し、また、それを奪回しようと努力する近代日本のインテリゲンチャとして類例のない独創的なたたかいを記録しながら、後期においてこのたたかいをうしない汎人間的な「自然」の理法を絶対とする思想に転じた、ひとつの近代的転向の独得な意味をはらむものであった。

『智恵子抄』論

女の誇(プライド)に生き度いとか何んとか云つて威張つてる女、節操の開放とか何とか云つて論じ立てる女、之れが当世社会の耳目を集めて居る彼の新らしい女である長沼智恵子は矢張りさうした偉い考へをもつた青鞜社同人の一人である女子大学を出てから太平洋画会の研究所に入つたのが四十二年で昨年辺迄同所に通つて居た、見た所沈著いた静かな態度物言ひをする女であるがイザとなれば大に論じて男だからとて容捨はしない、研究所の男子の群に交つて画を描いて居ても人見しりをするやうな事は断じてなく話しかけられても気に喰はぬ男なら返辞は愚か見返りもしない其代り柳さんであらうが坂本さんであらうが写生旅行へ行かうと云へば怯めず臆せず同道するそれで居て滅多に間違ひはない相だ、だが中村彝氏とは盛んにローマンスがあつたもので艶書の往復も可成あつたと伝へられて居る現に氏が重い病気の為めに入院した時の如き智恵子が見舞ひに行つたとて非常な評判になつた事なぞもある、それが何方から飽いたのか飽かれたのか今では鼬の道で全然の他人になつて了て居る、聞けば中村氏の方では「あんな締りのない婦は嫌になつた」と云つてる相だが智恵子を放れた中村氏は目下所定めず放浪的な旅行をして居るので之れを尋ねる某画家は大いに困つて居ると云ふ、更らに智恵子の方は近頃に至つては高村光太郎氏と大いに意気相投合して二人は結婚するのではないかと迄流言れたが智恵子は却々もつて結婚なぞする模様はない矢つ張り友人関係の気分を心ゆく許り味はうとして居る而して青鞜社の講演会なぞにも鴛鴦の如うに連れ立つて行けば旅行

にも一緒に出蒐て居る茲暫くは公私内外一致の行動を取るのださうな(『国民新聞』大正二年九月十日「女絵師」(五))

高村は、そのころせまい美術家仲間や女人達の間で二人に関する悪質のゴシップが飛ばされ、二人とも家族などに対して随分困らせられた、と述べているから、この種の記事は、実際はもっと流布されていたにちがいない。一方では、高村のほうにもデカダンス生活の余波があって、「よか楼のお梅さん」が、結婚するつもりで家へ押しかけてきて、長沼智恵子の電報が机の上にあったのをみつけて、怒ってかえり、幕切れになるという場面があった。高村と長沼智恵子との結婚は、こういう公然とした庶民社会の視線のなかで、男女関係のデカダンスを嚙みわけたうえでおこなわれたことに注意しなければならない。高村のデカダンスが、世界共通性の意識と、孤絶意識のあいだに、日常環境を設定できないところにあるかぎり、しかるべき江戸前の娘さんを嫁にして、光雲の門閥をつぎ、両親、親族一統を安心させるというような日本庶民社会の習慣のうえに、結婚生活をきずくことができなかったのは自明であった。高村がくりかえしてのべたところによれば、長沼智恵子との結婚は、デカダンスからの浄化であった。それならば、高村が世界人たるの意識において日本の封鎖した庶民社会に生活の足場をきずきえなかった所以と、西欧先進の社会の優位性にたいする絶望から孤絶意識におちいり、人種は人種を理解することができない、人は人を理解することができないというところに走っていった所以とは、長沼智恵子との結婚によってどういうふうに転換しえたのであろうか。たとえば『智恵子抄』は、「おそれ」のなかで、「私の心の静寂は血で買つた宝である　あなたには解りやうのない血を犠牲にした宝である　この静寂は私の生命(いのち)であり　この静寂は私の神である　しかも気むつかしい神である　夏の夜の食慾にさへも　尚ほ烈しい擾乱を惹き起すのである　あなたはその一点に手を触れようとするのか」とかいて、高村の孤絶意識が、長沼智恵子との恋愛でアムビバレントにはたらくさまを叙述している。この内心のアムビバレントと、四辺の悪声とに高村はどのような意識を対置させたのだろうか。わたしのかんがえでは、高村は独特の「自然」思想を対置させたのであった。

我等は為すべき事を為し
進むべき道を進み
自然の掟を尊んで
行住坐臥我等の思ふ所と自然の定律と相戻らない境地に到らなければならない
最善の力は自分等を信ずる所にのみある
蛙のやうな醜い彼等の姿に驚いてはいけない
むしろ其の姿にグロテスクの美を御覧なさい
我等はただ愛する心を味へばいい
あらゆる紛糾を破つて
自然と自由とに生きねばならない
風のふくやうに、雲の飛ぶやうに
必然の理法と、内心の要求と、叡智の暗示とに嘘がなければいい
自然は賢明である
自然は細心である

（「或る宵」）

大きなる自然こそは我が全身の所有なれ
しづかに運る天行のごとく
われも歩む可し

（「冬の朝のめざめ」）

私は今生きてゐる社会で
もう万人の通る通路から数歩自分の道に踏み込みました
もう共に手を取る友達はありません
ただ互に或る部分を了解し合ふ友達があるのみです
私はこの孤独を悲しまなくなりました
此は自然であり　又必然であるのですから
そしてこの孤独に満足さへしようとするのです
けれども
私にあなたが無いとしたら――
ああ　それは想像も出来ません
（「人類の泉」）

僕等にとつては凡てが絶対だ
そこには世にいふ男女の戦がない
信仰と敬虔と恋愛と自由とがある
そして大変な力と権威とがある
人間の一端と他端との融合だ
僕は丁度自然を信じ切る心安さで
僕等のいのちを信じてゐる
（「僕等」）

これらは、『智恵子抄』をつらぬく、高村の唯一の思想らしい思想ということができる。高村の結婚は、世界意識と孤絶意識とをアウフヘーベンするところに環境社会を奪回したのではなかったことを、これらの詩片は証明している。矮小な庶民社会の通念にたいして、ただ人間関係の「自然」性を対置させたにすぎなかった。高村と長沼智恵子との結婚は、まったく、生活環境を世界性と孤絶性のあいだに設定する目的をもたず、脱けおちている内的世界の環境社会を、精神の機制としての「自然」によって代償しようとしたのである。このようなものが庶民社会の通念に抗していわゆる結婚を対置させたのかどうかは疑問であり、いわば、生活環境を意識しない一対の男女が行住坐臥を「自然」にもとらないようにしようという戒律を唯一の支えにして共同生活の軌道をしくことにすぎないものであった。このようなインパーソナルな生活が庶民社会に対決しうるはずがなかった。事実、高村夫妻の生活は、かくのとおりで、高村は、昼間は彫刻をやり、夜は生活費をかせぎ出すための反訳、雑文、詩の原稿をかき、一方、夫人は絵画を試みるという具合であった。互いに仕事に熱中すれば一日中二人とも食事も出来ず、掃除も出来ず、用事も足せず、一切の生活が停頓した。夫婦が、階上と階下に閉じこもって、絵と彫刻をやる、食事もろくにとらない、生活のはんさがない、まったくモデルニスムス好みの環境であった。こういう生活様式のなかに、高村は高村なりに、西欧的近代の様式をみてきた眼と、日本の庶民社会の通念にたいする批判の眼とを調和させる血路をえがいていたかもしれないが、そのためには、高村が自己の世界性意識と孤絶性意識とを脱落することなく、環境社会を社会意識として設定しなければどうにもならないはずであった。「自然」にもとらないというような内的戒律だけで、日本の庶民社会に対決しようとするのは、いわば手ぶらで鉄壁にぶちあたろうとするのに、ひとしいものであった。高村は、大きな自然を全身に所有して、天行のように歩みたい、というような思想を、デカダンスからの転換の過程で、いいかえれば、長沼智恵子との交渉の過程ではじめて手に入れたことはたしかである。このとき、高村の内的世界に何ごとか変換がおこったのである。デカダンスの微細な拡がりを、あきらかにしめした詩集『道程』前半の詩は、長沼智恵子との結婚をさかいにして、ある一つの思想に収斂した。このような収斂は、その生活史が単純な軌道にのったこととは、一応、別個のものであった。「自然」にもとらず、というような思想、「自然よ　父よ　ぼくを一人立ちにさせた広大な父よ」（「道程」）というような思考は、この収斂の到達点にえがかれたものであった。おそらく、この「自然」の概念は、高村にとって独特の径路をとって獲取されている。わたしのかんがえでは、高村が、そのデカダンスを、性欲の生理機構の讃美、解放によって代償しようとしたとき、すでにこの転換は当然予想されるものであったというべきである。本来ならば高村のデカダンスは、肉体的な放蕩などとはすこしも関係ないものである。西欧近代社会の特質が、日本の社会の庶民通念よりも、ずっと身近かに感ぜられるにもかかわらず、一度人種感を孤絶のうちに意識すると、まるで西欧人のこころの動きも、手足の動きも了解できない不可解なものになる、という世界共通性の意識と孤絶した了解不可能の意識を、帰国後日本の社会のなかで調和させる環境を見出しえないところに、高村のデカダンスはあったのである。このデカダンスは、したがって世界性と孤絶性のあいだに、環境社会の意識を奪回するよりほかに、脱出する方法はないはずであった。高村は、このみちを択ぶよりも、むしろ、情念の生理的解放感（高村のいう青春の爆発）によって、この精神のデカダンスを耐えた感がある。いいかえれば生理機構だけが依るにたる環境であり、これが光雲に寄生しつつ光雲を拒否するという無環境の高村にとって環境社会の代用をなしたのである。

　このような高村にとって、長沼智恵子との交渉、恋愛、結婚は、放蕩された情念の集中であり、生理機構の解放は、人間の自然性の讃歌としてカテゴリイ化されざるをえなかったのである。『智恵子抄』でも、依然として「われらの皮膚はすさまじくめざめ　われらの内臓は生存の喜にのたうち　毛髪は蛍光を発し　指は独自の生命を得て五体に匍ひまつはり　道（ことば）を蔵した渾沌のまことの世界は　たちまちわれらの上にその姿をあらはす」（「愛の嘆美」）とか、「われらの晩餐は　嵐よりも烈しい力を帯び　われらの食後の倦怠は　不思議な肉欲をめざましめて　豪雨の中に燃えあがる　われらの五体を讃嘆せしめる」（「晩餐」）というような情慾の生理的機制をうたった作品があるが、ここでは詩集『道程』前期のようなデカダンスの代償としての生理的放蕩の意味をうしなって、生命力の「自然」な発現というほどの意味をもつようになっている。このような生理的放蕩の讃歌から「自然」性の讃美への転換は、高村にとって生活すべき現実的な環境をしっかりと据えつけることを意味するものではなかった。高村と長沼智恵子との結婚後の生活が、現実的な生活の匂いをもたなかったのは、美術家と画家との生活だからではなく理念においてすでに社会環境をもつことを否定していることからきている。『智恵子抄』のなかで、高村と夫人との生活をしめした詩は、「深夜の雪」、「僕等」、「晩餐」、「鯰」、「夜の二人」、「同棲同類」、「美の監禁に手渡す者」などであるが、ここからその生活がどのような実体でおこなわれたかを、推測することは不可能である。ただ、貧困におちいればおちいるほど、両者の関係を美化せざるを得なくなるような「自然」法的な思想の美学化がみつけられるだけである。大正十四年一月の第二次『明星』には、「腹へりぬ米（よね）をくれよと我も言ふ人に向はずそらにむかひて」、「腹へりて死ぬこともあらん銭といふわりなきものをいやしむるゆゑ」というような短歌の習作がみえるが、ここでは高村の環境社会意識の脱落が、集中して物質的な基礎にたいする恥辱心となってあらわれ、高村夫婦の生活が近代的擬制をもちながら、きわめて近代以前の自然法的生活にほかならなかったことをあきらかにしている。

このような高村の生活が、なんの緊張もなく、精神上のひずみもなく持続されることは不可能にちかいものであった。なるほど、「僕等」や「愛の嘆美」には、世にいう男女の戦いというようなものは自分たちのあいだには存在しないと宣言されているし、天然の素中にとろけて果てしのない地上の愛をむさぼるという瞬間が定着されている。また、粘土をいじる高村とトンカラ機を織る夫婦の稠密な生活が「同棲同類」のなかに描かれている。これらは、すべて、庶民社会の生活にくらべて、とくに葛藤のある夫婦の生活ということはできないかもしれないし、むしろ、まれにみる生粋な生活であり、何人も企ておよぶものではないということができるかもしれない。

あなたはだんだんきれいになる

をんなが附属品をだんだん棄てると
どうしてこんなにきれいになるのか。
年で洗はれたあなたのからだは
無辺際を飛ぶ天の金属。
見えも外聞もてんで歯のたたない
中身ばかりの清冽（せいれつ）な生きものが
生きて動いてさつさつと意慾する。
をんながをんなを取りもどすのは
かうした世紀の修業によるのか。
あなたが黙つて立つてゐると
まことに神の造りしものだ。
時時内心おどろくほど
あなたはだんだんきれいになる。

それが証拠に、このような詩を、じぶんの妻を主題にしてかくことは、たれもかんがえおよばないではないか。こういう美化を妻に呈することができる人物は、ほとんど庶民世界のさいのろという段階をこえているのだ。この夫婦の生活は、人々を羨望させこそすれどんな葛藤を憶測することをも拒絶している。凡俗は、これにたいして口をさしはさむ余地はまったくないのだ。しかし、この詩は、たれにもあきらかなように、夫である一人の男が、あるかけはなれた距離から妻である一人の女性をながめ美化しているところに成立している。これを、正常な意味で夫婦の感情とよぶことはできないのである。すくなくとも、庶民社会の通念にまみれ、物質的窮乏におびやかされた生活意識からは、夫婦とよぶことはできない。環境社会の意識を脱落したひとりの男が、ほとんど生活感情をもたない一人の女性をながめているにすぎまい。両者を結んでいる紐帯は、愛情にしてはとおくにすぎ、情念にしては冷却にすぎ、奇怪な貌をした「自然」理法のメカニズムのようなものがのぞいている。『智恵子抄』を、比類ない相聞の詩集とよぶ人々は、ここに純化された愛情を例外なくよみとっているのだが、残念なことに、この詩集で、智恵子夫人の方は、無機物のように表情をもたずに、つっ立っているだけで、操作は、もっぱら高村の内的な世界でおこなわれている。ここに愛情と呼べるようなものがあるとすれば、高村の独り角力としてあるだけである。

わたしの疑念は、ふたつの方向にひろがってゆく。ひとつは、高村の自己神秘化やナルシスムスの性癖が、この詩集の相聞（事実は片聞である）をささえているのではないかという点にかかってくる。梅原龍三郎は、パリ時代の高村について「巴里の冬の霧の深いある朝君がノートルダムのセン塔に昇つたら空中が歩けそうであやうく飛ぶ処であつたという事をいうていた。又その頃かゝっていたお父さんの胸像を夜中無意識にやつたらしく翌朝手が泥になつていたと話していた。君の生活は夢と現の間の様に思つた。」（弔辞）とかいているし、おなじことを、有島生馬も「高村君はどうも神秘的な人で、吾々カムパーニユ街の仲間は『高村君の神懸り』とあだ名をつけた。南君が先に帰国してから、吾々の住んでゐたカルティエ・ラタン区のカムパーニユ・プルミエル街の画室住ひの一人になつたが、毎日どこをどう歩きまはつてゐるのか、さつぱり分らなかつた。さうかといつてアカデミイに通つてゐるのでもなく、アトリエ内で彫刻してゐる様子もなかつた。時に姿をみせると、巴里の空を飛べさうな気がした話や、セエヌ河が真赤な血を流してゐた話や、そんな神懸り的な事を真面目でぽつり〳〵云つた。」(「パリ時代の高村君」)とかいている。梅原も有島も認めているパリ時代の高村の自己神秘化やナルシスムスは、遥かなる父親光雲との父子葛藤の内的なシンボルにはほかならないだろうが、こういう葛藤によって高村のネガチヴな性格と内向的な誇負とは結びついたのである。幼児期に、祖父中島兼松の江戸庶民的な家霊信仰によってうえつけられた神秘癖は、このような留学期の父子複合によって性格づけられたにちがいない。だから智恵子夫人の死後も、「或る偶然の事から満月の夜に、智恵子はその個的存在を失ふ事によつて却て私にとつては普遍的存在となつたのであることを痛感し、それ以来智恵子の息吹を常に身近かに感ずる事が出来、言はば彼女は私と偕にある者となり、私にとつての永遠なるものであるといふ実感の方が強くなつた」とかかないではおられなかったのである。おそらくこのような高村の述懐や確信には虚構も誇張もあるまいとおもわれる。姪宮崎春子が、この夜の高村の幻覚との対面を「アトリエの伯父様」でかいている。セエヌ河が真赤な血を流していようが、満月の夜、ビールを飲んでいる高村のまえに死んだ智恵子夫人があらわれ、松の木の頂上まで月がのぼってから消えてしまおうが、何人も異議をさしはさむことはできない。もちろん、高村を病理的異常とよぶことはできないのである。しかし、このような神秘癖や、意志のほうへ現実を重ねあわせようとする自己同化性は、高村の『智恵子抄』を、とてつもない方向に美化せずにはいなかった。

高村には、「ヱルハアラン」という優れた評論があるが、おどろくべきことには、高村が論じているエミイル・ヱルハァランはその閲歴において高村と著しく同化してしまっている。ヱルハァランがマルト・マッサンとの恋愛によってデカダンスから脱け出すという件りになって、高村かヱルハァランかわからなくなってゆく。評論がついに論者の思想を模倣することは通例のことかもしれないが、閲歴を模倣することは不可能だとすれば、高村がヱルハァランに出会ったのは稀有のことであったというほかはないのである。このような経路によってか、『智恵子抄』は、ヱルハァランの恋愛詩から、たくさんの影響をうけざるをえなかった。いや、この影響は、単に手法的な影響にとどまるかどうかは疑わしく、むしろヴェルハァランとマルト・マッサンに模して、『智恵子抄』のなかの高村と智恵子との生活を仮設したとさえいえるかもしれなかった。

例(1)

僕にとつてあなたは新奇の無尽蔵だ
凡ての枝葉を取り去つた現実のかたまりだ
あなたのせつぷんは僕にうるほひを与へ
あなたの抱擁は僕に極甚(ごくじん)の滋味を与へる
あなたの冷たい手足
あなたの重たく　まろいからだ
あなたの燐光のやうな皮膚
その四肢胴体をつらぬく生きものの力

（『智恵子抄』「僕等」）

例(1)

あなたは時としてあのなよやかな美を示す、
やさしい道が白鳥の頸のやうに曲つてゐる
あの遠く、はるかな青みの中に見える
うねりをうつしづかな朝の庭の美を。

また時として、私には、吹きつのる疾風(はやて)の飄々たるをののきである、

かがやく指を持ち、
白い池の水のたてがみを梳くあの風の。
あなたの二つの手の快い手ざはりは、
やはらかに私に触れる
木の葉のやう。

（『ヱルハアラン』「明るい時　六」）

例(2)

卑怯な彼等は
又誠意のない彼等は
初め驚異の声を発して我等を眺め
ありとある雑言を唄つて彼等の閑（ひま）な時間をつぶさうとする
誠意のない彼等は事件の人間をさし置いて唯事件の当体をいぢくるばかりだ
いやしむべきは世の中だ
愧づべきは其の渦中の矮人だ
我等は為すべき事を為し
進むべき道を進み

（『智恵子抄』「或る宵」）

例(2)

笑ひ声は高めよ、いくらでも騒げ、
そして往つてしまふがよい、

群集もその無数の声も通つてしまふがよい。
（中略）
われら二人はこの上何ものをも待たうとしない、
やくざな歌と、
やくざな腕とをもつて、
路に行きかふ者たちなどを。

（『ヱルハアラン』「明るい時　七」）

例(3)
すべての内に燃えるものは「時」の脈搏と共に脈うち
われらの全身に恍惚の電流をひびかす
われらの皮膚はすさまじくめざめ
われらの内臓は生存の喜にのたうち
毛髪は螢光を発し
指は独自の生命を得て五体に匍ひまつはり
道(ことば)を蔵した渾沌のまことの世界は
たちまちわれらの上にその姿をあらはす

（『智恵子抄』「愛の嘆美」）

例(3)
火のやうな恍惚の眼をして
なんと容易(たやす)く彼女は有頂天になることぞ。
生活に面(めん)してはあんなにひたすら

やさしくおとなしい彼女が。
今宵(こよひ)とても、ただの一瞥(ひとめ)が彼女を烈しく捉へ
ただの一語(ひとこと)が彼女を運んで
まじりけ無い歓びの庭へ連れて行つた、
（『ヹルハアラン』「明るい時　一一」）

例(4)
日常の瑣事にいのちあれ
生活のくまぐまに緻密なる光彩あれ
われらのすべてに溢れこぼるるものあれ
われらつねにみちよ
（『智恵子抄』「晩餐」）

例(4)
おお！　いつの日か、かならず、
このやうに満ちわたる光の中にはひりませうね。
おお！　いつの日か、かならず、
勝利の叫と高らかな祈とを以て、
最早われらの上に些少(させう)の隠れもなく、
最早われらの内に些少の悔もなく、
（『ヹルハアラン』「明るい時　一五」）

ヹルハァランの「午後の時」、「夕べの時」も、また『智恵子抄』にいくらかの影響をあたえているが、

これらの対比からみてしられるように、すでにヹルハァランの発想自体が、いちじるしく『智恵子抄』のなかに、とりいれられていることは明瞭である。もし、高村にヹルハァランの感情的な模倣があるとすれば、例えば、「僕等は高く　どこまでも高く僕等を押し上げてゆかないではゐられない　伸びないでは　大きくなりきらないでは　深くなり通さないでは　――何といふ光だ　何といふ喜だ」（「僕等」）というような『智恵子抄』の生活感情は疑われざるをえないのである。高村が、何という光だ、何という喜だ、というとき、生活意識をおおよそもたない分裂性気質の智恵子夫人が、おし黙っている上を、こういう詩句は通りすぎてしまったのではなかろうか。勿論、高村は、充分それを知りつくしたうえで、いわば独特の「自然」思想に則して『智恵子抄』にあらわされた生活史を仮設したのではあるまいか。一対の男女が、ガランとした家のなかで、別々に絵と彫刻をやっている。男は女のこころの殻をこじあけることができない。女のこころは環境社会のうえに根をはっているのではなく、男にたいする情念と、絵画への執着のために根無し草のように揺れうごく。この一対の男女を『智恵子抄』の主人公たちにふりあてることはできないだろうか。『智恵子抄』に表現された二人の生活は「暴風（しけ）をくらつた土砂ぶりの中を　ぬれ鼠になつて　買つた米が一升　二十四銭五厘だ」（「晩餐」）というようなところを除けば、高村の一人角力としかおもえないのである。いや、そればかりではない。高村が食事の仕度をしようとしても、智恵子夫人は傍に立ってみているだけで手伝おうともしなかった、と高村は戦後に述懐している。（佐藤勝治『山荘の高村光太郎』）「生活のくまぐまに緻密なる光彩あれ」というのは、高村の必死な願望であり、仮構であった。なぜ、仮構を願望せざるをえなかったかは、あきらかであり、それはとおく留学時代の「出さずにしまつた手紙の一束」のモチーフにまでつながっている。高村は、夫人の死後「私が彼女に初めて打たれたのも此の異常な性格の美しさであつた。言ふことが出来れば彼女はすべて異常なのであつた。」（「智恵子の半生」）とかいているが、自己神秘化と自己暗示性にとんでいた高村は、智恵子夫人の異常さによって、世界性意識と孤絶意識とのあいだに架橋しようとし、もっとも手ひどい復讐を実生活からうけとったのであった。昭和六年、高村が三陸地方へ旅行した留守中の智恵子夫人の異常徴候、昭和七年、智恵子夫人のアダリン自殺未遂、その後の精神分裂症の悪化、死、という連続的な出来事のひとつひとつは、高村と夫人との生活が、意識上の環境社会の脱落のため、外からは庶民社会の通念にやぶられ、内からは物質的不如意と夫婦間の精神的なテンションに耐えきれずに敗北していった陰惨な事実にほかならなかった。

しかし、この実生活史とは逆に高村の仮構は、『智恵子抄』のなかで、破瓜症状に侵された夫人をテーマにした「風にのる智恵子」、「千鳥と遊ぶ智恵子」、「値ひがたき智恵子」、などの詩において最高潮にたっしたのである。この狂気の妻をうたった詩のなかで、高村の美化は完璧であり、うかうかすると自分の妻の狂気をこれほどまでに美化できる高村の冷眼は、いったい何であろうか、とかんがえてみることを忘れそうになってしまうが、われにかえってみれば、夫人の狂態を美化したこれらの詩に、非情な高村の美意識をみとめ、秘められた高村のすさまじい諦観と決断とを垣間みるおもいがするのである。ここで、高村は、千鳥と遊ぶ智恵子夫人の狂態を、人間倫理のむこうがわに一片の「自然」のようにみようと試みた。高村の独特の「自然」思想のカテゴリイにたたきこまれるとともに、夫人の狂気は美と化したが、実生活は、こんなものではなかったはずだ。高村が中原綾子に宛てた克明な記録は、その生活史の破産をつぶさにつたえている。

（前略）父の死とつづいてちゑ子の病状悪化とで殆と寧日なく今年も既になくならうといたして居ります、ちゑ子の狂気は日増しにわろく、最近は転地先にも居られず、再び自宅に引きとりて看病と療治とに尽してゐますが連日連夜の狂暴状態に徹夜つづき、さすがの小生もいささか困却いたして居ります、何とか方法を講ずる外ないやうに存じます。　一片づきつき、尚それでも御詩集にまだ間に合ふやうでしたら書きますが、只今はそんな事で頭がめちやくちやになつてゐて何を書くか知れません故あぶなくてお送り出来ません、此点幾重にも御わび申上げます、此を書いてゐるうちにもちゑ子は治療の床の中で出たらめの囈語を絶叫してゐる始末でございます、看護婦を一切寄せつけられぬ事とて一切小生が手当いたし居り殆と寸暇もなき有様です、御無沙汰の失礼平におゆるし下さい、（後略）

おてがみは小生を力づけてくれます、一日に小生二三時間の睡眠でもう二週間ばかりやつてゐます、病人の狂躁状態は六七時間立てつづけに独語や放吟をやり、声かれ息つまる程度にまで及びます、拙宅のドアは皆釘づけにしました、往来へ飛び出して近隣に迷惑をかける事二度。器物の破壊、食事の拒絶、小生や医師への罵詈、薬は皆毒薬なりとてうけつけません、今僅かに諸岡存博士の発熱療法といふのにたよつてゐます、もう三回注射しました。注射すると熱が四十度近く出て、其で幾分でも恢復の途につくのだといふ事です、まだ効果は見えませんが四五回はやつてみるつもりです、女性の訪問は病人の神経に極めて悪いやうなのであなたのお話をきく事が出来ません、手がミでお教へ下さるわけにはゆきませんか。今大急ぎでこれだけ。乱筆御免下さい。一月八日夕　高村光太郎　中原綾子様　〈病人は発作が起ると、まるで憑きものがしたやうな、又神がかり状態のやうになつて、病人自身でも自由にならない動作がはじまります、手が動く首がうごくといつたやうな。〉〈病人の独語又は幻覚物との対話は大抵男性の言葉つきとなります。或時は田舎の人の言葉、或時は候文の口調、或時は英語、或時はメチヤクチヤ語、かかる時は小生を見て仇敵の如きふるまひをします、〉

〔便箋数枚欠〕この療法はまづリンゲル液をもに注射してから（此は体力の補充の意味、）更に臀部へ硫黄剤の発熱作用を持つ薬液を筋肉注射し、三十九度から四十度の熱を出させます。患者は随分苦しいらしいのですが、又その為興奮を誘発して注射した夜から翌日あたりへかけてかなり看護に骨折れますけれど、発熱してくると酒にでも酔つたやうになり、それから眠ります、一日位ねむつてさめると幾分以前よりも騒がぬやうになるやうに見うけます、ちゑ子も此の二三日は以前ほどの狂態をせぬやうになり、出たらめの独語や放吟はやりますがあまり高声ではなくなりました。薬は一切のみませんが、食事も少々づつするやうになり、又時々分別を見せる兆候が見えます。小生も一縷の望みを其にかけてゐます。（中略）昭和七年七月十五日にちゑ子が突然アダリン自殺を企てた時以来のちゑ子の変調で小生の生活は急回転して勉強の道が看護の道に変りました、研いだ鑿や小刀は皆手許から匿してしまひました、小生は木彫が出来なくなりました。それで粘土で彫刻をやつてゐましたが、ちゑ子の次第に進んで来る病状を眼の前に見てゐてどうする事も出来ず、自然の力に抗する力も無く今日に及びました。病勢の一進一退はありましたが其はまるで潮流のやうに結局押し流れるまでは押し流す力でありました。（後略）

（前略）チヱ子は今日は又荒れてゐます、アトリエのまん中に屹立（ママ）して独語と放吟の法悦状態に没入してゐます、さういふ時は食物も何もまつたくうけつけません、私はただ静かに同席して書物などよんでゐます、仕事はまつたく出来ません、（後略）

（前略）此頃はちゑ子は興奮状態の日と鎮静状態の日とが交互に来てゐます、ひどく興奮して叫んだり怒つたりした日のあと急に又静かになり、大きに安心してゐると又急に荒れ始めるといふ状態です、　よく観察してゐますと智恵子の勝気の性情がよほどわざはひしてゐるやうに思ひます、自己の勝気と能力との不均衡といふ事はよほど人を苦しめるものと思はれます、智恵子に平常かかる点で徹底した悟入を与へる事の出来なかつたのは小生の無力の致すところと存じます、（後略）

（前略）チヱ子をも両三度訪ねましたが、あまり家人に会ふのはいけないとお医者さんがいふので面会はなるたけ遠慮してゐます。チヱ子もさびしく病室に孤坐してひとり自分の妄想の中にひたりこみ、相変らず独語をくり返してゐる事でせう。先日あつた時わりに静かにはしてゐるものの、家に居る時と違つて如何にも精神病者らしい風姿を備へて来たのを見て実にさびしく感じました、まはりに愛の手の無いところに斯ういふ病人を置く事を何だか間違つた事のやうに感じました、仕事といふ使命さへ無ければ一生をチヱ子の病気の為に捧げたい気がむらむらと起ります、チヱ子、チヱ子と家でくりかへし呼びます、チヱ子の病気はどうしても突発したものではなくて子供の時からの萌芽がだんだん延びて来て今日に及んだものと思ひます、病気の足跡が実に堂々としてゐます、この歩みをとどめ得るものはまづ無いでせう、もし治る事があつたら其は病気自身の自然治療による事と思ひます、もう一度平常にかへつたチヱ子を此世で見たいと切願します、実に純粋に私を愛してくれた、二十年前に私を精神的廃頽から救つてくれたあのチヱ子にせめて一日でもいつものやうにして会ひたい願で今一ぱいです。（後略）

これらの書簡は、どのひとつをとってみても、「風にのる智恵子」、「千鳥と遊ぶ智恵子」、「値ひがたき智恵子」の美化の深部に、孔を穿たずにはおかないものである。はじめから問題は、詩というものの本質が、写実にあるのか、仮構された美にあるのか、というところにあるのではない。そのような問題としてならば、夫人の精神異常ですら、ただ先天的な素質があったということにすぎず、すべては偶然のなせるわざに帰着してしまうのだ。また、夫人の狂気を作品として客観化することが、はたして倫理的かどうかというところにも問題はないのだ。実生活上のリアルな破産と、詩作品上の完璧な美化とのあいだには、高村の内的な世界のぞっとするような交換反応があり、そこにたれも覗きみようとしないこの詩人の巨大な「ばけもの」がうごめいていることが問題なのだ。これは客観的に問われるとき、高村の生活理念としてあった自然思想が現実社会からうけたひずみとして理解するほかはないとおもう。生涯の禍福などは、すでに不幸を不幸としておもわなくなった精神にとっては、自体として問題とはなりえないだろうが、その精神が歴史と現実との軌道と交わるところでは、客観的な意味をもって問うことができるものだとおもう。高村と智恵子夫人との生活史は、これを個人的な問題としてどんなに微細に究めようとしても、実体をあきらかにすることはできまいし、また、それが、さして意味深いことであるとはおもわないが、個人的な生活史が、ある時代的な契機とぶつかり、社会的動向の指標となりうるとき、社会的な評価をもたざるをえなくなる。このような観点からは、あるいは先天的な素質が徐々に進行して発現したにすぎないのかもしれない智恵子夫人の精神異常も、その発現の契機が、生活史的な意味となってあらわれてくるのである。

高村の中原綾子宛の書簡は、病理学上の門外漢によっても、いくつかの注意をかきとめることができる。(1)、智恵子夫人の狂躁状態にとって婦人の訪問は禁物であったこと。(2)、病人の独語または幻覚物との対話は大抵男性の言葉つきとなり、このときは高村を見て仇敵の如きふるまいをしたこと。(3)、よく観察すると智恵子夫人の勝気と能力との不均衡が精神異常の原因の一つをなしているとかんがえられること。(1)は、おそらく結婚前の高村が放蕩によってデカダンスを補償したことが、智恵子夫人におとしている影である。パリ時代のジョーゼット、若太夫(「モナ・リザ」)、お梅さん等の影の問題である。(2)は生活的な緊張、実家の破産などの影である。夫人が最初に精神異常におちいったのは、故郷の実家の破産を直接の契機とした。環境社会意識を脱落した二人の生活のなかで、高村の「家」の権威にたいする夫人のささえは、実家の権威であったろうから、夫人にとって実家の破産は止り木がなくなったようなものであった。庶民社会の通念は、ここで潜在的な圧力をなしている。(3)は、高村にたいする夫人の芸術上のインフェリオリティ・コムプレックス、または、夫人の唯一の支えであった絵画にたいする自信の喪失であった。高村は、夫人の絵画を、どうしてもいいとおもえなかった、とあとで述懐しているが、「平常かかる点で徹底した悟入を与へること」を高村はしなかったのである。後年、狂気になった智恵子夫人が、貼紙絵にしめした才能は、いわばこのインフェリオリティ・コムプレックスから狂気によって解放されたときの自由感の表現にほかならなかった。

『智恵子抄』において、「僕等」、「愛の嘆美」、などの詩から、「風にのる智恵子」、「値ひがたき智恵子」にいたる道は一直線であり、次第に高揚していく生活讃歌と夫人にたいする美化の道程である。しかし、中原綾子宛の書簡が、その片鱗の中にしめしているのは、進行してゆく生活史の破産の道程であり、次第に低下してゆく生活実体と情念の様相である。これは、不可解なことではないのか。もしも、『智恵子抄』のなかの詩的美化の道と、実生活上の破産の道との分裂が、いずれも必然のさけがたいものであったとすれば、このような必然をうながしたものは、高村が結婚の当初に構想した生活理念の錯誤にならなければならなかった。この錯誤は、いうまでもなく、高村が、留学時代に獲得した世界共通性の意識とまったき孤絶性の意識との内的な葛藤を、行住坐臥の日常生活を自然にもとらないようにしなければならないという自然法的な理念によって、一挙に打ちくだいて環境社会意識を奪回しえなかったとき、すでに予定されたのであった。

高村の詩歴からいって、猛獣篇以後のころの詩に、「のつぽの奴は黙つてゐる」というのがある。ちょうど、猛獣篇と猛獣篇以後の詩のなかで、短歌時代の「毒うつぎ」、道程、道程以後のころの詩「道程」に匹敵する役割をはたしているといえるものだ。かならずしも、優れた作品ということはできないかもしれないが、それぞれの時期の高村の中心の課題をになっているという意味で、重要な役割をはたしているということができよう。

おおざっぱにかんがえて、短歌の連作「毒うつぎ」から戯曲「青年画家」へ発展してゆくテーマによって、高村がじぶんの偏屈な性格を出生としての庶民的血統のなかにみつめようとした、いわゆる最初の自我のめざめをえがいてみせたものだとすれば、詩「道程」は、あきらかにデカダンスから脱出して、ともかく生涯の軌道をしくことができた内心の誇負を、父光雲の権威や、庶民的はんさから解放されたよろこびとむすびつけてうたったものであり、「のつぽの奴は黙つてゐる」は、破綻にひんしたじぶんの内的な世界の実相を、父光雲の権威と出俗世間にたいする反撥とむすびつけて、ふたたび確認しようと試みたものにちがいないとおもう。高村のような古典主義者で、芸術と実生活とを一元的にむすびつけずにはおられない実践的な詩人の作品では、詩はしばしば内的実相をさらけだすための手段と化してしまう傾向があり、こういう傾向のもとでは、手段をながめて、実相のほうへくだってゆく、という批評の方向をたどるのもやむをえないとおもう。彫刻作品を評価するとすれば問題はまったくべつであるが。「人は日常の瑣事をつまらないものと思ひやすい。そしてただ特別の時間、特別の場合、特別の事件に対してのみ、特別の意味があるものと考へやすい。平常の生活は斯かる幕と幕との間のつなぎのやうに吾識らず感じやすい。此こそ人間生活の貴さを稀薄にさせる精神衰弱の病である。」（「日常の瑣事にいのちあれ」）ということを生涯の信条とした詩人の詩を、実生活とはなれて批評してはどうすることもできないのである。

詩「のつぽの奴は黙つてゐる」は、こういう手段としての作品の典型的なもので、前書にせりふまわしをくっつけて、はじめから一篇の詩の完成度をまったく度外視した構成がとられている。こういう構成は、「毒うつぎ」以外にはとられたことがなく、その意味でも別格の存在をなしているということができる。北川太一君の労作『高村光太郎年譜』をめくってみると、「のつぽの奴は黙つてゐる」が発表されたのは、昭和五年である。推定するところ、この詩の舞台は、発表より、二年前、昭和三年、高村光雲の七十七歳の祝賀宴ではないかとおもわれる。まえがきのせりふまわしのところで、祝賀宴の招客がつぎのような会話をする。会話は、もちろん、詩の一部であって、それをつくりあげたのは高村光太郎の父光雲にたいする反撥からくる妄想にほかならぬ、という点がたいせつであるとおもう。

『舞台が遠くてきこえませんな。あの親爺、今日が一生のクライマックスといふ奴ですな。正三位でしたかな、帝室技芸員で、名誉教授で、金は割方持つてない相ですが、何しろ仏師屋の職人にしちやあ出世したもんですな。今夜にしたつて、これでお歴々が五六百は来てるでせうな。喜寿の祝なんて冥加な奴ですよ。運がいいんですな、あの頃のあいつの同僚はみんな死んぢまつたぢやありませんか。親爺のうしろに並んでゐるのは何ですかな。へえ、あれが息子達ですか、四十面を下げてるぢやありませんか、何をしてるんでせう。へえ、やつぱり彫刻。ちつとも聞きませんな。なる程、いろんな事をやるのがいけませんな。万能足りて一心足らずてえ奴ですな。いい気な世間見ずな奴でせう。さういへば親爺にちつとも似てませんな。いやにのつぽな貧相な奴ですな。名人二代無し、とはよく言つたもんですな。やれやれ、式は済みましたか。ははあ、今度の余興は、結城孫三郎の人形に、姐さん連の踊ですか。少し前へ出ませうよ。』

『皆さん、食堂をひらきます。』

「のつぽの奴は黙つてゐる」の詩の本体のほうは、ここからはじまっている。

満堂の禿あたまと銀器とオールバックとギヤマンと丸髷と香水と七三と薔薇の花と。
午後九時のニツポン　ロココ格天井（がうてんじやう）の食慾。
ステユワードの一本の指、サーヴイスの爆音。
もうもうたるアルコホルの霧。
途方もなく長いスピーチ、スピーチ、スピーチ、スピーチ。
老いたる涙。
万歳。
麻痺に瀕した儀礼の崩壊、隊伍の崩壊、好意の崩壊、世話人同士の我慢の崩壊。
何がをかしい、尻尾がをかしい。何がのこる、怒がのこる。
腹をきめて時代の曝しものになつたのつぽの奴は黙つてゐる。
往来に立つて夜更けの大熊星を見てゐる。
別の事を考へてゐる。
何時と、如何にとを考へてゐる。

世俗的な権威がつくりだす適度な温気に、いつもはびこる雑輩どもが演ずる茶番劇を、水をぶっかけるような皮肉なこころと、ぬくことのできない父光雲への反撥、劣勢意識に苛だちながらながめている高村のこころの動きは、よくうつしとられている。高村が、ほんとにいいたかったのは、終りの五行くらいだろうが、このたった五行をいうために、舞台を父光雲の祝賀宴にえらび、まず、せりふまわしによって、世間的な権威と名声のある父親と、世間的にさっぱり見ばえのしない同業の息子とを、やや誇張して対比させてみせ、こういう高村の父親コムプレックスのありかに、ことさらよってたかって酒などくらっているような俗物どもを、戯画化しなければならなかったところに、高村の内的世界のメカニズムをみないわけにはいかない。おそらく、この猛獣篇および猛獣篇以後の時代は、高村の「自然」法的な理念にとって、ひとつの危機であった。この危機が、社会的な動向からきたのか、あるいは個人的な環境からきたのかは別個の問題としても、智恵子夫人とのあいだに敷いた、人間関係の自然性にもとるまいとする生活的な軌道が、外から徹底的に破られそうになったことは確かであろう。このころの高村の詩を検討してゆくと、『道程』時代にかつてみられなかった自己破壊的な表現にいたるところでぶつかるのである。

鼬は鼬、商人の眼。
劒は劒、武辺の腰。
間隙に肥る者。機密に巣くふ者。
狡智の源はなほ遠い。

耕す者の手を耕す者にかへせ。

太陽を売らんとする者よ滅べ。　　（「不許士商入山門」）

触ればまつぴるまに人の肌をもぴりりと裂く
ああ、この魔性のもののあまり鋭い魂の
世にも馴れがたいさびしさよ、くるほしさよ、やみがたさよ

愛憐の霧を吹きはらひ
情念の微風を断ち割り
裏にぬけ
右に出で
ひるがへり又決然として疾走する
その行手には人影もない
孤独に酔ひ、孤独に巣くひ
茯苓（ふくりやう）を噛んで
人間界に唾を吐く　　（「清廉」）

然（ヤア）り、レンゲル君、世界は美し。
無慈悲に正しい君のレンズをもつと絞れ。

〝卿等の大事なポエジーを棄てたまへ、無駄なべちやくちやをやめたまへ。
頭を一つがんと叩いてそれから此世を見直したまへ。〟

此世の表層をもぎ取るとこんなに世界は美しい、
さう言ひながら手にぶら下げてみようとするのが己の願ひだ。

（「"Die Welt ist schoen"」）

こういう破壊的な意志は、ロダン、ホイットマン、ヹルハァランなど、思想上の自然児たちにもたれて、その孤独意識と世界意識とのあいだに、自然調和した男女の生活をえがこうとした道程、道程以後のころの高村には、まったくみられなかったものであった。おそらく、この時代何かが高村の自己神秘化と、ナルシスムスの核にぶつかったのである。「さういふ友」、「花下仙人に遇ふ」、「ぼろぼろな駝鳥」、「触知」、「或る筆記通話」など、このころの何れの詩をとっても高村の自足したナルシスムスからくる生活の肯定、讃美をつきくずす内的な衝迫にみちている。そして、この破壊的な衝迫を極度におしつめたところに「のつぽの奴は黙つてゐる」は、位置していたとおもわれるのである。自然の意志を信ずるという高村の信条は、もともと環境社会に滲透し、対峙してゆくというようなポジティヴなものではなく、内的調和のなかにたてこもって、環境社会を拒絶するネガティヴなものにすぎなかったから、いつか改訂をよぎなくされるのは必至であった。改訂とまではいかないまでも、高村の信ずる独特の自然の意志なるものが、時代的動向や個人的な環境社会との次第に尖鋭化してゆく矛盾と対面せざるをえなくなるのは必然であった。「のつぽの奴は黙つてゐる」は、高村の生涯の宿命ともいうべき父親光雲にたいする反撥を軸として展開されているが、ここで一生のクライマックスにたっした祝賀宴上の光雲が仇敵の当体であったかどうかは疑問である。時代的反抗は光雲に象徴されてあらわれたのかもしれず、あるいは環境社会の物質的な圧力が光雲の名をかたって高村を苛立たせたのかもしれなかった。

「のつぽの奴は黙つてゐる」の舞台が演ぜられたと推定される年の前年、昭和二年七月号の『大調和』をみると、連載していた評論「ホヰツトマンの事」が中断されていることにたいして高村は短い弁明の雑記をよせているが、そのなかでこうかいている。

時間を取られる仕事が最近連続してゐるのと、今春来、自分の実生活上に加へた或る変革の結果として、殆ど毎日の食料にも事欠くやうな状態を来たした為、「手から口へ」の仕事にも多分の精力を費さねばならず、自然と書く時間が少くなつた事が原因（「ホヰットマンの事」を中断した――註）である。しかし合間合間に書くから八月号にはもつと進める事が出来ると信じてゐる。早くホヰットマン自身の生活と芸術とについて縦横に書きたいと思ひ、専念にかかれないのに閉口もするが元来気の長い私の事であるから、雑誌でさへ許すなら、ぢりぢりと結局書きたいだけを書いてしまふであらう。

私は美術家としての生活を聊か変へた。もつと変へるであらう。従来の美術家の生き方がだんだん堪へられなくなつて来た。もう自分にはロダン流の、（又従つて日本の九分通りの、或は全部の美術家の、）生活態度が内心の苦悶無しには続けてゆけない。平気でああいふ暮し方の道に進めなくなつた。私は今望んでゐる事がある。夢想してゐる道がある。しかしまだ語るにさへ早過ぎる。苦痛を忍んで今の生活をもう二三年堪へてゐるうち、確然たる自信を得たら、全力を挙げて新らしい道に進む気だ。だからどんな苦しい思をしても勇気だけは失はず、心はいつでも廓如としてゐる。いつでもあの天極に引かれてゐる。

実生活上に加えた或る変革とは何か。ロダン流の生活態度が、いやになった、とはどういうことか、具体的には何もわかっていない。ただ、高村が道程以来肯定してきた自己の生活態度を肯定しきれなくなったある要因が、ここにあったことを推定しうるだけである。まず、実生活上のモラルがあって、芸術のモラルがそこから派生するものだ、とかんがえる高村の実践的、古典的な性格からすると、実生活上に加えたある変革の延長線は、とうぜん、美意識（詩意識）の変革をもつつみ、のみつくさずにはおられなかったはずであった。勢いのおもむくところ、ホイットマン論を中断し、道程や道程以後の時代の支えであったロダン流の生き方を否定し、昭和三年、武者小路らの大調和展に彫刻を出品したのち、ふっつりと作品の公開をたった。「のつぽの奴は黙つてゐる」の秘められた暗示、「何時と、如何にとを考へてゐる」が、この実生活的、精神的変革を意味したことは、あきらかであり、また、猛獣篇や猛獣篇以後のころの高村の心臓のありかがここにあったことも確かであるとおもう。

高村は、後に（たとえば岩波文庫『高村光太郎詩集』）、「のつぽの奴は黙つてゐる」の最終行である「何時と、如何にとを考へてゐる」を削除してしまったが、それについて戦後、「そう、その昭和二年頃に考えていたことつて云うのはね、社会的なことを考えていた。国家で芸術家の最低生活を保証して、社会的に制作する。いままでの、芸術家が自分で芸術を作つて売る、それで生活する、それを金のある者が買つて独占する、そんな形式に疑問を持つたんだ。それはしかし自分の力にはおえなかつた。その片鱗も現れなかつた。それで『のつぽの奴は黙つてゐる』の最後の行もこんど削つちやつた。その見本はやつぱりソ連にある、ああ云う風なことを考えていたんだね。」（北川太一「聞き書一つ」）と語っている。高村の美意識の理想像は、この時期をさかいにして、ロダン、ホイットマンなどから、拾ったみかんの皮をくう、オペラ通りのビラ配り詩人レオン・ドウベルに、血の塊りを一升はいて、日本の底で死んだ荻原守衛に、八百屋の小僧に書をかいてやる北島雪山に、自然と人間の饒多の中で野たれ死にした村山槐多にとうつっていった。これら社会から疎外されながらルンペン的な実生活と美意識との相剋になやんだ一連の芸術家のイメージを、しつように詩に描くことで、高村は破綻にひんした内的世界の鬱積をはきだそうとしたのである。

高村が道程時代「ああ、自然よ　父よ　僕を一人立ちにさせた広大な父よ」とかいたとき、自然は花鳥風月的な自然ではなく、たとえばルッソーの思想的な先駆であるジョン・ロックをおとずれた自然法的な自然にちかいものであった。この自然は、父光雲に象徴される日本の庶民社会の封鎖的な掟に代る高村の理法として「自然よ　父よ」とよびかけられたのである。しかし、高村の手にいれたこの自然法的な自然思想は、先験的に、智恵子夫人との孤立した生活を要求し、そのかわりに環境社会の意識と、時代的な社会意識との設定を脱落した社会的な無装備にほかならなかった。したがって、高村の内的な調和は、時代的にも現実社会が波立たないことによって、はじめて保証されるような、ネガティヴなものにすぎなかったのである。ロダンやホイットマンやヹルハァランに傾倒し、また、「米久の晩餐」、「小娘」、「丸善工場の少女達」などのような「甘くても人情に堕さない」庶民意識の理想がえがかれ、一方では「雨にうたるるカテドラル」、「秋の祈」のような調和的なヒューマニズムがえがかれたのは、日本の資本主義が上昇しながら成熟していった大正期を中心とした時期であった。昭和にはいって階級的な社会運動がつぎつぎにおこり、階級対立が激化していったとき、高村の自然法的な調和はただちに外がわからその飛沫をあびずにはいられなかった。

「のつぽの奴は黙つてゐる」の時期には、さきの雑記にあきらかにされたとおり、その自然調和の思想を変改すべくよぎなくされた筈である。『道程』前期を第一のデカダンスとすれば、「猛獣篇」時代の自己破壊は、いわば第二のデカダンスにあたっている。第一のデカダンスは高村の世界性意識と孤絶性意識との間にじぶんの意識上の土壌をみつけられなかった為の葛藤として表われたものだが、第二のデカダンスは、自然法的な理念と時代的な社会理念との葛藤として訪れたのである。出生としての庶民は父光雲やその環境社会にたいする親和感となりながらインテリゲンチャ意識としては庶民的意識を否定せざるをえないという高村の内的二面性は、この時期に破壊的なところまでつきつめられずにはいられなかった。「のつぽの奴は黙つてゐる」は、いわば係累としての第一のデカダンスと第二のデカダンスとを高村があきらかにかさねあわせようと試みたものであった。戦後回顧しているところでは、「父の誇とする位階勲等とか、世間的肩書とか、門戸を張つた生活とか、顔とか、ヒキとか、一切のさういふものを、塵か、あくたか、汚物のやうに感ぜずにゐられず、父の得意とするところをめちやめちやに踏みにじり、父の望むところを悉く逆に行くといふ羽目になつた。汽車の中で話のあつた銅像会社はおろか、文展へは出品せず、勢力家を訪問せず、いはゆるパトロンを求めず、道具屋の世話を拒絶し、父の息のかかつた所へは一切関係せず、すすめられた美校教授の職は引きうけず、何から何まで父の意志に反する行動をとるやうになり、父の方から見れば、何の為に外国へまでやつて勉強させたのか、わけの分らない仕儀になつてしまつた。」(「父との関係」)

このわけの分らなさは、けっして高村が西欧的な近代意識から父光雲の日本的な庶民通念をつまらぬものとみた結果であるということを意味するものではなく、また光雲の庶民通念から高村の近代意識がどこにあるのか見当がつかなかったことをも意味してはいない。高村自身が、西欧留学によって知りえた世界共通性の意識と、人種は人種を理解できないという孤絶性意識とに耐えるだけの環境社会を設定できなかったために、このわけの分からない仕儀になるよりほかになかったのである。

『光雲懐古談』によれば、父光雲は、江戸末期の下層町人の息子であり、しきたりによって十二歳のとき年季奉公にでて、履き物を遠くの方へ引っ散らかしておくような奴はものにならない、というほどのことを得々として説教するような昔気質の仏師屋の親方をうやまい、仕事に精をだし、十年の年季と一年のお礼奉公をおえて一人立ちの木彫師となり、人より早くから写生にこころがけて、西洋の摺物のようなものから物の形を像ったものは何でも参考材料とし、一方には自然に面して自然を其儘写してゆくことを長い間研究して、職人的彫刻からの開眼の機をつかみ、創生期の日本近代木彫の始祖になったような人物であった。その閲歴がインテリゲンチャ意識からは否定すべき契機をはらんでいたとしても、高村にとっては、むしろ、親和感の源泉となりうるものであったはずだ。ただ、ここには、庶民的な権威と、生活意識と、社会環境とを、三位一体のように体現した人物があって、ヨーロッパ帰国後の高村には、ほどこすすべがなかったのである。すくなくとも、高村の世界性意識は、父光雲の環境に反撥をしめすほど幼稚なモデルニスムスではなかったにもかかわらず、その孤独性の意識は、これに反抗せざるをえなかった。「のつぽの奴は黙つてゐる」の時期に、高村は、はじめて、光雲に体現されたものを許容するようなゆとりをかなぐりすてて、自身の世界意識と、孤絶意識とのあいだに、どのような環境社会を設定すべきかを、理念としてつきつめえたのであろう。同時代の影響ほどおそろしい力をもつものはない。高村の強固な自然法的な理念を、まず底のほうからゆさぶってみせたのは時代的な動向であった。日本の資本制社会は、大正期の安定飽和を急速にとおりぬけて、膨脹、不安定、階級対立の激化にむかいつつあったのである。内的な世界はあたかも天体が運行するように自然の理法にしたがい欲求をもちながらも、社会的な動向は、たくさんの断層をもうけて高村の無装備な生活意識に迫ったのである。

「のつぽの奴は黙つてゐる」と前後して、高村は自己の自然法的な理性と時代的な動向とがぶつかるところに「似顔」、「首の座」、「上州湯檜曾風景」、「上州川古『さくさん』風景」などをかき、当時、最盛期にさしかかろうとしていたプロレタリア詩運動の中枢的な発想と方法へ、いちじるしく近づいていった。昭和五年といえば、一般的な危機にはいっていた日本の資本制が、浜口政府の金解禁の断行をきっかけにして、矛盾をふかめていったときである。産業恐慌についで金融恐慌がやってきて、空前の混乱がおこり、産業破壊、失業、争議、弾圧がくりかえされる社会状勢のなかで、高村は、おそらくはじめてじぶんの出生としての庶民に意識的な自省をくわえたのであった。インテリゲンチャ意識のうえにたって庶民に親和感をしめすという道程、道程以後の時代のデモクラシスムは自己破壊されたため、環境社会意識なしにいとなまれた自然にもとるまいとする生活は、底をつかざるをえなくなった。高村がプロレタリア詩の発想にちかづいたとすれば、それは政治的な転換であるというより、自己のインテリゲンチャ意識から出生としての庶民意識の徹底化への転換であった。

興味ぶかいことに、高村は、まったくおなじ時期に、「北東の風、雨」、「のんきな会話」、「非ヨオロツパ的なる」など、やがて中日戦争期の戦争詩へとつながる一連の詩をかいて、中国市場を収奪しようとして、米英の帝国主義と相剋する日本の権力の動向にふかい関心と傾倒をしめしている。高村にとって、おそらくこの時期のもっとも中心的な課題は、つきつめられたじぶんの出生としての庶民意識を、いかにして時代の大衆的な動向と調和させるかにあったにちがいない。このとき、高村がえらんだみちは、時代的な大衆の動向を、「自然」の運行のように必然とかんがえることによって、じぶん自身の「自然」法的な思想をすてることなしに庶民がえりする道であった。いいかえれば、かつて智恵子夫人との個人的な生活の軌道のうえにえがいた「自然」法的な理念を、高村なりに時代の大衆的な動きの方向に社会化しようとこころみたのである。高村のこの時期の、大衆意識への共感と、戦争へと流れこんでゆく時代的動向への同時的な傾斜とは、高村にとって自分の庶民意識を徹底化することと、「自然」法的な思想を社会化することとが、おなじことを意味したことによっている。高村のこの時期の動向を、たとえば、プロレタリア詩人の動向とはっきりと区別しているのは、この点であった。プロレタリア詩人の場合には、大衆運動が破壊され、勢力をうしなったのち、はじめて権力の動向へと首をたれて屈従していった。いわば内的意識の必然によらず、政治意識の必然によっていたかれらは、大衆が戦争の方向へなだれてゆき、権力の弾圧にさらされたとき、孤立にたええなかったのである。かれらの転向を決定したのは、大衆的な動向が、かれらの政治イデオロギーをすてたときにあたっていた。高村の場合には、いったんじぶんの出生として庶民を意識化すれば大衆的な動向は、すでに「自然」の進行のように必然であった。高村が、大衆的動向と権力的動向とを区別する現実認識の方法をもたなかった、というのは、あたっていないので、すでに大衆的動向がじぶんの動向にほかならなかったのである。戦争期に、プロレタリア詩人たちは、いずれにせようしろめたさをかんずるか、または便乗するかして戦争讃美の詩をかくほかはなく、四季派やモダニズムの詩人たちは、ナショナリズムによるか、あるいは伝統がえりしたうえで、戦争讃美の詩をかいたとき、高村がひとり、内的世界の必然をたどるように、確信にみちた足どりで、戦争へとあゆんでいったのは、高村にとってそれが、「自然」の運行するような必然の道とおもわれたからであった。すでに猛獣篇および猛獣篇以後の時代に、高村はじぶんの内的世界の構造と庶民の意識にあるものとの異同を、徹底的に追いつめていったはずである。高村が、民衆的な動向を、自然のように必然とかんじるためには、「この世では、見る事が苦しいのだ。見えることが無残なのだ。観破するのが危険なのだ。」（「苛察」）というような自己破壊の底をついてみればよかったのである。この自己破壊の底で、高村はかつて無関心に思われたじぶんの環境にたいして、まったく新しい眼でさまざまな改訂をよぎなくされた。「のつぽの奴は黙つてゐる」の中の「何時と、如何にとを考へてゐる。」もその一例にほかならないし、「人生への怒は自然への喜で消されない。あれはあれ、これはこれだ。まだ当分は。」というエピグラムの理念も、「友とは同じ一本の覚悟を持つた道づれの事だ　世間さまを押し渡る相棒だと僕を思ふな」（「友よ」）という隣人への居直ったような宣告も、ひとしくその環境を新しくみなおそうとする意志の一環をなしたのである。このような高村の自己破壊は、規模でこそ青年期の、宿無しと自称するほどの偏執をしめさなかったが、ほとんど完全にじぶんの生活の周辺をゆすぶりつくしたのである。高村にとってこの意識上の変革が悲劇だったのは、あまりにも人情にまみれた時、機会を蹂躙し、好適を弾かざるをえないような世に馴れがたい衝迫が、「北東の風、雨」のような現実衝迫を誘発せずにはいなかったことであった。

軍艦をならべたやうな
日本列島の地図の上に、
見たまへ、陣風線の輪がくづれて、
たうとう秋がやつて来たのだ。
北東の風、雨の中を、

大の字なりに濡れてゐるのは誰だ。
愚劣な夏の生活を
思ひ存分洗つてくれと、
冷冷（ひえびえ）する砲身に跨つて天を見るのは誰だ。
右舷左舷にどどんとうつ波は、
そろそろ荒つぽく、たのもしく、
どうせ一しけおいでなさいと、
そんなにきれいな口笛を吹くのは誰だ。
事件の予望に心はくゆる。
ウエルカム、秋。

愚劣な生活を存分に洗ってくれるものは、ついに高村にとって戦争の予感につながっていったのである。この意識は、ほとんど時代の大衆的な心情と一致するものであった。すくなくとも、日常社会の問題にかんするかぎり高村が、じぶんの自然法的な現実肯定にくわえた変革は、高村をかつてない環境社会にたいする新しい洞察にまでみちびいていったのであるが、いったん現実の問題にむすびついたとき戦争に同化してゆこうとする民衆の動向が、まるで自然の運行のようにたしかなものとされ、世界の鉄と火薬とそのうしろの巨大なものの方向に誘われていったのである。このような内的衝迫との分裂を表現したのが詩「首の座」であって、高村はそこで、もし幾世紀の血を浴びた忍辱の友が、山雀なんかを木で彫って、それがどんなに芸術作品としての自律的な価値があったにしろ、何になるのだ。どうして、われわれのたたかいに参加しないのか、と非難するとすれば、その非難は不可抗である。自分の創造の技は、全存在をかけねばならないものであるから、自分は二つに引き裂かれるほかはないと告白している。

美の自律的な価値につくことは、高村の内部では、自然にもとらないという思想の美学化されたものとしての意味をもっていたはずであった。人間をすべての中心とかんがえるのは卑しいと高村がうたうとき、中心には自然があり、人間はその一部のありふれた理法のひとつとされたのである。だから、美とは高村にとっても自然理性的なものであり、そのかぎりでは戦争へとむかう時代の大衆的なうごきを必然とする意識とつながって、自己の生活意識に改訂をようしなくても、持続できるものだったのである。だから「首の座」におけるような内的な葛藤がなくなったとき、高村はどの方向へも美を持続したままうごきうるはずであった。「のつぽの奴は黙つてゐる」は、高村の生涯にとって、自然理性と現実社会との矛盾を、矛盾としてつきつめていった最後の時期を象徴している。自然理性を社会化しようとする高村の意識は、戦争の方向をゆびさすとともに、一方では『道程』以後の智恵子夫人との個人的環境のうえにきずかれたその自然理性的な思想が、社会的な動向とかみあって自己破壊されてゆく。そういう岐路にたって「のつぽの奴は黙つてゐる」たのである。このとき、高村の生涯ではじめて、出生としての下層庶民が意識化される契機がおとずれたために、高村がどの方向をたどるかは、大衆の運命と、日本資本主義の運命とその方向にかかっていたのである。すくなくとも高村の内的の世界では、自然理性による調和感は破壊しつくされていて、どのような生涯のコースの変革もうけいれるだけの素地が用意されたはずであった。

戦争期

中日戦争期にはいってからは、『道程』以来、父光雲の権威に象徴される日本の庶民社会の生活意識やモラルに反抗して、智恵子夫人との孤立した生活によってまもられてきた高村の内的な世界は、「千鳥と遊ぶ智恵子」、「山麓の二人」、「レモン哀歌」、「亡き人に」、「梅酒」、「荒涼たる帰宅」など、昭和十二年から十六年にわたってつくられ、詩集『智恵子抄』のおわりちかくおさめられた詩のなかに、かろうじてささえられているにすぎない。いわば、精神異常におちいり死んでいったこの時期の夫人との交感が、「狂瀾怒濤の世界の叫び」から高村の内部世界をまもる唯一の砦であった、とかんがえるのはけっして不当ではない。「あはれな一個の生命を正視する時、世界はただこれを遠巻にする。」と、ヹルハアランの詩句をまねて、高村がいいはなったのは、おもえば太平洋戦争直前、昭和十五年のことであった。

『道程』時代、高村がじぶんの生涯の軌道をしくことができた歓喜とほこりとを、実生活のうえでうらうちしたのは、智恵子夫人との遭遇であった。中日戦争期の高村の自我の崩壊を、最後にささえたのは、狂気にいたり、死をよぎなくされた夫人との交感である。高村はこの悲惨なめぐり合わせの意味を、智恵子夫人が死んでから一年後、昭和十四年に、ミケランジェロをテーマにした「つゆの夜ふけに」のなかで、象徴し、反芻した。この詩は、高村の全詩業のなかで屈指の秀作であるばかりでなく、戦争期における高村の最後の夕映えをしめすものに外ならぬ。高村はそのなかで、ミケランジェロと愛人ヴィッ

トリア・コロンナ夫人に託して、

この「真理の光の一つ」なる女性もやがて死んだ。
あらゆる悲と神への訴とに痩せ細つて
彼は青い炎のやうなロンダニイニのピエタを彫つた。
二月の雨に濡れながらひねもす落葉をふんで立つてゐた。
九十歳の肉体は病み何処にも楽な居場所が無かつた。
一日床（とこ）にねて彼は死んだ。

とかいているが、わたしの推定にあやまりなければ、高村はここでひそかに自分と智恵子夫人とを、ミケランジェロとヴィットリア・コロンナとに擬している。そうすることによって、夫人の死をいたみ、じぶんの主体的な世界が、夫人の死といっしょに死ぬのをみたのである。

戦争期の高村を論ずることは、とりもなおさず、この主体的な世界が死にいたる過程を看取るにほかならず、それは、ほぼ、動乱期における日本的自我の運命を論ずるということになるとおもう。高村の戦争にたいする屈服は、中日戦争を契機としてはじまっている。これをあきらかにするために、中日戦争直前にかかれた詩、「堅氷いたる」[註(1)]と直後にかかれた詩、「秋風辞」とを比較してみよう。「堅氷いたる」で高村は、ドイツファシズムの文化破壊にたいして、痛烈な批判をかませるとともに、西安事件を中心とする極東の危機をひとみを凝らして視つめている。

乾の方百四十度を越えて凜冽の寒波は来る。
書は焚くべし、儒生の口は箝すべし。

つんぼのやうな万民の頭の上に
左まんじの旗は瞬刻にひるがへる。
世界を二つに引裂くもの、
アラゴンの平野カタロニヤの丘に満ち、
いま朔風は山西の辺疆にまき起る。
自然の数学は厳として進みやまない。

昭和八年学芸自由同盟の結成、昭和九年、軍部ファシストによる日本資本主義の批判、昭和十一年、日独防共協定の成立、二・二六事件、昭和十二年、中国における西安事件を契機とする蔣介石の抗日強硬策への転換、などの情勢をくぐらせてかんがえると、ここには、昭和二年白樺派的な自然調和思想との分岐点にたって、それよりやや左にかたむいた急進的ヒューマニストの地点で確保された高村の主体的な世界が、全貌をあきらかにしているということができるだろう。
だが、「秋風辞」では、「南に急ぐ」わが同胞の隊伍、「南に待つ」砲火のまえに、「街上百般の生活は凡て一つにあざなはれ、涙はむしろ胸を洗ひ」、

昨日思索の亡羊を歎いた者、
日日欠食の悩みに蒼ざめた者、
巷に浮浪の夢を余儀なくした者、
今はただ澎湃たる熱気の列と化した。

というように、その主体性は、庶民の熱狂のなかに崩れてしまっている。そして、すでに「太原を超

えて汾河渉るべし黄河望むべし。」と主張されるにいたっている。発表の月のへだたりは、「堅氷いたる」と「秋風辞」では、中日戦争の勃発を間にして、わずか九カ月にすぎないのである。この九カ月のあいだに、高村の戦争肯定のモラルとロジックが用意されていなければならないのだ。わたしは、そのきざしを「堅氷いたる」の後半にあらわれている、つよい超越的な倫理感にもとめざるをえない。

漲る生きものは地上を蝕(むしば)みつくした。
この球体を清浄にかへすため
ああもう一度氷河時代をよばうとするか。
昼は小春日和、夜は極寒。
今朝も見渡すかぎり民家の屋根は霜だ。
堅氷いたる、堅氷いたる。
むしろ氷河時代よこの世を襲へ。
どういふほんとの人間の種が、
どうしてそこに生き残るかを大地は見よう。

堅氷というのは、高村のすきな言葉のひとつで、後に「七月の言葉」のなかで愛読書のひとつである「維摩経」の思想を要約するためにつかっている。そこでこの論旨をおしつめてみると、氷河時代がもう一度おそっていかものを絶滅してしまえというような超越的な倫理感は、現実把握の機能が低下したとき高村をおとずれる、ほとんど体質的な意味をもった思想的「故郷」なのである。それは高村の擬アジア的な思考をかたちづくっていて、その底をさぐるとどうしても高村の庶民意識にゆきあたらざるをえない。すでに猛獣篇時代に、その独特の自然調和の思想を社会化して、戦争の予感のほうへ流れてゆく庶民の動向を「自然」の運行のように必然とかんがえ、自分の出生としてある庶民を徹底して意識化していた高村には、ナチスの擡頭も西安事件の発生も、ひとしなみに歴史的な事件というよりも自然の数学のように必然とみえたのである。

ここから、容易に「興亡幾千年の歴史に異議は無い。現実そのものは押し流れる渦巻だ。」(「夢に神農となる」)というような現実的でない、たやすく人間と歴史とをわりきった現実認識にたどりつき、また庶民の戦争にたいする熱狂にもすぐまきこまれてゆくのは当然であった。杉山平助は『文芸五十年史』のなかで、「本来賑かなもの好きな民衆はこれまでメーデーの行進にさへ、ただ何となく喝采をおくつてゐたが、この時クルリと背中をめぐらして、満洲問題の成行に熱狂した。驚破こそ、帝国主義的侵略戦争といふやうな紋切型の批難や、インテリゲンチャの冷静傍観などはその民衆の熱狂の声に消されてその圧力を失つて行つた。階級の問題と民族の問題について、イザといふ時日本の大衆が、どつちにより深く魂をゆり動かされるものであるかが、これで明かになつた。」(「第五篇　満洲事変から支那事変へ」)と述べているが、高村の戦争への屈服はたんなる狂躁とはならないで一見すると思想めいた超越的な倫理感としてあらわれた庶民意識が、ちょうど杉山の指摘したとおりに内部を喰いあらしたとき、はじまったのである。それゆえ「老耼、道を行く」のなかで高村が、「世は権勢のみで出来てゐない　綿綿幾千年の世の味ひは百姓の中に在る」と反支配者的な姿勢をとりながら、きわめて自然に「為して争はぬ事の出来る世は来ないか　ああそれは遠い未来の文化の世だらう　人の世の波瀾は乗り切るのみだ　黄河の水もまだ幾度か干戈の影を映すがいい」というように、結果として支配権力にならされた庶民の意識へ同化していったのは当然であった。

戦前派の詩人ならば、胸に手をあてればたれでもおもいあたるはずだが、現実のうごきのはげしい動乱期には、個人の自我というものが、けし粒ほどにかるくおもわれてくる。そこに執着し、暗い内部的なたたかいをつづけることが、バカらしく、みじめな、無意味なことにおもわれてくる。外からよからぬ奴が足をひっぱってそうおもわせるばかりでなく、内部から心理的にそうおもわれて崩れてゆく。動乱期の現実のおおきな圧力、おそろしさを、正面からうけとめただしく克服しえたものは、内部を現実のうごきとはげしく相渉らせ、たたかわせながら、時代の動向を凝視してはなさなかった、そういう至難の持続力をもつものだけであった。高村が反抗をうしなって、日本の庶民的な意識へと屈服していったとき、おそらく日本における近代的自我のもっともすぐれた典型がくずれさったのであり、おなじ内部のメカニズムによって日本における人道主義も、共産主義も、崩壊の端緒にたったのである。なぜ、日本でだけ、内部世界を確立し、たもちつづけるために至難の持続力が必要とされるのであろうか。そして、戦争期に、近代的自我も、人道主義も、共産主義も、もろにくずれていったのは、なぜであろうか。高村の崩壊の過程には、ひとつの暗示があるとおもう。それは、近代日本における自我は、内部にかならず両面性をもたざるをえない、ということである。それは一面では近代意識の積極面である主体性、自律性をうけつぐとともに、近代のタイハイ面、ランジュク性をよぎなくうけつがざるをえない。他面、かならず、自己省察の内部検討のおよばない空白の部分を、生活意識としてのこしておかなければ、日本の社会では、社会生活をいとなむことができないのだ。おそらくこの両面性は日本の近代社会の矛盾した両面性にアナロジカルである。これから動乱期の現実のはげしい力は、この内部の両面性にくさびをうちこむとともに、社会が要請してくる倫理性は、近代のタイハイ面を否定するようにはたらき、同時に、生活意識としてのこされた内部の空白の部分を、日本的な庶民の生活倫理から侵されざるをえなくなる。いわば、内部が、思想的な側面と、生活意識の側面から挟撃されるというのが、動乱期の日本的自我につきまとう宿命に外ならなかった。戦争期に、日本的な近代意識のタイハイ面の批判者としてあらわれたのは、日本的ファシズム、民族主義であり、実生活意識から批判者としてあらわれたのは、日本の庶民そのものである。したがってたとえば、共産主義者はおおく擬ファシズム的に転向して、日本的近代の批判者として更生（！）するか、または、擬ローマン的にうつぶして、庶民意識の変種にすぎない内部世界を露呈するにいたった。

　高村の場合、思想的にも生活意識的にも、単純な庶民的屈服となってあらわれずに超越性としてあらわれたのはいうまでもなく、自然児的な理想意識が近代性のもつタイハイ面を抑制していたからであった。だから、「戦争とヒューマニズム」とか、「戦争による素材の拡大」とか、おもに擬ファシスト、転向者によって唱えられた中日戦争期の戦争詩の素材主義的な傾向は、ほとんど、高村のこの時期の戦争詩とは無縁であった、といいうる。高村の場合、特徴的に、思想の「祖先がえり」的な退化（1）、モンスーン的風土と、思考方法の讃美（2）、日本庶民のなかの、残忍さ、非人間さ、ニヒリズムの表現（3）となってあらわれている。

（1）

祖先は川に禊して穢れを祓つた
ただ白木の柱を立てて家を築いた
きよらかな比例そのもののみを命とした
眼にとまる塵一つ無いのを
一切の美の極みとした
袖を払つて今わたしが魂にきくもの
とほく深く又まことに已みがたい

（「天日の下に黄をさらさう」）

（2）

決してゆるさぬ天然の気魄は
ここに住むものをたたき上げ

危険は日常の糧となり
死はむしろ隣人である。
（中略）
色にどぎついもの無く
香りに鼻をつくもの無く
鳥獣虫魚群を成し
草木みやび
物みな品くだらず
決然としていさぎよく
淡淡として死に又生きる。

（「地理の書」）

（3）

焼夷弾の落ちた家は天災とあきらめて
一軒犠牲になるのです
われわれはぜつたい延焼させませんよ
何しろ敵の夜襲を野崎詣りとしやれる
さういふ兵隊さんの親兄弟ですから
少々ぐらゐな不体裁はむしろ気が強いです

（「群長訓練」）

これらの詩がしめしているのは、高村の社会化された自然理性が、現実社会におこるすべての矛盾や混乱と対決することをやめて、いわば伝統の花鳥風月的な「自然」の讃美にまで退化した悲惨な事実である。すでに、急流のように流されてゆく庶民の大勢は、それが天体の運行のように必然とかんがえられたとき、ここまで徹底化するのはやむをえないものであった。大事のまえに小事にこだわるのはいさぎよくないという日本的理性は、高村を完全にとらえて、現実社会との葛藤を脱落させたのである。このような高村の自然理性の退化は、生活意識上の転換によって裏うちされた。中日戦争が泥沼のような戦局におちいった昭和十四年から、太平洋戦争の敗色がこくなった時期にわたって発表された「谷中の家」、「母のこと」、「姉のことなど」、「美術学校時代」、「子供の頃」、「回想録」などの一連の回想はあきらかに高村の生活意識上の転換を象徴している。高村はこの回想群によって、父高村光雲の『光雲回顧談』に匹敵する生涯のしめくくりを思いたち、これによって、生い立ち、家、環境、芸術観などについて、残せるだけは残しておこうと企意したと推定されるのである。わたしの記憶をたどっても、昭和二十年『美術』に二回にわたって今泉篤男により口述筆記された「回想録」をよんだとき、日本の敗北はちかく、自己の命数もおわりにきたと高村が感じているのではないかとおもい当ってハッとしたことをおぼえている。べつにそんなことは何もかかれていないのだが、それまで自己の身辺について語りたがらなかった高村が「回想」をかたったことが、それを直感させるに充分であった。まず昭和十四年の「谷中の家」には、つぎのような個処がある。「父の家の門柱には隷書で『神仏人像彫刻師一東斎光雲』と書いた木札が物寂びて懸けられてゐたが、此は朝かけて夕方とり外すのが例であつた。私の少年時代の二三年は此処で過された。私は花見寺の上の諏訪神社の前にあつた日暮里小学校に通つてゐた。車屋の友ちやん、花屋の金ちやん、芋屋の勝ちやん、隣のお梅ちやん、さういふ遊び仲間と一緒にあの界隈を遊びまはつた。おとなしい時は通りの空どぶへ踏台を入れて隣のお梅ちやんなどとまま事をしたり、石置場でゴミ隠し、かくれんぼをしたりした。男の子が集まると多く谷中の墓地へ押し出して鬼ごつこいくさごつこをやつた。」当時、五十七歳の高村にしては、稚純にすぎ鮮やかすぎるこの下町庶民の子供時代のイメージの一こまは、なにを意味しているか。また、昭和二十年、「回想録」にはつぎのような個処がある。「祖父は小さい時からその父親の面倒をみて、お湯へでも何処へでも背負つて行つたと言ふ。商売の方は魚屋のやうなものだつたらしいが、すつかり零落し、清島町の裏町に住んで、大道でいろいろな物を売る商売をして病気の父親を養つた。紙が細かく折り畳んだ細工でさまざまな形に変化する『文福茶釜』とか『河豚の水鉄砲』とか、様々工風をしたものを売つた。そんな商売をするには、てきやの仲間に入らなければならぬ。それで香具師の群に投じ花又組に入つた。そのことは、父の『光雲自伝』(『光雲回顧談』のこと――吉本註)の中には話すのを避けて飛ばしてゐるが、――さうして祖父は一方の親分になつた。祖父は体軀は小さかつたが、声が莫迦に大きく、怒鳴ると皆が慴伏した。中島兼吉と言ひ、後に兼松と改めたが、『小兼さん』と呼ばれてゐて、小兼さんと言へば浅草では偉いものだつたらしい。」この隠微な家系のひだにまでいい及ぼうとする回想はなにを意味しているか。この回想群はいわば父の家、父の権威、そこに象徴される江戸職人的な庶民意識へ、「先祖がえり」的に屈服し、親和していった高村の戦争期の内部世界のうごきを直接的に象徴するものであった。すくなくとも、回想群をかくことによって、日本的な庶民性への回想をうながされ、うながされた内部の意識が回想を純化するといった具合であったに相違ないとおもう。したがって、やや遠隔作用的な対比をもちいるならば、父光雲が「皇居御造営の事、鏡縁、欄間を彫つたはなし」、「天覧後の矮鶏のはなし」、「木彫の楠公を　天覧に供へたはなし」などを、「普通、庶人の注文とは異つて、宮中の御用のことで、わけて御化粧の間の御用具の中でも御鏡は尊いもの、畏きあたりの御目にも留まることで、仕事の難易は兎に角事疎かに取掛るものでないから、斎戒沐浴をするといふ程ではなくとも身と心とを清浄にして早春の気持よい吉日を選んで其日から彫り初めました。」と無上の光栄をもって懐古し、誇りとし、恩寵をかんじたような『光雲懐古談』と指呼するものに外ならなかった。このとき、すでに、「天皇あやふし。ただこの一語が　私の一切を決定した。」(「暗愚小伝」)という太平洋戦争期の高村の全屈服は決定していたとかんがえてもあやまらないであろう。高村の中央協力会議への参加は、生活意識の転換に画竜点睛をそえるかのようにおこなわれたのである。

大政翼賛会第一回臨時中央協力会議がひらかれたのは、昭和十五年十二月十六日、あたかも、タイ・仏印紛争、対蔣介石工作の打切り、日ソ国交調整の停滞というような逼迫した情勢にあたっている。席上、わたしたちにとって忘れることのできない歴史的な誓いが、長崎県平戸町長岩井敬太郎によって宣読された。それは、日本における近代的自我と、人道主義と共産主義との擬似性を検出するリトマス試験紙の役割をはたしたという点でおおきな意義をもつものであった。

誓

我等は畏みて大御心を奉体し和衷協力以て大政翼賛の臣道を完うせんことを誓ひまつる

この原始シャーマン教（神道）の呪文にファシズムの色あげをしたような誓いにたいして、高村はもろくも崩壊している。翌、十七日の『朝日新聞』に取材された談話のなかで、「〝誓〟は立派なものでした、御承知のやうに私はかういふ会議には余り出席したことがないので非常に勉強になります、それから儀式といふ意味—形式と精神との関係、さういふことが〝誓〟や今度の会議のやり方から色々教へられる、各種の式典ももつと整備される必要がありますね」と語っている。この談話については、いくらか立ちいってみなければならない。誓いが形式的にととのえられた重苦しいふんいきのなかで誦読されたときの、異様な情景をつとめて想像してみると、高村がそのふんいきにおどろき、圧倒せられ、ついには肯定的に納得しようとつとめているありさまがうかんでくる。この三面記事のわずかな談話でさえ、社会的現実と相わたらせ、たたかわせる意志を失った高村の内部が、メカニズムに組入れられたときのとまどいに、してやられていることをうかがうには充分である。このとき、高村のなかで、硬直して死んだものがあったのである。高村はそれを「猛獣」といっているが、高村のなかにいる「猛獣」が、つまり主体的な自我が、「官僚くささに中毒し」て、「夜毎に曠野を望んで吼えた」という「暗愚小伝」の弁明は、紙の上に書かれたものによって、現在裏うちする事ができない。やや冷静にかえった頃の『朝日新聞』に発表された「芸術政策の中心」註(2)のなかに、独特な美意識、一種の冷眼となって、ほのめかされているだけである。「平常、人の集る処にあまり出たことがないので、今度急にひどく大きな家族会議といふやうな場所に並んで珍しい思がした。そして人間の発言本能の強さといふものを見た。この本能が社会を造つてゆくのであらう。面白いことに人はその顔立ちそつくりの発言をするものだといふことを発見した。」高村の中央協力会議への参加は、誓いは立派であるというような一点うたがいの余地のない屈服と、面白いことに人はその顔立ちそっくりの発言をするものだというようなゴウ然たる美意識との、二元的な調整のうえにたっている。「今日国家有時の時にあたつても、美術家は一輪の菊花を画き、一匹の蟬を刻むことに心臆してはならない。その本来の美は必ず人の力となり、又延いて国家の力となる。此の確信を抱き得ぬ者はよろしく美術家たることを断念するがよい。(中略)此の千年の見とほしの外に、美術家は今日焦眉の問題をも一方に持つ。即ち国家の危急に応じて己の能力を活用する責任である。」(「戦時下の芸術家」)というのが、戦争期をつらぬいた高村の基本的な発想であった。この発想のうしろには、高村の庶民的な挫折、屈服といえるものと、閉じられた美意識にまで追いつめられた主体的世界との、めでたからぬ分裂がかくされているのだが、中央協力会議への高村の参加をとくにあげつらいたいのは別の理由からだ。それは、高村がここで、「現下芸術政策の根本目標並に当面の緊急事項に就て」とか、「全国の工場施設に美術家を動員せよ」とか「芸術による国威宣揚」とかいう政策的な議案を提出するまでの実践活動をしたことが、高村の生涯にとって瞠目すべき事件であったということなのである。高村のかたくなな孤立と、権威にたいする反感をうらうちする単純な生活史のなかで、これは唐突な、異和感をもよおされる事件なのである。この体験がなければ、太平洋戦争期の高村の詩業は、「記録」というところまで徹底して自爆できなかっただろうということ、したがって、例えば、高村の「山本元帥国葬」という詩と、秋山清のおなじテーマの詩「国葬」と比較すれば、秋山の詩の方が、すぐれて人間的なものであること、だが、高村の詩のくだらなさも、ずばぬけていて、かえってくだらない記録に徹底しようとする意識がよみとれるため、やはり異常な印象をあたえること、などがおこらなかったろうと想定されるのである。いまここに、太平洋戦争期の高村の「記録」の骨格となっているモラルとロジックを抽出して、「異常な印象」を分析してみよう。

充ちあふれた生の力が
死を超えて死を死なしめない。
わが事終れるにあらず、
わが事無限大に入るのである。

（「われらの死生」）

生活に「まつた」はない。
われら民族を一貫するもの
炳として左顧右眄（さこいうへん）をゆるさない。
「まつた」を重ねるもの
暗くして濁り
「まつた」を知らず生き得るもの
地下水のやうに清くして溢れる。

（「『まつた』を知らず」）

「堅氷いたる」、「秋風辞」、「老耼、道を行く」から中日戦争期の戦争詩をつらぬいてきた高村の超越的な倫理感は、ここに超越性の極限までおしつめられ、おしつめられたところで、積極的な主張にまで転化していることがわかる。ここにあらわれたものは、たとえば高村の三十年来の愛読書であった禅宗『無門関』のメタフィジィクにひとしかった。『無門関』を高村のように「禅学的には決して読まない。字面通りにも読まない。文字を離れるでもなく離れぬでもなく読む」（「ロダンの手記」談話）ことは、そういう素地のないわたしたちには不可能にちかい。まして、功徳をうけることも、この「書の中に生きている活機によつて自分の危機を乗りこえ」ることも絶望にちかい。しかし、わたしたちが『無門関』を超論理的なロジックとしてよみ、死の想念につかれた変態的なモラルとしてよみうる任意の言葉から、高村の「記録」的戦争詩のモラルとロジックに、おどろくほど近似している概念をつかみだすことは容易である。

仏に逢うては仏を殺し、祖に逢うては祖を殺し、生死岸頭に於て大自在を得、（第一　趙州狗子）
従前の死路頭を活却し、従前の活路頭を死却せん。（第五　香巌上樹）
身を了ぜんより何ぞ心を了じて休せんには似かん。心を了得すれば身愁へず（第九　大通智勝）
言を承くる者は喪し、句に滞る者は迷ふ。（第三十七　庭前柏樹）

こういう超越的なモラルとロジックによって、高村の内部に『道程』以来、根づよくまもられてきた近代意識は、なぎ倒されて「歯ぬけの獅子」と化した。そればかりか、

未練をすてよ、
おもはくを恥ぢよ、
皮肉と駄駄とをやめよ。
そはすべて閑日月なり。

（「必死の時」）

と主張されたとき、近代的自我が資本主義の下降期において必然的にたどらざるを得ない鬱屈は、まるでがんこ親父に叱咤されるぐず息子のように否定されたのである。こういう否定が、ファシストたちのインテリゲンチャ批判に、側面からどんな大きな力をかすものであったかは、苦しみながら戦争を肯定し、たたかいに立った若い世代のたれもが知っている。

花鳥風月的な「自然」理念にたいし、情緒としてではなく理性として、うらから超論理的なロジックをもって目釘をいれた高村の積極的な思想は、それなりに日本的な理性の極限をさしていたかもしれない。高村はそれをインテリゲンチャ意識からではなく、庶民意識の優性遺伝を純化することによってつかみとったのである。このような超越理性は、古典アジア的なものでもなく、アジアの封鎖された孤島のなかに育てられた独特なものであったにすぎないのだが、近代日本の通念によって古典アジア的な超越感を、アジア的な典型の思想とかんがえた高村が、この超越的な倫理をうらがえして、容易に「東方は美なり。断じて西暦千幾年の弱肉強食にあらず。」(「新しき日に」)という主張に転化したのは当然であった。

有色の者何するものぞと
彼の内心は叫ぶ。
有色の者いまだ悉く目さめず、
憫むべし、彼の頤使に甘んじて
共に我を窮地に追はんとす。
(「危急の日に」)

アングロ・サクソンの主権、

この日東亜の陸と海とに否定さる。
否定するものは彼等のジヤパン、
眇たる東海の国にして
また神の国たる日本なり。
そを治しめしたまふ明津御神なり。
世界の富を壟断するもの、
強豪米英一族の力、
われらの国に於て否定さる。
われらの否定は義による。
東亜を東亜にかへせといふのみ。
彼等の搾取に隣邦ことごとく痩せたり。

（「十二月八日」）

天皇制権力もまた、盗人にも三分のロジックは残されているという俚言のとおり、その開戦の詔書で「米英両国ハ残存政権ヲ支援シテ東亜ノ禍乱ヲ助長シ平和ノ美名ニ匿レテ東洋制覇ノ非望ヲ逞ウセムトス」ということを強調した。高村は、これに追従するかのように、同胞の隊伍が進みゆく足音を、「世界に新しい理念を樹てる音」であり、「英米的な考へ方を踏みにぢる音」であり、「東方の倫理が美を致す音」であるとかんがえたのである。高村をこの方向に誘ったのは、けっしてかれが美意識上の古典主義者だからではなかった。むしろ高村が出生としての庶民の意識を徹底的につきつめたところに、このような戦争理念があらわれたのであって、庶民がえりという点で、ほとんどすべての詩人たちは、おなじ問題をまぬがれえなかったのである。

たとえば、モダニスト村野四郎は、太平洋戦争がはじまると、ただちに「挙りたて神の裔」註(3)をかいている。

皇紀二千六百一年
清冽な露霜の暁
一大轟音と共に
遂に神々の怒は爆発した
おお　吾々の父の
吾々の祖父の万斛の怨は
雷鳴とともに天に冲した

☆

見よ　今
逆巻く太平洋の怒濤のたゞ中に
ガラ　ガラと崩れ墜ちる
悪徳の牙城

☆

立てよ　神の裔
今こそ妖魔撃滅の時！
挙り立て　剣を取れ
神霊は天に在り
千古不滅の熔岩の島嶼
神国日本を守るは今なり

おお　神の裔　神裔
今こそ
わが富士の大乗巌を護れ！

プロレタリア詩人壺井繁治は、「国民学校一年生」のようにこころを躍らせて、地図の上を侵略の「指の旅」[註(4)]をこころみた。

壁いっぱいに張られたる世界地図
地図は私に部屋の狭さを忘れさせる
まんまんと潮を湛えたる太平洋
おお、壁の中から浪音がきこえて来る

地図は私に指の旅をさせる
こころ躍らせつつ
南をさしておもむろに動く私の指

キールン
ホンコン
サイゴン
国民学校一年生のごとく呟きつつ
私の指は南支那海を圧して進む

私の呟きはいつしか一つの歌となり
私の指は早やシンガポールに近づく

おお、シンガポール
おお、わが支配下の昭南島
マレーの突端に高く日章旗は翻りつつ
太平洋の島々に呼びかける

このような事情は、ダダイスム―アナキスム系の詩人岡本潤においても変りなかったのである。たとえば、「路」[註(5)]は次の如くであった。

本当を言へば地上にはもともと路はあるものではない、行き
交ふ人が多くなれば万路はそのとき出来てくるのだ——魯迅

靄の深い
日本の街の雪どけのどろんこ路を歩きながら
私はおもふ
あなたの国の路なき曠野の泥濘や黄塵万丈を
おほみいくさはひろがる
わが荒鷲　路なき空を翔けり

わが艦艇　路なき海を馳せ
わが隊列は路なきジヤングルを進む

無辺際の未来と空間にひろがる路
あなたの前に路はなく
あなたの後に路はつづく
あなたの深く憂へた国民の将来
どこか二葉亭に似てゐるあなたはひとりごとのやうに言つた
――行き交ふ人が多くなれば　路はそのとき出来てくるのだ――

私の歩いてゐる
靄の深い日本の街
雪どけのどろんこ
あなたの国の路なき曠野
わが同胞のたたかひ進む
路なき空
路なき海
路なきジヤングル

だが、戦争権力がアジアの各地にもたらしたものは、「乱殺と麻薬攻勢」（東京裁判）であり、同胞の隊伍は、数おおくの拷問、凌辱、掠奪、破壊に従事した。このとき、詩人たちはあざむかれたのであろうか。断じてそうではない。同胞の隊伍がアジアの各地にもたらした残虐行為と、現代詩人が、日本の現代詩に、美辞と麗句を武器としてもたらした言葉の残虐行為とは、絶対におなじものである。その根がおなじ日本的庶民意識のなかの残忍さ、非人間さに発しているばかりでなく、残忍さの比重においてもおなじものだ。詩人たちもまた、日本の歴史を凌辱し、乱殺し、コトバの麻薬をもって痴呆状態におとしいれたのである。戦後、これらの現代詩人たちが、じぶんの傷あとを、汚辱を凝視し、そこから脱出しようとする内部の闘いによって詩意識をふかめる道をえらばず、あるいは他の戦争責任を追及することで自己の挫折をいんぺいし、あるいは一時の出来ごころのようにけろりとして、ふたたび手なれた職人的技法とオプティミズムをはんらんさせたとき、かれらは、自ら日本現代詩の汚辱の歴史をそそぐべき役割を放棄したのである。高村が「東方の倫理」とかんがえ、三好達治、神保光太郎ら四季派、日本浪曼派を先頭とし、壺井繁治、岡本潤らプロレタリア詩系を殿りとする現代詩人たちが、擬ファシズム的言辞を弄して強調したところのものは、「東方の倫理」でも何でもなく、たんに日本的なもの、しかも、日本の半封建的な社会構造に基盤をもつ、半封建的な庶民意識のうえに狂い咲きした擬アジア的な思想に外ならなかった。だから、庶民の流行歌的哀調の変種である四季派、日本浪曼派の詩が、神保光太郎の詩論、「国民詩の進撃」のおもな論旨である歌の奪回、韻律の奪回にのって、現代詩の崩壊の積極的な担い手となったのは、当然であった。個的ニヒリズムにたてこもって反戦詩をかいた金子光晴と、素朴な客観主義的手法にかくれて反戦詩をかいた秋山清の外に崩壊をまぬがれた詩人はなく、北川冬彦（象一）、安西冬衛ら新散文詩系をモダニズム系とプロレタリア詩系の中間におき、草野心平ら「歴程」系を四季派とプロレタリア詩系の中間におき、日本現代詩は、第一に庶民的狂躁への退化、第二に擬ローマン的な屈曲、第三に擬ファシズム的な挫折となって、完全にその崩壊の図式を決定したのである。現代詩は、はじめから自我を日本的な現実とかかわらせ、たたかわせる方法の独自さを、詩の手法的な独自さにまでみちびくための内部的な格闘をさけてきたため、現実と自我との関係を、たんに日本の庶民的な生活意識のままに疎外してしまって、形式的な新衣裳にとびついたモダニズムの詩人も、自我を庶民意識の程度にしておいて、ただちに社会的な現実にたいして倫理的に対決したプロレタリア詩人も、たんなる庶民意識への後退――いわば擬ローマン的な後退と、たんなる生活意識の放棄――いわば形式的固定化への危機を、たえずその深層にもっていたとみるべきである。それゆえ、日本のモダニズム詩も、プロレタリア詩も、内部的には、近代的自我の解体、喪失の詩的表現にすぎないという側面をもつものであった。このことを、あまりに強調しすぎれば、プロレタリア詩の単純な叫喚にすぎないものの背後に純乎としてながれている階級的ヒューマニズムを過小評価することになるかもしれない。だが一方このかんがえ方をすてて、モダニズム詩を近代的自我の解体、喪失の文学的表現とみなし、プロレタリア詩を自我意識の社会意識への止揚の過程としてとらえる文学史家の公式理論にならえば、戦争期における現代詩の全崩壊という日本的特殊性をとくカギを失わねばならないことを指摘する必要があるのだ。なぜなら、詩における戦後世代が、刻苦して克服しようとしているところは、意識的であるにしろ、そうでないにしろ、この公式理論に馴致されない日本的特殊性の問題にほかならないからである。高村の戦争期の屈服にいたる過程が、日本における近代的自我の典型的な屈服をあらわしているというのは、高村が、昭和初年、自然理性的な自我意識からやや左にかたむいて確保した主体性が、現代詩人たちの自我喪失の様相のなかで、ほとんど唯一のきわだった意味をもつものであったということを意味している。高村の主体的な自我が、庶民がえりのうえに狂い咲いた超越的な倫理、擬アジア的な思想によって戦争詩から追いおとされ、「金がはいるときまつたやうに　夜が更けてから家を出た。心にたまる膿のうづきに　メスを加へることの代りに　足は場末の酒場に向いた。」(「暗愚小伝」)というような実生活的な鬱屈にまで追いつめられた地点で、現代詩人たちは、自我の解体、喪失を原因として、狂躁的な庶民そのものへ、擬ローマン的な屈曲と、擬ファシズム的な挫折へと追いこまれていったのである。そして、高村の屈服と、現代詩人たちの屈服とが交叉して指すところには、帝国主義的段階にまで組織された、半封建的な日本の社会がおおきく横たわっていたのである。

戦後、新日本文学会が、小田切秀雄署名の「文学における戦争責任の追求」において、「ここでは特に文学及び文学者の反動的組織化に直接の責任を有する者、また組織上さうでなくとも従来のその人物の文壇的な地位の重さの故にその人物が侵略讃美のメガフオンと化して恥じなかつたことが広汎な文学者及び人民に深刻にして強力な影響を及ぼした者、この二種類の文学者に重点を置いて取上げた」戦争責任者のなかに高村光太郎をリストしたとき、それは、当然高村がうけとめなければならない責任であった。だが、残念なことに、小田切は、文学者の戦争責任を、日本の文学の崩壊の内因を質的に掘り下げることによって精確に追求する持続力をもたなかったため、(これは『文学の端緒』に収められた論文でもかわらない)戦争期の日本文学の崩壊、挫折の体験から未来への方向をくみとる貴重な道はとだえ、自己陣営の戦争責任の追求を回避することによって、空文にひとしい権威しかもちえないままで終ってしまった。(ここから、敗戦革命の挫折の責任問題がおこるわけだが、ここでは触れない。)そこでのこされた空白は、若い世代のひとりひとりが、苛酷な内部的、現実的な格闘によって背負わねばならない重荷となって、いまも、あるのである。

註

(1)『中央公論』昭和十二年一月　第五十二年第一号　第五百九十号　一八八—一八九頁。この詩の所在は、高村研究家北川太一の指摘と教示によって知った。
(2)『朝日新聞』昭和十五年十二月十九日。
(3)『読売新聞』昭和十六年十二月十六日。
(4)『文芸』昭和十七年七月　第十巻第七号　四二—四三頁。
(5)『新潮』第三十九巻第四号　昭和十七年四月。

敗戦期

ひどく切迫した情況から追いつめられると、人間は連帯感をなくしてしまい、自分がつみかさねてきた過去の体験をくりかえし反芻し、それによって行動するほかになくなってしまう。わたしが、はじめてそれを感じたのは、敗戦期であった。都市は、空爆にさらされてほとんど廃墟にちかく、生活の機能は半ばマヒ状態になっていた。権力の分配機構をあてにできなくなった人々は、自力で生活財を手に入れ、自力で生命の危険から自分をまもらなければならなかった。廃墟のあいだに住み、苛酷な被害をうけ、先のことにあてどがない、という共通の現実にたちかえるときだけは、異常なほど連帯感をかんじたが、こころは、それぞれ自己防衛の本能に武装されて孤独なことは、何かことが起るとすぐに争いがはじまることからも、よく理解された。この体験は、わたしの人間理解に決定的な影響をあたえた。ほんとうは、世代ということも、若年ということも、じぶんのことをふくめて信じていないが、戦争の極限状況を共通の内的体験によってくぐりぬけた孤立した任意のグループという意味では、その概念を肯定しなければならないとおもう。

戦争のような情況では、たれもその内的体験に、かならず生命の危険をかけている。だから、この体験を論理づけ、それにイデオロギー的よりどころをあたえれば、もはや他の世代にたいして和解するわけにはいかない重大な問題を提出することを意味する。わたし自身にしても、戦争期の体験にたちかえるとき、生き死にを楯にした熱い思いが蘇ってきて、もはやどんな思想的な共感のなかへも、この問題を解決させようとはおもわなくなってくる。おそらく、このような見地は、決定的な分裂と対立を拡げてゆくみちであるが、敗戦が日本の近代史にあたえた最大の意味は、この世代によってまったく異質の戦争体験をつきつめてゆかざるをえなかった意味を徹底してえぐりだすよりほかにあきらかにされえないのである。

わたしが、高村光太郎にたいして微かな異和感をみとめたのは敗戦期であった。この感じは、戦後拡大されてゆくばかりだったが、このことを検討しなければならないとおもいはじめたのは、かつて、あの廃墟のなかの生活で、おなじ連帯感に結ばれていたと信じた人々が、ほとんどばらばらに動きだし、ばらばらに戦争体験の意味づけをやりだして、どこに共通の戦争をともにした事実があったのかを、疑わざるをえなくなったからである。ことに、戦争に抵抗したという世代があらわれたときは、驚倒した。もし、そういう世代があったとしたら、どうしても戦争期に出遇うとか風聞をきくとかすることがあってもよかったはずだ。わたしは、戦後、インテリゲンチャによって語られてきた抵抗体験というものを、内心のわずかな痕跡を拡大してみせているのだ、という以外にすこしも信じていないが、ただ、何人も、程度のちがいこそあれもっていた戦争にたいする抵抗感と、戦争にたいする傾倒感の、いずれを拡大して意味づけるかは、見解のわかれるところであろう。わたしもまた、自身の懐疑と、実行にたいして根拠を与えねばならないのである。

もしも、高村光太郎にたいする最初の異和感が、敗戦期にやってきたのでなかったら、その思想や生活や詩業を検討してみようなどとかんがえもしなかったろう。少年のころ傾倒した一人の詩人に、ある時期から異和感をもった、などということはたいして意味があろうはずがない。問題は、やはり思想や芸術の機能が、人間の生死にかかわりをもっているところにだけあり、すくなくとも敗戦期には、わたしにとって思想や芸術は生きたり死んだりの問題であった。高村光太郎の思想と芸術とを検討しようとするとき、かれの生涯が一貫して思想と芸術とを生死の問題においてとらえた近代古典主義の最後の詩人であることを理解するのである。凡百の詩の技術家たちをこえて、高村にこだわるのは、かれが詩人だからではなく、こういう確乎たる実行者としての風貌を生涯うしなわなかった最後の一人だからだ。

日本の敗戦は、昭和二十年（一九四五）八月十五日である。八月六日には、広島に、八月九日には長崎に、「新型」爆弾が投下され、八月八日、ソヴェト軍は宣戦を布告して、中国東北地区（満洲）に進撃をはじめていた。わたしは徹底的に戦争を継続すべきだという激しい考えを抱いていた。死は、すでに勘定に入れてある。年少のまま、自分の生涯が戦火のなかに消えてしまうという考えは、当時、未熟ななりに思考、判断、感情のすべてをあげて内省し分析しつくしたと信じていた。もちろん論理づけができないでは、死を肯定することができなかったからだ。死は怖ろしくはなかった。反戦とか厭戦とかが、思想としてありうることを、想像さえしなかった。傍観とか逃避とかは、態度としては、それがゆるされる物質的特権をもとにしてあることはしっていたが、ほとんど反感と侮蔑しかかんじていなかった。戦争に敗けたら、アジアの植民地は解放されないという天皇制ファシズムのスローガンを、わたしなりに信じていた。また、戦争犠牲者の死は、無意味になるとかんがえた。だから、戦後、人間の生命は、わたしがそのころ考えていたよりも遥かにたいせつなものらしいと実感したときと、日本軍や戦争権力が、アジアで「乱殺と麻薬攻勢」をやったことが、東京裁判で暴露されたときは、ほとんど青春前期をささえた戦争のモラルには、ひとつも取柄がないという衝撃をうけた。敗戦は、突然であった。都市は爆撃で灰燼にちかくなり、戦況は敗北につぐ敗北で、勝利におわるという幻影はとうに消えていたが、わたしは、一度も敗北感をもたなかったから、降伏宣言は、何の精神的準備もなしに突然やってきたのである。わたしは、ひどく悲しかった。その名状できない悲しみを、忘れることができない。それは、それ以前のどんな悲しみともそれ以後のどんな悲しみともちがっていた。責任感なのか、無償の感傷なのかわからなかった。その全部かもしれないし、また、まったく別物かともおもわれた。生涯のたいせつな瞬間だぞ、自分のこころをごまかさずにみつめろ、としきりにじぶんに云いきかせたが、均衡をなくしている感情のため思考は像を結ばなかった。ここで一介の学生の敗戦体験を誇張して意味づけるわけにはいかないだろう。告白も記録もほんとうは信じてはいないのだから。その日のうちに、ああ、すべては終った、という安堵か虚脱みたいな思いがなかったわけではない。だが、戦争にたいするモラルがすぐそれを咎めた。このとき、じぶんの戦争や死についての自覚に、うそっぱちな裂け目があるらしいのを、ちらっと垣間見ていやな自己嫌悪をかんじたのをおぼえている。翌日から、じぶんが生き残ってしまったという負い目にさいなまれた。何にたいして負い目なのか、よくわからなかったが、どうも、自分のこころを観念的に死のほうへ先走って追いつめ、日本の敗北のときは、死のときと思いつめた考えが、無惨な醜骸をさらしているという火照りが、いちばん大きかったらしい。わたしは、影響をうけてきた文学者たちが、いま、どこでなにをかんがえ、どんな思いでいるのか、しきりにしりたいとおもった。そんな日、高村光太郎の「一億の号泣」は発表されたのである。

一億の号泣

綸言一たび出でて一億号泣す
昭和二十年八月十五日正午
われ岩手花巻町の鎮守
鳥谷崎(とやがさき)神社々務所の畳に両手をつきて
天上はるかに流れ来る
玉音(ぎよくいん)の低きとゞろきに五体をうたる
五体わなゝきてとゞめあへず
玉音ひゞき終りて又音なし

この時無声の号泣国土に起り
普天の一億ひとしく宸極に向つてひれ伏せるを知る
微臣恐惶ほとんど失語す
たゞ眼(まなこ)を凝らしてこの事実に直接し
苟も寸毫も曖昧模糊をゆるさゞらん
鋼鉄の武器を失へる時
精神の武器おのづから強からんとす
真と美と到らざるなき我等が未来の文化こそ
必ずこの号泣を母胎として其の形相を孕まん

わずかではあるが、わたしは、はじめて高村光太郎に異和感をおぼえた。すでに、敗戦が、わたしをおそろしく孤独なところへつきおとしているのを、あらためてしった。戦争がつくっていた連帯感がもう消えかかっているのだ。

いまでは、こんなことをいっても誰も信じまいが、わたしの異和感は、高村の天皇崇拝が、骨がらみであるのを知ったためでも、天皇の降伏放送にたいして、懺悔を天皇個人に集中しているのが異様だったためでもない。わたしがもっていた天皇観念は、高村と似たりよったりであった。わたしには、終りの四行が問題だった。わたしが徹底的に衝撃をうけ、生きることも死ぬこともできない精神状態に堕ちこんだとき、「鋼鉄の武器を失へる時　精神の武器おのづから強からんとす　真と美と到らざるなき我等が未来の文化こそ　必ずこの号泣を母胎として其の形相を孕まん」という希望的なコトバを見出せる精神構造が、合点がゆかなかったのである。高村もまた、戦争に全霊をかけぬくせに便乗した口舌の徒にすぎなかったのではないか。あるいは、じぶんが死ととりかえっこのつもりで懸命に考えこんだことなど、高村にとっては、一部分にすぎなかったのではないか。わたしは、この詩人を理解したつもりだったが、この詩人にはじぶんなどの全く知らない世界があって、そこから戦争をかんがえていたのではないか。

わたしは、絶望や汚辱や悔恨や憤怒がいりまじった気持で、孤独感はやりきれないほどであった。降伏を肯んじない一群の軍人と青年たちが、反乱をたくらんでいる風評は、わたしのこころに救いだった。すでに、思い上った祖国のためにという観念や責任感は、突然ひきはずされて自嘲にかわっていたが、敗戦、降伏、という現実にどうしても、ついてゆけなかったので、できるなら生きていたくないとおもった。こういう、内部の思いは、虚脱した惰性的な日常生活にかえっていたから、口に出せばちぐはぐになってしまうものであった。こころは異常なことを異常におもいつめたが、現実には虚脱した笑いさえ蘇った日常になっていたのである。わたしは、降伏を決定した戦争権力と、戦争を傍観し、戦争の苛酷さから逃亡していながら、さっそく平和を謳歌しはじめた小インテリゲンチャ層を憎悪したことを、いっておかねばならない。もっとも戦争に献身し、もっとも大きな犠牲を支払い、同時に、もっとも狂暴性を発揮して行き過ぎ、そして結局ほうり出されたのは下層大衆ではないか。わたしが傷つき、わたしが共鳴したのもこれらの層のほかにはなかった。支配者は、無傷のまま降伏して生き残ろうとしている、そのことは許せないとおもった。戦後、このときのわたしの考えが、初期段階のファシズムの観念に類似したものであることを知った。降伏という事態によって、いままで社会には貧富の差があり不合理だというところから富者に嫌悪感をもっていたわたしは、やはり、漠然とであるが、社会には支配者と被支配者があり、戦争でも、敗戦でも、平和になっても、支配者はけっして傷つかず、被害をうけるのは下層大衆だけなのではないか、とはじめてかんがえはじめた。わたしは、出来ごとの如何によっては、異常な事態に投ずるつもりであったことを、忘れることができない。

わたしたちの少年期から青年期の前半にかけた時期は、天皇制下における右翼と軍部ファシズムの擡頭と戦争とに終始している。試みに年譜をとってみる。

昭和 七 年　上海事変　血盟団事件　五・一五事件　（8歳）
昭和 八 年　神兵隊事件　（9歳）
昭和十一年　二・二六事件　（12歳）
昭和十二年　中日戦争（支那事変）（13歳）
昭和十三年　近衛、東亜新秩序宣言　（14歳）
昭和十五年　新体制運動　（16歳）
昭和十六年　太平洋戦争　（17歳）
昭和二十年　敗戦　（21歳）

わたしが、右翼、軍部共演のファシスト・テロ事件を、はじめて意識的にながめたのは、昭和十一年の二・二六事件からであった。これは、少年のわたしに強烈な印象をあたえた。断っておかなければならないが、日本のマルクス主義政治運動も文学運動も、余燼があったはずなのに、まったく精神的な影響を印していない。貧富の差からくる不合理にたいする反抗心は、急進ファシストが身をもって代弁してくれるようにおもわれた。学校で儀式ごとに植えつけられた天皇崇拝観念は、おなじように急進ファシスト中のある分子が、もっとも純粋な形で代弁していた。少年のわたしは、これらの右翼テロリストたちに共感のほか何もかんじなかった。これら、農村、地方出身の独学インテリゲンチャ、青年将校は、典型的に、貧困と社会的不合理に抑圧された青年期の心情を、独断的な知識を寄せ集めて論理づけ、これを偏執的な熱狂心に結びつけている。いわば、充分に成長しきれない内的な世界を強烈な実行によって覆っている封鎖的な亜インテリゲンチャの青年を代表している。わたしは、いくらか成長するにつれて、これら右翼テロリストたちの行動から異常な革命的エネルギーを感じながら、同時に、暗い偏執の匂いをかぎとり、異和感をもたざるをえなくなったが、しかし、かれらの行動は、天皇制教育下に成長したわたしたち都市下層庶民の少年の、純粋意識と反抗心におおきな影響をあたえた。右翼テロリストたちの行動は、いうまでもなく都市庶民層を本質的な意味では、いいいしんかんさせてはいない。かれらからみれば、テロリストたちは、たんに、単純で偏執的な、世智に乏しい青年にみえただけである。利害を目算に入れず、結果を構想することを拒否し、論理的な思考と計画を欠いていた彼等の実行は、いくらかでもブルジョワ化した都市庶民を動かしえたはずがなかった。わたしは、ほとんど思想的には右翼テロリストからもっとも影響をうけ、文学的には、日本的近代主義者高村光太郎、空想社会主義者宮沢賢治、近代的―急進的ファシスト保田与重郎、庶民的インテリゲンチャ小林秀雄、横光利一、芸術至上主義者太宰治の影響下に、少年期から青年期の前半をおくった。このような思想的、文学的影響が一人の青年にとって統一的な像を結んだかどうか、という疑問は、わたしの未熟さということで解きうることである。しかし、これが無矛盾でありえた、というところからは、近代日本の文化と社会生活と思想的な伝統との間にある断層の問題を引きだしえないことはないと考えるのだ。この問題をつきつめることによってしか、右翼テロリストたちの実行が、軍部、天皇制官僚、財閥を結合させ、社会民主主義者、マルクス主義転向者、日本的近代主義者を傘下において、翼賛政治、文化運動を展開させ、労働者の組織を産業報国会に編成せしめて、戦争に突入させるに至ったエネルギーは理解できないとおもわれるのだ。

明治以来、日本の近代社会は、政治機構から生活の末梢にいたるまで、西欧の科学、技術、文化、生活様式の圧倒的な影響をうけ、それと伝統の様式、思考方法との矛盾、衝突、混合をくりかえし体験しながら、いわゆる「日本化された近代」をつくりあげてきた。しかし、この西欧化と伝統との混和状態は、現実的な危機に直面すれば、ただちに固有の様式に分裂状態がおこらざるをえないものであった。

ほとんど、西欧的な発想の影響をうけていない右翼テロリストたちの土着の思想が、太平洋戦争に突入して行く全体制の編成におおきな力を及ぼしたのは、おそらく、日本の全階級の人民が、西欧に対する劣勢意識をうらがえした点で、かれらに共感し、復讐の機会をみたからである。

このような、封鎖された排外意識を完全にまぬかれたのは、骨肉から西欧近代主義を身につけた金融資本家の一部とマルクス主義者中の例外的少数にすぎなかったといえる。年少のわたしは、右翼ファシストたちが、擬制的に資本主義の打倒をとなえ、西欧にたいするアジアの解放をスローガンとしたとき、ほとんど他の異和感は、暗い鬱屈になって内部にとじこめられざるをえなかった。かれらの偏執的な熱狂と無智なドグマは、わたしを苦しめたが、このような苦しさは克服するのが正しいと思いきめようとした。太平洋戦争が勝利におわっても、じぶんの内部的な矛盾は解放されることはあるまいとおもったが、それを肯定した。敗戦直後、高村光太郎の詩「一億の号泣」にたいしてかんじた異和感は、分析的にかんがえれば、高村の生涯の自然法的な思想が、右翼テロリストたちと、したがってその影響下にあった少年のわたしと、まったくちがった独特な構造をもっていたためである。

高村が欧米留学から帰国したのは、明治四十二年六月である。

もともと高村は告白をこのまなかったし、とくに欧米留学中のことを語るのをこのまなかった。戦後になって「父との関係」などで留学中の道行きは、事実をそのまま羅列したような回想によって輪廓をあきらかにしたが、高村のこころに何がおこったのかをいう意味では、何も語っていないにひとしい。告白というものがもともと内的な確執がやんだとき成立つものだとすれば、生涯にわたって、独特な格闘をやめなかった高村が、告白をこのまず、とくに生涯のモチーフを決定した欧米留学中のことを語りたがらなかったのは当然であった。高村が身辺のことにふれるようになったのは、「母のこと」（昭和十五年五月）、「姉のことなど」（昭和十六年四月）、「美術学校時代」（昭和十七年六月）、「子供の頃」（昭和十七年七月）などがはじめである。すでに、母は死に、父光雲は死に、智恵子夫人は狂死し、高村の生活上の惨劇はすべておわったのち、はじめてこれらの回想はかかれた。高村にとっては、もはや、かたくなに「家門」に反抗し、父光雲の意にさからってきた往時の感情を、固執する理由はすべてなくなっていた。太平洋戦争にさしかかって、戦争と運命をともにするつもりになっていた高村は、近親のことにもふれておきたかったし、また庶民と戦争をともにしているという意識が、肩の荷をおろさせ、昔を談話したのである。だからこの回想は、戦争にのり出した時機の高村の内的な世界を象徴するものではあっても、生涯の精神上のドラマを再現するものではなかった。戦後、ふたたび生涯をしめくくろうとし、自分の制作品の目録にも及んだが、眼前には死がひかえていて、生涯の惨劇を掘りおこす必要はなかったのだ。戦後の回想は、力をこめてかかれているが、不安も惑いも卒業したといった調子は一貫している。

欧米留学中のことも、「死んだ荻原君」(明治四十三年七月)、「フランスから帰つて」(明治四十三年三月)、「日本の芸術を慕ふ英国青年」(明治四十四年十月)、「彫刻家ガツトソン　ボーグラム氏」(大正六年五月)、「バーナード・リーチを送る」(大正九年六月)、などによって戦前に片鱗はあきらかにされてはいた。しかし、ここにも、欧米留学の年代記を埋める資料はあっても、精神上の体験を照し出すものは、ほとんどえがかれていない。高村は、欧米留学中の物質的な基礎について回想録で語っている。「世間では沢山金でも持つて行つたやうに思つて、向ふに居ても金持の連中などで対等のつきあひをしようと思つた人達が居たりして、さういふ時は何時も仲間外れをしてゐたが、金がないと言つてもどうしても本当にしなかつた。」有島生馬が、パリ時代の高村についてかいていることは、高村の物質的な理由による「仲間外れ」と関係があるかもしれない。「南君が先に帰国してから、吾々の住んでゐたカルティエ・ラタン区のカムパーニュ・プルミエル街の画室住ひの一人になつたが、毎日どこをどう歩きまはつてゐるのか、さつぱり分らなかつた。さうかといつてアカデミイに通つてゐるのでもなく、アトリエ内で彫刻してゐる様子もなかつた。」(「パリ時代の高村君」)留学などはもともと後進国の特産物だから、経歴に箔をつけようというのから、先進国の芸術の様式を体得してかえろうというのまで、そこに様々の動機が成立し、生活がありうる。しかし、後進国の優等生たちが、どんな精神上の惨劇をいだいて外国で生活するのかは、語ろうとしても余り語りえないであろう。滞欧中、高村が、それほど制作をのこしていないのは事実である。表現したことより表現しなかったことで、制作したことよりも制作の少なかったことで、文学史と美術史に重要な位置を占めている高村が、欧米留学中の生活の内部を、仲間に秘しおおせることくらい造作はなかったであろう。有島生馬も知らない。梅原龍三郎も知らないのだ。もちろん、知っていたのは高村自身であり、それは、あるいは知りすぎていたといったほうがよかったのである。明治四十三年七月には、「出さずにしまつた手紙の一束」、四月には「珈琲店より」が発表された。詩「根付の国」も同年にかかれた。大正十年には「巴里幻想曲の一」である「雨にうたるるカテドラル」が発表された。大正十四年には詩「白熊」、大正十五年には「象の銀行」がかかれた。記録的価値を問いうべくもないこれらの作品が、欧米滞在中の高村の内面の体験をあらわしている唯一の資料である。最初の作品と最後の作品の間には、凡そ二十年近くの年月があり、それぞれの時代的な背景によって、誇張されたり歪められたりしているが、一貫したモチーフの連関をたどることは容易である。「出さずにしまつた手紙の一束」から「珈琲店より」にかけて高村が展開したのは、芸術には、西欧と日本のあいだに理解できないものも、血統的な異質さもないが、西欧の人種と日本の人種のあいだには、まったく了解できない壁があり、落差があるというかんがえである。西欧の女をモデルに制作しても、モデルのこころが石ころかなにかのようにわからない。西欧の女と交わっても、白い皮膚と、自分の黒い皮膚の色との差が、どうしようもない劣等感になってこころをさいなんでくる。この人間の世界共通の意識と了解不可能の意識のあいだで、父光雲の願いであり、高村自身も、出発のときかんがえていた西欧の芸術様式を模倣し、手に入れてかえるという無邪気な願望は、けしとんでしまったのである。父と自分との血縁にたいする嫌悪や、日本のみじめな芸術と人間意識にたいする背離は、このようなところからうまれた。「根付の国」の自嘲をこめた日本人嫌悪と、人が居なければロダンのニンフの大理石をだいて寝たいという憧憬をあらためて描いた「雨にうたるるカテドラル」のなかのカテドラルの角石に両手をあて熱い頬をつけている「酔へる者なるわたくし」の描写は、このテーマの直接の反映にほかならない。高村のこころにある、西欧にたいする心理的な憧憬と劣等感とは、不安定なまま生涯にわたって見えかくれした。或る時期には、欧米留学時代の貧困な生活と、人種的侮蔑を浴びせかけられたときの屈辱の記憶を掘りおこさねばならなかった。たとえば、ガットソン・ボーグラムの書生時代、モデルに立っているとき、客の婦人があのモデルはいい体をしているというのをきいて、身体がふるえるような屈辱感を味わった思いなどは高村を傷つけずにはいなかった。人は生涯のうちに幾度も屈辱を味わうかもしれないが、高村の欧米留学中の屈辱のようなものは報復するすべがなかった。詩「白熊」、「象の銀行」において「教養主義的温情のいやしさは彼の周囲に満ちる。息のつまる程ありがたい基督教的唯物主義は　夢みる者なる一日本人(ジヤツプ)を殺さうとする。」(「白熊」)とかき、「ああ、憤る者が此処にもゐる。天井裏の部屋に帰つて『彼等』のジヤツプは血に鞭うつのだ。」(「象の銀行」)とかかざるをえなかったのは、この思いに連なるものであった。高村の生涯は、こういう見方からながめれば、一貫して西欧にたいする憧憬と反撥のあいだをゆれた。内的には世界意識と孤立意識との不安定な確執であった。(例えば、「ありがたう、フランス　わけのわかる心といふものが　どんなに人類を明るくするか　朝のカフエ　オオ　レエをついでくれた　一人のマダムのものごしにさへ　ああ、君はそれを見せてくれた」(「感謝」)は、大正十五年の作で、「象の銀行」と同年、「白熊」の一年後である。)

戦争は、高村にはじめて欧米留学中のこころの惨劇を十全に解放させる機会をあたえたのである。中日戦争にかたむいていった高村は、ほとんどイデオロギー的には西欧にたいするアジアの反逆というテーマをつらぬき、ここに生涯の思い出をからめたことはあきらかであった。これが高村の自然理性の退化と相補っていったのである。

植民地支那にして置きたい連中の貪慾から
君をほんとの君に救ひ出すには、
君の頭をなぐるより外ないではないか。

(「事変二周年」)

長い間支那南北を争はせて
漁夫の利をせしめてゐたのは誰だ
今又日本と支那とを喧嘩させて
同じ利をせしめようとしたのは誰だ

(「君等に与ふ」)

むかしに変らぬ久米の子等は海を超えて
今アジヤの広漠の地に戦ふ。
アジヤの民の眠りをさまし、
アジヤの自立を世界の前に建てようと
一切をかけて血を流してゐるのだ。

(「紀元二千六百年にあたりて」)

わが日本は先生の国を滅ぼすにあらず、
ただ抗日の思想を滅ぼすのみだ。
抗日に執すれば先生も亦滅ぶ。
わが日本はいま米英を撃つ。
米英は東亜の天地に否定された。
彼等の爪牙は破摧される。

先生の国にとつて其は吉か凶か。
先生よ、沈思せよ。
（「沈思せよ蔣先生」）

一見すると、たしかに天皇制権力と軍部ファシストの戦争スローガンをまねているようなこの語り口を、たんなる便乗と解することはできない。高村の内面的な動機や精神上の構造は、おそらく、かれらとまったくちがっていた。もし、欧米留学から骨身にきざみこんできた孤絶意識を根本からくつがえす時期がきた、とかんがえたのでなければ、この幼稚なスローガンに良心を託して戦争にのりだすようなことはなかった筈だ。このような人種的孤絶意識は高村のようにきわだったものでないにしろ、日本の都市庶民が西欧化されてゆく生活様式と伝習的な家を中心とする生活感情との矛盾あつれきのなかから明治以来蓄積してきたものにほかならなかった。右翼ファシストのイデオロギーの基盤である地方、農村の排他的な鬱屈した伝統主義が、都市庶民たちのイデオロギーと交叉したのは、文化的鎖国状態と相まって、この西欧にたいする孤絶意識という一点だけであり、これを支点にして、日本の民衆は戦争にたいして積極的な体制を組んでいったのである。

高村のイデオロギーは、出生意識を掘り下げることによって得た、都市庶民のイデオロギーを尖鋭化した典型にほかならない。

社会意識的にみれば、『道程』や『智恵子抄』の前期、いいかえれば、高村が欧米留学からかえった直後の問題は、日本の社会芸術界の封鎖的なつながりを西欧近代社会を原型にして否定し、独走しようとする過程におこり、智恵子夫人と死別後の問題は、日本の庶民の意識に同化、屈服する過程で、いわば庶民のなかにある西欧への孤絶感を刺戟し引きだすところにあった。このまったく相反している精神上の方向は、そのまま『道程』と「猛獣篇」のなかに対照的にあらわれざるをえなかったのである。『道程』ではあきらかに高村の西欧憧憬を軸にして、日本の社会が批判され、欧米留学中に純粋培養した文化的エディプス・コムプレックスをたてにして、日本のふるい人情ははげしく嚙みくだかれている。しかし、この日本的な現実との嚙みあいは、白樺派の進出と平行して放棄され、自然理性のうえにたった孤立した人間肯定に転化していったのである。高村にとって、自我を確立してゆくことは、社会との通路を意識してたちきり、庶民の生活からも環境からも自己を隔離させることにほかならなかった。この『道程』のはらんだ問題は、はるかに戦争期へはいる直前の詩「猛獣篇」の性格を規定したのである。「猛獣篇」は、高村の内的な世界がしだいに生活史の破産をうけて孤独に閉じこめられていったにもかかわらず、詩自体をテーマに託して現実を裁断するように外にむかってつっかかっていった矛盾のなかに問題が集中してあらわれたのである。大正十二年九月の『明星』で、高村はつぎのようにかいている。

長い間の心の要求であつた自分の小さな個人雑誌が此冬あたりから出せさうなので喜んでゐます。長い間窮屈に押しつめられてゐた自分の内の生活が其処で自由に放電せられる事を思ふとうれしい気がします。どんなにすがすがしい事かと思ふ。此世に於ける自分といふ生存にどんな意味があるのかはまだ自分にもはつきり分からないでゐます。それが分かつて来るであらうと思ふ事がたのしみです。自分が草で言へば路傍の雑草、木で言へば薪になる雑木、水で言へば地中の泉である事は既に知つてゐます。しかし此の大きな自然の中では万物が自己の生活を十全に開展せしめ進展せしめて、互に其の同胞と呼びかはす事を許されてゐます。さうして微妙な因果律が万物の間に万物各自の存在理由を作つてゐます。万物は皆大きな至上律の下に自由を得てゐます。自由とは至上律の命ずるままに動く事、それに身をまかせる事であります。自分も亦此の自由が人間にとつて如何なるものであるかを知りかかつてゐます。地中の泉は地中の泉らしいはたらきと美しさとを持つて居るに違ひありません、如何に微弱であつても自分も亦或る河床に其を思のままに噴出せしめるやうになるのは自然です。自然の力にせまられるのを感じます。

私は泥足で歩くやうな自分の芸術の事を考へ、荒蕪地の颪のやうな自分の思想の事を考へて、「明星」のやうな私に寛大な雑誌にすら、思ひ存分には動く気になれなかつた事を白状します。それは大理石の階段にまつくろな足跡をつける事でありました。どんなに時々自分で其の足跡をふり返つて見て、興ざめた事か知れません。さうかといつて、でたらめに他の雑誌に自分のものを寄せる事は自分の一種の潔癖性（此は実は困つた獣類の一種です。）が許しません。私は自己の内攻を感じてゐました。鬱積の圧迫をやつと堪へてゐたのです。今度こそ私の胸はすくでせう。さうして私の全裸身が、善きにせよ悪しきにせよ、動く可き処に動くでせう。（「一隅の卓」）

しかし、高村は、実際は泥足で歩いたわけではなく、大理石のうえにまっくろな足跡をつけたのでもなかった。いわば自然調和的思考にたすけられて、その生活は、単純で行儀よく、孤立的であり、その芸術は古典的、整合的であった。そのために、内心にあった鬱積は、吐け口をなくしてますますつのり、かえって必要以上に醜悪を夢みるという具合であった。たとえば、このころ、生活に窮して素描の頒布会を公告したが、注文がくれば自分の作品を金にかえられないで、弁明を公告してとりやめ、内心でますますもがくといった具合だったのである。「猛獣篇」の猛獣という意味が、高村のいうように、内心の鬱積を指しているとすれば、その原因はいうまでもなく『道程』後期や『智恵子抄』におけるデカダンスからの脱出の仕方のなかにあった。

個人的生活の上に自然理性の思想をおき、そこからはみだす内心の鬱屈を詩から切りすてて肯定的なヒューマニズムを粧ったところに問題は萌していたのである。もともとこの詩人は、江戸職人的であり、庶民的であり、ヒューマニストというよりも、もうすこし人間にたいして非情であったから、いくらか雰囲気をつけずにはすまないヒューマニズムなどには馴らされない狂暴さをもっていた。まるで無限の競合い（せりあ）のように、自然調和をしんじようとするこころと、それをつきくずそうとする欲求のあいだの確執は内心でつづけられたはずであった。そして、この自然調和をつきくずそうとするこころを切り捨てようとしたため、直接には『智恵子抄』に象徴された生活史が、夫人の狂死をもって破産したにもかかわらず、美的な衣裳によってそれをおしかくさざるをえない破目におちいり、高村の内的な矛盾はそのまま「猛獣篇」時代の作品となって吐き出されるにいたったのである。「猛獣篇」は、「雷獣」にしろ、「マント狒狒」にしろ、「象」にしろ、「森のゴリラ」にしろ、「ぼろぼろな駝鳥」にしろ、「潮を吹く鯨」にしろ、すべて人間の不正と狡智にたいする憤怒の爆発であり、社会秩序のわくにたいする破壊的な意志をあきらかにしている。しかし、高村は、それを内部の主体的な表現によってではなく、アレゴリイとしての動物を「テーマ」とする詩としてしか表現できなかった。テーマ詩としての「猛獣篇」の形式的な安定感は、ふたたび高村の急迫した内心を疎外するようにはたらき、鬱屈は充分なはけぐちを見つけられないため、内面の危機感と形式的な「テーマ」の安定感との分裂は当然であった。ここに、詩の方法の問題として、高村が内心の抑圧や鬱屈をおきざりにして、次第に戦争詩へと傾いてゆき、一方では、人知れず内心の悩みをつづけるという戦争期の内部世界の分裂へゆきつく原因があらわれたのである。「猛獣篇」の問題は、高村の自然法的な思想を確立するみちすじが、日本の庶民社会の生活環境を隔離することと同義をなしたのとまったくつながるものであった。高村の現実意識は「テーマ」のなかに形式化されてゆき、内心の主体はますます孤立して作品そのものから追いだされる運命におちいった。『道程』の初期に、日本の封鎖した情緒や風物に、自己のこころをつき立てることで、シニカルな現実密着の批判を展開したこととくらべれば、「猛獣篇」はまさにその反対の過程を意味している。そして、ここに、高村が自我を確立してゆく過程を、日本の資本主義の上昇期にあわせることができた『道程』と、自我の崩壊してゆく危機感を、日本資本主義の下降期にあわせねばならなかった「猛獣篇」との差異が、はっきりとあらわれたのである。高村は、猛獣篇時代のじぶんの精神上の危機が、どうしても社会の総体の問題とつながっていることを知っていた。「猛獣篇」のけわしい現実敵視が、直接には、生活上の窮迫からきているにもかかわらず、この時期の社会不安や労働者の反抗に、かきたてられたものであることを無視できないのはそのためである。高村の生活史は、この時期に、社会の危機と内心の危機感とに十重、二十重にとりかこまれている。「猛獣篇」前後の詩は、作品のうえでは、かなりな程度、内心のうめき声を抑えきって破綻をあらわにしていないが、直接年譜は、まるで急坂を落下してゆくような生活上の破産をつたえているのだ。

昭和六年　智恵子に精神分裂症の徴候
昭和七年　智恵子アダリン自殺未遂
昭和九年　智恵子精神分裂症悪化　父光雲死亡
昭和十年　智恵子南品川ゼームス坂病院入院
昭和十三年　智恵子死亡

智恵子夫人の死を契機にして高村が戦争へ傾いていったのは、決して偶然ではなかった。年譜にすれば、一行くらいになってしまう夫人の精神異常、自殺未遂、死という事実は、智恵子夫人の精神病理学的な素質にだけよるものではなく、恰も高村と智恵子夫人との生活が緊張のあまり破れてしまったグラフにほかならなかったのだ。高村は作品のなかでも、回想のなかでも、智恵子夫人と出遇ってから内心のデカダンスがぴったりと止り、生涯の方向がきまったことをくりかえし記している。そして、『道程』の作品は、智恵子夫人らしい女性の影（N女史）が現われる頃を境にしてはっきりと二つにわかれているほどである。高村は夫人との結婚と生活のなかに強烈なモチーフをおいた。そして、その生活は、日本の庶民社会で通用している「家」の概念をじゅうりんするような形式と内容が必要だったのである。高村が、智恵子夫人との生活にかけた理想を実現できなかったとしたら、欧米留学からもちかえった孤絶意識は決してなくならなかったはずである。だから、生活史自体が高村にとって必死の課題であり、智恵子夫人の死によるその破綻は、この課題の挫折を意味したのである。

高村の近代意識を、明治以後のすべての文学者からへだてている独自な性格は、この生活史自体に内面の問題をかけ、生活のくまぐまに光彩あれというようなことに必死の重さをかけた実践的なところにあった。この芸術と生活との一元論によって、夫人の死後、戦争に生活上のモラルを託し、敗戦後、指導の座にあった責任をかんじて生活自体を山林に投じたのである。高村のこういう一元論を決定したのは、欧米留学から骨身に刻んでかえってきた青年期の秘されたモチーフであった。高村にとって、西欧先進の芸術的な技法と様式を学ぶことは第二義に属し、自己のなかの社会と生活と、西欧のそれとのちがいや落差を凝視することこそ留学中のモチーフだったのだから。「検討するのも内部生命　蓄積するのも内部財宝。」(「暗愚小伝」)という西欧近代の「家」の様式と感情を日本の庶民社会で孤立して培養しようとする高村の企意は、生活上の窮乏と社会通念におしまくられて、智恵子夫人の狂死となって失敗せざるを得なかった。

高村は、しばしば雑文や詩のなかで、芸術を美の監禁に手渡すことの理不尽についてかいているが、生活を庶民社会の通念に犯れさせ、自己の芸術を通念に犯れている所以とたえず対決させながらしか均衡を保てないような芸術と生活との日本的な関係に反して、あくまでも生活と芸術との一元的な結びつきに固執し、自我を確立することが社会通念を拒否することと同義であったような高村の発想が持続できないことは当然であった。どこかで、その閉じられた生活は、破けなければならなかったのである。智恵子夫人の狂気・自殺未遂・死は生活上の破けであり、「猛獣篇」におけるテーマと内的な鬱屈との分裂は、文学的な破けであった。高村ほど、全身をこめて戦争に突入した文学者はいなかった。年少のわたしは、高村が大政翼賛会中央協力会議の委員になったとき、この孤独な詩人の一途な態度を敬愛したが、いまにしておもえば、この時こそ高村が、日本の庶民社会のなかで西欧近代の「家」の理念を打ち立てようとする企てがすべておわったことを確認した時期であった。

主人は権威と俗情とを無視した。
主人は執拗な生活の復讐に抗した。
主人は黙つてやる事に慣れた。
主人はただ触目の美に生きた。
主人は何でも来いの図太い放下(はうげ)遊神の一手で通した。
主人は正直で可憐な妻を気違にした。
(「ばけもの屋敷」)

夫人の死と前後して、父高村光雲も死んだ。

うわべは優しい息子として終始しながら、内心では生涯のコースを変えるほど苦しみ、何とかして二代目的な生活と芸術とにおちいるまいとして格闘した父光雲が死んだのである。いまはもう抗うものすべてがなくなったようにおもった。家霊のようなものに招かれて、一群の回想をかき、父光雲、祖父中島兼松などの天皇に対する江戸庶民的な尊崇を内部にうけ入れた高村は、かつて青年期に欧米留学によって骨身まで沁みとおった西欧にたいする孤絶意識を逆手にとり、西欧にたいするアジア後進国の解放、復讐という、うわべは天皇制権力・ファシストのかかげたスローガンと一致するイデオロギーを唯一のよりどころとして突入したのである。

昭和二十年三月二十六日、米軍は琉球慶良間列島に上陸した。次いで四月一日、沖縄本島に上陸した。すでに三月一日、米軍は硫黄島に上陸し、十七日には硫黄島の日本軍は全滅しており、日本の敗北は決定的になっていた。敗戦期の高村の詩は、戦争を完遂せよ敗北感に侵されるな、というアジテーションを大衆にむかって説くことに終始している。もう、いいかげんの便乗文学者では、どうしようもない局面になって、大衆の戦意に殉じようとした。おそらく、いいかげんなところで手を引かなければ損だとすすめた白樺派の文学者のふところ手の倫理をおもい起したろうが、そこまできて責任を回避できなかったのは、高村の庶民的善意によるものであった。詩「琉球決戦」は、昭和二十年四月二日、『朝日新聞』に発表されたが、この詩は、敗戦期の高村が力をかたむけてかいたものであった。

琉球決戦

神聖オモロ草子の国琉球、
つひに大東亜戦最大の決戦場となる。
敵は獅子の一撃を期して総力を集め、
この珠玉の島うるはしの山原谷茶（さんばるたんちゃ）、
万座毛（まんざまう）の緑野、梯梧（でいご）の花の紅（くれなゐ）に、
あらゆる暴力を傾け注がんずる。
琉球やまことに日本の頸動脈、
万事ここにかかり万端ここに経絡す。
琉球を守れ、琉球に於て勝て。
全日本の全日本人よ、
琉球のために全力をあげよ。
敵すでに犠牲を惜しまず、
これ吾が神機の到来なり。
全日本の全日本人よ、

起つて琉球に血液を送れ。
ああ恩納ナビの末孫熱血の同胞等よ、
蒲葵の葉かげに身を伏して
弾雨を凌ぎ兵火を抑へ
猛然出でて賊敵を誅戮し尽せよ。

年少のわたしは、高村が敗戦と運命をともにするつもりだな、とかんがえた当時この詩にかなり感動したのを記憶している。敗戦期の高村は、眼前にひかえた死の決断をまえにあきらかに思想上の転機にたった。この「琉球決戦」にもあらわれているように、徹底した庶民的な意識から庶民の指導者としての意識にかわった。おそらく、この高村の転機に影響をあたえたのは、敗戦直前の焼けただれて機能をマヒした都市の現実と、傷めつけられて沈没してゆく庶民の動向であった。もう敗色はあきらかで、大衆は空爆に傷めつけられて気力をうしなっていた。高村は、この時期になって次のようにかいている。

罹災とは災厄によつて、最悪の場合には生命を失ひ、生命に異状ない場合でも、衣食住の突発的喪失による物的停頓を意味する。罹災とはあくまで物の関係であつて精神の問題ではない。物が罹災するのは眼前の事実であるが、精神の罹災といふことは元来他動的にはあり得ないのである。いかなる時でも自律的に自動性を堅持しながら消長するのが精神の特質である。（「平常心を豊かに」）

高村は、自分の罹災体験をもとにしてかいているから、この時期の高村の発想そのものをここによみとっても大過あるまい。高村は、空爆によって生活財が消滅してしまったとき、ほぼ、内部的世界を生活、環境からまったく切り離して自立させる発想に到達している。そして、そこから生活財を失って精神的に虚脱におちいり、苦んでいる庶民の意識にたいして物質と精神内部とは別個の関係ないものだ、と呼びかけている。高村は、すでにこの時期に、主体的な自我と庶民的な屈服とに分裂した自己の内部世界を完全に一元的に統一するかわり、外部の現実と内部の世界とを全く分離せしめているのだ。この発想は、日本の近代主義者の発想と、一見ちがうようであるが実はまったくおなじもので、一層徹底した形で高村によってとらえられたのである。すでに、社会的な機能がマヒしかかった敗戦期において、高村が依然としてそこに対処する精神の方法を編み出そうと努力している様は、これらの断片的な文章によってもうかがうことができるが、その主観的な誠意によって、極端な近代性と前近代性とが背中あわせになった近代日本の社会的な特質は、思想の機能によって高村に体現されたのである。「琉球決戦」、「栗林大将に献ず」というような大衆への呼びかけをつうじて、高村は自己の内部世界を庶民の意識から切り離し、指導者的な、日本的近代意識ともいうべき一元性に到達した。この転換がおそらく最後まで高村を庶民の厭戦意識から免れさせたもので、その思考の道すじは必然的であった。この時期にいたって高村は庶民に対しても批判的、指導的になり、庶民の混乱からもはなれて、独自の一元的な精神主義に到達したのである。高村は、おなじ文章のなかでかいている。「低きものは、罹災といふ物的関係よりも低い高度にゐる精神が衣食住といふ物の喪失に眩惑せられて恰も精神そのものが罹災したかの如き自己錯覚を起して種々の神経的病症を惹起する。そしてつひには社会的共同生活に妨げとなるやうな行動を敢てするに至るのであるが、その多くは自覚症状がない。」ここでは、大体において滅私奉公という軍部ファシストのスローガンと一致するものをもっている。それは、現実のあらゆる動きに内部世界をからませることにより、内部と現実社会の通路を論理化しようとする西欧近代精神の特質とほとんど逆立する認識に外ならなかった。この認識は、一見すると戦争期の日本の近代主義者などとちがった外観を呈するが、しかしその精神構造はまったくおなじで、ただ、かれらは高村ほど徹底しきれないものにすぎなかった。ここには、現実社会の軽視、物質的基礎にたいする軽視、またはそれにたいする、羞恥感といったような日本的近代意識の特質があらわれている。このような高村の認識は、現実のどんな事態をも、おどろかずに処理する内部的な原理をつかんだことに外ならなかった。「危険挺身の民兵たれ」のなかでかいている。「日本本土は今琉球、ルソンに直結する戦場となつた。戦災にあふ度に国民の戦争意識はいやでも応でも純粋となる。国民は今こそ真の民兵となり切つて、ますます規律を厳格に保ち、公道の徳義を重んじ、いざといふ時は率先して危険に身を挺さなければならない。自己生活の過去にれんれんたるなかれ。むしろ御破算をこそ喜び、未来に耿々たる新生の火を焚き、敵の腰砕け、敵の気力折れ尽きるまで、戦に冷徹して、神明からうけた大和民族の真意義を完たからしめねばならない。私も老骨に鞭うつて大いにやらうと思ふ。」すでにここでは、物質的欠乏、現実的な損害、が内部世界を純粋にさせる糧として逆倒してつかまえられている。この一元的な精神主義はほとんど日本的近代意識がたどりつく徹底した一極を示している。だからこれを免れることの困難は現在もまったく消滅してはいないとおもう。高村がこのような認識に到達したころ、日本の都市の大部分は灰燼に帰していた。灰燼のなかで香を焚く高村のような近代主義者はいたのだが、戦争権力に内部世界をあげて反抗する認識に到達したものは皆無だった。高村が敗戦の日「一億の号泣」のなかで「鋼鉄の武器を失へる時　精神の武器おのづから強からんとす　真と美と到らざるなき我等が未来の文化こそ　必ずこの号泣を母胎として其の形相を孕まん」と書きえたのは、敗戦期に到達したような現実とまったくかかわりをもたないところで煮つめられた、その一元的な精神主義からして当然であった。どんな驚くべき社会的事態がおとずれても、変る必要のない精神構造にとって、敗戦はたんに支配者の顔ぶれが変るかもしれない、ひとつの事件にすぎないのは尤だ。それは、敗戦の日を生きる目的の喪失というような地点でうけとめねばならなかった年少のわたしなどの世代的体験と異るのは自明であったのだ。わたしが、敗戦の日を境として高村に感じた異和感を分析しようとするとき、この高村の独自な一元的な精神主義が日本的近代意識の一極限としておおきな意味をもたざるをえないのである。

戦後期

昭和二十年（一九四五）四月、高村は、駒込のアトリエを空襲で焼け出されて、父光雲相伝の彫刻道具一式をもって、同月、岩手県花巻の宮沢清六方に疎開し、八月、またここを戦災で焼け出されて花巻市内の知人宅に仮寓し、敗戦をむかえた。十月、近郊太田村山口の空小屋に移り住んだ。おそらくは、ここを、永住の住居とおもいきめたのである。

戦争期に、年少のわたしが、おおくの影響をうけた文学者のうち、横光利一は、敗戦の打撃から立ちあがれないままに、病没した。太宰治は、敗戦の痛手の対症療法として自ら課したデカダンスをつきつめて自殺した。保田与重郎は沈黙し、戦後挑発的にかかれたその批評は卒読にたえぬくらい無惨のていをなしている。小林秀雄もまた然り。ひとり、高村光太郎のみは、悪びれず戦争責任に服し、改訂すべき思考を改訂し、改訂すべきではないとしんじたものを主張したまま、文学的活動をつづけ、その強靭さは、別格をなした。戦後の高村の文学的な業績が、はたして無惨なものであるかどうか、分らないところがある。ただ、そのとてつもない方向にひっぱってゆかれた文学理念と思想を、分類してみせるほかに、ほどこす術がないような気がするのだ。いつか、歳月が遠くへだたったのちに、戦後、高村が追いつづけたものが再評価されることがあるとおもう。戦後の高村の文学活動が、かならずしもたるんだものでないことは、すぐに了解できるからである。しかし、わたしなどが戦後形成した分析法や思想では、ひっかかりようのないものができてしまっていて、どうすることもできぬ。もう他からとやかくいってもはじまらないとでもいうより仕方がないようなところへ、おおきな精力をもって、高村のいわゆる「絶体絶命」のたしかな足どりで歩いていってしまった。

戦後、横光利一が死んだとき、川端康成は、「感覚、心理、思索、そのやうな触手を閃めかせて霊智の切線を描きながら、しかし君は東方の自然の慈悲に足を濡らしてゐた。君の目差は痛ましく清いばかりでなく、大らかに和んでもゐて、東方の無をも望み、東方の死をも窺つてゐた。君は日輪の出現の初めから問題の人、毀誉褒貶の嵐に立ち、検討と解剖とを八方より受けつつ、流派を興し、時代を劃し、歴史を成したが、却つてさういふ人が宿命の誤解と訛伝とは君もまぬがれず、君の孤影をいよいよ深めて、君を魂の秘密の底に沈めていつた。西方と戦つた新しい東方の受難者、東方の伝統の新しい悲劇の先駆者、君はそのやうな宿命を負ひ、天に微笑を浮かべて去つた。」と呼びかけている。横光が、戦争期に文学的な理念とした「東方」というようなものは、モダニストの本卦がえりとして、すべてこれを了解し批判しつくすことができるが、たとえば、高村が戦後、「みちのく便り　四」でかいている「現代東洋に生れたものが必ず持つてゐるにちがひない心の奥の悲傷は、人それぞれの生理に従つて身体的に苦悩となる。呼吸するたびに痛むわたくしの肋間神経の痛みは、一語を吐くたびに傷むわたくしの精神奥処のうづきに照応する。この深因のある限り、一つの症状が治れば、又別の症状となつていつかは現はれるだらう。これは覚悟の上だ。」――というコトバは高村の思想の次元とおなじところにたって理解する力がわたしにはないのである。現代東洋に生れたものが必ず持っているにちがいない心の奥の悲傷とは、アジア的農業生産方式のうえにきずかれたアジア的貧困、ということに外ならないだろうが、この貧困のうえの文化的特質を体感、病を得るまでつきつめて、ついに肺結核でたおれたこの詩人の戦後の業績を評価することは、わたしの手に余るということを、くりかえしていっておく必要があるとおもう。いままで、戦後の高村にふれることを敬遠しつづけてきたのはそのためだが、ここで、やむをえず素描をこころみなければならない破目におちいった。

文学者の戦争責任の問題を、もっともはげしく戦後の文学的出発にあたって自分に課した文学者をあげるとき、どうしても、高村光太郎をその筆頭にあげざるをえないとおもう。戦争責任というものに軽重があるとすれば、高村光太郎のそれはもっとも重いかも知れなかった。高村が、内的な世界にどのような過剰な要素をかくしていたとしても、公的な文学活動によって、いいかえれば大衆にたいする影響によって裁断するとき、戦争への没入は、たれよりも強く、かくれがなく、おおきな影響をあたえた。そのかぎりでは、戦後の文学的な出発を、戦争期の言動と理念にたいする自省からはじめ、それがどの文学者よりも際立っていたとしても、当然であった。すくなくとも戦後の二年余は戦争期の検討についやされたが、高村の戦争責任のつきつめかたは、これを天皇（制）にたいするもの、大衆への影響、自身の思想にたいするものに分けてかんがえることができる。第一に、天皇制の問題があった。「暗愚小伝」のなかで、「天皇あやふし。ただこの一語が　私の一切を決定した。」とかいているように、高村にとって、天皇制の問題は骨がらみの問題であったために、思想の問題とはならずにおわった。思想の問題であるとするならば、かつて明治天皇の危篤の夜、天皇の死よりも自分の恋愛のほうが「いみじき事」なのだと主張した詩「涙」はどのように転換しても、天皇あやうしの一語がすべてを決定したというような単純な「暗愚小伝」の述懐につながりえないはずであった。高村が天皇制の問題を眼の上のたんこぶとして思いつめたのは、昭和初年、階級運動が興隆した時期であったが、そのときでさえ、思想の問題としてはつきつめられずに、どうにもならない骨がらみの問題として内的なコンプレックスとなり、そのまま棚上げされたのである。いわば、社会問題とは一応別個のものとして触れられずにきたため、庶民的祖先がえりをやった戦争期に、これは、ふたたび顕在化してきたのである。戦後、高村の戦争責任にたいする自省のうちで、この天皇に関するものは、きわめて特殊な様相を呈している。

(1)神聖犯すべからず。

われら日本人は御一人(ごいちにん)をめぐつて
幾重にも人間の垣根をつくつてゐる。
この神聖に指触れんとする者万一あらば
われら日本人ひとり残らず枕を並べて
死に尽し仆れ果てるまでこれを守り奉る。

（「犯すべからず」昭和二十年八月十八日作）

(2)聖上おん躬(みづか)ら太平を開きたまふ。
畏くも　聖上われらと共にあり、
いかなる苦難か超え得ざらん。
今や敗者の頭上に年あらたまる。
この年殆どわれらを餓莩(がへう)の途に追はん。

（「武装せざる平和」昭和二十年十一月二十七日作）

(3)已んぬるかな　竜顔をおん曇らせし者ら
身捕へらるれども巨富を子孫にのこす。
かくの如き国情の蹣跚たるにあたりて
方に民族の本来を開かんとする者は何ぞ。
畏くも　聖上すでに太平を開きたまふ。
国敗れたれども民族の根気地中に澎湃し、
民族の精神山林に厳たり。

（「永遠の大道」昭和二十年十二月六日作）

(4)占領軍に飢餓を救はれ、

わづかに亡滅を免れてゐる。
その時天皇はみづから進んで、
われ現人神にあらずと説かれた。
日を重ねるに従つて、
私の眼からは梁が取れ、
いつのまにか六十年の重荷は消えた。

（「暗愚小伝」昭和二十二年六月十五日作）

(5)よはひ耳順を越えてから
おれはやうやく風に御せる。
六十五年の生涯に
絶えずかぶさつてゐたあのものから
たうとうおれは脱卻した。
どんな思念に食ひ入る時でも
無意識中に潜在してゐた
あの聖なるもののリビドが落ちた。

（「脱卻の歌」昭和二十二年十一月二日作）

敗戦直後、もし、占領軍が天皇の神聖に指をふれることがあれば、日本人ひとりのこらず枕をならべて仆れるまでこれを守る、とかいた高村が、聖なるもののリビドが落ちた、とかくまでに、二年余を必要とした。この間の、天皇（制）にたいする高村の自省は、それが出生としての庶民を自省することと同じであったため、徹底していたとかんがえられる。しかし、ことは、あくまでも骨がらみの問題であったから、祖父中島兼松、父光雲の江戸庶民的な天皇尊崇の伝習から脱したとき、あたかも聖なるもののリビドのように落ちたのである。もしも、思想の問題であったとしたら、かならず、天皇（制）の否定か肯定かの決着を強いられたであろうが、高村は、狐が落ちたように眼のうえのたんこぶが消えたとき、風のようなフライハイトを獲取したと信じたのである。天皇（制）にたいする思考の経路が聖なるリビドがおちる過程にほかならなかったために、戦争責任は天皇からはずされ、「天皇の名に於て　強引に軍が始めた東亜経営の夢は　つひに多くの自他国民の血を犠牲にし、あらゆる文化をふみにじり、さうしてまことに当然ながら　国力つきて破れ果てた。」（「蔣先生に慙謝す」）というような軍、官僚の責任に転化されてすりぬけられた。戦争責任が、社会的にとわれるとすれば、天皇がその筆頭にくることは自明であるが、高村はそれをつきぬけずに、意識の外に追い、あとは自己の意識をあざむいた日本軍にたいする非難がのこったのである。この高村の思考の経路は、天皇（制）が、思想の問題となりえずに、骨がらみの内的な問題として顕在化し、骨がらみの問題として潜在化したことを意味していた。これは、戦後の高村にとって、ひとつの撰択であった。高村の戦後の道は、あくまでも擬アジア的な脱郤の道であって、ふたたび戦後庶民社会の狂乱のなかにたちかえり、権力の動向と大衆の動向とに対峙する道をとらないことを、まず、天皇（制）にたいする責任思考の経路によってあきらかにしめしたのである。

高村の戦争責任についての第二の自省は、「我が詩をよみて人死に就けり」という問題であった。

(1)爆弾は私の内の前後左右に落ちた。
　電線に女の太腿がぶらさがつた。
　死はいつでもそこにあつた。
　死の恐怖から私自身を救ふために
　「必死の時」を必死になつて私は書いた。

その詩を戦地の同胞がよんだ。
人はそれをよんで死に立ち向つた。
その詩を毎日よみかへすと家郷へ書き送つた
潜航艇の艇長はやがて艇と共に死んだ。

（「我が詩をよみて人死に就けり」）

(2)わたくしの暗愚は測り知られず、
せまい国内の伝統の力に
盲目の信をかけるのみか、
ただ小児のやうに一を守つて、
真理を索める人類の深い悩みを顧みず、
世界に渦まく思想の轟音にも耳を蒙んだ。
事理の究極を押へてゆるがぬ
先生の根づよい自信を洞察せず、
言をほしいままにして詩を献じた。
今わたくしはさういふ自分に自分で愕く。
けちな善意は大局に及ばず、
せまい直言は喜劇に類した。
わたくしは唯心を傾けて先生に慙謝し、
自分の醜を天日の下に曝すほかない。

（「蔣先生に慙謝す」）

戦後、高村をほんとうに苦しめたのは、天皇（制）の問題と、このじぶんの詩をよんで人は死んでいったという問題だけであった。天皇（制）の問題は高村を駆りたてて、青年期にあれほどまで反抗した庶民的な家の情感のなかにひっぱってゆき庶民的な天皇尊崇をうけいれさせた原動力の問題であった。数年間、世界から隔離されたこともあいまって、高村は日本の庶民的意識を、積極的な思想にまで積みあげたいとかんがえて、「真理を索める人類の深い悩みを顧みず」に、思想の祖先がえりを敢行したのである。高村の生涯の思考体系からかんがえれば、世界共通性の意識を完全に脱落し、また、人は人を、人種は人種を、文化は文化を理解することができないという孤絶意識をも失って、ただ、天皇ヒエラルキイの独特なピラミッドを、「自然」をうけいれるように、うけいれたのである。このような思考の地点が、調和期の高村の自然法的な「自然」理性よりも、むしろ、花鳥風月的な「自然」情感にちかくなり、物事にこだわらず、あくせくとしない、いさぎよいなどという、日本社会の物質的貧困が、庶民にあたえた息抜きの思想を受けいれるところに、たどりつかせたのは当然であった。このような思考は、戦争責任を自省する過程で、戦後、徹底して摘出された。しかし、摘出の方向は、かならずしも、旧に復する方向ではなかったのである。詩の実作がしめしているように、たしかに、二年余をついやして高村は天皇（制）の重圧を意識のそとに追い払ったが、けっして意識のなかで扼殺したのではなかった。天皇（制）に戦争責任はなく、天皇（制）の名をかりて、残虐をおこない、侵略をおこなった官僚権力、軍隊に責任があるというところに社会的問題は転化されたのである。高村は、自分の意識のなかをおおった天皇にたいして自省をくわえずに、天皇を担いだ自己意識の退化に批判をくわえておわった。太平洋戦争期に、詩集『記録』におさめられたようなアジテーションの詩をかかなかったとすれば、「我が詩をよみて人死に就けり」という自省も、おこなわれずに済まされたであろう。天皇（制）の問題を、意識のなかで、ひきずり落としたのではなく、ただ、追いはらったにすぎない自省にとっては、本来的には戦争責任の問題は、おこりえない。高村は、ただ大衆にたいする責任という意味で、「我が詩をよみて人死に就けり」を自省したにすぎなかった。高村が、じぶんで呼んだ「自己流謫」は、ひとつには、戦争期の思想退化にたいする自己嫌悪であり、ひとつは、この、わが詩をよみて人死に就けりという謝罪であり、また、ひとつは敗戦後の社会的風潮にたいする反感であった。

　おそらく、聖なるリビドが落ちたとき、高村は、さえぎるものもない無一物の自由をかんじたのだが、その思想は、戦争期に徹底してつきつめていった超越的な論理と倫理とを、さらに展開させるみちにほかならなかった。覆水は社会にふたたびかえらなかった。戦後の高村から現実社会の動乱にかかわりあう思想の論理をみつけることは不可能であり、ただ「この彫刻家の運命が　何の運命につながるかを人は知らない。この彫刻家の手から時間が逃がす　その負数(モワン)の意味を世界は知らない。」（「人体飢餓」）というような、自信にみちた態度で超越的な高村のいわゆる「東洋的新次元」を追及する足どりをたどりうるのみである。青年期に、高村が、文学的な出発にさいして、課題としたのは、芸術のもつ世界共通性と、人種のもつ隔絶性との内的な葛藤であったが、芸術をまえにしては、人種とか地方色とかいうものは意識にのぼらず、ただ、結果としてそれがあらわれても仕方のないことだ、と主張された「緑色の太陽」の持論は、ここでは、まったく逆立ってしまって、「おれの皮膚は黍のやうに黄いろい。たとひ巴里に生れて巴里に死んでも　おれは断じてパリジヤンではない。君がいくら外交のエチケットを身につけても、君の赤さんには鬼斑がある。この天然は人力以上だ。しかもこの天然には叡智がある。あの暗いかなしい東洋は　かかる不可避の天然から来るよりも　むしろ東洋的デスポチスムの習性から来た。」（「東洋的新次元」）というように転化されていった。とってつけたようなのは駄目で、日本なら日本、支那なら支那に根をはったものでなければ世界的価値をもつことができないというように、まったく「緑色の太陽」の主張は大転回されてしまっている。高村の思想に戦争が与えた影響があるとすれば、このような青年期のモデルニスムスと全く逆立した認識をつきすすめさせたことであった。聖なるリビドにうながされて思想を祖先がえりさせ、戦争宣伝に身をのりだした愚かさは自省されたが、この愚かさを積極的に思想化することによってつきつめられた超越論理は、けっして戦後かわらなかったのである。これを裏づけたのは、世界にじぶんに匹敵するだけの芸術家は、現存していないという自信であった。元来、生粋の都会人である高村が、岩手県花巻市の郊外の山小屋に入って、農産物の自給自足をやって、人里はなれた孤絶生活をおくるというのは、不可解なことだが、高村にしてみれば思想的な眼中に何人もないかぎりそれは当然であったかもしれない。人体が恋しくて夢にみたり山中でバッハの幻聴をきいたり、というような無理な独居生活をやって飽きなかったのは、もともと人間嫌いでもあったわけだが、それよりも戦後の高村の超越思想にとって、現実社会の葛藤が不必要だったからである。

人間拒否の上に立つ

宗教裁判所も一寸来いといへなかつた。
大衆の暴動が怖かつた。
その上法王が署名しさうもなかつた。
法王は毒殺するとしても
次の法王も同じだらう。
結局ミケランジエロには手が出せなかつた。
ヴイツトリア・コロンナは追ひつめて
尼寺に入れてさびしく死なした。
あのサロンの連中は大分かたづけたが
どうもこの老いぼれは手におえない。
分りきつてゐるのだが、
これといふ証拠が無い。

こいつが変な物理説でもとなへれば
申分ないこちらの勝だが、
あの「最後の審判」ではどうにもならない。
いくら裸が画いてあつても
批評家アレチノの弾劾だけでは筋が立たぬ。
歯がみをしながら遠巻きに
見つめてゐるのはカラフアであつた。

ミケランジエロは頓着なく、
死にかけたヴイツトリア・コロンナを訪問し、
平気でローマの街をあるいた。
苛察カラフアを手こずらせ、
法王とさへ喧嘩する
この老いぼれの鼻ぴしやは
美のみを信じて
他の一切を否定した。
人間拒否の上に立つて
はじめて人間の美を知つた。
怒れるクリストは怒れる彼。
空の空なるものはすべて滅びろ、
まことの美を知る苦しめる者に幸あれ、

苦しみのためへし折れて
をさな児の心にかへつた只の人こそ
天のものなる美を知るのだ。
法王に分るか、
カラフアに分るか、
メヂチ、ボルヂヤ、一切のけだものに
おれの美が見えてたまるか。
おれの作るサン・ピエトロの円屋根は
ローマの空に高く立つて
心まづしく又きよく
この一切のけだものをうちのめす
名もない賤しい只の人に
万軍の後楯をあたへるのだ。
さういふ魂に蘇りの天の喇叭を伝へるのだ。

カラフアの手先の眼の前で
背中の曲つたミケランジエロは
壁の割目をなそくつて
誰かに似てゐる鬼を描いた。

この詩は、戦後の高村の詩のなかで、優れたものの一つであるが、かつて「露の夜ふけに」でやったように、この作品はミケランジェロに仮託して戦後の自分の思想を告白したものに外ならなかった。「メヂチ、ボルヂヤ、一切のけだもの」とか、「苛察カラフア」とかいうのは、おそらく占領軍を、「人間拒否の上に立つて　はじめて人間の美を知つた」ミケランジェロというのは、いわば、聖なるリビドがおちて、怖いものがなくなった高村自身を象徴する位置で、この詩はかかれている。高村の自然理性は、はじめから、「人間」とよぶところを「人体」とよぶように、雰囲気をまったく無視して自然理法のままに生きたいというメカニカルな欲求に根ざしていた。だから、超越思想をかえなかった戦後の高村が、人間と人間とが、くすぐりあったり、いがみあったり、くるくると転身したりという現実社会に、徹底的にいや気がさしたあげく、人里離れた山小屋に独居生活をしたのも理由がないわけではなかったろう。しかし、もうここまできては、ほとんど、高村の思想について、どのような解釈も分析もなりたたない。現実ばなれだといっても空々しい感じがつきまとうし、美だけを信じて、あとは一切否定するとは、二十世紀社会ではとんだナンセンスだといってもうそ寒い感じがつきまとう。高村が、戦後立ったところは、まず、人間社会の匂いなどはどこにもなく、ただ、自分と、自然の整序があれば、その両者がスパークするとき美が成立つという思想であった。たとえば、詩「人間拒否の上に立つ」に、戦後の高村の思想の中心をたててもあやまらないだろう。この思想につきすすむために、もろもろの余りものは、すててかからねばならなかった。余りものは、とりあつめれば、ひとつの仮面をつくる。もし、高村が、戦後うまく思想の本質と仮面とをつかいわけ、自己に甘さをゆるさず、他の甘さをゆるしたことがあるとすれば、そのつきすすもうとしたいわゆる「脱却の道」が、あまりに人間社会を拒否する非情なものにほかならなかったからである。わたしのみるところでは思想の本質からはみだしたものは、まずまずすべて詩のなかに多角的に拾いあげられた。第一に、戦後日本の社会と人とに対する批判が、その眼中にこわいものなしの超越倫理から放たれている。「ヤマト民族よ目をさませ。口の中からその飴ちよこを取つてすてろ。オツチヨコチヨイといはれるお前の　その間に合せを断絶しろ。その小ずるさを放逐しろ。世界の大馬鹿者となつて　六等国から静かにやれ。更生非なり。まつたく初めて生れるのだ。ヤマト民族よ深く立て。地殻の岩盤を自分の足でふんで立て。」（「岩盤に深く立て」）――「一切が商品、一切が金、あぶくのやうにゼニをつかんで　米粒ひとつも生産しない。頭ばかりのゴーストが　すばやく、ずるく、小またをすくひ、口腹ばかりの怪物が　巷をうづめてかけずりまはる。ト、ウ、キ、ヤ、ウはどこにもない。クイズと、頓智教室と、それが山のやうにある。したり顔してぬけぬけと　名答ばかり吐いてゐる。」（「東京悲歌」）――「ニツポンのマイナア調を暫くすてよ。あの陰気な、うらがなしい、しぶい、わびしい、貧乏くさい、その代りには、つつましい、さびさびと奥ゆかしい、芥子粒に須弥山を見るといふ　さういふ美徳といはれるものを　ひとまづすてて眼を上げよ。大きくバトンを宙にゑがいて　このニツポンのもろもろの美を　つよくメイジヤアの積極調にたて直せ。あの運命が戸をたたく　壮大なマイナア調が可能な為には　まづうそ寒い幽玄をすてよ。これがこの年頭のあいさつだ。」（「あいさつ」）――このような絶対的な声調は、ある種のものがきけば、まさに、予言者的であるかもしれないが、現実社会のはげしい矛盾に対峙し、微細な葛藤を吹いて社会的対立を見きわめようとするものには、素通りするほかにどうすることもできはしない。いわば、戦争期に、大衆の戦意を高揚させるためにかかれた詩篇をささえた、超越の論理が、そのままつかわれて、はげしい社会文明批評となっている。自然と内的世界のスパークからうまれたこの批判は、思想のある絶対の骨格というようなものが、現実社会の動乱や葛藤をはなれては、どこにもありえないとかんがえるものにとっては、何の意味ももちえないのだ。ただ、いうならば、戦争期に、花鳥風月的な情感にまでしりぞいた、その自然信仰はふたたび改訂されて積極的な主張に転化したとかんがえられる。戦後の高村にとって、頓智教室ばりの都会文化にはげしくかみついてみたり、うそ寒い幽玄調を積極的にたてなおせと強調したり、山林に人類社会の骨格があると説いたりすることは、政治的な発言を意味しただろうが、この政治的発言もまた、戦争期にはじめてそだてあげたものの延長にほかならなかった。高村に戦争があたえた社会的な影響があるとすれば、じぶんの思想上の本質にとってすこしも重要であるとはおもわれない街上百般の事象に、その超越論理を適用せずにはおられなかったことであろう。日常生活のすみずみに光彩あれというような、かつての高村の調和思想は、戦争によってはじめて、非日常的な事象への眼をひらかれた。高村の戦後のこの種の発言に、警世的な予言をみるのもよい、文明批評をみるのもよい、欧米文化に対決しようとする極東の詩人の自負をみようとするのもよいであろうが、高村の出生、土着民としての庶民性が、戦争を通過してはじめてこの種の社会的関心を根柢からささえたにちがいなかった。

第二に、生理機構としての性欲の問題があった。眼中に自然のメカニズムと自分とよりほかないという高村にとって、欲情のあるかぎり、ほんとの為事（しごと）は苦しいな、という「吹雪の夜の独白」は、事実であった。老齢の高村にとっても自然のメカニズムに合一しようとするのをさまたげたのは、生理の残火であったろう。戦後の高村の詩に、わずかに人間臭をのこしているのは、この生理機構としての情欲であった。人体飢餓にたえかねたとき高村は、岩手の山岳の起伏に女体の起伏を想像し、晴れた空の雲に、伯爵夫人の横になった裸体を空想し、ブナの分岐に逞しい女の太股をみ、岩石に性別をかんずるという具合であった。これは、青年期の高村が、デカダンスの代償として情慾の機作を、環境社会のように設定したこととふかく対応している。自然は、高村にとって非情な無機的なメカニズムであるとともに、孤独な婚姻の相手となったのである。眼中に、聖なるリビドなく、夫人なく、両親なく、人間葛藤なし、というときになって自然が孤独な婚姻の相手となった地点から、高村の認識は大転回し、いままで人間世界から自然が、理性の模範とされていたのが、逆に、自分を自然の側において、人間世界をながめる逆立した認識に到達したのである。

あのしやれた登山電車で智恵子と二人、
ヴエズヴイオの噴火口をのぞきにいつた。
夢といふものは香料のやうに微粒的で
智恵子は二十代の噴霧で濃厚に私を包んだ。
ほそい竹筒のやうな望遠鏡の先からは
ガスの火が噴射機（ジェット・プレイン）のやうに吹き出てゐた。
その望遠鏡で見ると富士山がみえた。
お鉢の底に何か面白いことがあるやうで
お鉢のまはりのスタンドに人が一ぱいゐた。
智恵子は富士山麓の秋の七草の花束を
ヴエズヴイオの噴火口にふかく投げた。
智恵子はほのぼのと美しく清浄で
しかもかぎりなき惑溺にみちてゐた。
あの山の水のやうに透明な女体を燃やして
私にもたれながら崩れる砂をふんで歩いた。
そこら一面がポムペイヤンの香りにむせた。
昨日までの私の全存在の異和感が消えて
午前五時の秋爽やかな山の小屋で目がさめた。

深層心理学によれば、これは六十何歳の老人にしては、エロチックにすぎる性夢の詩である。この性夢は、高村の原始的な嗅覚と夫人の像とで複合されて、まったく『道程』前期のデカダンス時代とおなじようにあらわれてきている。しかし、ここでは、生理機構としての性欲の意味は、まったく、青年期とちがっている。夢にあらわれた夫人は、すでに、人間社会の象徴であって、いわば、高村は、自然のメカニズムの側にあって、夫人の性夢をみているのだ。自然のメカニズムに合一しようとする高村の「全存在の異和感」となっている生理機構としての情欲が、夫人の像を呼んでいる。すでに高村にとって、よほど楽になった生理機構としての性欲が、じぶんを人間社会と思想的につなげるきずなにしかすぎないことを、この詩はしめしているのだ。高村は、かつて、人は死をのぞまないが、死は前方よりくる、とかいたが、この時もう死は前方にちかくきたのではあるまいか。牧歌詩人の自然からも、花鳥風月の自然からも、自然主義者の自然からも、すでにまったくとおくへだたってしまっている。高村は、どうやら、青年期からあこがれながら、なかなか実現できなかったような、自然のメカニズムの側から人間をみるという冷眼にちかづいたらしいのである。生理機構としての情欲が絶滅したとき、高村は、自然機構を内的な機構とし、まったく人間であることをやめて、自然のほうから人間をみるところに到達しえたかもしれないが、このどうにもならない「巨大なばけ物」的な詩人が、すべてから自由になった戦後に、ひそかに望んだ思想的な到達点は、そこにあったことにうたがいはない。このような思想は、わたしには、ほとんど、実感することができない不可解としてみるよりほかないのである。

晩年の高村をおとずれた事件といえば、昭和二十七年の青森県当局の依頼による十和田湖畔の裸婦像の制作と、昭和二十八年、日本芸術院会員の推せんを辞退したことであった。高村は、青森県から記念碑の制作の依頼をうけて、生涯の最後に智恵子夫人の像を制作する決心がついたとき、花巻郊外の小屋をひきはらって、東京中野の中西方にアトリエを定めて上京した。山林に根をはって、それについて酪農を奨励し、日本人の体格を何代かかかって改善したいという抱負さえもらしていた高村にとっては、一時的なつもりであるにしろ山小屋をひきはらって上京することは重大な決意だったろうが、生涯の最後に夫人の立像をのこすという誘惑には勝てなかったのだ。この最後の彫刻が、本郷新や板垣直子のいうような駄作とは、おもわないが、これは、自然のメカニズムと自己の内的な世界のスパークのみを信じた晩年の高村の思想の造型的な表現であることは、うたがいない。すでに、現実社会のすべての葛藤をつまらぬものとし、あぶくのように移動する愛憎を超越したとおもった、高村のこの制作が、いわゆる近代的批評のあみにかからないのは当然であった。すでに、高村の擬アジア的な思想は、極限までひっぱってゆかれていたのである。「生命の大河ながれてやまず、一切の矛盾と逆と無駄と悪とを容れて　ごうごうと遠い時間の果つる処へいそぐ。時間の果つるところ即ちねはん。ねはんは無窮の奥にあり、またここに在り、生命の大河この世に二なく美しく、一切の『物』ことごとく光る。」（「生命の大河」）こういうゴーストの響きをもった思想を、わたしたちは、現実社会の思想からつかまえることはできないのである。ここには現実社会のあらゆる葛藤に執着し、これを追尋し、打開しようとする意志を、一瞬のうちに熔融して自然のメカニズムに向わせ、社会からの消極的な超越へとみちびいてゆく声があり、その声のよってきたるところは、高村の思想が究極的にさすところによれば、自然のメカニズムそのもののなかにあった。高村は、夫人の像を制作することによって、人間社会にたいするかすかな通路である生理機構としての情欲を昇華したのである。

第三に、高村に残存したのは、美意識と生理機構の複合物としての食欲であった。もともと、美食家であった高村の美食意識は、戦後になってもけっしておとろえてはいない。たとえば、山小屋時代にも、農民たちが善意から、不潔さもかまわずにもってくる食物を、そのままでは喰うことができなかったことを、『山荘の高村光太郎』のなかで、佐藤勝治は、つたえている。そばは、上野池の端の蓮玉庵、サンドウィッチは、広小路の双葉、というような、さんまは目黒式の美食趣味は、死にいたるまで、高村からは、なくならなかった。わたしのかんがえでは、高村の美食趣味は、生理機構としての情欲とおなじく、デカダンスの代償として重要な意味をもっている。高村の現実社会への批判を、晩年にもなお、つなぎとめたものの半分も、おそらくこれに関係があった。性欲と食欲とは、もともと同根にすぎまいが、高村ほど徹底して、生涯、食欲をもとにして文明批評をこころみたものはなかった。「上野についたら、生さのむべ、づけさやるべ、まきさけくさろ、火の車のぢやぢや麵にも　トロイカのペロシユキイにも　それからゆつくりありつくさ。たべること、くらふこと、餓鬼の仁義をまづ果す。」（「餓鬼」）高村を山小屋からひきだした一半の原因は、食欲にあった、といえば誇張になるが、美食癖がでると、ひそかに夜、山小屋をぬけだして街にでて飲食をやった高村であった。デカダンスとしては、高村の美食趣味は、出生としての庶民と、西洋社会にたいする劣勢意識との複合である。晩年の文明批評の方向も、あきらかにそれを指している。

兜町に行つた。人間の欲が集まつちやつて、惨憺たるもんだ。いくさのようだ。あの界隈全体の妙な感じが面白い。歩いている人が全部、ただの人間じやないように見える。焼いもなんか売つている。支那そば屋のおつさんもいる。大建築のそばでそれが妙な対照でね。実はあのおつさんたちも何か役目があつて立つているんじやないか。昔の芝居のように、あるいはまるで探偵小説のようにね。

このごろ世界中で一番面白い街は上海より東京だ、というね。なるほど、無責任に見てれば、こんな面白いところはない。滅茶苦茶ですからね。笑い話のたねになる。だが笑われるぼくらはやり切れない。とくに銀座は下等なとこだと思う。ごまかしたり、おしやれしたり、店の飾り方も本格的じやない。ばかに高い洋酒が本ものじやなかつたり、カクテルの名人だというのが味も知らないやつなんだ。銀座のそんな酒場で、難かしい顔してる人をみると吹き出したくなる。

場末に行くとそんなことはない。ありのまんまだから好きだ。食べものでも、悪いもんは売る方もはじめから悪いもんとして出すからいい。場末でうまい店はほんとうの意味でうまい。三河島でクジラの煮込みを食つた。しようがか何かで味をつけて、みそで煮込んじやつたものだが、うまかつた。そばは上野池ノ端でうまい店を見つけた。(「新春放談」)

たれも、こういうふうに、いきいきと東京の食物について語りうる老文学者はいないとかんがえるとすれば、それは高村の出生としての庶民がなせる業であろうし、たれもこういう鋭利な美食家には、うっかり物を喰わせられないと感じさせるものがあるとすれば、それは高村の西欧社会にたいする劣勢感を鍛えたものにほかならない。美食趣味のようなものは、もちろん、戦後の高村の思想の本質にとって何の意味をもつものではなく、むしろ、こういう生理機構としての食欲は、高村の人間世界を拒否した思想を、人間社会にとどめるくさびのようなものであった。これによって、高村は、上京後に、独特の都会文明批判をはなったのである。デカダンスが、社会的な現実に対する社会的な反抗への通路をみつけだせないとすれば、青年期に高村がやったように生理機構としての性欲や食欲によって代償させるほかはない。けだし、戦後の高村の徹底的につきつめられた自然機構への合一意識の間に、性欲や食欲の皮膜がかかり、明滅しながら流れるさまは偉観であった。これによって、高村はうまく非情な自然合一者としての仮面と、庶民のなかにあってはつらつと受感する都会人としての仮面を、ふたつともかぶりおおせたらしいのだ。昭和二十八年、日本芸術院は、高村を会員に推せんしてきた。高村は、これを辞退した。あんな不潔なものにはいれるかといい、あんなのうれしがるのは画かきか芸能人くらいのものだ、といったようなのが高村のせりふだったが、青年期以来かたくなにまもりつづけてきたアカデミズムにたいする反抗も、どうやら晩節まで全うせられたらしい。

私のやうにあまり真正面から考へるのは少々野暮かもしれないが、しかしかういふことをどうでもいいこととして、不問に附する習慣は本当はいけないと思ふ。面倒くさいからすてておくといふやうな小さなことがつもりつもつて、日本の社会をいつまでも旧習のままで置く結果を来たしてゐると思へる。（「日本芸術院のことについて」）

昭和三十一年四月二日、高村光太郎は死んだ。病名は肺結核である。その晩年の思想が、ほとんど理解を拒絶するていであったために、高村の晩年に、野にある予言者をみた少数の信奉者のほかには、その死は関心をもたらさなかった。最後の作品「生命の大河」の一節はこうである。

科学は後退をゆるさない。
科学は危険に突入する。
科学は危険をのりこえる。
放射能の故にうしろを向かない。
放射能の克服と
放射能の善用とに
科学は万全をかける。
原子力の解放は
やがて人類の一切を変え
想像しがたい生活図の世紀が来る。

わたしはこの自然のメカニズムを非情な己れの「眼」とした詩人の、最後のモデルニスムスに敬意を表することにしよう。

年譜

明治十六年（一八八三）　一歳
三月十三日、父光雲（三十二歳）、母とよ（通称）（二十七歳）の長男として東京下谷西町三番地に生まる。当時、光雲は神仏人像彫刻師、その生活がもっとも苦しかった時にあたる。西町の家も九尺二間の長屋であった。
明治十九年（一八八六）　四歳
病弱で、このころまで口がきけなかった。
この年、長沼智恵子、福島二本松在漆原に酒造屋の長女として生まる。
明治二十年（一八八七）　五歳
下谷仲御徒町一丁目に転居。
四月、下谷練塀小学校に入学。
明治二十一年（一八八八）　六歳
尋常小学二年。このころ父から小刀などをもらう。
明治二十二年（一八八九）　七歳
尋常小学三年。
三月、光雲、美術学校教授となる。
明治二十三年（一八九〇）　八歳
尋常小学四年。下谷谷中町三十七番地に転居。日暮里小学校に転校。
十一月、光雲、帝室技芸員となる。
明治二十四年（一八九一）　九歳
下谷小学校で高等小学の課程に入る。
明治二十五年（一八九二）　十歳
九月、長姉さく肺炎にて歿。享年十六歳。この姉の影響は残った。
本郷駒込林町一五五に転居。
明治二十六年（一八九三）　十一歳
高等小学三年。
この年、光雲、楠公銅像を完成。
明治二十七年（一八九四）　十二歳
高等小学四年。光学が好きで、大学の理科を志願したかったこともある。父はあまり好まなかったが、母方の遺伝で文学的趣味が幼いころからあり、「八犬伝」などはすみからすみまで読んだ。
明治二十八年（一八九五）　十三歳
三月、高等小学校卒業。
四月、本郷森川町の開成予備校に入学、中学の課程に入る。七月が新学期の予備校に途中から入ったので、はじめは、数学など理解できなかったが、のちには、幾何がとりわけ得意になる。

明治二十九年（一八九六）　十四歳
予備校二年。

明治三十年（一八九七）　十五歳
九月、東京美術学校予科に入学。日本画などをならう。

このころから多方面の書物に読みふけった。外国に行くまで、図書館、英語、バイオリン、歌舞伎、清元、寄席等々に通う。

明治三十一年（一八九八）　十六歳
三月、岡倉天心の美術学校辞職にさいし、父光雲と共に一時学校を退いたが、間もなく復校。

九月、本科彫刻科に進む。

国語は学校以外に古典を勉強し、漢学は本田種竹に師事し、詩なども読む。新聞に俳句を投稿したり回覧雑誌をつくったりする。

明治三十二年（一八九九）　十七歳
九月、本科二年に進む。このころ、ホトトギスにも俳句を投稿する。

十一月、祖父中島兼松歿。享年八十二歳。

明治三十三年（一九〇〇）　十八歳
この年、新詩社に入る。

四月、明星創刊。

九月、本科三年に進む。

十月、篁砕雨の署名で、短詩（新詩社では短歌をこう呼んでいた）五首「大我小我」を明星第七号に発表。

十一月、短詩七首「楚竹」を明星第八号に発表。

明治三十四年（一九〇一）　十九歳
一月、「短詩十三首」を明星第十号に発表。

二月、「短詩二十四首」を明星第十一号に発表。

八月、「短詩十首」を明星第十四号に発表。

九月、本科四年に進む。修学旅行で奈良にゆき、仏像をみて感銘をうける。

明治三十五年（一九〇二）　二十歳
一月、短詩三十一首「旅硯」を第二明星第一号に発表。

五月、短詩二十三首「かたつぶり」を第二明星第五号に発表。

七月、東京美術学校を卒業。研究科に残り、彫塑同究会に属して制作にしたがう。卒業制作は「獅子吼」。

九月、短詩十五首「夕舟」を第三明星第三号に発表。

明治三十六年（一九〇三）　二十一歳
ロダンの名をはじめて聞く。

四月、短詩二十首「馬盥」を明星卯歳第四号に発表。

このころ、植村正久をたずねたり禾山和尚の許で参禅したりする。彫刻科の空気は保守平穏。

明治三十七年(一九〇四)　二十二歳

一月、短詩三十四首「白斧」を明星辰歳第一号に発表。

ステュディオ二月号で、はじめてロダンの彫刻写真「考へる人」を見る。

六月、短詩二十七首「雲一抹」を明星辰歳第六号に発表。

十一月、短詩十九首「赤城山の歌」を明星辰歳第十一号に発表。

この年はじめて赤城山にのぼる。またこのころ石川啄木が訪う。

明治三十八年(一九〇五)　二十三歳

一月、短詩十首「桂の葉」を明星巳歳第一号に発表。

三月、短詩「毒うつぎ」を明星巳歳第三号に発表。

四月、戯曲「青年画家」を明星巳歳第四号に発表。

同月十五日、新詩社同人演劇会が江東伊勢平楼で催され、「青年画家」も上演された。与謝野寛、伊上凡骨、石川啄木、平出修、石井柏亭らと出演。

九月、洋画科に転ず。同級に藤田嗣治、岡本一平らがいた。

十一月、短詩二十七首「新詩社詠草(短詩その九)」を明星巳歳十一号に発表。

この年、丸善でモオクレエル「オオギュスト・ロダン」の英訳本を手に入れ、ほとんど暗記するくらい読む。

明治三十九年(一九〇六)　二十四歳

二月三日、アゼニヤン号で横浜を出発、アメリカにむかう。このとき、平櫛田中からもらった「無門関」はその後の愛読書となった。海荒れ三十日以上かかってバンクーバーにつき、そこからニューヨークに一週間目につく。

はじめアカデミー・オヴ・ペインティング、のちアメリカン・アート・スチューデント・リーグの夜学に通う。一方、ボーグラムの通勤助手となる。週給六ドル。西六十五丁目の窓のない屋根裏部屋に移り自炊する。白滝幾之助に世話になり、柳敬助らと知り合う。またはじめて荻原守衛に会う。美術館、図書館、銅像見学、イプセン劇などにかよう。

八月、「紐育より」を明星午歳第八号に発表、十月第十号まで三回連載。

十一月、「演劇学校」を明星午歳第十一号に発表。

十二月、「ベンヱヌウト・チェリニ自伝」訳を明星午歳第十二号に発表。翌年四月、未歳第四号までに四回連載。

明治四十年（一九〇七）　二十五歳

一月、短詩四十四首「新詩社詠草」を明星未歳第一号に発表。

五月、長詩「秒刻」をはじめて高村光太郎署名で明星未歳第五号に発表。その以前は砕雨。まれに左憂生。同月、農商務省の海外研究生となる。

六月、長詩四篇「海鷗」（「マデル」「豆腐屋」「博士」「あらそひ」）「ノラの型」（「露国女優ナジモヴ夫人の演じたるノラの記述」）、および詩四篇「敗闕録」（「われ千たび君を抱かむ」「君を見き」「遁れたる君は遺らばや」「眠りてあれか眼覚めよか」）を明星未歳第六号に発表。

同月十九日、アメリカを出帆、サザンプトン経由ロンドンに向う。

七月、短詩八首「新詩社詠草」を明星未歳第七号に発表。

ロンドンではブラングインおよびスワンの画学校に通ったり、ポリテクニックの彫刻科に行ったり、寸暇を惜しんで博物館、図書館、芝居、音楽会などにかよう。マンドリンやピアノもならう。またあらゆる社会相を見ようと、ホワイトチャペルの貧民窟にも、ハイドパーク付近の邸宅街にも行く。

ブラングインの学校でリーチを知り、パリから来た荻原守衛と遇う。

明治四十一年（一九〇八）　二十六歳

五月、明星廃刊。

六月、イギリスからパリに移る。はじめパンテオン近くのオテル・スフローにおちつき、のちモンパルナスのカムパーニュ　プルミエール街十七番地のアトリエの地階一室を借りて住む。このアトリエの二階には、かつてリルケが住み、となりの通りにはジャン・クリストフ時代のロマン・ロランが住んでいたことがある。パリには当時有島壬生馬、山下新太郎、湯浅一郎、津田青楓、安井曾太郎などがいた。

グラン・ショミエの研究室の夜のクラスでクロッキーをやり、昼はアトリエで胸像をつくったりしたが、アトリエの仕事よりはもっぱら見学に歩きまわった。

詩はつくらなかったが盛んに読んだ。ユーゴー、ボードレール、ヴェルレーヌ、ミュッセなど。ロダンには熱中していたが訪問はしなかった。

明治四十二年（一九〇九）　二十七歳

三月、帰国を決意してからイタリヤを旅行。古美術と寺院音楽に傾倒、パリに帰る。

六月、パリ発ロンドン経由帰国。

八月上旬、帰朝祝をかねて「昴」談話会が精養軒で催された。鷗外、秋骨、寛、万里、蕭々、凡骨、勇、長田兄弟らが集る。

九月、スバル九月号から翌年にかけて裏絵をかく。

この九月号に「アンリ・マチスの画論一」を発表。

以後、スバルに短歌・翻訳・美術展評などを書く。

十月二十三日、パンの会の大会が催された。

十一月、散文詩「にほひ」を方寸第三巻第八号に発表。同月、水野葉舟小説集『微温』にデッサン三枚をのせる。

この年、駒込林町の父の隠居所の天井に窓をあけてアトリエにする。木下杢太郎、北原白秋、吉井勇など、パンの会のメンバーと交友。

「私は昼間つから酒に酔ひ痴れては、ボオドレエルの『アシツシユの詩』などを飜訳口述して、マドモワゼル、ウメに書き取らせ、『スバル』なんかに出した。」

明治四十三年（一九一〇）　二十八歳

一月、「詩歌と音楽」を趣味第五巻第一号に発表。

三月、「フランスから帰つて」を文章世界第五巻第四号に発表。

四月、帰国後はじめての詩“Les impressions des oüonnas”など四篇および美術評論「緑色の太陽」をスバル第四号に、「珈琲店（カフエ）より」を趣味第五巻第四号に、J. Meier-Graefe「Exotisch の画家 Paul Gaugiun」訳を早稲田文学第五十三号（次号にかけて二回連載）に、Catulle Mendès「新婚夫人」訳を、方寸第四巻第三号に、はじめてのロダン評論、“Méditation sur maître”を白樺創刊号に、それぞれ発表。同月、神田淡路町に画廊「琅玕洞」を開く。これは美術の新しい運動の母体ともなった。また、同月、奈良に遊ぶ、その間（二十二日）荻原守衛歿し、大きな衝動をうける。またこのころ、いわゆる河内楼のモナ・リザとのこと起る。

五月、「琅玕洞より」（石井柏亭あて書簡二通）を方寸第四巻第四号に発表。

七月、「出さずにしまつた手紙の一束」、および、Emile Zola「制作」訳をスバル第七号に、「Entre deux vins（白馬会と太平洋画会）」を早稲田文学第五十六号に、「死んだ荻原君」を方寸第四巻第五号に、また、はじめてヹルハァランの訳詩を雑誌創作に、それぞれ発表。

十月、「美術展覧会見物に就ての注意」を文章世界第五巻第十三号に発表。

十一月、「Des Oüonnas」をスバル第十一号第三短歌号に、「銀行家と画家との問答」を文章世界第五巻第五号に発表。同月二十日、三州屋パンの会。いわゆる黒枠事件おこる。

十二月、J. K. Huysmans「画評（一八八一年の独立派展覧会）」訳をスバル第十二号に、「彫刻の面白味」を文章世界第五巻第十六号に、それぞれ発表。この年の終りごろから本格的な詩作に入る。前記のほか、多くの短歌、美術評論、モーパッサン「給仕もう一杯」訳などを発表。

明治四十四年（一九一一）　二十九歳

一月、詩五篇「第二敗闕録」（「失はれたるモナ　リザ」「友よ」「Presentation」「活ける者」「根付の国」）および Alexander「痛ましき地獄の画家」（ロートレック評論）訳をスバル第三年第一号に発表。T. K. Huysmans「エピナルの押絵」訳を制作新年号に発表。

第五号までに四回連載。

二月、詩四篇「哀歌断片」（「画室の夜」「熊の毛皮」「人形町」「甘栗」）をスバル第三年第二号に、「版画の話」を文章世界第六巻第三号にそれぞれ発表。

三月、詩五篇「雷門にて」（「亡命者」「鳩」「侵蝕」「食後の酒」「失走」）をスバル第三号に、「つまらぬ喧嘩」を創作第二年第三号に、「静物画の新意義」を文章世界第六巻第四号に、Robert Cotteae「女優マリイ　ガアデンと新興音楽」訳を早稲田文学第六十四号に、Romain Rolland「クロオド　デユビツシイの歌劇」訳を太陽第十七巻第四号に、それぞれ発表。

四月、Whistler「三つの提議」訳をスバル第四号に、詩「雪の午後」を創作第四号に、「黏土と画布」を文章世界第五号に、「三月七日（火曜日）」を早稲田文学第六十五号に、それぞれ発表。

五月、「室内装飾に就て」を文章世界第七号に発表。同月、精神の危機を感じ、北海道移住を志して月寒の農商務省研究所へ行ったが間もなく帰る。そのため琅玕洞を閉鎖し、のち大槻弌雄に委譲する。

六月、詩二篇「声」（「声」「南風」）をスバル第六号に発表。同月、「光雲還暦記念像」をつくる。

七月、詩十篇「夏」（「河内屋与兵衛」「金秤り」「なまけもの」「心中宵庚申」「手」「縁日」「男」「狗ころ」「泥七宝」「祈禱」）およびギ・ド・モオパッサン「初雪」訳をスバル第七号に、詩「廃頽者より」を詩歌第一巻第四号に、「感覚の鋭鈍と趣味生活」を文章世界第九号にそれぞれ発表。北海道から帰っても生活の見込みは立たず、一時鎌倉河岸（あるいは浜町河岸）に下宿したりする。

八月、「詩十二篇」（「あつき日」「父の顔」「めくり暦」「夜半」「葛根湯」「けもの」「かるた」「髪を洗ふ女」「『おもひで』と『夜の舞踏』」「白昼の空気」

「地上のモナ　リザ」「泥七宝」）およびモオパッサン「モデル」訳をスバル第八号に発表。

九月、「北原白秋の『思ひ出』」を文章世界第十二号に発表。

十月、「日本の芸術を慕ふ英国青年」を文章世界第十三号に、同月十七日「富士見町教会堂の階上にて」を読売新聞に、同月二十九日、「文部省美術展覧会第二部私見㈠」を同じく読売新聞に、それぞれ発表。

十一月、「木曜便」を早稲田文学第七十三号に発表。このころ、まれに「よか楼」の署名を用いる。彫刻をつくっても発表する会場がないので、だんだん油絵に興味をひかれるようになる。この年、柳八重子の紹介で「青鞜」に属していた長沼智恵子と知る。


明治四十五年・大正元年（一九一二）　三十歳

相変らず父の肖像彫刻の原型や翻訳の稿料で暮す。

二月、このころパンの会終る。「白樺」の運動とも関係を持ち、詩などを発表する。一つの転機。のちに「智恵子抄」におさめられた初期の数々の詩がつくられる。

六月、「センチメンタリズムの魔力」を文章世界第七巻第八号に発表。同月、駒込林町のアトリエ完成しそこへ移る。

七月、詩二篇「あをい雨」（「あをい雨」「泥七宝」）をスバル第四年第七号に、詩七篇「七つの唄」（「青い葉が出ても」「赤鬚さん」「隣りのおきやん」「雨」「鍵と錠」「プリマドンナ」「二人」）を文章世界第三号に、それぞれ発表。

八月、詩二篇「友の妻」（「友の妻」「泥七宝」）をスバル第八号に発表。

九月、詩五篇「或る夜のこころ」（「或る夜のこころ」「涙」「おそれ」「からくりうた」「泥七宝」）をスバル第九号に発表。

十一月、「文芸界の広さ」を文章世界第十五号に発表。この年、岸田劉生、木村荘八、斎藤与理、万鉄五郎らとフューザン会を結成し、その第一回展に油絵を出品。この絵を寺田寅彦が買う。

ほかに、詩「或る宵」「郊外の人に」「冬の朝のめざめ」など、散文「伊太利亜遍歴」「純一な芸術が欲しい」などを発表。

大正二年（一九一三）　三十一歳

一月、詩「師走十日」を詩歌第三巻第一号に発表。

詩「戦闘（水野葉舟氏に寄す）」を文章世界第八巻第一号に発表。

三月、詩「深夜の雪」を詩歌第三号に、「女みづから考へよ」を女子文壇第九年第四号に発表。同月、フューザン会第二回展に塑像「男の首」などを出品。この直後、フューザン会は分裂し、岸田劉生、木村荘八らと生活者展をおこす。

五月、エミイル・マアニュ「街路動勢論」訳を芸術第二号に載せる。

六月、詩「人類の泉（某女史に）」を詩歌第六号に発表。

七月、マルセル・サムバー「アンリイ　マチス」訳をスバル第五年第七号に発表。

八月、「恋愛——結婚の話」を女子文壇第十一号に、「真生と仮生」を文章世界第十号にそれぞれ発表。

夏、信州上高地に滞在。秋の「生活者展」出品の油絵数十枚を描く。おくれて長沼智恵子も来る。

十二月、詩「山」を文章世界第十四号に発表。

この年、詩作はやや減るが、前記のほか「人に」「僕等」「冬の詩」「牛」などを書き、またこのころ、「ジヤン　クリストフ」の部分訳をはじめて雑誌・生活に載せる。

大正三年（一九一四）　三十二歳

一月、詩「よろこびを告ぐ（To B. Leach）」を詩歌新年号に発表。

四月、詩「婚姻の栄誦」を文章世界第九巻第四号に発表。

六月、詩「五月の土壌」を詩歌六月号に発表。十月までの間に「道程」「愛の嘆美」「秋の祈」「美の廃墟」「創造」などの詩を書く。

十月、詩集『道程』を抒情詩社より刊行。明治四十三年より大正三年にいたる間の詩七十六篇を収む。

十二月、長沼智恵子（二十九歳）と結婚。

大正四年（一九一五）　三十三歳

このころより主として彫刻に専念。詩作なし。「ベートーフエン論」その他をアルスに連載。

七月、『印象主義の思想と芸術』を天弦堂書店より近代思想叢書第五巻として刊行。

十二月、傑作歌選別輯『高村光太郎・与謝野晶子』を抒情詩社より刊行。明治三十五年より明治四十年にいたる間の短歌一五四首を収む。

大正五年（一九一六）　三十四歳

十一月、訳編『ロダンの言葉』を阿蘭陀書房より刊行。

この年、詩「わが家」「晴れゆく空」などを書く。

大正六年（一九一七）　三十五歳

二月、ホヰットマン「自選日記」訳を白樺にのせはじめる。十二月までに八回連載。

十月、帝国文学に発表された鷗外の「観潮楼閑話㈠」をめぐって鷗外と話す。

この年、「小娘」など詩作も発表するが多くはない。散文は「彫刻家ガットソン　ボーグラム氏」「芸術雑話」その他。またアメリカでの彫刻展を計画する。

大正七年（一九一八）　三十六歳

一月、「ロダンの言葉」訳を白樺第九年一月号ロダン追悼号付録にのせる。

二月、「ロダンの言葉追補(1)」を白樺二月号に発表。

三月、「ロダンの言葉追補(2)」を白樺三月号に発表。

四月、「ロダンの言葉追補(3)」を白樺四月号に発表。

この年、詩作の発表なし。

大正八年（一九一九）　三十七歳

一月、「ロダンの言葉」を白樺第十年一月号に発表。二月号にかけての二回連載。

四月、「芸術家の一日（ロダン）」を白樺第十周年記念号に発表。

このころ、アメリカ行きを計画し、その資金獲得のために彫刻頒布会を発表したが、入会者があまりに少く、ものにならずに終る。

この年、詩作なし。「芸術鑑賞その他」「ホヰットマンのこと」など散文すこし。

大正九年（一九二〇）　三十八歳

訳編『続ロダンの言葉』を叢文閣より刊行。

ふたたび詩作はじまる。散文は「彫刻鑑賞の第一歩」など。

大正十年（一九二一）　三十九歳

四月、エリザベット・ゴッホ『回想のゴッホ』訳を叢文閣より刊行。

九月、ホヰットマン『自選日記』訳を叢文閣より刊行。

十月、ヱルハァラン『明るい時』訳詩集を芸術社より刊行。

十一月、明星復刊。詩「雨にうたるるカテドラル―巴里幻想曲の一―」を第二次明星第一巻第一号に発表。同月、訳編『ロダンの言葉』を目黒書店から改装再版。

十二月、ヱルハァラン「ミケランジユ」訳を白樺第十二年十二月号に、詩「かがやく朝」「ベルリオの一片―『ベルリオ自伝と書翰』の訳者わが敬愛する詩人尾崎喜八に献ず―」を明星第二号に発表。

この年、美術評論その他を雑誌現代の美術などにのせる。

大正十一年（一九二二）　四十歳

一月、詩「米久の晩餐」を明星第一巻第三号に発表。

二月、詩「クリスマスの夜」を明星第四号に発表。

四月、詩「真夜中の洗濯」「下駄」を明星第六号に発表。

五月、詩「冬の送別」を明星第七号に発表。

六月、詩「五月のアトリエ」を明星第二巻第一号に発表。

七月、エミイル・ヹルハァラン「未来」訳を明星第二号にのせる。

十月、ロマン・ロラン「リリユリ」訳を明星第五号から翌年二月第三巻第二号まで五回連載。

十一月、ヹルハァラン「わが友風景」訳を白樺第十三年十一月号にのせる。

十二月、詩「落葉を浴びて立つ」を明星第七号に発表。

大正十二年（一九二三）　四十一歳

一月、ヹルハァラン「明け渡せ」訳を白樺第十四年一月号に発表。

四月、詩「樹下の二人」、アリス・ミシェル「ドガとそのモデエル」訳（六月第六号までに三回連載）を明星第三巻第四号に発表。

五月、「ヹルハアランの小曲」を明星第五号に、「リーチの手紙」訳を白樺第十四年五月号に発表。

六月、詩「鉄を愛す」「とげとげなエピグラム」を明星第六号に発表。

七月、「一隅の卓」、マルセル・チレル「ロダンのモデエル達」訳を明星第四巻第一号に掲載。

九月、「一隅の卓」、ヹルハァラン「楽園」訳を明星第四巻第三号に発表。

この年、ほかに散文「美の立場から」などがある。

大正十三年（一九二四）　四十二歳

二月、このころより本気で木彫をはじめる。

五月、ロマン・ロラン『リリユリ』訳を古今書院より刊行。この巻末に、ロマン・ロラン「ミレー伝」、同「コラブルニヨン」の訳者として予告されたが、果されなかった。

六月、ヹルハァラン「或夕暮の路行く人に」訳を明星第五巻第一号に掲載。

七月、ヹルハァラン「私の都」訳を明星第二号に掲載。このころ、奥上州の山間の温泉二、三カ所を旅行する。

八月、ヹルハァラン「新しい都」訳を明星第三号に掲載。

九月、ヹルハァラン「わが人種」訳および「工房より（1）（温泉と温泉場）」を明星第四号に発表。また明星に木彫小品の会を発表。木彫は父光雲の気に入り、世人にもむかえられ、木彫をつくればともかくいくらかの金が確実にとれるようになる。

十月、「工房より（2）（『流星の道』読後・近状）」およびヹルハァラン「田舎の対話」訳を明星第五号に発表。

十一月、「工房より（3）（ロダンとマイヨルの好悪に就て・二科院展見物・雑誌『大街道』の事・詩の朗読・近状）」およびヱルハァラン「午後の時」より訳を明星第六号に発表。この年、彫刻「中野秀人の首」をはじめる。詩は猛獣篇時代に入る。

大正十四年（一九二五）　四十三歳

一月、「工房より（4）」、詩「清廉—猛獣篇第一部より」、ヱルハァラン「トンネル」訳を明星第六巻第一号に発表。

三月、ヱルハァラン詩集『天上の炎』訳を新しき村出版部より刊行。

九月、母とよ歿。享年六十九歳。このころ、宮沢賢治、アトリエを訪う。

十月、短歌「那須にて」を明星第七巻第四号に発表。

十二月、「『日本古典全集』礼讃」を明星第五号に発表。

この年、他に詩「白熊」「傷をなめる獅子」、散文「自刻木版の魅力」その他を発表。


大正十五年・昭和元年（一九二六）　四十四歳

一月、武者小路実篤らとロマン・ロラン友の会発起。詩「後庭のロダン」を明星第八巻第一号に発表。

四月、「東洋を弄ぶ或種の詩人に与ふる滑稽詩」を明星第八巻第三号（四月号）に発表。

五月、詩「苛察」を詩歌時代創刊号に発表。

同月、「老人の首」および木彫「鯰」を聖徳太子奉賛会展に出品。おおやけの展覧会に出品したはじめである。

七月、詩「雷獣」を明星第九巻第一号（七月号）に発表。

十月、「『日本古典全集』に感謝す」を、明星第四号（九・十月合併号）に発表。

この年、ほかに詩「無口な船長」「象の銀行」、散文「楽聖をおもふ」「彫刻十個条」などがある。

昭和二年（一九二七）　四十五歳

四月、評伝「ロダン」および「ホヰツトマンの事」（六月号まで三回連載）を大調和創刊号に発表。同月、評伝『ロダン』をアルス美術叢書24としてアルスより刊行。

六月、詩「エピグラム三つ」を手帖 No.4 に発表。

七月、「近状」を大調和七月号に発表。

十月、「百三十番クワルテツト」を大調和十月号に発表。同月、評伝「アンドレ　ドラン」をアトリエ社刊『ドラン画集』に書く。

十一月、ジョワシェン・ギャスケ「風景の前で語るセザンヌ」訳を大調和十一月号に発表、十二月号にかけて二回連載。同月、大調和展に「中野秀人の首」「某夫人の像」「東北の人」、木彫「魴鮄」「桃」「小鳥」などを出品。

十二月、「偶作十五篇」を、大調和十二月号に、発表。

この年、ほかに詩「火星が出てゐる」「あなたはだんだんきれいになる」「冬の奴」「北東の風、雨」短歌「工房雑詠」などがある。

昭和三年（一九二八）　四十六歳

十月、朝日新聞社に開かれた第二回大調和展に「住友君の首」、木彫「柘榴」を出品。これ以後、おおやけの展覧会には出品しない。「住友君の首」と前後して「黄瀛の首」「黒田清輝」などをつくる。

この年、ヹルハァラン「訳詩八篇」を真壁仁らの至上律ベルハーラン号に発表。尾崎喜八らの雑誌東方にも詩をのせる。詩「さういふ友」「その詩」「同棲同類」「竜」「花下仙人に遇ふ」「ぼろぼろな駝鳥」「当然事」などを書く。

昭和四年（一九二九）　四十七歳

この冬のころ、詩「首の座」を書く。この前後の詩は自らするどい批判性や社会性につらぬかれていた。

四月、「雨にうたるるカテドラル」から「首の座」まで十八篇の詩が、改造社刊現代日本文学全集中の『現代日本詩集』に、短歌四十四首が同『現代短歌集』に収められる。

十月、「道程」時代四十篇、「道程」以後二十五篇、「猛獣篇」九篇、「猛獣篇」以後三十六篇が新潮社刊現代詩人全集の第九巻『高村光太郎・室生犀星・萩原朔太郎篇』に収められる。

この年、詩「人生」「触知」「或る筆記通話」「上州湯檜曾風景」、散文「生きた言葉」などを書き、相聞・学校詩集などに発表。

昭和五年（一九三〇）　四十八歳

八月、詩「Die Welt ist schoen」をスバル八月号に発表。

九月、詩「のつぽの奴は黙つてゐる」を詩・現実第二冊に発表。

この年、ほかに詩「刃物を研ぐ人」「のんきな会話」「孤坐」などがある。

昭和六年（一九三一）　四十九歳

三月、詩「似顔」を詩・現実第四冊に発表。

八月、三陸地方を一カ月旅行。紀行「三陸めぐり」を時事新報に連載する。この留守中より智恵子夫人精神分裂の徴候をあらわす。

この年、詩「美の監禁に手渡す者」「径に由らず」、散文「冬二題」「触目いろいろ」などを書く。

昭和七年（一九三二）　五十歳
七月十五日朝、智恵子夫人アダリン自殺未遂。この年、詩「非ヨオロツパ的なる」「五月のウナ電」「レオン　ドウベル」「もう一つの自転するもの」などを書き、中央公論、スバルその他に発表。

昭和八年（一九三三）　五十一歳
六月、『現代の彫刻』を岩波講座世界文学の一部として刊行。

八月、評伝『ヹルハアラン』を同じく岩波講座世界文学の一部として刊行。

この年、詩「晴天に酔ふ」、散文「詩人の知つた事でない」などがある。

昭和九年（一九三四）　五十二歳
智恵子夫人の精神分裂症悪化。九十九里浜真亀納屋に転地させ、毎週一度ずつ通う。

十月、父光雲歿。享年八十三歳。

このころの数年間、家事の雑務と看病に追われて、彫刻もつくらず、詩もまとまらず、空白時代をすごす。

昭和十年（一九三五）　五十三歳
二月、智恵子夫人、南品川ゼームス坂病院に入院。

十月、光雲一周忌に光雲像をつくる。

この年、詩「人生遠視」「風にのる智恵子」「秋風をおもふ」「ばけもの屋敷」など。

昭和十一年（一九三六）　五十四歳
三月、「ヒユウザン会とパンの会」を邦画第一巻第三号に発表。

十月、宮沢賢治詩碑のため「野原ノ松ノ林ノ……」の詩を揮毫。

この年、散文「本面に就て」「揺籃の歌」「某月某日」などを書く。「成瀬仁蔵胸像」を十七年目に完成。またデッサンを雑誌歴程にのせる。

昭和十二年（一九三七）　五十五歳
一月、詩「堅冰いたる」を中央公論第五十二年一月号に発表。同月、とつぜん咽喉から大量の血を吐き一カ月ねる。

七月、デッサン「ほくろ」をアトリエ社刊『現代素描全集８』に発表。

九月、『ロダンの言葉』正続を叢文閣より改装再版。

この年、詩「千鳥と遊ぶ智恵子」「秋風辞」「マント狒狒」などを書き、都新聞、改造その他に発表。

昭和十三年（一九三八）　五十六歳
十月五日、智恵子夫人、粟粒性肺結核により南品川ゼームス坂病院にて歿。享年五十三歳。

この年、「九代目団十郎の首」九分通りできてひびわれる。詩「山麓の二人」「地理の書」「その時期は来る」「未曾有の時」、散文「能面の彫刻美」「コスモスの所有者宮沢賢治」「手」「小刀の味」などを書く。このころから詩は戦争に傾斜する。

昭和十四年（一九三九）　五十七歳

十二月、「猛獣篇その他」三十二篇を河出書房刊『現代詩集』第一巻に収める。

この年、詩「レモン哀歌」「亡き人に」「事変二周年」「銅像ミキイヰツツに寄す」「芋銭先生景慕の詩」「つゆの夜ふけに」、散文「ほくろ」「美」「ある首の幻想」「彫刻性について」などがある。

昭和十五年（一九四〇）　五十八歳

一月、詩「紀元二千六百年にあたりて」を婦人公論に発表。

二月、詩「蟬を彫る」を詩と美術第二巻第二号に発表。

九月、「美の健康性」を婦人公論に発表。

十一月、詩集『道程』改訂版を三ツ村繁蔵編により山雅房から刊行。初版『道程』より四十三篇を今日的な意味から削除し、あらたに『道程』以後二十篇、「猛獣篇」七篇を加えたもの。詩集『道程』にはこの他数種の版がある。

十二月、「彼女の半生」を婦人公論に発表。同月、大政翼賛会中央協力会議委員となる。同月十七日、「談話」を朝日新聞に、同月十九日、「芸術政策の中心」を同じく朝日新聞に発表。

この年、詩「肉体」を『全日本詩集』に収める。そのほか詩「梅酒」「最低にして最高の道」「無血開城」、散文「智恵子の半生」「自作肖像漫談」「自分と詩との関係」「雷ぎらひ」「彫刻家の場合」など多い。

昭和十六年（一九四一）　五十九歳

八月、随筆集『美について』を道統社より刊行。同月、詩集『智恵子抄』を竜星閣より刊行。

十一月、ヹルハァラン「午後の時」訳十三章を青磁社刊村上菊一郎編『仏蘭西詩集』に収める。

十二月八日、太平洋戦争はじまる。同日、「全国の工場施設に美術家を動員せよ」を読売新聞に発表。世界は一新され、時代はいま大きく区切られ、確然たる軌道に乗ったと感じる。

この年、詩「荒涼たる帰宅」「必死の時」「彼等を撃つ」「危急の日に」「大詔渙発」「青年」「太子筆を執りたまふ」「われら持てり」など、散文「九十九里の初夏」「ミケランジエロの彫刻写真に題す」「美の影響力」「美術館の事その他」「中央協力会議の印象」「戦時下の芸術家」などを書く。詩は急激に戦争に没入する。

昭和十七年（一九四二）　　六十歳

一月、評論集『造型美論』を筑摩書房より刊行。「造型小論」「現代の彫刻」「印象主義の思想と芸術」などを収める。

四月、詩集『大いなる日に』を道統社より刊行。同月、詩集『道程』によって第一回芸術院賞受賞。

六月、文学報国会詩部会長となる。

七月、「七月の言葉」を文芸第十巻第七号に発表。

十一月、大東亜文学者大会発会式。

この年、発表された詩には「沈思せよ蔣先生」「夜を寝ねざりし暁に書く」「昭南島に題す」など、時局に関するものがいちじるしく増加。また詩「独居自炊」「三十年」「与謝野夫人晶子先生を弔ふ」などを書く。散文は「十二月八日の記」などのほか「ヴアレリイについて」「東大寺戒壇院四天王像」「子供の頃」「ロダンの手記談話録」「詩の深さ」など。戦に関しないものも多い。

昭和十八年（一九四三）　　六十一歳

四月、随筆集『某月某日』を竜星閣より刊行。

六月、「詩の進展」を新文化第十二巻第六号に発表。

八月、第二回大東亜文学者大会。

十一月、年少者のための詩集『をぢさんの詩』を太陽出版社より刊行。大正十三年から昭和十八年までの詩四十七篇を収める。

この年、詩「友来る」「おん魂来りうけよ」「全学徒立つ」「神と共にあり」「第五次ブーゲンビル島沖航空戦」「突端に立つ」「救世観音を刻む人」「寒夜読書」などがある。散文は「彫刻その他」「ドナテロ小感」など。戦況ようやく非となり、詩もまた多く戦にかんするものとなる。

昭和十九年（一九四四）　　六十二歳

三月、詩集『記録』を竜星閣より刊行。

戦局いよいよ敗勢いちじるしく、詩も前年につづいて多くつくられる。発表されたものはほとんど戦争詩であったが、発表されない別種の詩もあった。散文では「美の中心」「十六弟子」「能の彫刻美」など。

昭和二十年（一九四五）　　六十三歳

一月、詩集『道程』再訂版を八雲文庫10として青磁社より刊行。『道程』改訂版のうちから他の詩集と重複するものを削り、未発表のものを含む『道程』以後の詩ほぼ同数をおぎなって自ら再訂したもの。

四月二日、詩「琉球決戦」を朝日新聞に、同月七日詩「栗林大将に献ず」を同じく朝日新聞に発表。同月十三日、戦災によりアトリエ焼失。同月十九日、「危険挺身の民兵たれ――戦災を体験して感あり」を読売報知に発表。同月十五日、上野を発って岩手県花巻市宮沢清六方に疎開。

八月十日、宮沢宅戦災。同月十五日、敗戦。十七日詩「一億の号泣」を朝日新聞に発表。

九月十日、花巻市内佐藤隆房方に寄寓。

十月十七日、岩手県稗貫郡太田村字山口の小屋に移り、農耕自炊の生活に入る。この年、智恵子夫人を憶う詩「松庵寺」などを書く。

昭和二十一年（一九四六）　六十四歳

一月、詩「永遠の大道」を潮流一月号に、詩「皇太子さま」を週刊少国民に、「国民まさに餓ゑんとす」を新岩手日報に発表。また散文「宮沢賢治さんの印象」および「消息」を雑誌ポラーノの広場に、「倉橋弥一さん」を雑誌若い人に発表。

二月、談話「今日はうららかな」を雑誌ポラーノの広場に発表。

三月、「雪白く積めり」を展望三月号に発表。

四月、「第四次元の願望」を農民芸術第一号に、「雪解けず」を北方風物に発表。

五月、詩「和について」を雑誌和に発表。この月、草稿詩「我が詩をよみて人死に就けり」をかき、この月より十月まで講話「日本の美」を行う。散文「高祖保さんをしのぶ」を近代詩苑に、「汽車ぎらひ宿屋ぎらひ」を北方風物にかく。

七月、詩「雲」を週刊少国民に発表。

八月、詩「絶壁のもと」を新岩手日報に、散文「美術立国」を盛岡美術連盟機関紙にかく。また、談話「春になつて」がポラーノの広場に掲載される。

十月、散文「中村草田男雅丈」を万緑に発表。

十二月、散文「年越し」を北方風物に発表。

昭和二十二年（一九四七）　六十五歳

二月、散文「玄米四合の問題」を農民芸術第三号に「水野葉舟君のこと」を月明にそれぞれ発表。

三月、談話「宮沢賢治は」陽光に掲載される。

四月、「ある夫人への返事」を婦人朝日四月号にかく。

六月、詩「山菜ミヅ」を婦人公論に、散文「新薬師寺十二神将、迷企羅大将」を国華百粋に発表。

七月、長詩「暗愚小伝」を展望七月号に発表。

八月、詩「山のひろば」を雑誌ひろばに発表。

九月、散文「啄木と賢治」を少年読売に発表。

この年、草稿「開墾」「子供の頃の食事など」がかかれた。ほかに草野心平編『高村光太郎詩集』鎌倉書房（七月）、宮崎稔編、歌集『白斧』十字屋書店（十一月）。

昭和二十三年（一九四八）　六十六歳

一月、詩「脱郤の歌」を群像に、詩「ブランデンブルグ」を展望に、詩「試金石」を週刊朝日に、詩「岩手山の肩」を新岩手日報に発表。

二月、詩「蔣先生に慙謝す」を至上律に発表。

七月、詩「人体飢餓」を心に、散文「逸見猶吉の死」を歴程に発表。

九月、盛岡放送より「宮沢賢治十六回忌に因みて」朗読される。「天平彫刻の技法について」を天平彫刻にかく。

十一月、詩「東洋的新次元」を知識人に、詩「山口より」を心に、詩「噴霧的な夢」を女性線に発表。

十二月、「尾形亀之助を思ふ」を河北新報に発表。

昭和二十四年（一九四九）　六十七歳

一月、詩「おれの詩」を心に、詩「新年」を朝日新聞に、詩「岩手の人」を新岩手日報に発表。

二月、草稿で、小倉豊文著「絶後の記録」序をかく。

六月、「もしも智恵子が」を婦人画報に発表。

七月、詩「女医になつた少女」を少女の友に発表。詩「悪婦」を心に発表。

九月、散文「宮沢賢治十七回忌」を花巻日報にかく。

十月、詩「山の少女」を少女の友に発表。

昭和二十五年（一九五〇）　六十八歳

一月、詩「滑稽詩二篇」を展望一月号に、詩「智恵子抄その後」を新女苑一月号に、詩「鈍牛の言葉」を群像一月号に、詩「山荒れる」を心に、詩「この年」を読売新聞に、詩「あいさつ」を毎日新聞に、詩「一九五〇年」を河北新報に発表。

二月より七月まで、散文「みちのく便り一・二・三」をスバルに発表。

四月、詩「典型」を改造に発表。

五月、散文「私の詩の理法」を細川書店刊『現代日本文学選集』11に、「詩について語らず」を創元社刊『現代詩講座』第二巻にかく。

八月、談話「『夜明け前』雑感」を藤村研究（藤村全集附録）第12号に発表。散文「信親と鳴滝」をかく。

九月、松木喜之七遺稿歌集序をかく。美術評論「江戸の彫刻」を『世界美術全集』21（日本近世）にかく。

十一月、詩「東北の秋」を婦人之友に発表。

この年、詩集『典型』を中央公論社より出版（十月）。詩文集『智恵子抄その後』を竜星閣より出版（十一月）。伊藤信吉編『高村光太郎詩集』を、新潮文庫として出版（十一月）。

昭和二十六年（一九五一）　六十九歳

一月、詩「人間拒否の上に立つ」を心に発表。散文「美しい生活」を雑誌若い感覚に発表。

五月、散文「みちのく便り四」をスバルに発表。

九月、詩「岩盤に深く立て」を新岩手日報に発表。

十月、散文「樹下の二人」を婦人公論に、「青春の日」、「遍歴の日」を中央公論に発表。

この年、草稿「美ならざるなし」がある。

なお、五月に、詩集『典型』は読売文学賞を受賞した。九月、草野心平編『高村光太郎詩集』を創元選書として出版。十月、『高村光太郎選集』全六巻を中央公論社から出版。「みちのく便り四」で、肋間神経痛に苦しむことをかいた。

昭和二十七年(一九五二)　　七十歳

一月、詩「智恵子と遊ぶ」を新女苑に発表。

九月、竹内てるよ著『いのち新し』序をかく。

七月、美術評論(草稿)「夢殿救世観音像」をかく。また、「法隆寺金堂釈迦三尊像」を日本の彫刻(飛鳥篇)にかく。

十月、詩「ばた屋」、詩「餓鬼」を中央公論に発表。

十一月、散文「おろかなる都」を週刊朝日にかく。

十二月、散文「人体について」を婦人朝日にかく。

なお、六月に、随筆集『独居自炊』を竜星閣から出版。この月、青森県当局より十和田国立公園功労者顕彰記念碑のための彫像の制作の委嘱を要請されて十和田湖に行った。十月に、制作を決意して上京し中野区桃園町四十八、故中西利雄のアトリエに入った。彫刻の完成後は、ふたたび、花巻郊外の小屋に帰るつもりであった。十一月、丸ビル、中央公論画廊で「高村光太郎小品展」を開催。

昭和二十八年(一九五三)　　七十一歳

一月、詩「報告」をいづみに、詩「お正月に」を朝日新聞に発表。散文「悲しみは光と化す」を朝日新聞に、「南沢座談」を婦人之友に掲載。

四月、詩「東京悲歌」を心に発表。

六月、「美と真実の生活」を婦人公論に発表。

九月、「書の深淵」を国立博物館ニュースにかく。

この年、一月で、中央公論社版『高村光太郎選集』の刊行終る。二月、宮崎稔編書簡集『みちのくの手紙』を中央公論社より出版。六月、記念裸婦像原型完成。同月、伊藤信吉編『高村光太郎詩集』を新潮社より出版。十月、記念像、十和田湖畔休屋御前浜に除幕。十二月、真壁仁編『ヴェルハアラン詩集』を創元社から出版。

なお、十一月二十七日附で、日本芸術院会員の推せん書を受けた。十二月七日に辞退の旨を返書した。

昭和二十九年(一九五四)　　七十二歳

一月、詩「十和田湖畔の裸像に与ふ」を毎日新聞に発表。「新春放談」が朝日新聞に掲載された。

二月、「書をみるたのしさ」を『書道全集』の内容見本にかく。「日本芸術院のこと——アトリエにて1——」を新潮に掲載。

三月—六月、「アトリエにて2・3・4・5（『父との関係・荻原守衛』）」を新潮に掲載。

四月、「日本詩歌の特質」を毎日ライブラリー『日本の詩歌』にかく。

五月、「わたしの青銅時代」を改造に発表。

この年、七月、ブリヂストン・ギャラリー制作の美術映画「高村光太郎」が完成、公開された。このころから、著しく健康を害して衰弱しはじめた。

昭和三十年（一九五五）　七十三歳

一月、詩「新しい天の火」を読売新聞に発表。散文「東洋と抽象彫刻」を現代の眼に発表。

二月、散文「黄山谷について」を『書道全集』月報5に掲載。

三月、「自伝」を『現代日本詩人全集』第2巻（創元社）に、「雅歌」を婦人之友にかく。「モデルいろいろ——アトリエにて6——」を新潮に発表。

五月、「モデルいろいろ——アトリエにて7——」を新潮に発表。

八月、「埴輪の美と武者小路氏」を文芸臨時増刊武者小路実篤読本に掲載。

九月、「私のきいた番組」を朝日新聞に、「筑摩書房版宮沢賢治全集」を全集内容見本に、「志賀さんの顔」を文芸臨時増刊志賀直哉読本にかく。

十月、「私のきいた番組」を朝日新聞に掲載。

十二月、「頭に残つた放送」を朝日新聞に掲載。

この年、三月、奥平英雄編『高村光太郎詩集』を岩波文庫として出版。四月、病気療養のため赤坂見附山王病院に入院し、七月、退院した。健康は相変らず不良であった。書にたいする関心が深くなった。

昭和三十一年（一九五六）　七十四歳

一月、詩「生命の大河」を読売新聞に発表。散文「おおらかで正直な心」を家の光に、「生命の創造——アトリエにて8——」を新潮に発表。

三月、「話言葉としての日本語」を産経時事新報に発表。

四月、五月、「焼失作品おぼえ書——アトリエにて9・10——」を新潮に発表。

健康は、相変らずよくなかったが、三月十九日以来病勢は急に悪化し、四月二日、雪の日、午前三時四十五分、中野の中西宅で死去した。病名肺結核。享年七十四歳。葬儀は青山墓地斎場で行われた。

四月、草野心平編集日本文学アルバム『高村光太郎』出版（筑摩書房）。

五月、随筆集『山の四季』出版（中央公論）。六月、婦人公論、文芸、知性、新潮に詩が発表される。文芸増刊「高村光太郎読本」。

七月、新潮文庫『智恵子抄』。九月、詩集『典型以後』（中央公論社）。角川文庫『高村光太郎詩集』。

九月より十一月まで鎌倉近代美術館において「高村光太郎、智恵子展」開催される。

十月、『赤城画帖』（竜星閣）。

昭和三十二年（一九五七）

三月より『高村光太郎全集』全十八巻の刊行はじまる。

四月、彫刻写真集『高村光太郎』（筑摩書房）刊行。

昭和三十三年（一九五八）

五月、花巻市太田山口の旧居附近に詩「雪白く積めり」の詩碑が出来る。鋳造高村豊周。

九月、東京池袋西武デパートで、「思い出の三人展（啄木、賢治、光太郎）」開催。

昭和三十四年（一九五九）

二月、草野心平編『高村光太郎読本』（学習研究社）発行。

三月、草野心平編『高村光太郎研究』（筑摩書房）公刊。

七月、高村豊周監修、奥平英雄、北川太一編集『高村光太郎書』刊行される。新潮文庫、高村光太郎訳『ロダンの言葉』刊行。

九月、新潮文庫『続ロダンの言葉』刊行。

昭和三十五年（一九六〇）

三月より北川太一編『光太郎資料』刊行はじまる。

五月、福島県二本松市霞ヶ城公園に詩碑建立。

七月、岩波文庫高村光太郎訳『ロダンの言葉抄』刊行。

十一月、角川文庫『美について』刊行。

昭和三十六年（一九六一）

七月、千葉県九十九里町真亀納屋海岸の砂丘に詩碑建立。

昭和三十七年（一九六二）

四月、高村豊周『光太郎回想』（有信堂）刊行。詩集『猛獣篇』（歴程社）ガリ版で刊行。佐藤隆房『高村光太郎山居七年』（筑摩書房）刊行。

十二月、奥平英雄『晩年の高村光太郎』（二玄社）刊行。

註　本年譜は北川太一編『高村光太郎年譜』（昭和二十九年七月二十日刊・非売品）、北川太一編『高村光太郎年譜』（昭和三十一年六月、文芸臨時増刊高村光太郎読本所収）および吉本隆明著『高村光太

郎』（飯塚書店）所収の年譜を底本として作成した。不完全な個処が多く、今後の調査により補正したい。なお、北川太一の定本年譜が筑摩書房刊『高村光太郎全集』の研究別巻に発表されるときいている。

追記

年譜中没後の部分は、北川太一「高村光太郎年譜」（草野心平編『高村光太郎研究』（筑摩書房）に附した年譜の抜刷り）と、『光太郎資料』に拠って作ったものである。

参考文献目録

著者名	題　名	出版社名 掲載誌名	発表月
明治四十二年			
中村　星湖	木像の批評	（早稲田文学	8）
明治四十三年			
石井　柏亭	吾楽と琅玕洞	（読売新聞	4）
大正三年			
水野　葉舟	高村光太郎氏の詩	（国民文学	8）
大正十二年			
島津謙太郎	高村光太郎論	（詩聖	5）
大正十三年			
高村智恵子	生き甲斐ある悩みを悩め（アンケートに答へて）	（女性	2）
大正十五年			
草野　心平	高村光太郎氏その他	（日本詩人	9）
昭和二年			
河野　通勢	高村さんと僕	（大調和	12）
昭和五年			

角田　竹夫　高村光太郎論　（愛誦6・7）
昭和九年
萩原朔太郎　大正の長詩鑑賞
（改造社刊日本文学講座　10）
昭和十年
中野　秀人　高村光太郎論　（日本詩　4）
昭和十二年
藤原　定　高村光太郎論
（西東書林刊現代日本詩人論　）
昭和十三年
草野　心平　高村光太郎に関する覚書　（新潮　10）
昭和十五年
伊藤　信吉　高村光太郎
（河出書房刊現代詩人論　）
昭和十六年
山本　和夫　高村光太郎論
（山雅房刊現代詩人研究　）
土方　定一　高村光太郎論　（現代文学　）
小田切秀雄　日本近代文学の古典期　（近代文学　9）
昭和十七年
長与　善郎　高村光太郎君のこと　（新風土　1）
宇野　浩二　文学的散歩　（改造社　）
伊藤　信吉　高村光太郎論　（文芸　5）

岡崎清一郎　高村光太郎氏垣間見　（歴程　9）
昭和十八年
平田内蔵吉　高村光太郎氏覚書　（歴程　10）
草野心平・藤原定　不確定性ぺーパー第一輯
昭和十九年
尾崎　喜八　「をぢさんの詩」研究　（詩研究　9）
昭和二十一年
小田切秀雄　高村光太郎の戦争責任　（文学時標　1）
壺井　繁治　高村光太郎　（文芸春秋　4）
昭和二十二年
秋山　清　高村光太郎の暗愚について
（コスモス　12）
昭和二十四年
遠地　輝武　高村光太郎　（真善美社刊近代詩人研究）
細田　明子　高村光太郎先生へ　（新女苑　10）
昭和二十五年
草野　心平　光太郎智恵子　（新女苑　5）
草野　心平　高村光太郎　（新潮　7）
秋山　清　高村光太郎と民衆詩派　（新詩人　7）
昭和二十六年
安藤　一郎　詩集「典型」の問題　（日本未来派　2）
中央公論社　高村光太郎選集附録
（中央公論社刊　26・10～28・1）

1 高村　豊周　兄のプロフィル
中村草田男　この源泉に汲まん
菊地　一雄　随所彫刻
2 日夏耿之介　根付の国
吉野　秀雄　無題
伊藤　信吉　山小屋の人
3 高田　博厚　個人として(1)
森田　たま　アトリエのあったお家
4 高田　博厚　個人として(2)
真壁　仁　高村先生の彫刻
池田　克巳　強靭積極の生活
5 豊島与志雄　詩人と彫刻家
草野　心平　高村さんの近況
松下　英麿　無機
6 今泉　篤男　リーチと高村さん
中西　浩　高村光太郎論（詩学 12）
宮崎　春子　伯母智恵子のおもいで（アトリエ 8）
伊藤　信吉　高村光太郎（筑摩書房刊文学講座 10）
昭和二十七年
真壁　仁「道程」考（至上律 6）
昭和二十八年
石井　鶴三　彫刻家としての高村光太郎（芸術新潮 3）
土方　定一　高村光太郎　人と作品（芸術新潮 6）
昭和二十九年
伊藤　信吉　高村光太郎―その社会的側面について―（明治大正文学研究 4）
昭和三十年
吉本　隆明　高村光太郎ノート（荒地詩集 4）
吉本　隆明　高村光太郎ノート（現代詩 7）
亀井勝一郎　愛において永遠なるもの（婦人公論 8）
昭和三十一年
草野　心平　高村光太郎の断片（芸術新潮 1）
河出　書房　高村光太郎読本（文芸臨時増刊 5）
佐藤　春夫　小説高村光太郎像（現代社 10）
佐藤　勝治　山荘の高村光太郎（現代社 12）
昭和三十二年
高村　豊周　家系のこと（筑摩書房刊高村光太郎全集月報Ⅰ 3）
吉本　隆明　高村光太郎（飯塚書店 7）
佐藤　春夫　小説智恵子抄（実業之日本社 11）
昭和三十三年
伊藤　信吉　高村光太郎（新潮社 3）

Ⅱ

「戦旗」派の理論的動向

一九二八年（昭和三年）四月、全日本無産者芸術聯盟（ナップ）が結成され、機関紙『戦旗』が創刊された事情について、翌年二月、日本プロレタリア作家同盟創立委員会の報告は、つぎのように述べている。

一九二八年四月未曾有の暴圧の中に、前芸、プロ芸、左芸、闘芸の四芸術団体の合同によつて旧ナツプは創立された。我国プロレタリア芸術運動の槓杆としての実体をそれは具へ、秋の暴圧を越えてよく苦難を克服して戦ひ来つた。この闘争の中に、我ら（作家同盟――註）は、ナツプ文学部として、プロレタリア文学運動の戦野を担当し、作家活動、意識的社会民主主義グループ文芸戦線に対しての闘争・日本無産派文芸聯盟、マルクス主義芸術家同盟、その他プロレタリア作家の加盟、プロレタリア作家グループへの影響等に於ける戦線の統一、独逸プロレタリア詩人ベツヒエルに関する階級裁判に対し、独逸ライプチヒ裁判所に対する抗議に於ける国際的握手の第一歩、芸術祭に於ける講演会等の活動を続け常に進展の道をたどり独立的活動をなし得る条件をそなへ来つた。

ナップの具えている基本的な特徴は、この報告の言いまわしからもうかがうことができるが、それはおおよそ二つにわけることができよう。第一は、ナップの成立によってこの派の文学者が、はっきりと自己の運動をマルクス主義文学運動として規定して形成の方向をきめたことであり、もう一つは、コミンターン特別委の福本イズム・山川イズム批判をそのまま踏襲して、文芸戦線派の文学者を社会民主主義者と規定し、終始一貫、対立と悪罵の応酬をつづける宿命を選んだことである。もちろん、ナップが自己をマルクス主義芸術団体として撰んだことと、コミンターン・テーゼの忠実な芸術的実行者として、あらずもがなの文戦派との対立者として自己を撰んだこととは、別問題ではない。このナップの基本的な性格のうちには、すでに、後年、蔵原・宮本・小林らを理論的な指導者とするマルクス主義文学運動における政治至上主義の傾向がはらまれており、また、太平洋戦争期におけるマルクス主義文学、政治運動家の未曾有の頽廃の芽も萌していたということができる。わたしは、現在、いわゆる「戦旗」派によって主動された日本のプロレタリア文学運動を、ほとんど全面的に誤謬の運動とかんがえるものだが、この誤謬の歴史からいくばくかの示唆と教訓とを汲みとりたいというのは、本稿の主要な目的のひとつである。

ナップ機関紙『戦旗』は創刊されるとすぐにその年（二八年）、中野重治、蔵原惟人、林房雄を主要な論争者とする「芸術大衆化」論争をかかげた。何故に、ナップはその自己規定の当初において芸術大衆化の問題を争わねばならなかったのだろうか。この至極当然のようにかんがえられるプロレタリア文学を、大衆のなかへ持ちこむにはどうしたらよいかという課題をめぐる論争のなかには、マルクス主義文学、政治運動と、それを受取るべき大衆とのあいだにある深淵が口をあけていた。論争の当事者たちは、いずれもこの深淵を、日本の具体的な社会情勢のなかの具体的な大衆の動向に即して意識していたとは云い難い。かれらは、何れも、われこそはマルクス主義文学の原則に叶っているものだと腕をまくって主張してみせたにすぎず、このような原則的態度の如何などは、芸術運動にとっても、政治運動にとってもイロハに外ならないばかりか、問題はいつもかれらが終ったとおもうところから始まるのだということは、理解されるはずもなかったのである。

論争は、まず、中野重治の「いはゆる芸術の大衆化論の誤りについて」（『戦旗』昭和三年六月）によって口火をきられた。中野の論議は、根本的なところで、大衆は大衆的な通俗文学のまわりに集まり、プロレタリア文学は、大衆的な基盤をもつことを必要としているにもかかわらず何故にそれが受入れられようとしないか、という問題をふまえたものであった。このような問題の背後には、いつもふたつの答が潜在している。ひとつは、われわれのプロレタリア文学は、大衆のための階級的な基盤をふまえた大義名分のとおった文学であり、これに大衆が集まってこないのは、大衆の意識が低いからだ、という前衛的なエリット意識である。もう一つは、政治運動が強力になるならば、政治的な力によって大衆をプロレタリア文学のまわりに集めることが可能であるとする考え方である。中野は、いうまでもなく、ここで大衆の意識を低いものと決めてかかり、自らの文学を低くして大衆を迎えようとする考え方と、大衆の方を政治的に高くしてプロレタリア文学を迎えさせようとする考え方を、真向うから否定してみせたのである。中野は、「今日大衆はその生活がまことの姿で描かれることを求めて居る。生活のまことの姿は階級関係の上に現れる。生活をまことの姿で描くことは芸術に取つて最後の言葉だ。大衆の求めて居るのは芸術の芸術、諸王の王なのだ。」とかいて、有るべき大衆が決して低級なものではない、という前提を明らかにした。このことは重要であった。何故ならば、ここには、有るべきプロレタリア文学の最後の芸術性が、有るべき大衆の最後の姿と一致することが指摘されているからである。しかし、中野の有るべき大衆の姿は、あくまでも有るべき姿であって、有るがままの大衆の姿ではない。このような、中野の論点の欠陥は、かかって、大衆＝被支配階級＝階級意識の所有者（潜在的）という一元的な認識のなかにあったことはあきらかである。

この立論の欠陥をおおうために、中野が導き出したのは、政治上のプログラムと芸術上のプログラムとを混同することなく行使しなければならないという論点であった。すでに有るべき大衆は階級関係の上にたった芸術のなかの芸術をもとめることはあきらかであるから、有るがままの潜在的階級意識の所有者である大衆の意識を顕在的にするのは、プロレット・クルトの問題であり、そのためには、特殊な出版、移動劇場の動員、芸術的ジュルナールの編輯その他でこの点に関して全力を搾らなければならないとしたのである。

全プロレット・クルトの問題と芸術自身の問題とをはっきり区別しなければならない。しかも両者を共に行使しなければならないというのは、中野が芸術大衆化論争で一貫してとった立論の根拠である。このような立論が、生れてこざるをえなかったのは、根本的には、中野の一元的な芸術論と、その一元論のなかに予定調和のように階級的観点を密輸入しているところにあった。

この階級的な観点をアプリオリに密輸入している中野の理論は、芸術が創造されてゆく過程を無視したひとつの謬見である。しかし、中野に反論をくわえた蔵原惟人の「芸術運動当面の緊急問題」（『戦旗』八月号）は、中野の潜在的な誤謬を、あらわにむきだした他のひとつの謬見にすぎなかったのである。

蔵原は、大衆の求めているのは芸術の芸術、諸王の王であるという中野の見解が理想論、抽象論として意味をもつだけであって階級社会ではそれが成立することができないことを指摘した。プロレタリア的な見地からどんなに高い芸術をつくっても、それによって集めうる大衆の数はたかがしれている。しかも、一方においてプロレタリア芸術運動は、広範なプロレタリアートをアジテートし、それをイデオロギー的に教養すべき重大な任務をもっている。このギャップを如何にするか。蔵原は、ルナチャルスキーの理論をかりて、プロレタリア芸術確立のための努力と、芸術を利用して大衆を直接にアジ・プロする運動とを混同することなしに行使しなければならないと主張した。蔵原は、結論的にかいている。

我々は今まで機関誌『戦旗』を「大衆化」せんとし、それを広く工場、農村の広汎なる未組織大衆の中に「持込ま」んとして、失敗した。失敗は当然である。我々が誤つてゐたのだ。我々は過去に於いて、『戦旗』は同時に芸術運動の指導機関であり、また広汎なる大衆のアヂ・プロの機関であり得ると考へてゐた。それは間違ひである。我々は今、この芸術運動の指導機関と大衆のアヂ・プロの機関とを断然区別しなければならない。

このことから生れて来る実践的結論は何か？　それは極めて簡単である。我々は我々の機関誌『戦旗』を真に芸術運動の指導機関たらしむべく努力すると共に、広く工場、職場、農村等に持込み得べき大衆的絵入雑誌の創刊に向つてあらゆる努力を為さなければならない。

蔵原のこの理論的な観点は、あきらかに誤謬と云うべきである。ここには、階級的必要が芸術の本質であるとする蔵原理論の誤りが、すでに萌しをみせ、政治的必要が芸術の大衆化の本質であるとする政治の優位性論の発想が、あからさまにあらわれている。しかも、なおそのうえに、階級的原則を固執するだけで、具体的な社会の具体的な大衆が動員できるとでもかんがえて安心しているコミンターン革命方式の誤謬が、無原則的に追従されているのである。「戦旗」が、どのように方式をえらんでも、日本の労働大衆の生きた欲求にうけいれられないのは当然であった。

問題は、芸術の本質とは何か、その本質から如何にして階級的視点が生れうるか、という課題にたいして、ナップの理論家たちが、正当な解答を用意できなかった点にあったのである。

中野は、ふたたび「問題の捩じ戻しとそれについての意見」（『戦旗』九月号）をかいて、蔵原に反論している。中野の論文は、まえとかわらず、「あくまでプロレタリア芸術確立の為の芸術運動」と「大衆の直接的アジ・プロの為の芸術運動」とわけたのは蔵原の誤りであり、この二つを「無批判的に混同」してはいけないと言った所に蔵原自身の政治的闘争と芸術運動との無造作な混同がある、というものであった。いいかえれば、中野は、蔵原の論点のなかに、政治的必要が、一切に先行するという政治の優位性論の誤謬をみたのである。それならば、すすんで、階級的必要が芸術を生み出すという蔵原理論の本質をも、謬見として卻けるべきであったろう。そのためには、中野自身が、芸術的視点のなかに、アプリオリに階級的視点を密輸入している自己のあいまい性を脱することが必須の条件であったのである。
芸術大衆化論争において、蔵原、中野よりも、はるかに正直に大衆の本質を指摘してみせたのは、林房雄の「プロレタリア大衆文学の問題」(『戦旗』十月号)である。大衆化論争は、なお、『戦旗』誌上で、蔵原惟人「芸術運動における左翼清算主義」(十月号)、中野重治「解決された問題と新しい仕事」(十一月号)とつづけられたが、根本的な意見は、すでに出つくしていた。むしろ、林房雄のプロレタリア大衆文学論のなかに粗雑ではあるが、注目すべき別個の見解がかくされていたとみるべきである。林は、プロレタリア大衆文学の定義をつぎのようにかいている。

「大衆」とは、元来政治的な概念であつて、「指導者」に対する言葉だ。マルクス主義的には、大衆とは政治的に無自覚な層と定義される。プロレタリア運動内に於ける意識的な活動要素に対する無意識的な要素のことだ。現実のプロレタリア階級の中に、かかる、心理に於て、意識に於て、進んだ層と遅れた層のあることから、心理的意識的産物である吾々の文学にも二つの種類が生れて来る。進んだ層に受入れられる文学と、遅れた層に受入れられる文学と、後者を指して吾々はプロレタリア文学といふ。

林の見解は、どうして注目されなければならないだろうか。蔵原、中野が、もっぱら、階級芸術観の原則を一歩も出ようとせず、何れが原則的に正当であるかを論じているに過ぎないのにたいし、林は、すすんで大衆の意識の差異を問題にしているからである。もともと、大衆の意識構造は、その具体的な社会の社会構造と同型にあらわれてくる。その社会の具体的な特殊相は、そのまま具体的に大衆の意識の原型のなかにくりこまれている。もしも、芸術大衆化の問題を、創造と享受の両面からかんがえようとするならば、如何にして政治運動の方式に原則的に合致するか、ということから出発するのでなく、具体的な日本の社会構造の分析と、そこにある大衆の意識構造の分析から出発することは、一つの必須な条件である。

林は、べつに、そのことを具体的に提出したわけではなかったが、たとえ、粗雑な原則的理解にとどまったとしても、大衆意識の個別的差異に着目したのは、一つの卓見であった。そこから、林はルナチャルスキーのいう「プロレタリアートの上層部分、全く意識的な党員、既にかなりの文化的水準を獲得した読者に向けられた作品」をもって、本来のプロレタリア文学であるとし、「大衆を目安にする文学」をそうでないとして扱うのは誤りであると説いたのである。

林の結論は、必然的にふたつの点にゆきついた。第一は、現実に労農大衆に愛読されている作家——例えば、白井喬二や大仏次郎や三上於菟吉の作品を研究しなければならず、その際これらの大衆作家の非プロレタリア的な内容を恐れてはならないというものである。第二は、大衆に読まれるには、かならずしも複雑で高級な内容を必要とせず、遊戯的な要素として「面白さ」を含んでいなければならないというものであった。

このように遊戯的要素をあからさまに強調する林のプロレタリア大衆文学論の内容は、原則論者である蔵原や中野の眼にはナップ的な観点からの逸脱としてみえたに相違ない。ナップの成立を「小ブルジョア的なるものからプロレタリア的なるもの」への転換と成長の過程としてみる主流的な見解からは、当然の結着と云わねばならない。それにもかかわらず、この林の見解から何も汲みとることができなかったということは、プロレタリア芸術運動が、ほとんど日本の具体的な大衆社会に、くさびをうちこむ方法をたずねようとしない独善的な運動にすぎなかったことを意味するものであった。この『戦旗』創刊の一九二八年（昭和三年）に、はやくも行われた芸術大衆化論争の結着のなかに、文学のボルシェビイキ化、前衛の観点への移行がスローガン化されるべき下地が萌していたのである。

芸術大衆化論争によって、芸術運動上の理論的な整備をおえた直後、一九二八年十二月に、ナップは再組織案を大会で可決し、全日本無産者芸術団体協議会が成立するとともに、ナップ文学部として活動してきたプロレタリア文学運動は、翌年、一九二九年（昭和四年）二月、この再組織案の線にそって、日本プロレタリア作家同盟を創立した。

綱　領

一、我らはプロレタリアート解放のための階級文学の確立を期す
一、我らは我らの運動に加はる一切の政治的抑圧撤廃のために闘ふ

役　員

委員長　藤森成吉　書記長　猪野省三　中央常任委員　林房雄　山田清三郎　中野重治　鹿地亘
蔵原惟人　江馬修　壺井繁治　江口渙
同盟員数　約八〇名　『戦旗』発行部数　一万部

作家同盟成立の一九二九年において、プロレタリア文学運動上、注目すべき三つの論文がかかれている。蔵原惟人「プロレタリア芸術の内容と形式」（『戦旗』一九二九年二月号）、平林初之輔「政治的価値と芸術的価値」（『新潮』一九二九年三月号）、中野重治「芸術に政治的価値なんてものはない」（『新潮』一九二九年十月号）がこれである。蔵原の論文は、当時、モダニズム文学の側でしきりに論議された形式と内容論争にたいして、マルクス主義文芸理論の側から芸術における形式と内容の問題をあきらかにする試みであるとともに、いわば蔵原理論がプロレタリア文学運動のヘゲモニイを握るために、さけることのできない必要な課題にとりくんだものであった。平林、中野の論文は、主として商業雑誌『新潮』誌上でおこなわれた「政治的価値と芸術的価値」論争の過程でかかれたものである。

この三つの論文は、単に日本のプロレタリア文学運動の指導的な理論を典型的に代表しているばかりでなく、マルクス主義文学理論の根本問題にふれ、また、当時のマルクス主義芸術理論の国際的な水準の在り所をもしめしている点で重要なものである。もちろん、別個のものとみえる蔵原の論文と平林や中野の論文の示している問題は根本的なつながりをもっているし、また別の意味で、前年の芸術大衆化論争が、くすぶってここに尾をひいているということもできるだろう。

芸術の内容と形式について蔵原の見解を検討しよう。蔵原はかいている。

各階級（或は層、或は集団）が与へられたる時期に於いて必然に課せられる社会的課題は種々様々である。この課題――正確に云へば必要は、その終局に於いて、人間社会の生産力の発達と、それによつて規定される階級関係とによつて決定されるのであるが、それはまたあらゆる人間的社会活動――政治、経済、宗教、哲学、科学、等々の真実の客観的内容を為すものである。芸術の内容も亦これ以外ではあり得ない。即ちダンテの芸術の内容を為すものは、ダンテによつて代表されたる階級の必要であり、トルストイの芸術の内容を為すものはトルストイの属する階級の必要である。かくて初めて我々は、芸術作品の革命的、反動的、改良主義的、及び貴族的、ブルジョア的、プロレタリア的等々の内容について語り得るのである。

そして、芸術もまたイデオロギー的及び心理的形式をとって思想と感情を表現するが、哲学や科学や宗教と異るのは、生きた形象をもってするところにあると蔵原はかいている。蔵原の理論における形式と内容との関係は、「芸術に於ける形式は、生産的労働過程によつて予め作られたる形式的可能と、その芸術の内容を為す所の社会的及び階級的必要との弁証法的交互作用の中に決定される」という要約のなかに集中してあらわれている蔵原のこの見解のなかには、当時におけるマルクス主義芸術理論の国際的な水準が、かくされている。そして、おそらく現在も、マルクス主義芸術理論の水準は、ここからあまり抜きん出てはいないものとかんがえられるが、この理論は、決定的に誤謬を含んでいるとみなければならない。

人間が生きているのは、社会的、階級的必要以前に、人間的必要からである。人間が生活するのは、社会的、階級的必要以前に、人間的内容と形式の上に立ってである。人間的内容と形式の全き確立のためにのみ、階級的、社会的必要が生れるものである。ダンテの芸術の内容を為すものは、ダンテによって代表される階級の必要ではなく、ダンテによって代表される人間的必要である。トルストイの芸術の内容を為すものは、トルストイの属する階級の必要でなくして、トルストイに代表される人間的必要である。そして、資本主義社会における階級的、社会的必要の観点が、ダンテやトルストイの芸術の人間的必要のなかから、階級的必要をとり出すことを可能にするのである。

問題は、マルクス主義上部構造論の根本に関するものであったが、あまりこの問題は遠くまで論ぜられないうちに蔵原理論のヘゲモニイが確立されていったのである。しかし、蔵原の理論は必要を逆立ちさせることによって、すべての人間は、生物的人間（ホモ・サピエンス）の形式と内容の上に立って、あらゆる見解を形成するのであるという自明の理さえ陰蔽しかねまじき「超人」理論の可能性をはらみ、この可能性の上に立って、小林多喜二は、たとえば「党生活者」のなかの無惨な主人公を描いたのであった。

蔵原の「プロレタリア芸術の内容と形式」の論点は、ただちに、平林や中野によって提起された「政治的価値と芸術的価値」論争に移すことができる。もしも、蔵原が、この論争に加わっていたら、すべての芸術の価値は広義の政治的価値に帰着すると主張しただろうということは疑いない。

何れにせよ、蔵原の理論がプロレタリア文学運動を主動してゆくかぎり、その行くさきは既に決定されたといっても過言ではなかった。

平林初之輔の「政治的価値と芸術的価値」は、及び腰ではあったが、このようなマルクス主義芸術理論にたいする懐疑を告白したものであった。平林の論点は、おしつめて言えば、或る芸術作品が優れた芸術的価値をもちながら、政治的価値がゼロかマイナスであった場合、評価の規準は分裂せざるをえないが、この問題をどうさばくか、という点におかれた。実際の問題として、或る一人の批評家または読者にとって、その芸術的評価の規準と政治的評価の規準とが分裂することは、ありえない。また或る芸術が優れた政治的価値とゼロまたはマイナスの芸術的価値をもつということもありえない。高々、政治的善意によって、つまらぬ政治的、芸術的価値の芸術が生れたり、また逆に、政治的悪意にもかかわらず優れた政治的、芸術的価値をもった芸術を生み出すことがあるにすぎない。

平林の政治的価値と芸術的価値とを二元的にわけてみせる考え方はそれ自体としては無意味に近いものでありながら、たとえば蔵原の理論におけるように、芸術の内容が階級的必要によって生み出されるというような謬見にたいする懐疑として充分の意味をもちうるものであった。

この平林の疑問にたいして、蔵原理論と異った見地から一つの見解を示したのは、中野重治の「芸術に政治的価値なんてものはない」である。中野はかいている。

マルクス主義はたゞ一つの正しい世界観である。この世界観は社会を階級の闘争する姿でつかむ。その時マルクス主義的に見られた芸術の窓が開けるし政治の窓が開ける。これらの窓はそれ〳〵唯一の正しい芸術の窓、政治の窓である。この窓を持つてる者に取つては、誰にも、馬を火鉢で測つたり芸術の価値を政治で測つたりするといふような妙案は浮ばないだらう。（中略）トルストイは偉大な芸術家だつたと言ふのは、彼が人間生活の真実を優れた手わざで表現したといふことであること、しかし彼は遂に神さまに縋りついて地主階級の階級感情を擁護しなければならなかつたこと、そしてそれは芸術家トルストイの政治的マイナス価値でなくて芸術的マイナス価値であつたこと、ここでは、中野はマルクス主義的な観点を、アプリオリな窓として固定している。それほど固定した正しい世界観が何故後年戦争期にはいって捨てられ、転向という現象を将来したかと問う必要はあるまい。このような固着した窓のうえにたって、芸術評価の軸を芸術的価値に設定したとしても、それは平林の政治的価値と芸術的価値の二元性を、一つの窓におし込めたものにすぎないことはあきらかであった。ここにも、芸術大衆化論争における中野の観点は、いやおうなしに尾をひいて持越されざるをえなかったのである。

問題は依然として芸術評価の軸は、ただひとつ人間的価値のなかにあり、この人間的価値は、芸術の創造の立場からも、享受の立場からも、イデオロギー的な部分と心理的な部分をはらまざるをえず、しかも、この人間的価値なるものは、社会的諸関係のなかで、政治的価値と芸術的価値として映らざるをえないという点にあった。

中野の論点は、後年、マルクス主義芸術家の転向という現象のなかに、あきらかな破綻としてあらわれたのである。かれらがほとんど例外なく権力の弾圧という現象と自己の転向という現象をすりかえてしまった事実のなかに、プロレタリア文学運動の指導理念の欠陥を、みないわけにはいかないのである。ナップ文学部からナップ加盟のプロレタリア作家同盟として組織されていった「戦旗」派は、一九二八年（昭和三年）から一九二九年（昭和四年）にかけて、文学的な指導理論の整備をおえたとみることができる。おそらく、主として蔵原、中野の理論のもとで、一九三〇年には、文学運動の最盛期にはいり、運動は第二期に達したのである。社会情勢からみるとき、この期間は、一九二七年四月の金融恐慌のあとをうけて、一般的危機の第三期にはいり、一九三〇年の世界恐慌にいたった時期にあたっており、階級対立は激化の一途をたどっている。

一九三〇年（昭和五年）四月、作家同盟第二回大会は、運動方針として、文学運動のボルシェヴィキ化、プロレタリア・レアリズムの貫徹、ブルジョア文学並に日和見主義的文学（文戦派を指す）との闘争などを決議している。つづいて、作家同盟中央委員会は、「芸術大衆化に関する決議」を発表した。いうまでもなくこの決議は、芸術大衆化の問題についてナップが分裂の兆候をみせたというジャーナリズムの批評のあとをうけて行われたものである。

蔵原は、この年、作家同盟中央委の方針にたいし貴司山治の反対意見が提出されたのを契機として「芸術大衆化の問題」（『中央公論』六月号）をかいて、貴司の見解に反論を加えた。貴司の論点は、主として、日本の労働者農民の文化的水準をかんがえるとき、煩瑣なレアリズムの手法をすてて、講談社的な大衆文学、通俗小説の形式から出発しなければならないというものであった。この俗流大衆路線的な見解の誤謬は、よく耳目にはいりやすいものだったが、これにたいする蔵原の見解もまた、蔵原理論の一貫した誤謬を示している点で特筆に価するものであった。蔵原は「芸術大衆化の問題」のなかで次のようにかいている。

> 第一に、現代の大衆が講談社的な作品以上のものを理解しないと云ふのは、労働者農民の文化的水準と云ふものをブルジョア的に、固定したものと考へてゐるからである。第二に、かう云ふ物の云ひ方をするならば、同様に我々は「煩瑣な」マルクス主義、唯物弁証法の認識方法を棄てヽ「大衆的な」形式論理的な物の見方に帰らなければならない。第三に、講談社的大衆文学、通俗小説の形式とは何であるか？
> それは封建的町人とブルジョア的小市民との芸術形式――もしもそれを芸術と名づけることが出来るならば――である。

蔵原の見解は、プロレタリア的観点を捨てるのは誤りであるという十年一日のような原則的な偏執であった。「現実的な物の見方としての唯物弁証法は、それが唯一の階級的な認識方法であると云ふ理由によつて、最も労働者的な、大衆的なものである」ということの繰返しであり、そこには、日本の大衆の意識が強大な封建的な要素と発達した近代的な要素との結合であるという認識すら、求めようとしない、俗流マルクス主義の惰性化した理念があったにすぎなかった。いわば、蔵原の理論は、具体的な大衆をつきはなして、原則を固執し、これに追随しない大衆（事実それは戦争期に明らかにされた）を反動に影響されたものとして捨てさるという、ふところ手をした典型的な、旦那芸的マルクス主義の好見本に外ならなかった。彼等が戦争期に、非転向のまま獄中に孤立して空白の十年を過したという恥ずべきことを、かえって自慢させている戦後の態度こそ、如何に彼等の理念が大衆と無関係な小市民的ラジカリズムにすぎなかったかの証左である。

わたしたちは、作家同盟を主体とするマルクス主義文学運動が、俗流マルクス主義理念を固執しながら、しかも多数者を獲得しなければならない、という原則的な矛盾の上で揺れうごき、またそこから一歩も打開の道をきりひらこうと模索することもないままに、弾圧にさらされ、多数者を支配権力に組織されてしまうに至った経路を、その指導理論のなかに一貫して指摘することが可能である。

一九三一年（昭和六年）の日本プロレタリア文化聯盟（コップ）の創立は、いわば、プロレタリア芸術運動の夕映えであった。ここで、各種の文化運動は統一され、ナップは解消して、作家同盟はコップ加盟の単位団体となった。

ところで、プロレタリア文学運動の指導的な理論は、一九三一年には、本質的な発展をやめてしまっている。わずかに古川荘一郎の筆名で、地下にあって蔵原がかいた「芸術理論におけるレーニン主義のための闘争」（『ナップ』一九三一年十一月）が、過去の自己の理論を批判し、いくらかの新しい見解をしめしたにすぎなかった。ここには、政治と芸術の関係、プロレタリア・レアリズムの問題、芸術における形式と内容の問題、芸術の階級性の問題、芸術の価値の問題等が「忽卒な覚え書」程度に触れられている。この論文のなかで、現在とりあげるに価するのは、芸術の価値についての蔵原の見解である。蔵原は、芸術の価値を社会的価値に還元することも、階級的イデオロギーの反映であるとするのも不充分であるとして次のようにかいている。

芸術作品は唯夫々の時代、夫々の階級のイデオロギーを反映してゐるばかりでなく、また何等かの形で夫々の時代の客観的現実（自然及び人間の生活）を反映してゐる。だから我々は、芸術作品の価値を問題とする場合、その作品がどの程度まで正しくその時代の現実の客観性を反映してゐるかといふことを明らかにしなければならない。それは芸術の客観的価値を為すものだ。

ここで何が否定されているのかといえば、芸術の内容が階級的必要から生れるとか、芸術はすべて広義の政治的アジテーションだとかいう、蔵原理論が徹底的に自己否定されていることはいうまでもない。それは、往年の主張はどこに形をとどめているのかといいたい程のものであったが、時すでに遅かったのである。現代的観点からみるとき、この蔵原の客観的価値論が、あやまりであることを指摘するのは容易である。それにもかかわらず、ここには過去の作家同盟理論を自己否定し、発展すべき萌芽はかくされていたのである。けれど、これを汲みとる余裕は、すでにプロレタリア文学運動のなかにはなかったとみるのが正しいとかんがえられる。

翌、一九三二年、作家同盟は、機関紙『プロレタリア文学』を創刊する。二月には、モルプに加盟して、国際革命作家同盟日本支部（ナルプ）となる。しかし、時はすでにおそかった。

プロレタリア文学運動は、一九三二年より第三期の崩壊期に入っている。

機関紙『プロレタリア文学』四月号には、作家同盟常中委の「右翼的危険との闘争に関する決議」宮本顕治「プロレタリア文学における立遅れと退却の克服へ」が掲載され、徳永直および貴司山治の大衆文学論がレーニン的原則からの逸脱として批判された。それは例えば「日本プロレタリア作家同盟常任委員会は、右に指摘した同志徳永及び貴司の見解を、我が同盟の基本方針に背反するところの、最も重大な右翼的危険のあらはれであると認める。我々はかかる危険とあらゆる場面で闘争しつつ我々の基本方針を更に前面に押出し、フアツシヨ化過程にあるブルジヨア文学との闘争をより一層強化しなければならぬ。」というような語調によって行われたものであった。この批判は、おなじく『プロレタリア文学』五月号で、貴司山治、徳永直の自己批判となって全面的に承認されたにもかかわらず、おそらくプロレタリア文学運動崩壊の最初の兆候に外ならなかったのである。

この年、いわゆる「三二テーゼ」は、日本の当面する革命の性質を、社会主義への強行的転化の傾向を持つブルジョア民主主義革命と規定し、とくに大きな任務を反戦活動にかけている。しかし、情勢は、一九三一年九月の満州事変、一九三二年の上海事変、また国内での血盟団事件、五・一五事件、社会民衆党のファッショ化方針等にあらわれているように決定的な戦争とファッショ体制へと大衆を組織しつつあった。徳永、貴司等の見解は、無意識のうちに大衆の動向を反映していたものということができる。しかし、作家同盟の主流は、この徳永、貴司等の論点の背後に、具体的な現実情勢の動向を洞察することなく、相も変らぬ原則的批判をもって太平の歌を歌いつづけたのである。

おなじ問題は、ふたたび出獄後、林房雄が発表した「作家のために」をめぐってむしかえされた。林房雄のこの評論の最大のモチーフは、政治の優位性論と組織的活動方針にたいする反撥であった。そこには、『資本論』はすばらしい。しかし、マルクス自身はシェークスピアやバルザックをこの上なくすばらしがってよんでいた。だいじな点はここだ。『資本論』にひきずられてはだめだ。『資本論』の著者を感心させるような作品を書かねばならぬ。というような言葉まで飛び出してくる有様であった。出獄後の林には、すでに作家同盟の主導的な方向が、ほとんど関心を占めていなかったのである。

林の出獄後の論調にたいして、いちはやく反応を示したのは、亀井勝一郎の「同志林房雄の近業について」(『プロレタリア文学』十月号)である。亀井は、この放言にちかい林の文章を救えるだけ、救いあげ、「政治か」「文学か」ではない、「組織活動か」「創作活動か」ではない、文学だ! という見解を深いモチーフとして、林を擁護しながら一面で、柔らかく林の作家同盟からの逸脱を警告するという具合であった。

これらの論調は、総体的にいって、すでにプロレタリア文学運動の政治の優位性方針が、客観情勢に圧されて内部から揺ぎはじめたことを意味するものである。

亀井の論文にたいして、おなじく『プロレタリア文学』十二月号に堀英之助(小林多喜二)の反論「右翼的偏向の諸問題」があらわれた。小林の論点は、次の点に要約される。

政治の優位性の全面的理解は、単に「主題の積極性」および組織的活動等による補助的任務を行ふことにあるばかりでなく、又自己を最も革命的な作家、即ち「党の作家」に発展させることを意味するからである。多くの人たちが此のことを理解してゐなかつたとしたら、又理解してゐてもそのために自己を発展させようと努力しなかつたものがあつたとしたら、それは政治の優位性もしくは補助的任務といふことを真実には理解してゐなかつたことを意味する。

このような小林の観点から、亀井は調停派的と批判され、林は右翼的偏向と非難された。すでに作家同盟の主体である急進マルクス主義文学者と林房雄に代表される一派との離反は決定的であった。一九三三年一月号『プロレタリア文化』には、野沢徹(宮本顕治)「政治と芸術・政治の優位性に関する問題」が発表され、林への批判は精力的に続けられた。宮本の論点も、小林とかわらず、右翼的危険は、芸術の分野でも、戦争と革命の時期に一層必要な党派性、政治の優位性のために努力しないで、資本主義の伝統を曳きずるに安んじている、かかる根拠の上に発生する右翼日和見主義は決定的闘争の準備の段階である今日の主要な危険である、というところにあった。

小林や宮本らは本当にこの時期を決定的闘争の前夜とかんがえていたのだろうか。これが右翼的偏向の論争をめぐる一つの疑点である。何故ならば、堀英之助、野沢徹の仮名で地下からかかれた小林、宮本の論文のなかに、日本の具体的社会情勢のなかで、大衆とともに在るという息づかいは全く感じられず、ただ、垣根の内側で、政治の優位性と、文学と政治の実践的統一を目指しているまさに、まったく「党員」文学者を見出すほか何も見出しえないからだ。

歴史は、もちろん、決定的闘争どころではなく、個別分散的な敗退へと展開し、小林は虐殺され、宮本は投獄された。今日においても、右翼的偏向がなかったならば、新しい条件への適応はもっと整然と合理的に行われたとするのは、宮本らの固執する見解である。しかし、作家同盟の潰走期における右翼的偏向との論争のどこに、新しい情勢にたいする革命的見透しと視点があったろうか。ここには、己れはボルシェビイキ的であり、原則的絶対であるが、おまえは駄目だという自惚れと独善しかなかったのである。また、どこに日本のプロレタリアートの運命に相渉ろうとする共感があったろうか。ここには小市民的急進主義の論理が主要な位置を占めていたのである。

翌一九三三年（昭和八年）三月、作家同盟常中委は、林房雄批判の延長線上に「右翼的偏向との闘争に関する決議」（『プロレタリア文学』四・五月合併号）をかかげた。しかし、事態は、すでに決定的に悪化した情勢に立っていた。中条百合子の「一聯の非プロレタリア的作品」（『プロレタリア文学』一月号）における藤森成吉批判は、二月号藤森成吉「批判の批判」で「同志中条！　君は小ブル的自己満足を棄てて、もつと労働者的に謙遜になる事を学ばなければいけない」という反撥となり、蔵原理論に対する反撥は徳永直「創作方法上の新転換」（『中央公論』九月号）における「文学批評の官僚的支配を蹴つて、のびのびと、自由に、ぼくらは大いに創作しようではないか」という結論となってあらわれる程混乱していたのである。林房雄もまた「プロレタリア文学の再出発」（『改造』十月号）をかいて、指導部に一矢を酬いるという有様であった。

作家同盟解体期（第三期）における右翼的偏向をめぐる論争を、あらためて本質的に見直そうとするとき、それが貴司山治、徳永直、林房雄、藤森成吉のような大衆文学派的傾向の文学者と、蔵原惟人、小林多喜二、宮本顕治のような、マルクス主義原則論の理論的、政治的な固執者とのあいだに行われたことに注目しなければならぬ。もちろん、この背後に、次第にファシズム体制へと組織化されつつあった大衆の動向と、次第に孤立化し大衆的動向に背をむけられて、原則を原則として固執しながらやせ細っていった革命運動とが社会的背景として背負わされていた。論争当事者の一人一人は、次第にひきはなされてゆく革命的「前衛」と日本の大衆との意識上の背離を象徴しながら、プロレタリア文学運動の内部で次第にたもとを分ちつつあったのである。このようにかんがえてくるとき、蔵原、小林、宮本らの原則派を、非転向の故に正当であったとし、貴司、徳永、林らの動向を転向の故に不当であるとする見解には組し難いものがある。一方には、原則派固有の大衆に対する色盲があったとすれば、一方には、無原則派特有の大衆的動向への追従があった。戦後かれらが弄している弾圧されたがために運動が右翼偏向者の脱落によって解体したという論理と、弾圧されたがためにやむなく転向したという論理とは、もともと表裏一体をなす言い逃れにすぎないといえる。

鹿地亘は、プロレタリア文学運動のとどめをなす「日本プロレタリア文学運動方向転換のために」のなかで、「今日の情勢下に文化主義の傾向がたどる敗北主義的危険を批判するためには、根本的には政策そのもの、、随つて政策の理論的根底における政治主義的誤謬を徹底的に清算しなければならぬ」とかいて、広い統一戦線の必要を説いたが、すでに死水に等しいものだったのである。

一九三四年（昭和九年）三月十二日、作家同盟は合法的運動への適応を理由に解体を声明する。

文学の上部構造性

政治的でないといわれる批評家が、政治的であるといわれる作家の作品をさして、この作品には政治的な色彩がある、という場合、何を政治的であるといっているのであろうか。素材をさしているのか、動機についていっているのか、作品のどこかにちりばめられた煽動的な文章をさしているのか、または、全体的な印象を指しているのだろうか。こういう点を論理的につきつめてみようとした美学的乃至倫理的な批評家は、いないようで、例えば、優れたマルクス主義文学者の作品を指して、何某のこれこれの作品は、特定の政治的立場に立っているにもかかわらず、文学的によく出来ているとか、文学をよくわきまえているとかいう漫然たる評価を下すのが普通である。

この事情は、政治的に特定の立場をもった批評家が政治的でない作家の作品を批評する場合も、一向に変らない。何某の何という作品は、作者が意識すると否とにかかわらず政治的に反動的な作品である、というような評価を平然とやってのける。それほど、早急に断定しない場合でも潜在的なイデオロギー評価の基準はあるのである。もっと、ひどい批評家になると、作品評価の基準は、芸術運動にあると称して、もっぱら仲間ぼめばかりを専門にしている運動ぼけがいる。

何故こういう評価の分裂が起りうるのかという疑問はかなり長い間、わたしが文学作品の批評について抱いている疑問であった。作家が、自己の内部の世界を、日常的な社会（生活）とかかわらせながら自己形成を行っているかぎり、彼の創造する作品のなかには、決して政治的な色彩は入りこんではくるまい。素材をどのようなものに撰んでもこれは変りないはずである。批評家の場合も、まったくおなじことがいえるので、自己形成の過程を日常的な社会（生活）とのかかわりあいのなかにおいているかぎり、彼の作品評価には政治的な基準は入りこんでくる余地はあるまい。彼は、頑固に、文学が、人間の内部世界の形成に関与しているかぎり（このことは恒久的に変りあるまいから）、文学批評の基準は、絶対に文学的価値のなかにのみあると信じてうたがわない。だから、何某の作品は政治的に特定の立場を表現しているにもかかわらず、文学的に優れている、というような評価を下して少しも疑念をさしはさまないのである。

しかし、このおあつらえ向きに文学的な批評家には、いくらか誤解があるとおもわれる。彼が如何に、眠ったり起きたり、家族と会話したり、他人と交際したり、生活費をかせいだり……というような日常的な生活の間に、自己形成をおこなっているとしても、現実社会の一部と自己の内部世界とのかかわりあいによって自己形成を遂げていることに変りないから、彼の内部には、かならず社会にたいする一定の判断力、または見解というものが生れないはずがない。この内部に生れた社会に対する一定の判断力または見解は、広い意味でのイデオロギー又はイデオロギーの萌芽と呼ぶことができるのである。

特定の政治的な立場に立った批評家が、非政治的な作品又は批評にたいして、意識するといなとにかかわらず政治的に反動的だとかいう場合、作品のなかに反映しているこの社会にたいする一定の判断力、または見解を指していっているはずだから、例えば、堀辰雄の或る種の作品のように、結核療養所のベッドや部屋や周辺を舞台にした作品のなかからさえも、作者の社会に対する一定の判断力や見解を引出すことは可能であろう。

反対に、作家が、自己形成の過程を、法律機構とか政治的権力とか社会制度のメカニスムのような非日常的な社会と自己の内部世界とのかかわりあいのなかに求めている場合、その作品のなかに、かならず特定の政治的色彩があらわれてくる。事情は素材を日常的な生活に撰んだ場合でも変りない。批評家についても、まったくおなじことがいえるので、こういう批評家の作品評価の基準には、かならず政治的価値の基準が入りこんでくるはずである。もしも、此の種の政治的作家や批評家が、自分の自己形成が、もっぱら、非日常的な社会と自己の内部世界とのかかわりあいによってのみ行われてきたと、頑固に信じているとすれば、彼の作品や批評は、まったく政治的価値の如何によって覆いつくされることになる。しかし人間であるという理由で、誰も、眠るとか起きるとか、家族や友人と会話するとかいう必須の日常生活を余儀なくされる結果、この種の政治的人間でさえ自己形成の過程で日常的生活感情や判断力をうけ入れざるをえないわけで、例えば、小林多喜二の「党生活者」のようなまったく非日常的政治生活をテーマにした作品からも、作者のセックスや男女の恋愛や家族にたいする感情や見解を引き出すことが可能である。文学的な批評家が、何某の何という作品は、特定の政治的立場にありながら、文学的によく出来ている、という場合、この文学的によく出来ているということは、日常的な人間感情のメカニスムが、よく再構成されているという意味らしいのである。

ここで、類型的に問題にしている文学的批評家や政治的批評家の典型を念のため実際にあげてみれば、かつて、「マルクス主義文学理論の一批判」（『思想』昭和4年4月）をかいて、倫理・美学・言語学・歴史的批評及び哲学のすべての問題を唯一つの問題に帰せしめてはならないと戒めた谷川徹三や、近年、「マルクス主義文学理論批判」（『中央公論』昭和30年12月）をかいて、芸術の芸術たる所以は上部構造的なところにはないという見解を発表した高橋義孝などを前者としてあげることができるし、後者としては、かつて、芸術は階級的必要から生れると主張した蔵原惟人や、文学にたいする政治の優位性を説いた宮本顕治や、芸術は運動から生れると説いた花田清輝や、そのエピゴーネンをあげることができよう。

この種の文学的批評家と政治的批評家とが、作品評価の基準を争ってみても、水掛け論におわるほかはない。一方は人間の日常感情の上にのみあぐらをかいて、文学の本質は美的価値にあるとか倫理的価値にあるとかいっているのに対し、一方は非日常的な見解のうえに爪先き立って、文学はイデオロギー的な上部構造であると主張しているに過ぎないからだ。そこには、本当は評価の接触点がないから火花が散るはずがなく、精々悪罵を交換するか、無関心をよそおうより外に方法がない。また、どっちもどっちというべきで、文学の本質から必要な側面をかくしていることに変りはない。実際に政治的権力とか社会制度とかに内部の世界を対決させながら、作品を創造したり、批評したりしている文学者があり、また、このような文学者でさえ、日常社会にすみ、日常感情を欠如しているはずがないかぎり、あるいはまた、どんな日常的な文学者（例えば私小説作家）でも、必然的に現実社会に対して一定の判断力や見解をもたないわけにはいかないかぎり、わたしたちは、文学の本質を、イデオロギー的部分とそうでない部分との二つをふまえて（つまり日常感情と非日常的見解の二つをふまえて）、考察しないわけにはいかないはずである。わたしは、ここでイデオロギー的というコトバを、社会に対する一定の見解とか判断力とかいう意味から階級意識というようなものにまでわたる広い意味で使っているが、作品に反映する作家の内部世界を問題にしているかぎり、それは許されてしかるべきとおもう。

このようにしてはじめて、たとえば小林多喜二の「党生活者」の欠陥が、非日常的見解と日常感情との関係について作者が一顧の省察すら行おうとしていないところにあると結論することができるし、余りに文学的な作家の作品には、幼児なみの非日常的見解しか示されていない欠陥を指摘することができる。

文学作品を創造する主体の方からみるとき、文学は、必然的に作者の内部世界におけるイデオロギー部分と不定意識部分とを反映せざるをえない。そして、イデオロギー部分という意味を、わたしのように広義につかうかぎり、どんな非政治的な文学作品にも政治的な文学作品にも、この見解は、あてはめることができるとかんがえられる。このイデオロギー部分と不定意識部分とは、はっきりと分離されて文学作品のなかに反映されるはずはなく、相互にからみあった複雑な形でだけあらわれてくるのはいうまでもないが、それにもかかわらず、一個の文学作品をイデオロギー（政治）的基準からと、芸術的基準からと評価することが可能な内在的な理由は、この点に求めることができるとおもわれる。

一たん創造の過程をはなれた文学作品は、文字または印刷物として社会的な諸関係のなかにおかれて上部構造としての性格を獲取し、享受または批評の対象に転化する。このとき、文学作品の内在的な性格のなかに如何なる変化がおこるのであろうか。わたしのかんがえでは、先に、創造の過程で、作品のなかに反映した作者の内部のイデオロギー部分と不定意識部分とが、純粋な内在的価値から社会的価値へと転化するのである。すなわち、創造の過程では、あくまでも内在的であった作者の内部世界の表現は、社会的（外在的）な関係、社会的な現実から考察すべき対象に転化するのである。そして、この際に、作品に反映した作者の内部のイデオロギー部分は、社会的（外在的）なイデオロギー価値（広義の政治的価値）として映り、不定意識部分は、芸術的価値として享受または批評の側に映るようになるとかんがえられる。

文学が上部構造であるという場合、あたかも見解と制度とを混同してはならないとおなじように、創造の側面からみられた上部構造性と享受または批評の側面からみられた上部構造性とを混同するわけにいかない。文学は、創造の側面からは、作者の内部と現実社会とのかかわりあいを必然的に反映するという意味で上部構造的であるし、享受または批評の側面からは、文学がすでに社会的客観物であるという意味で上部構造的であるということができる。

昭和四年、平林初之輔は、文学の芸術的価値と政治的価値について一つの問題提起をおこなった。平林の論点を、おしつづめてゆくと、マルクス主義芸術理論によれば、芸術作品の価値は、プロレタリアートの勝利に貢献する程度の大小によって決定されねばならないにもかかわらず、もしここに、政治的にはマイナス価値であるが、芸術的には価値ありとしなければならない文学作品（平林はチェホフやボードレールやポオを例にあげている）があった場合、これをどう評価すべきか、というところに帰着する。このとき、文学評価の基準は、政治的価値と芸術的価値とに分裂せざるをえないのではないか、というのが平林の抱いた疑問であった。いうまでもなく、この平林の問題提起は、当時、プロレタリア文学運動を支配していたナップ芸術家の指導理論にたいする、アンチ・テーゼとしての意味をもっていた。現在でも、本音を叩いてみれば、かつての政治の優位性論や、芸術の内容は階級的必要によって定まるという蔵原理論を信仰しているマルクス主義文学者は、たくさんいるはずだから、平林のアンチ・テーゼを解明することも意味がないわけではあるまい。

当時、支配的であった蔵原の理論を、この問題に適用すれば、文学の価値は、広義の政治的価値に包括されるということになり、蔵原は、それを社会的価値というように述べたらしい。

平林の問題提起にたいして、蔵原と異なった観点からこの問題を解いてみせたのは、中野重治「芸術に政治的価値なんてものはない」である。中野の論点は、マルクス主義は社会を階級闘争の姿でつかむ、唯一の正しい世界観である、この世界観には、芸術の窓と政治の窓とが別にくっついている、だから、だれも馬を火鉢で測ったり芸術の価値を政治で測ったりする妙案は浮ばない、トルストイが偉大な芸術家であったというのは、人間の生活の真実を優れた手わざで表現したからであるが、遂に神さまに縋りついて地主階級の階級感情を擁護しなければならなかったのは、芸術家トルストイの政治的マイナス価値でなく芸術的マイナス価値だ、というところにおかれた。

中野は、マルクス主義的視点をアプリオリに文学評価のなかに密輸入することによって、平林の芸術的価値との分裂を避けているにすぎまい。このような観点からは、階級意識発生以前に存在した文学作品（古典といってもよい）が、なぜ現在も優れた規範としてありうるかを解明することができないため、マルクスの『経済学批判』の序におけるギリシャ芸術に関する有名な問題提起に、爪をかけることもおぼつかないのである。（ホメロスの作品は駄目だ。何故か。マルクス主義でないからだ。トルストイの作品は駄目だ。何故か。マルクス主義でないからだ。小林多喜二の作品は良い。何故か。共産党員だからだ「マルクス主義であったかどうかは別問題だ！」。何某の作品は、良い。何故か。何とか芸術の会に加わっているからだ。何某の作品は駄目だ。何故か。何とか芸術の会で尻をまくって退場したからだ。蔵原・中野・花田らの理論では、結局そういうことになる。）

かつてプロレタリア文学運動の指導理論であった蔵原の、文学の価値は、社会的価値というべきものに帰着するという考えも、これに対してアンチ・テーゼを提出した平林初之輔の政治的価値と芸術的価値の二元論も、これに反論した中野重治のアプリオリなマルクス主義的視点を導入することによる芸術的価値一元論も、総括して、文学の上部構造的な性格を、下部構造との社会的等価関係においてのみ把握したところから誤謬を招来している。文学（芸術）は、下部構造から社会的および人間の内部世界を通して規定されるような上部構造のもっとも典型的なものであり、下部構造に直接かかわりあいをもつ上部構造であるとともに、下部構造と人間の内部世界とのかかわりあいを反映しているという意味で間接的にもまた上部構造的な性格をもっているということができる。

直接的なまた間接的な上部構造として視ることによって、文学ははじめて創造と享受の両面から考察されうるのではあるまいか。かつての蔵原・平林・中野らの理論、さらに現在の花田清輝の理論（「ヤンガー・ゼネレーションへ」）は、この意味でも、片道理論にすぎないのである。

文学作品は、それがどのように非政治的であれ、また、どのように政治的であれ、かならず作者の内部世界におけるイデオロギー部分と不定意識部分とを複雑な形で反映しているとみることができる。そして、このイデオロギー部分というのは、素朴な形では社会に対する一定の見解または判断力というようなものから、高度な形では、政治的階級意識というようなものまでを含んでいる。この創造の側面からみられた文学の本質を、社会的な関係のなかにおいたとき、作品に反映した作者の内部世界のイデオロギー部分と不定意識部分とは、文学の政治的価値部分と芸術的価値部分とに転化せざるをえない。即ち、享受の側面からみたとき、生じてくる政治的価値と芸術的価値とはこのものを指しているのだ。この問題は、人間性の本質を、内在的な意識からみることと、社会的な諸関係のなかにおいてみることとに、まったく同義であることはいうまでもあるまい。

ここで文学の政治的価値と芸術的価値とをわけて便宜上かんがえてきたが、文学作品はこの二つを複雑なわかちがたい相互関係で反映しているという事実を無視しているわけではないことは、断わるまでもない。

おそらく文学には政治的価値も芸術的価値もあるにちがいない。この価値は内在的には作品にふくまれた作者の内部世界のイデオロギー部分と不定意識部分の複雑な反映であるため、文学の政治的価値と芸術的価値は複雑な形であらわれるが、それを分析的に取出すことはできるし、また、たとえどのように非政治的な文学作品であっても、それに社会にたいする一定の判断力が反映しているかぎり、この二つの価値基準を免れることはできないとかんがえられる。

よく知られているように蔵原惟人は、一九二九年、「プロレタリア芸術の内容と形式」(『戦旗』2月号)において、文学の形式と内容について言及している。

> 各階級(或は層、或は集団)が与へられたる時期に於いて必然に課せられる社会的課題は種々様々である。この課題——正確に云へば必要は、その終局に於いて、人間社会の生産力の発達と、それによつて規定される階級関係とによつて決定されるのであるが、それはまたあらゆる人間的社会活動——政治、経済、宗教、哲学、科学、等々の真実の客観的内容を為すものである。芸術の内容も亦これ以外ではありえない。即ちダンテの芸術の内容を為すものは、ダンテによつて代表されたる階級の必要であり、トルストイの芸術の内容を為すものはトルストイの属する階級の必要である。かくて初めて我々は、芸術作品の革命的、反動的、改良主義的、及び貴族的、ブルジョア的、プロレタリア的等々の内容について語り得るのである。

ここには、先刻指摘している何某の作品は、作者が意識すると否とにかかわらず反動的だ、という類の文学評価が典型的にあらわれている。蔵原は、文学の上部構造的な性格を、わたしがいままで指摘してきたような意味で誤解しているのである。ダンテの芸術の内容をなすものは、ダンテによって代表される階級の必要では、ありえない。階級の必要を代表して、芸術を享受することはできるだろうが（蔵原のように）、芸術作品を創造することはできないだろう。ダンテの芸術はダンテによって代表される人間的な必要を内容としているし、トルストイの芸術は、トルストイに典型される人間的必要から生み出されていて、けっして、それ以外ではありえない。ダンテやトルストイの芸術の内容から、階級的必要を抽出することを可能にしているのは、第一には、ダンテやトルストイの芸術もまた、ダンテやトルストイの内部にあるイデオロギー部分と不定意識部分とを反映しているがためであり、第二には、現代の現実にたいする享受者（評価者）の階級的な関心の如何がそれを可能にしているのである。まさに、人間的必要の文学的内容から、イデオロギー的必要と感情的・心理的・無意識的必要を抽き出しうることが芸術（文学）の本質そのものに外ならないということができる。

わたしたちはあらゆる場合に、かつての蔵原理論・宮本理論（いまはどうか知らない）、現在の花田理論のように、人間的必要とそこから派生する見解との本末を転倒することを許してはなるまい。

蔵原は同論文で芸術の形式について、つぎのようにかいている。

芸術の形式は、与へられたる時代、与へられたる社会の労働の形式を終局に於いて規定するところの生産力（技術）の発達によつて規定される、と云ふことができる。これは唯物史観の根本的原則である。この原則は我々が原始社会から階級社会に移つて行つてもすこしも変化しない。即ち、農業を主とする社会にあつては農業的芸術形式が生み出され、商業を主とする社会にあつては商業的芸術形式が生み出され、工業を主とする社会にあつては工業的芸術形式が生み出される。唯この場合生産力と芸術形式との関係は、複雑な社会関係、階級関係、及びこれによつて規定される所の、種々様々なる社会的階級的心理によつて、無限に複雑にされる。

たとえば、蔵原のいうように、原始芸術形式が労働によってなされた行為、たとえば一定の叫声、一定の動作を他の環境において繰返した遊戯から発生したとおなじように、現代芸術の形式は、現代的労働の形式を他の環境で繰返すときに決定されるだろうか。そんなことはありえない。原始芸術におけるような労働の繰返し形式が、現代的意味をもって蘇生できるのは、ただ、芸術の無意識的部分においてのみである。蔵原の理論的考察のなかには、社会の生産的諸関係の発達にともなう、人間の内部意識の多様な発展にたいする考察が、まったくかかわりあいをもってこないのである。いいかえれば、蔵原は、ここで芸術の形式は下部構造によって規定される上部構造的性格をもっているといっているだけで、芸術の形式が、人間の内部構造によっても規定される上部構造であることを疎外して、問題を論じているにすぎないのである。

ほんとうをいうと、芸術の形式とは何かという問題を、蔵原流の視点から考察しても、なにもいわないこととかわりがあるまい。現代芸術の形式は、労働の繰返し動作から決定されるといいうるような直線的なものであるとは考えられない。人間の意識は、社会とともに無限に複雑に発達してゆくため、一見すると下部構造と何のかかわりもない形式の発生も考えられなくはないのである。しかし、理論的考察の必要上、強いていえば、芸術の形式は、社会の一定の生産関係における各時代の人間的社会的生活の内容と形式によって定まる、とでもいうより仕方がない。ここで、人間的社会的生活の内容と形式とは、社会的諸関係および人間の内部意識の両面から下部構造によって規定されたものを指している。

蔵原は、後に、「芸術におけるレーニン主義のための闘争」(『ナップ』一九三一年十一月)で、自己の形式と内容論を批判した。形式と内容とを有機的に問題にしないで、「内容はい、が形式が悪い」とか

「形式はい、が内容が間違つてゐる」とかいう俗見を誘発した、というのが自己批判の眼目であったが、わたし流のコトバでいえば、文学の形式と内容とを、社会的および人間の内部意識から考えようとしなかったところに誤謬があったとでもいうべきであった。

一般に、文学（芸術）理論の目的が、文学（芸術）の本質にたいして、科学的認識をもって、無限に近似的に迫るということにあるとすれば、マルクス主義芸術理論にとって、一つの難関は、文学（芸術）が上部構造であるにもかかわらず、古典が時代を超えて生き残るのは何故か、という問題である。

近年、高橋義孝もまた、かつての谷川徹三とおなじように、「マルクス主義文学理論批判」（『中央公論』昭和30年12月）をかいて、文学の本質は上部構造かどうかという疑問を提起した。この論文は、可成り多様な問題を、つぎつぎに繰出していて興味深いが、そのモチーフは、極めて単純であり、次のような点に要約される。

むろん芸術は、ルカーチュのいうような意味での現実の反映でもある。その通りである、しかし恐らく芸術の本質は、芸術が現実の反映であるという、その点にはないのだ。芸術古典がわれわれを打つのは、それが現実を正しく反映しているにせよ、歪曲して反映しているにせよ、反動的に反映しているにせよ、進歩的に反映しているにせよ、一定の時代の社会的人間的諸関係を反映しているが故にではないようだ。換言すれば、芸術や文学は上部構造的性格を持っているにはちがいないが、その点に芸術をしてまさに芸術たらしめているものはないのである。芸術をしてまさに芸術たらしめているものは、どうやら芸術の非上部構造的な面に求められるらしいのである。

これにたいして、様々な見解が発表されたが、わたしの手元にあるのは、小田切秀雄「古典の生命と上部構造」（『新日本文学』昭和31年1月）、佐々木基一「作品評価について」（同）、石田英一郎「人間性は上部構造か」、西郷信綱「もっと分析を」、佐々木基一「古典は絶対的ではない」、北条元一「上部構造の若干の性質について」（以上、『近代文学』昭和31年3月）などである。この外にも、除村吉太郎・大井広介・平野謙などが、論争を展開したと記憶しているが、残念なことに、いま手元に資料がない。

わたしの雑な読み方で腑分けすると、芸術（文学）は上部構造であるにもかかわらず、古典はどうしてわれわれを打つのか、という高橋義孝の問題提起に、自分の主張でもって立派に答えきっているのは石田英一郎だけである。そして石田英一郎と小田切秀雄の見解は、高橋義孝と同じところに帰着している。石田の論文では、「すぐれた芸術や人類的な古典が、時代をこえ、文化の差異をこえて、われわれの魂を高いヒューマンな共感をもってゆすぶるのは、ここにいう人間的本性の琴線に直接ふれ合う点にあるのでありまして、少くともこの部分は、人間そのものが文化の上部構造でもなければ下部構造でもないのと同じ意味において、その存在の基礎を文化構造の外にもつものであり、いわゆる『土台と運命をともにする』上部構造ではありえません。私は問題の『古典のもつ永遠の生命』なるものの正体をこのように解しているものであります。」と述べている。

小田切秀雄の見解では、古典芸術の本質は、「個性が自己をとりまく状況の抑圧的な力にたいして生命力の充足と自由とを求めて抵抗する内面的な営為にもとづく形象的表現と言っていいであろう。そしてその抵抗が強ければ強いほど、その作家はかれを拘束している条件・状況とそれを規定している具体的な時代的・階級的な現実を積極的に反映せざるをえず、従って上部構造としての内容を一層強めざるをえないが、同時にまた（何故同時にまた？）それは文学の古典として時代をこえた生命力を伝えることになるのである。」となっている。

もちろん、石田・小田切の見解は、高橋義孝の見解と、表現の心理的ニュアンス（つまり上部構造説に対し擁護的であるか、擁護する必要も別段認めてないか）の相違を除けば、まったく同一であるということができる。それで、いいとおもう。たとえ誰が論じても、この問題について大体おなじような見解しか引出しうるはずがない。問題は、芸術理論を、科学として成立させながら古典芸術の超時代的生命の本質を解明しうるか、どうかにかかっているのだ。

そうだとすれば、わたしは高橋が、芸術を芸術たらしめているのは、どうやら芸術の非上部構造的な面にあるらしいと述べたり、石田が人間的本性は非上部構造であるから、古典芸術の永遠性は、この不変の概念にもとめられると述べたり、小田切が「個性」とか「生命力の充足」とか「自由」とかいう非論理的・非科学的概念をもちだして、古典芸術の時代を超えた生命力を説明しようとしていることに異議を挿しはさまざるをえない。古典芸術を蘇生させるかわりに、芸術理論の科学性を失うことは、結局のところ芸術理論の自殺にひとしいといえるのである。

これにたいして、西郷信綱と佐々木基一の論のたてかたは、前者とは異っている。マルクスの問題提起の意味自体は、文学は上部構造であるにもかかわらず、古典が何故滅びないか、という一般論に直ちにすりかえることが出来ず、マルクスがギリシャ芸術やシェイクスピアに、真の古典的な形態をみとめたのは、マルクスの生きた時代の文化芸術にたいするマルクスの批判と関連している、という注意、いいかえればマルクスの古典的という概念は、歴史的・時代的・社会的な具体性のうちに成立するものであるという指摘は、佐々木・西郷に共通したものである。

しかし、マルクスの問題提起が、一般論として、古典は何故、下部構造と共に滅びないのか、という課題に転化できないのならば、それは取上げるに価いしない一回的な見解にすぎないであろう。わたしは、だから、問題を一般的に、芸術は上部構造であるにもかかわらず、古典芸術が時代をこえて生命をもつのは何故か（このことは疑えないから）という風に立てることに賛成せざるをえない。西郷・佐々木は、別に結論をこの問題にあたえていない。佐々木が紹介しているルカーチの「書物・絵・彫刻などのかたちで、いわば過去の死んだ遺産をあらわす文学や芸術の作品のなかから、それぞれの階級は現在の闘争のために、すなわち自己の土台を強め敵の土台を弱めるために、有効にやくだつみこみのある作品を、本能的な確実さでとりだすのである。」（「上部構造としての文学」）という見解にも、「諸傑作のうち大部分のものは、自分をのりこえようとする人間の欲望を表現していないだろうか」とか「諸傑作は、時間と空間をとおして、それがどのくらい、生きている人々に理解されるのか、どのくらい熱情をかきたて、反響をよびおこすか、というこの度合におうじて、生命をもっている。」とかいうフレヴィルの見解にも、わたしは、素直に賛同することができない。こんな根性で、たとえば『万葉集』のなかから山上憶良を掘り出されたり、山本健吉などのように「自分をのりこえようとする人間の渇望」即ち自我意識の滅却などを見つけられたりしたら、かなわないとおもうのだ。だいいちに、芸術を何だとおもっているのだろうか。なるほど、書物・絵・彫刻として、それは物質化されて伝えられるだろうが、芸術を創るのはいつも人間の内部意識である。

北条元一の論文もまた、何らの結論も提出していないようにおもわれる。それにもかかわらず、法律的政治的上部構造とイデオロギー的上部構造とを区別しなければならないというところから、芸術の創造と享受、観念的生産と観念的受容との相違を考慮に入れるべきだとする見解は、きわめて暗示的である。古典は何故滅びないか、という問題を論ずる場合、どうしても古典を創造と享受の両面からかんがえなければならず、そこから創造と享受の時代的関係があきらかにされなければならないとおもう。

古典的文学作品もまた、すべての文学作品とおなじように、作者の生存していた時代のより未発達な社会にたいする作者の何らかの見解と何らかの生活感情や無意識感情や心理を反映している。そして、古典作品に反映された作者のこのような内的世界は、いずれも、社会とのかかわりあいによって産み出されたかぎりにおいて、上部構造的な性格をもたざるをえない。これをかりに、古典作品の創造の側面から考察された内在的上部構造性と呼べば、古典作品が、時代をこえて滅びない理由のひとつは、この内在的な上部構造性が、マルクスのいうように未発達な社会にむすびついた未発達の構造をもっていることのなかに求めなければならない。

ところで、古典芸術のもっている未発達な内在的上部構造性とは、具体的に何をあらわしているのか。社会がより未発達であるところから、古典作品にふくまれた社会に対する見解は、それが優れた作品であると否とにかかわらず、より未発達であることを免れない。いいかえれば、古典芸術のなかに反映している作者のイデオロギー（社会に対する見解）は、必然的により未発達であることを免れない。より発達した社会から古典作品のなかにふくまれた作者の社会にたいする見解を眺めるとき必然的に幼稚であることは免れることができないとおもわれる。おそらく古典作品の内在的上部構造性のうち、古典が滅亡しない理由をこの社会にたいする見解や判断力の部分に求めることはできないのである。

古典作品の未発達な内在的上部構造性のうち、もう一つの部分である、より未発達な（原始的な）生活感情・無意識感情・心理などの反映は、おそらく古典に時代をこえた生命を与えている唯一の根源ではあるまいか。たとえば、高橋義孝が、芸術の芸術たる所以はその非上部構造的な面にあるといい、石田英一郎が、超時代・超空間的な人間的本性（ホモ・サピエンスとしての一様性）とかんがえているのは、この部分を指しているに相違あるまいとおもわれる。

しかし、この部分は、決して超時代的な人間本性でもなければ、非上部構造的でもなく、この部分もまた、あきらかに上部構造的である。しかも、下部構造がより未発達であるため、古典作品にふくまれて反映された生活感情・無意識感情・心理的生理的本能は一般的にはより未発達であり単純であるはずである。

問題はふたつにわけてかんがえることができる。

第一は、古典作品に反映された生活感情・無意識感情・心理的生理的本能の構造は、未発達であるが、本源的（強度が強い）であるということ。第二は、古典作品に反映された生活感情・無意識感情・心理的生理的本能は、下部構造がより未発達であるため、当然、より未発達であるはずなのに、特定の古典作品のみは、きわめて発達した感情・心理・無意識的本性を表現しえているということである。そしてこの特定の古典作品のみが時代を超えて生命をもつということである。たとえば『万葉集』などは第一の場合であるようにみえるし、たとえば、蕪村の俳句などは第二であるように思われる。

古典の本質を、享受の側に視点をうつして考察するとき、いままで述べてきた内在的上部構造性なるものは、いわゆる上部構造性（外在的上部構造性）に転化する。

このとき、古典作品にふくまれ反映された作者の社会にたいする見解は、その作品のもつイデオロギー（乃至政治）としてあらわれざるをえず、作者の生活感情・無意識的本性・心理的生理的本能などは、社会的諸関係のなかの人間的本性（石田英一郎のいうホモ・サピエンス的ヒューマニティ、高橋義孝のいう非上部構造的な面、蔵原惟人のいう客観的現実（自然および人間の生活）の反映としてあらわれざるをえない。そしてわたしたちが古典の芸術的価値としてかんがえているものの本性は、主としてこの部分にあるとかんがえられる。この場合、古典作品という意味を、マルクス以前の作品にかぎれば、古典作品のもつイデオロギーが、階級意識としては、あらわれないことは、いうまでもないのである。

論者たちが「芸術」（文学）というコトバで混合して使用している概念を、はっきりと創造と享受のふたつにわけて、これを享受の側面からみるときは、優れた古典は時代を超えて生命をもつという命題は、相対性にさらされざるをえない。この場合、わたしたちのいいうる唯一のことは、優れた古典もまた、滅びることもあるし蘇生することもあるということだけである。

古典が時代をへだてて蘇生するのは、享受者の現在の現実社会にたいする関心とか、現在の人間的な諸関係にたいする探究に関連した、享受者自体の欲求によることはあきらかであろう。或る人間にとっては、『万葉集』も『古事記』もまったく関心の外にあり、そのかわりにシェイクスピアやゲーテが撰ばれるし、また或る人間にとっては逆であり、また、まったく別の古典が撰ばれる。また、或る人間にとっては古典は、まったく無縁であることもありうる。しかし、享受者の関心がどのように多様であっても、優れた古典は、それと無関係にいつも現在的な欲求に応えて蘇生する用意を失わない。依然として古典は、どのような性格によって、どのような性格をもった享受者の現在的関心にこたえるのかは、追求すべき問題であることを失わないとおもわれる。

ルカーチは、「上部構造としての文学」のなかで、現在のあらゆる階級は、その現下の闘争のために有効に利用できる見込のある作品を、本能的な確実さでとらえ、これをその階級のイデオロギー的努力のうちにくみいれると説いている。わたしは、すでに創造の側面から古典を内在的な上部構造性においてとらえた場合、このような見解は、まったく成立しえないことを述べた。享受の側面から古典作品の性格をみた場合、佐々木基一もいっているように、ルカーチのこの見解は、そのかぎりにおいて正当であるといわなければならないが、ルカーチのいう意味でとらえられる古典の性格は、古典のもっているイデオロギー（政治）的価値にほかならない。古典が、上部構造であるかぎり、古典のイデオロギー的性格は、より未発達であることはあきらかである。が、享受者の現在的なイデオロギー的見解は、この古典のより未発達なイデオロギー的性格を、いわば無限に複雑な肉付けをなしうるイデオロギー的骨格として評価し、蘇生させるのである。

ルカーチの見解によっては、しかし、古典のもっている芸術的価値を評価することはできまい。（この場合、芸術的価値というのは、佐々木基一のいうように内在的価値ではない。社会的芸術価値である。内在的芸術価値は、古典を創造の側面から考えたときしか浮び上ってこないであろう。わたしは、既にそれに言及した。）古典のもっている芸術的価値は人間の生活感情・無意識的心理・本能などのより未発達な社会環境のなかで総和として存在している。たとえ、ルカーチのいうように、現在の諸階級が、現下の闘争にたいする必要から古典を撰びとり蘇生させようとしたとしても、古典のもつこの芸術的性格にまで入りこむことができずに、もっぱらイデオロギー的価値を評価することにとどまろうとするかぎり、その構造は十全につかみとることはできず、古典は半ば蘇生した状態で、放りだされるほかはあるまい。この事情は、逆の場合にもいうことができるはずで、たとえば、高橋義孝が、古典を、まったく人間の生活感情・無意識的心理の未発達社会における総和としてのみ美的基準から蘇生させようとしても、古典がより未発達でありながら確実に反映している作者の社会にたいする見解の社会的総和（即ちイデオロギー価値）を読みとるまでに読み込むことができなければ、古典の構造は十全につかむことはできず、やはり半ば蘇生した状態のまま、放り出されるほかはないのである。

古典がもっている社会的（外在的）芸術価値が、現在の享受者にあたえる問題は、おそらく、古典のイデオロギー的価値の場合よりも、かなり複雑であろう。或る場合は、古典の芸術的価値の内容をなす未発達な人間感情や無意識的心理や本能の社会的な総和が、まさに、未発達であるが故に、現在のより発達した人間の生活感情や無意識的心理や本能にとって、アクチュアルな好奇心的な関心を呼びさますだろうし、また規範ともなりうるし、或る場合には、より未発達であるがゆえにもっている単純な構造と強い強度が規範となるだろうし、また、或る場合には、より未発達であるはずなのにもかかわらずに、複雑な構造をもっているための驚きが、古典を蘇生させるだろうからである。古典の芸術的価値部分が、イデオロギー的価値部分とちがって、現在の享受者（階級）にこのような多様な反応を喚びおこしうる理由は、いうまでもなく、古典の芸術的価値部分が、現在の享受者（階級）の不定意識部分に呼びかける特性を、もっているからに外ならない。

わたしは、ここで便宜上、古典作品のもっているイデオロギー的性格と芸術的性格とを分けて考察してきたが、古典が上部構造であるにもかかわらず、何故時代とともに滅びないか、という課題にたいして無関係であるとおもわれる、古典に反映したより未発達な社会に対する一定の見解や判断力（イデオロギー部分）を排除して考察したいと考えたからにほかならない。もちろん、古典のこの二つの性格をわけてしまうことは出来ないだろう。そして、この複雑な古典（一般には文学）の性格が、まさに未発達な社会的段階において生み出されたために加えられるさらに複雑な要素のために、マルクスは、「困難は、ギリシャの芸術と叙事詩とが一定の社会的発展形態に結びついていることを理解する点にあるのではない（つまり芸術が上部構造であることを理解する点にあるのではない──註）。困難は、それらがわれわれにたいしても芸術的享楽をあたえ、またある点では規範として、およびがたい模範として通用する」ことであると述べたのである。おそらく、このマルクスの提出した困難は、無限に本質的な解答を要求する困難である。そして、この困難が無限にいつまでも残されるからこそ芸術は、どんな時代がきてもなくならないということができる。しかし、おおくの反マルクス主義芸術理論家の見解に反して、この困難は、科学的認識により、近似的（相対的）に無限に解答へ近づきうる困難であるということができる。

わたしは、反マルクス主義的な理論家、たとえば高橋義孝が、芸術の芸術たる所以を、非上部構造的な面とよび、マルクス主義的な理論家、たとえば、石田英一郎が非上部構造的な人間的本性（ホモ・サピエンスとしてのヒューマニティ）とよび、小田切秀雄が「生命力の充足と自由」とよんでいるものを、分析可能な論理的概念で解釈しながら、問題を概観してきたが、うまく、科学的原則のうえに載せられたかどうかは、わからない。しかし少くとも文学（芸術）の本質が、非上部構造的であるというべき何らの必要も認められない。文学（芸術）を創造と享受の過程から眺め、見解と日常感情と意識心理とのからみあった三段の構造物として考察すれば足りるのである。

宗祇論

さしかくす扇にうすき夕日かな（自然斎発句集七九〇）

わたしは、宗祇という詩人をそれほど好きではない。芭蕉は、『虚栗』のなかで、「世にふるもさらに時雨のやどり哉」（『自然斎発句集』一三五五）という宗祇の発句から「時雨」を換骨して、

世にふるもさらに宗祇のやどり哉

という俳諧をつくっているが、「西行の和歌における、宗祇の連歌における、雪舟の絵における、利休が茶における、其貫道する物は一なり」（『笈の小文』）というほど宗祇に傾倒していた芭蕉を知らないものには、何のことだかわからないとおもう。この句は、当時から芭蕉の周辺にいた宗匠たちのあいだには有名だったのか、山口素堂は、さらに芭蕉の句をもじって「時雨の身いはば髭なき宗祇かな」という発句をつくった。髭なき宗祇とは、もちろん芭蕉をさしている。しかし、素堂の句となると、宗祇が新古今の讃岐の歌

世にふるは苦しきものを真木の屋にやすくも過ぐる初時雨かな

から「世にふるもさらに時雨のやどり哉」を作った心は、もう判らなくなってしまっている。素堂の

心にあったのは、宗祇が髭の詩人であったという伝説と宗祇を慕った芭蕉のこころであった。当時から、宗祇が平常髭を香でくすぶらせて喜び、人にきかれると髭を愛するのではない、香が髭のところにたまって消えないのがいいのだ、とこたえたという伝説は流布されていたかもしれない。しかし、宗祇伝説の髭や香から、宗祇の風雅を感じとるのと、名もない庶民出の詩人であった宗祇の強い原始感覚や劣勢意識を感じとるのとでは、たいへんちがうはずである。

わたしには、宗祇が思想的にも詩人としても、それほど大器であったとはかんがえられないが、日本の詩形のうちで、連歌形式のもつ重要な役割に着目するかぎり、宗祇を無視して論をたてるわけにはいかないのである。

宗祇は、長尾孫六にあたえたいわゆる『長六文』のなかで、連歌の基本的な性格についてつぎのようにかいている。

抑連歌と申事は只歌より出来事候、又貫之が詞に人の心を種としてよろづの言葉とぞなれりけると侍れば、連歌も心の外を尋べき事にも侍らず、然共歌と連歌との替目少侍るべきにや、歌には五句を云くだして終に其理を述べ、連歌には上句と云ひ下句といひ別々に取分侍れば、分々に其理なくて不叶事也、連歌は昔は只続句などの如く前句に云かけて、一句の理をばさらに届ざる事侍、云々

宗祇は、短歌と連歌とのちがいが、一方は五七五七七の句切りを形式として一つの心を表現し、他方は、上句と下句とを付け合わせて一つの心を表現するところにあると云っているのではない。連歌は、発生のはじめには、たしかに五七五七七を、上下にわけて句を付け合うところに本旨があった。宗祇の引例（『長六文』）からとれば

あづま人こゑこそ北にきこえけれ

という句に

みちのくによりこしにやあるらん

というように、元来が短歌形式で表現できる心を複数の詩人が付け合わせたにすぎなかった。宗祇が意企したのは、まったくこれとちがって、短歌形式である五七五七七の句切りの破壊であった。上句と下句をそれぞれ意識的に独立した詩形として自立させ、しかも、両句が合して複雑な付合いの心理上の効果を出すところに、連歌形式の特色を定めたのである。連歌が短歌とおなじように三十一文字から成るというのは見掛けのことにすぎないので、発生史的にみて宗祇が意企したのは短歌的な句切りの破壊であった。

宗祇に『伊勢物語』の本歌をとった連歌がある。本歌は

くらべこし振分け髪も肩すぎぬ君ならずして誰かあぐべき

これにたいして宗祇の連歌は

ふりわけの髪のあだのかたらひ
あげまきのさそふ牛の子帰る野に

比較してみれば、宗祇が、『伊勢物語』の短歌をとりながら、上句と下句とをそれぞれ別個の心理上のニュアンスと意味とで自立させ、しかも上、下句が一つになって短歌的な発想では不可能な効果を、短歌と同型のうちに成し遂げているのがわかる。ことに、「あげまきのさそふ牛の子帰る野に」というようなのびきった表現は、当時の短歌では、発想上すでに不可能であった。上、下の句をそれぞれ二つに独立させ、短歌的な句切りを截ち切った形式的な解放感によって、はじめてこういう表現が可能となったのである。ここに、近世的な社会での俳句的発想へ道をひらくモメントが秘されていることは疑いをいれない。

万葉集

　淡海の海夕波千鳥汝が鳴けば心もしぬにいにしへ思ほゆ

宗祇のこの本歌を取った連歌

　のこれる友の語るいにしへ
　　志賀の浦や夕波千鳥こゑ〳〵に

作品の優劣はともかくとして、すでに宗祇の連歌が上、下句を独立させて、発想上短歌的な感覚と別のところに立っていることがわかる。同じく宗祇の連歌

夕顔かゝるわび人のやど
　よろこびのまゆをばいつかひらかまし

都もさびしみぞれする頃
　そことなき遠山寺の鐘鳴りて

　こういう作品を一行にかき直して短歌としてよんでみれば、既に五七五七七の形式のなかに、細く細くイメージをしぼるように集中した短歌的感覚ではなく、自然に膨らんで、短歌としてみれば焦点が鋭くないが、自ら別個の詩的効果を生んでいることが了解される。

　連歌を付合いの心理的な側面から強調すれば、非個人的な「座」の文学形式が、その特長であるということになるかも知れない。しかし、連歌式が「座」の文学として得たものは、貴族階級のあいだに式目の伝授と継承としてあらわれた封鎖性であり、一方では、庶民階級のあいだにコッケイと駄じゃれとしてあらわれた風俗化現象であった。

　すくなくとも、宗祇が詩論として強調したものは、こういう「座」の形式的な側面にはなかった。彼は、短歌の形式的な区切り、五・七・五・七・七を意識的に破壊し、連歌を短歌とは全く別な詩形として自立させようと試みたのである。彼はそのために、連想作用による即興が連歌の利点であることを洞察する。「連歌は百韻悉く切れずして通り候はん事肝要に候」（『長六文』）というおどろくべき宗祇のコトバは、連想による即興が、桐火桶を抱いて苦吟するところに描かれた中世の短歌理論家たちの理想に対抗する唯一の特長であることを見さだめたものに外ならなかった。

　宗祇は、『吾妻問答』のなかで、自己の連歌理論の中心である「連歌正風」について、つぎのようにかいている。

道の志に堪へたらむ人は、いづれをか思ひのこし侍らむ。たゞ道の正道はいづれの所ぞと尋ぬべきなり。愚意に思ひ侍る、連歌正風は、前による心俳諧になく、一句のさま、つねの事をも、詞の上下をよくくさり（鎖り—註）て、いかにもやすらかにいひ流し、物にうへぬ所を心にかけまほしく侍るなり。

即ち、前句に付けるにあたって俳諧的なコッケイや機智を否定し、また、一方ではんさな連歌式目を否定して「やすらか」を強調することによって、むしろ、連歌の「座」形式からくる封鎖性を卻けているのである。もちろん、宗祇も当時流行の連歌師の一人であり、会席で、大食大酒してはいけないとか、眠あくびしてはいけないとか、扇をばたばたしてはいけないとか、いうような馬鹿らしい禁止項目をかいてはいるが、そんなことは、もちろん問題ではなかったのだ。彼は、連歌の創作心理については、「てにをは」から連吟の心得まで、微細に詩論のなかにかきこんでいるが、会席（座）のこころえだけは、その理論に導入してはいない。短歌形式から連歌形式を自立させ、意識的に分化した宗祇の主意が、一にかかって短歌形式の破壊にあったことはあきらかである。

北条末期から足利期にかけて、連歌は、「京、鎌倉ヲコキマゼテ、一座ソロハヌエセ連歌。在在所々ノ歌連歌、点者ニナラヌ人ゾナキ」というほど、武家階級や庶民のあいだに流行していた。こういう流行におされて最初の連歌集『菟玖波集』は、官選に准ぜられたのである。おそらく連歌が庶民のあいだに流行したのは、付合いから必然的にくる機智やコッケイな駄じゃれの面白さによっただろうが、すでにここに興隆する庶民階級の息づかいが流れていたことを疑うわけにはいかない。

宗祇の連歌理論は、こういう庶民的な動向を背景にして、庶民的動向を詩の理論として意識的にとり出し、集大成しようとする試みであった。このことは、伝説の「髭の宗祇」が、身分的差別により北野連歌会所奉行にはなっても、天皇主宰の連歌会には生涯列席できなかったというような一介の庶民出の詩人であったことを度外視しては論ずることができないのである。

たとえば、宗祇の師、心敬にとっては、庶民や武士階級の間の雑体連歌の流行は、よほど苦々しく映ったらしく、「さればあやしの賤屋、民の市ぐらいなども、千句万句とて耳にみてり。たまたま道にふける輩も、ひたすら世をわたるよすがになして、日々夜々に騒がしくみだれあひ侍るありさま、此道の雑法末法にあひかなへる時なるかな。力なき事なり」という具合に連歌の堕落とかんがえられた。しかし、この興味ある心敬の一文は、町座がすでに経済力を拡張しはじめ、えせ連歌師たちが、庶民の連歌会に出席して財力的な援助をうけていることを物語っている。

心敬と宗祇とのちがいは、ここにあった。心敬は、連歌式目を、中世貴族歌論の展開する線上におもいえがき庶民的流行を苦々しくおもったのである。宗祇もまた、連歌理論のうえからは、庶民的な俳諧連歌にたいして、一応否定的な立場をとっているが、心敬とはちがって、庶民流行のエセ連歌のなかに、貴族式目の悪しき模倣をみてとったのであって、庶民の連歌的流行を否定したのではない。宗祇もまた、いくつかの俳諧連歌をつくっているのだ。

　堂はあまたの多田の山など
まんちうを仏の前にたむけおき

たれみそすくふしやくそんやある
　いと細き手にあかがりやわたるらん

宗祇理論にとって、俳諧的な連歌を否定することは、貴族連歌の形体化した格式目を否定することと同義であった。『長六文』のなかで、「たゞ連歌と申は幽玄に長高く有心なるを本意とは心にかけられべく候也」と述べて、俊成から定家にいたる理論家たちの目指したところにかえるべきことを主張しているのは、当世流行の連歌のなかに貴族詩人的な形骸と、庶民的風俗化しか見出さなかった宗祇にとって、当然のなりゆきであった。

しかし、宗祇の詩人としての態度のなかに、俳諧にたいするものと、格式目にたいするものとに、分裂がみとめられないわけではない。おそらく、宗祇が思想詩人としては、さほどの人物ではなく、現実と観念のなかに自己の詩人的な立場を確立しえなかったことを証しているとおもえる。

宗祇もまた、分権的な封建社会の崩壊期に生きた乱世の詩人には、ちがいなかった。

永享十一年(一四三九)、足利義教は、幕府の威信を回復しようとして、関東管領を滅ぼし、さらに播磨の守護職、赤松満祐の所領を没収しようとしてかえって満祐に暗殺された。管領、細川持之は、山名持豊に命じて満祐を討たせた。このいわゆる「嘉吉の乱」は、宗祇二十一歳のときであり、これより幕府の威勢は諸国の豪族を制しえず、「応仁の乱」にいたったのは、宗祇五十歳前後の頃であった。いわば、幕府政権の衰亡と、豪族の割拠と、町座を中心とする町人階級の興隆する萌しとは、宗祇が眼のあたりに眺めた現実社会の変遷であった。宗祇は、応仁の乱後、『筑紫道記』のなかで「近き世となりて、芦原の風さわぎ頻にて、都のうちも波の音たえず侍れば、草の庵いとど住みがたく侍るを、云々」とかいてこの乱世を心に反映したが、しかし、歴史の現実は、宗祇にとって西行のような意味をもちえなかった。

西行にとっては、歴史的な現実は、まさに詩心の中枢を通りぬける事件であり、放浪は、どこにも肯定すべき社会が存在しないためのやむをえない生活に外ならなかったが、宗祇の旅は、いわば諸国の豪族の招きにおうじての、連歌的な「座」の必要からくる方便にすぎなかった。

武将との接触がおおく、西行よりもはるかに血腥い現実の近くに出かけていったにもかかわらず、彼の詩心は、その現実をうけとめる用意がなかったのである。西行は思想詩人と云いうる真の詩人であったが、宗祇には、西行のつよい自意識もなければ、現実社会のうごきに対峙するだけのつよい心もなかった。彼は、周到な理解力と学識とをもって、連歌的形式を、はじめて意識的に理論化して集大成し、やがて、近世の町人ブルジョワジイの詩心に向ってひらけてゆく道をきずきあげたのである。

いうまでもなく、花鳥風月の素材を、はじめて日本の詩概念のなかに定式化してみせたのは、俊成から定家にいたる中世の理論家たちである。幽玄とか有心とかは、いわば花鳥風月的な自然と、かれらの内部世界とが接触する微妙な接点をさしているのである。中世連歌理論は、いわばこの花鳥風月的な定型化を、極限までおしつめた「定式化の定式化」であり、詩論としての袋小路であった。この袋小路は、とうてい応安の新式（一三五二）をもって救いうべくもなかったのである。

宗祇は、おそらく室町文学が全般にわたってそうであったように、仏教的なイデオロギーを果敢に導入することによって、この袋小路を脱出する方法を見出したのである。たとえば、心を唯一のもととすべき旨を説くために、宗祇はつぎのようなコトバを必要とした。

又、人の心を種とすると云儀は、天神七代の先元初の一念の人の心也。勿然念起、名為為明と云是也。無明とは煩悩の事也。此元初の一念が、一切の根源、万物之濫觴也。されば無明の一念より歌もいでくる物也。しかれば無始より今日にいたりて終劫共に人の心を種とするのみち也。（『十口抄』）

煩悩が歌の根源であるという思想を、宗祇は、どこから得てきたのだろうか。西行のように現実の動乱に詩意識を相渉らせることによってか、あるいは、出身階級が庶民であるという故をもって、抜群の器量をもちながら、貴族づらをした詩界から、生涯差別待遇をうけねばならなかった「髭の宗祇」の心の悩みからきたのだろうか。

わたしは、すべて疑わしいとおもう。彼には内心の悩みを、時代的な悩みにかかわらせるような発想はない。その意味では、宗祇は、つまらぬ詩人にしか過ぎない。彼は、煩悩が詩の源泉であるという概念を、室町仏教のイデオロギー的な体系から得たにちがいない。イデオロギーと文学との結合は、一般に過渡期にはかならず現われる現象といいうるが、宗祇もまた、ただ心こそが歌の源泉であるというために、「無明」という概念を導入せざるを得なかったのである。宗祇のこの特長は、詩論のいたるところにあらわれて、彼の理論に宗匠的な創作指導とイデオロギー的な色彩との奇妙な混合をあたえている。たとえば、『長六文』のなかでも、「たゞ此道に心をよせん人は四時移りかはるにも生老病死の心を観じ、山海草木の上にも心をそへて、天地に和合して人民に相和する心をもち、聊かも無道心に侍らずば、如何でか国もやはらぎ民もおもひつき侍べらざるべき、云々」とかいて、政治と詩との結合を説いている。

宗祇のこの特長は、『連歌秘伝抄』にいたっては、ほとんど病的な域にまで達している。連歌は歌の雑体であり、歌は三十一文字から成っている、歌の三十一文字は、仏の三十二相をかたどったもので、三十一字に歌の一体をそえて三十二相となる。また、二十八宿に日月星を加えて三十一文字とした。(中略) 此の歌を二つに分けたのが連歌であるが、それは歌を生仏、仏乗とかんがえ、生仏一体の所から仏性と衆性と別れたところが連歌である、などというでたらめなこじつけをかいて、短歌形式を破壊し、連歌自立の形式を集大成した自身の業績を、丁消しにしているのである。

しかし、仏教イデオロギーが、観念の体系として人々の心を支配していた中世にあっては、こういう宗祇のこじつけは、さして不可解なものではなかったのはいうまでもない。たとえば、慈円などは『愚管抄』のような歴史書のなかでさえ、おなじように仏法と王法とをこじつけて結びつけてみせたのである。

宗祇は、徹頭徹尾、時代的詩人であった。武家階級と庶民のあいだにおける連歌の流行を、よく意識的に集大成して、短歌形式の自然発生的な破壊を目的意識的な破壊にまで導き、また、一方では貴族連歌の式目的な因習を破壊するのに、仏法の心観を導入してみせた。おそらく宗祇の理論と実作のなかに、宗祇自身の創見と、つよい自意識によってうみ出されたものは一つもないであろう。彼をたすけたのは、分権的な封建社会が崩壊しようとする時代の時代的な思想と、現実社会の庶民的詩心の動きとであった。宗祇の連歌理論こそは、まさに、過渡期の社会的産物そのものであり、西行のような自意識と独創的な思想とを必要としなかったのである。宗祇の業績が、後代に道をひらいた所以は、ただ、彼が庶民出身の詩人であったという理由で、短歌よりも連歌をえらんだ、というおそらくはひとつの偶然によっている。芭蕉が、「世にふるもさらに宗祇のやどりかな」と唱ったとき、どうやら宗祇の出生と、連歌意識化の理論との、秘かな結び目を睨んでいたような気がする。

抵抗詩

記憶をたどると、秋山清の戦争期の詩を、はじめて知ったのは戦後『詩文化』に発表された「白い花」、「国葬」、「拍手」が最初である。この三篇は長谷川龍生が撰択して、原稿を大阪へ運んだと、当時長谷川からきいたが、もう何年も前のことで確かではない。わたしは、この三篇の詩にひどく感銘をうけた。当時は、わたしなどの戦争期の記憶などからすると、ちゃきちゃきの戦争謳歌の詩をかいていた詩人が、いっぱしの抵抗詩人であったが如き言辞をロウし、戦後の政治運動もまた、それを助長するような馬鹿なことばかりを仕出かし、わたしは決定的にニヒリスティクであった。そんなとき、秋山の詩を読んだのである。

わたしの当時の感じは、「これならほんとうだ」というものであった。これを抵抗詩と呼び、これを抵抗詩人と呼ぶなら、わたしも承認してよいという感じであった。その後、わたしは、また、わたしの戦争体験を反芻する必要があることを、痛感し、いくらか実証的に、また系統的に戦争期の文学を検討したが、わたしが当時抱いたこの感じに誤りはなかった。抵抗詩人と呼べるべき詩人は、金子光晴と秋山清の外には、いない。戦争謳歌の作品も公表し、戦争に無関係な作品もかいた詩人など問題にならない。まして、やきとり屋や浅草の遊び場で、私的に反戦的言辞をロウしながら、堂々たる戦争讃歌を本心から公表した詩人などを、抵抗したなどと評価するのは、馬鹿者にかぎるのである。

秋山の戦争詩の特徴は、おおっぴらな抵抗感覚ではなく、庶民の生活感覚や実感から発して、戦争の非人間性にたいして、ささやかな人間的感情を守る、というようにかかれている。今日的な観点からすると、沢山の不満があるとしても、それが日本の現代詩の抵抗の第一線であったことを、どうすることもできないのである。これを承認しなければ、芸術的抵抗の日本的特殊性の問題は、一歩もすすめることは出来ない。今日、戦後世代は、ペテン的言辞に多分に影響されて、抵抗などというものが、日本の文学にあったように考えているかもしれないが、それは戦争の実体とそれに抵抗することの難しさを、楽天的言辞によって押し流そうとする言動に乗ぜられているにすぎない。また、日本の革命的文学運動が、大衆的な動向と心情にたいして深くクサビを入れようとするものではなく、封鎖的な自己満足理論の主導下に潰滅せざるを得なかったものであることを覆おうとする文学ボス・政治ボスの築き上げた空中楼閣を実体の如く幻想しているにすぎない。「とく夢さめよ」である。

秋山の詩のなかには、戦前最後のやせほそったメーデーをうたった「第十六回メーデー」とか、二・二六事件をうたった「ある朝」や、硫黄島玉砕をうたった「まひる」など、抵抗的記録として逸することの出来ないものがある。わたしはなによりも太平洋戦争の真只中にあった頃、日本の詩的な抵抗の実体とは、どのようなものであるかを、如実に典型的に示している点で秋山清の戦争期の詩にとくに親愛を感ずる。今日の読者は、秋山清の戦争期の詩から抵抗を感知するだろうか、戦争への傾斜を感知するだろうか、わたしは、その何れをも感知した上で、敢て、これらの詩篇が、金子光晴の業績とともに、日本の詩的抵抗の最高の達成に外ならなかったという事実が、追尋されてゆくことを願わずにはおられない。戦後になってから「おれは抵抗した」などと称している文学者のコトバのことごとくは、それを額面通りに受取る必要はないことを、わたしは、断言してもよい。彼等の称する抵抗の如きは、戦争を謳歌しながら、心のすみっこにもっていた不満の類を拡大再評価しているに過ぎない。

わたしはここでじぶんの好きな詩についてふれてみたい。

「白い花」　アッツ島における日本軍全滅を主題にした作品である。昭和十八年五月十二日、米軍は、日本軍の北方最前線にあたるアッツ島に上陸し、五月三十日日本軍守備隊山崎部隊の全滅が発表された。この詩のなかで、最も鮮烈なイメージを与えるのは「ツンドラに　みじかい春がきて　草が萌え　ヒメエゾコザクラの花がさき　その五弁の白に見入って　妻と子や　故郷への思いを　君はひそめていた。」という個処である。わたしは、アッツ島の玉砕が発表されたとき、どうしても、その島のイメージが浮んでこず、その島で全滅した日本軍兵士の死に様が思いうかべられなかったことをよく覚えている。秋山は、その島に「ヒメエゾコザクラ」という花が咲き、兵士たちが、それを見入っているイメージも、その兵士たちが敵の上陸をむかえ撃つイメージも鮮やかに見たに相違ないことが、この素朴な手法のなかにはっきりと表現されている。この詩は、昭和十九年にかかれているから、最終行の区民葬の日に、はじめて「君」がアッツ島で戦死したことを知り、それから「君」の死を、あれこれと思いながら、一介の無名の庶民として誰にも注意されずに戦争のなかに消えた「君」を悼むことで、戦争にたいする自己の位置を見定めようとした作品である。もちろん、「やがて十倍の敵に突入し　兵として　心のこりなくたたかいつくしたと　私はかたくそう思う。」という表現のなかに、アナーキスト詩人としての万感の思いがこめられ、戦争にたいして微細にゆれている内部世界が鮮やかに定着されているのである。この詩が、反戦詩として優れているのは、そういう逆説的な戦争期の庶民的心情の運命を写しとっているからである。

「送行」　米国がマーシャル群島に上陸したのは、昭和十九年二月一日。「安田末吉は三十五才。」という冒頭は、最初の一行で、日本の敗北が真近かく、中年の庶民が既に戦争にかり出されていることを象徴するコトバである。しかも、「ゆくものは生還を期すにあらず。」残された「母と妻と七才の娘」は、「明日から　このさびしさに親しむだろう。」依然として、秋山がここで執着して表現しているのは、インテリゲンチャの心情ではなく、庶民的生活に喰い込んだ中年の心情である。この特徴は、秋山清の戦後の詩にまで一貫して流れていることがわかる。別に、特別のさえがあるわけでもなく、優れた暗喩を使駆しているわけではないにもかかわらず、日本の社会的な基底に、ひっそりと根を生やして、のろのろと、しかも確実に歩いている庶民を問題にしなければならないときに、秋山の詩は問題にしなければならないことを示している。

戦争期に、庶民の抵抗があったとすれば、秋山がここに表現しているような陰微で、根強いところにしかなかった。便所の楽書をあげたり、鉄瓶をかくしたりする抵抗など認めないが、こういう抵抗ならば、千古不磨の抵抗として庶民がもっていることを、わたしは実感として認めてもよいと思う。

秋山が表現している「ゆくものは生還を期すにあらず。しかも送行三十里の車中は　なごやかな談笑にすぎた。」という日本庶民の心情の特質を、評価しながら、しかもこれを徹底的に批判的に問題とする必要がある。おそらく、そこまで垂鉛を下ろしてみなければ、日本の大衆意識の問題は出てきそうもない。劇場や競馬場や映画館のなかに大衆をみつけて歩いても仕方がない。

「おやしらず」　この作品は、太平洋戦争期の日本の現代詩のなかでも、屈指の逸品であるが、秋山清の全作品のなかでも秀作の一つであることを失わない。秋山は、もともと視覚型の詩人だが、この詩では秋山の視覚が鋭い焦点を結ぶことに成功し、その焦点からは心情の統一されたイメージが鮮やかに浮び上ってきている。その心情のイメージは最後の「茫として沖がみえぬ。」ということに帰結する。もちろん、この一句を、比喩のように解して、戦争の行方と大衆の行方は、どこへゆくのだろうか、という作者の感慨にすりかえれば、誤解にちかくなるが、秋山は、「親しらず」のあたりを通りながら、叙景をやっているにすぎないにもかかわらず、さまざまな解釈可能性を提出することに成功している。そのモチーフは、「親しらず」という特異な地名から触発された、「われはわが行方と来歴を知らず」という戦争期の暗い心情の表現にある。このとき、あきらかに秋山は、叙景しながら現実の動乱の行方をおもっていることがわかる。

戦後詩は、戦争期の現代詩の抵抗と挫折の問題を遥かに未解決のままおきざりにして、二十年余を経過してきた。秋山清のこれらの作品群は手法的にも実際的にも、遥か遠くに置き去られたまま現在に至っている。秋山も真の詩人ならば、それを欣快とするにちがいない。ただし、秋山が戦争期に示した抵抗的な達成が、真に克服されているとするならば、である。

わたしの判定では、秋山がここでしめしている庶民的心情による抵抗――換言すれば日本現代詩の最高の抵抗の表現であった――は、危機に際してかならず日本の詩が拠りどころとする最後の拠点として露出してくる地点であり、今後当分は変らぬであろう。変ったように見えるのは戦後社会の表皮だけである。また、真に日本の庶民的心情の根柢をつきくずすだけの強力な方法と思想が打ち立てられないかぎり、秋山の戦争期の達成は克服されまい。その時までは、単に抵抗詩としての稀少価値によってばかりでなく、秋山が長年月をかけてとぎすました物をよく視る眼の価値も、決して下落しまいとおもう。

秋山清が、昭和十年から昭和二十年にかけてかきとめた詩が、今日、公衆の前に全貌をあきらかにすることを、わたしは誰よりも願うが、それは、かならずしもわたしが戦争期の現代詩の問題に特に執着しているからだけではなく、ここに現代詩の不変的な一問題が集中してあらわれていると信ずるからである。

くだらぬ提言はくだらぬ意見を誘発する

——加藤周一に——

『詩学』編集部から『季節』何月号かで加藤周一が行った「現代詩への提言」について、何か意見をかいてもらいたいと依頼されたが、残念なことに、その「提言」なるものを読んでいなかった。大体、わたしのように詩壇の動向にたいする注意の散漫な人間が、批評家の「提言」などに、きょろきょろ眼をさらしているとおもうのが間違いのもとだが、編集部は、是非とも意見をかけというのである。

本来ならば、「提言」などというふざけたものは、やりたい奴にやらしておけばいいので、放っておくに限るのである。提言する方も、いっぱしの見識を見せたいだけで、別に実行してもらいたいなどとは考えてもいまいし、考えているとすれば余程の馬鹿者であろう。また、「提言」などをよんで感心してそれを実行する馬鹿な詩人は、いくら加藤周一の軽蔑する現代詩人のなかにも、いないはずである。詩人が感心したり実行したりするのは優れた作品や見解に共感したときに限る。

しかし、わたしは、心のどこかで加藤周一の提言ならば、単なる提言ではなく、一種の詩論をなしていて取上げるに価するかも知れぬと考えていたらしく、意見をかくからその「提言」を送って欲しいと編集部に答えてしまった。

わたしは、まんまと編集部にだまされた、らしい。加藤の「提言」は、まったく問題外の代物なのである。かねて加藤周一を聡明な批評家らしいと漠然とかんがえていたのだが、時にはわたしどもとおなじレベルの馬鹿なことも云ってみたくなる人物らしいのである。この文章を読む人は、下らない与太話をやめて、さっさと本論にはいったらどうか、とおもうかもしれないが、如何に義務を履行しているのだとは云え、こんな下らない「提言」に何か意見をかかねばならないとなると、与太話でもしなければ腹の虫がおさまらないのである。

以下、加藤の提言に、逐条意見を述べる。意見は加藤の提言なみにレベルを下げて（上げるのではない）かくことにする。

提案一

加藤「外国の詩をよまぬこと、殊にそのほんやくをよまぬこと、なかでもT・S・エリオットをよまぬこと。（以下略）」

意見一

吉本「余計なお節介とは、この提言の如きものを指していうのだ。何を読もうが勝手だろうじゃないか。君などの指図をうける必要はない。何かを読んで害になったというようなことは、たとえエロ雑誌の場合でもないとわたしは断言できる。どだい、日本語格の音韻と意味との相関性を正確に分析したこともないくせに、『マチネ・ポエティク』などという『外国』名だか日本名だかわからない舌足らずのお題目をつけて、外国の定型詩の猿真似をやってみせ、終を完うせずにあぶくのように消滅したのは君たちのグループが戦後最初だったじゃあないか。また、君のかいた『現代詩人論』という著書は、日本の詩人を一人も取上げずに、もっぱら外国の詩人ばかりを論じていたじゃあないか。君の文体論もまた然り。恥かしくないのかねえ、こんな提案をかいて。

外国文学受売商売を一手で独占しようなどと、太てえ根性を出すのは止した方がいい。詩のホンヤクによって生活をささえている無数の詩人・語学者・詩出版業者の商売の邪魔をする権利は、君にはないのである。君は、常日頃偉そうなことばかり卑下慢調でかいているが、そういう零細な詩人大衆の生活的必要も考えてみた方がいいとおもう。そうすれば君の批評論文はずっとよくなる筈です。わたしの云わんとすることは、例えば『死の影の下に』から『長い旅の終り』までに至るアメチョコ小説をかいた君のグループの一人が、最近『天使の生活』という私小説以下の私小説をかいて文学上および実生活上の破綻を示した実例一つを考えてみれば足りる。外国の詩と日本の詩（外国の社会構造と日本の社会構造）という問題は、とうてい君の『伝統と近代化』理念をもってしては、解決できないとおもう。わたしは、自分の考えはこれまで折にふれてかいてきたし、これからも書くからここでは触れない。『加藤周一の著書や提言はよまぬこと、殊に進歩的文化人づらをしてかいた論文は進歩の概念を「誤訳」しているからよまぬこと。人間万事あきらめが大切です。殊に詩人にとっては、他人を、理解しないほど大切なことはないのですから、そんなことを残念に思う必要もない。』わたしが、君の提案一の文章をそっくり口真似するとこういうことになるが、承知でしょうな。」

提案二

加藤「ほんやくの詩の代りに、よみたいものは人麿より茂吉まで日本の三十一文字の歌、また現代の詩人では、中野重治と三好達治。（以下略）」

意見二

吉本「これまた、君の随意というものでしょう。わたしも人麿から現代歌人までの三十一文字をよんでいますが、君のように日本語の扱い方を学ぶためにではありません。そんなことは云わずと知れたことだ。伝統的な詩形と古典詩人の詩意識とが、どういう点で現代詩形と現代詩人の意識とにかかわるか、あるいはかかわらないかを究めるために読むのだ。現代詩の最大の問題は、君のいうように現代日本語の問題だとも思っていない。そんなことは云わずと知れたことだ。君の考えている詩というものの『概念』が詩なら、わたしの考えている詩の『概念』は詩ではない。逆もまた然り。そんなことは、お互いにかいてきた詩を比較してみれば、一目瞭然である。ただ、加藤に云っておきたいのは、君が自身の詩『概念』を信じている程度には、いっぱしの現代詩人も、また、自己の詩概念を信じているに相違ないということです。君は、聡明な批評家に似合わず、文学の創造及び創造体験の本質が余りわからなくなっているらしくおもわれる。

また、君が伝統的な詩を読む自己の読み方を信じていると同様に、わたしも自分の読み方を信じているし、はっきりと見解がちがうのである。誰か、他の人物の意見をきいても、同じことを云うでしょう。つまり、君は、すべての人間が日本語の扱い方を学ぶために古典短歌や、中野・三好の詩を読むとでも錯覚しているのです。そうでなければ、『ほんやくの詩の代りに、よみたいものは、……』とは、大げさではないか。大げさなことを云うときは、わたしのように悪童を装って云う方が誤解がなくていい。紳士の妥当な意見のような調子でやるのはよくない。」

提案三

加藤「詩形についていえば、短詩形であき足りず、長詩形ではもたない(中略)。そこで独立の短詩を一定の強い連関のもとに(中略)重ねて、一巻の詩集を編む、詩集の全体は一方で長詩にちかい機能を果しながら、各種の短詩を集めたものとしての変化に富んでいる——こういうし方でかなり多くのことができるのではないかと考えます。(以下略)」

意見三

吉本「お話はもっともだ。しかし、どういうようにかけばお説の通りになるのか、具体的に提案していないではないか。わたしは、詩人が自己の内部世界の発展を一貫して追及すれば、自然にお説の通りになるとおもう（たとえば一人の詩人の内的発展の径路は、お説のような意味で一つの物語を暗示しますからな）。君は、君の提案を実行しなければ、詩集がベスト・セラーになる筈がないなどと、偉そうなことをかいているが冗談いうな。或る詩集がベスト・セラーになるかならないかは、君の提案とは何のかかわりもないのは自明の理である。ただ、君が何故、そういう発想をするかは、よく判るとおもう。ようするに、君は、茂吉とか藤村とかいうベスト・セラー級の詩人の過去の詩を（つまり古典を）静的（スタチック）にしか評価しようとしないのだ。現代の社会および詩のアクチュアルな問題との関連において古典作品を評価しないために、静的な提案しかできないのである。わたしは、現代詩が、散文（小説）とおなじ発想でかかれてコトバの芸術たる機能を同時に発揮しなければ、詩集が君のいう『ベスト・セラー』になる可能性はないとおもう。既にそのことは何回かかいているから詳しくは触れない。

君の提案三の如きは、優れた詩人は、みなやっていることです。最後に、君の提案で、唯一個処、愉快であり、かつほほえましいところがある。それは、小山正孝（申訳けないが作品を読んだことがない。今後気を付けてみます）と中村稔（この詩人は、君と異る意味ですが、わたしは好きな詩人の一人です）を特に賞揚している個処です。何故、愉快でほほえましいかといえば、君に賞揚されたことで、これらの詩人の詩集は、よりよく売れるようになり、間接的に君はこの二詩人のイン・プットを増加させ、かつベスト・セラーに近づける役割を果しているからです。これを、喜ばない現代詩人は、いないはずだ。

それだからこそ、尚更、君が、提案一で『外国の詩をよまぬこと、殊にそのほんやくをよまぬこと、なかでもT・S・エリオットをよまぬこと』などと、いけしゃあしゃあとかく根性が下らぬというのだ。おなじ、現代詩人や語学者や貧しい詩ジャーナリストの商売を妨害するだろうことを悟らない君の優等生並びにブルジョワ根性が駄目だというのだ。

余計なことだが、エピソードを一つかいておく。去年、わたしが『高村光太郎』という著書を出版しようとしたら、出版される著書の内容がわからない広告時期に、悪評をかいて、わたしの糧道を縮小せしめた批評家がいた。ただ、この批評家は、君のように紳士ではなく、ごろつきという異名をもっていたから、わたしは全く無邪気な奴であるとおもった。読まぬ先から他人の商売を妨害しようとする悪どい奴がいたとて、現代は過渡的な乱世の時代だからびくともしないが、糧道を縮小された恨みは、仲々忘れられないものであることが、経験上わかるような気がするのである。加藤も、今後提言などする場合は、ごろつきだとか仮面の紳士だとか、くだらぬ仲間ぼめが提言の落ちかなどと云われることは、よくよく覚悟の上でやった方がいいとおもう。紳士の発作的ヒステリーでかかぬ方がいい。乱世には、伏兵が、いたるところにあらわれて何ものも怖れず襲いかかるものである。外国でもそうかどうかは知らない。呵々大笑のうちに幕――」

さて、ここまでかいてみたが、下らぬ提言のお付合をして、おなじレベルに自分を卑めたという後味の悪さはまだ少し残っている。一体、『詩学』編集部は、なぜ、加藤周一が三分ばかりでかきとばしたような提言を、とりあげる気になったのだろうか。もちろん、重要な提言だからではあるまい。一人前の批評家が、よくもこんなものをかいたものだと考えると我慢がならなかったのだろう。お蔭で、わたしもはじめてこんなくだらぬ文章をかいた。

三種の詩器

現在、日本の詩には、俳句、短歌、現代詩の三種が共存している。江戸期にも俳句、短歌、漢詩が共存していた。中世には、連歌と短歌とが共存していた。古代には、短歌と長歌とが共存していた。しかし、現在、俳句、短歌、現代詩が共存しているとおなじような意味で、日本の詩形が種々に共存していたということは、明治以前にはなかった。少くとも、明治以前においては、短歌、俳句、連歌、長歌の形式的な差異は、詩の形式上の差異と、そこから派生する詩意識上の差異として理解しうるものであった。しかし、現在の、現代詩と、俳句、短歌の相違は、形式上の差異や、定型、非定型の差異としては論じられない断層がある。この断層は、本質的には、美術における油絵と日本画、音楽における西欧音楽と日本音楽（長唄、じょうるり、琴曲、びわ）との断層と同じである。

ここで、わたしたちは、いつでも折衷的な努力がなされるのを知っている。たとえば、油絵の画家が日本画の手法を取入れ、日本画家が油絵の手法を取入れ、琴の師匠が西洋音楽の要素を取入れ、西洋音楽家が日本音楽の要素を取入れ、現代詩人が伝統詩の発想と語法を取入れ、歌人や俳人が現代詩の手法を取入れるという具合にである。このような実例を、実際に知りたければ、現在の日本の芸術家たちの作品を一べつしただけで足りるのである。こういう情況は、ただ、詩のジャンルだけではなく、日本の現代芸術全般にみられる特徴的な現象の一つである。

ところで、わたしたちは、もう一つ、日本の現代芸術全般にわたる特徴ある現象があるのを知っている。即ち、本人は、インターナショナルな世界性を目指しているつもりで、架空の「無国籍」におちいっている傾向である。たとえば、本人はアブストラクトの詩人や画家だとおもっているのに、実は、「架空のアブストラクト」であったり、日本固有の古くさい感性をモダンな衣裳に染め上げているにすぎなかったりする現象である。前者は折衷乞食。後者は西欧乞食。

わたしたちは、この二つの傾向が表裏一体をなす日本の現代芸術の特徴であることを、よくよく洞察することが必要であろう。この傾向は、現在支配的な風潮をなしているが、実際には、この傾向から何らかの実績を期待することができない。彼等は、何を間違えているのかという問題は、簡単に論じつくすことができないが、基本的には次のように云うことができる。

即ち、折衷乞食どもは、日本の近代社会の発展過程を、西欧近代と日本本来とが対立、折衷してゆく過程と考えており、西欧乞食どもは、日本の近代化＝西欧化とかんがえているのである。しかし、実際はどうであろうか。表面的にみれば、明治以後の日本の社会も文化も、生活様式も西欧的なものと伝統的なものとの対立、折衷のようにみえるし、西欧化してゆくことが近代化してゆくことのようにみえる。しかし、わたしはこの何れの見方も正当ではないとかんがえる。紙数もないから、一言にして云えば、日本の近代社会における、伝統的なものと西欧的なものとは、盾の両面のように存在すると考える。日本の社会が、どのように発展しようとも、この二つの要素は、盾の両面であることを止めまいというのが、わたしの推定である。

だから、わたしは、ほんやくの詩の代りに人麿から茂吉までの三十一文字を読めなどという加藤周一の説には真向うから反対であり、また、日本の伝統詩形が、如何なる意味でも、現代詩歌の問題に、何かを寄与するとは考えていない。伝統詩は、すべて否定されなければならない。しかし、「否定」するというのは、西欧乞食のように、伝統詩に無関心なのとは全く違うことを断っておかなければならないとおもう。「無関心」は恒久的に「無関心」であり、「否定」は、恒久的に「関心をもつから否定」である。
今日、歌人、俳人の中の革新派は、わたしの考え方のカテゴリーでは、折衷乞食に入るだろうから、その努力の実り多からんことを願うし、その努力が優れた作品を生むかも知れないことを認めるが、窮極のところでは、否定するより仕方がない。お世辞など云う気もしない。わたしは、すでにそういう考えを述べたことがあるが、伝統詩形である俳句や短歌のうち、わたしたちが問題とするに価するのは、五・七・五や五・七・五・七・七ではなく、「定型」だけである。「定型」というのは、五・七調の組合わせとは無関係で、日本語格の言語学的本性とだけ関係するものであり、それは、日本文の構成や意味と切り離すことができない性質をもっている。わたしは、日本の詩のうちこの「定型」だけは、無視できないし、容易に変ることはあるまいと考える。

現代詩と現代短歌や俳句とが、わたしのいう意味で、盾の両面たりうる条件を、もし求めうるとすれば、わたしがここで指摘している意味での「定型」しか、ありえないのである。即ち、このような条件が充されたとき、日本の詩は、盾の一面から視たとき「非定型」であり一面からみたとき「定型」であり、そこに詩意識上の異質さや、断層は、まったく存在しなくなるとおもう。

加藤周一の見解などは、さしずめ、西欧乞食が洋食残飯を喰い散らしたあげく、伝統詩形に珍味を見出しているにすぎまい。もともと、彼等が「マチネ・ポエティク」と云うのも、「人麿から茂吉まで」というのも表裏一体をなす俗見に外ならないとおもう。

わたしがここで、日本の詩的な「定型」が、いつまでも五・七音数律であると考えているのではないことは断るまでもない。短歌や俳句において、現在ゆるやかに導入されつつある口語脈が、やがて全体を浸透してゆくとき、それはあきらかになるだろう。

「四季」派の本質
――三好達治を中心に――

昭和十年代も後期になると、詩といえばすぐに「四季」派の抒情詩を意味するほど、この派の詩は、たんに現代詩の一流派という問題をこえて、詩概念をくみたてるうえにおおきな規定力をおよぼした。プロレタリア詩運動が、あとかたもなく、なくなってしまい、モダニズム詩が都市庶民の情緒的表現にまで退化した時期に、「四季」派の抒情詩だけが、なにか本質的なところで、風土感覚というようなものを論理的に構築してみせたために、危機の時代から戦争へと流されてゆく時期の詩的庶民の多数感覚に、全能のイメージをもってむかえられたのである。

記憶をたどってみると、この時期には、三好達治・丸山薫・中原中也・立原道造などの初期詩集がさかんに流布されるとともに、太平洋戦争の突発をさかいにして、「四季」派の戦争詩もまたジャーナリズムをにぎやかにしはじめた。年少のわたしの眼には、「四季」派の戦争詩は、おおむねつまらない便乗の詩とみえたが、かれらが十年代前期に生んだ抒情詩は、苛酷な戦争の現実から眼をそらしたい疲労をかんじたとき、一種の感覚的安息所のような役割を果していた。戦争の苛酷さを、もっとも直かに身にうけとめていると思い上っていた二十歳頃のわたしには、「四季」派の抒情詩の世界が、戦争下の日々の現実体験とまったくかかわらないことが、かえって物珍らしく、そういう詩の世界を理解する内的な瞬間があることを、かなり貴重なもののようにかんがえていたらしいのである。もちろん、「四季」派の詩人が、初期の頃かいた優にやさしい（?）抒情詩の世界と、当時、かきつつあった戦争詩とのあいだに、どんなつながりがあり、どんな断絶があるかを検討する余裕などは、さらになかった。

戦争の現実に顔を向けることを強いられ、前途はどうせ無いものと思い定めていたわたしは、まったくかんがえも及ばない世界を展開してみせている「四季」派の抒情詩を前に、わたしたちはとうていこんな平安な生涯をおくれまいが、こういう人生や自然の感じ方があっても悪くはないではないか、とおもっていたのである。それにしても、神保光太郎のような浪漫的英雄主義者はともかくとして、『愛する神の歌』や『父のゐる庭』の詩人、津村信夫までが、戦争詩をかくなんて何てことだろう。戦争などは、どうせ死んじまうわたしたちにまかしておいて、現実離れした詩の世界を、とことんまで追及すればいいのに、というような感慨を禁じえなかったことをおぼえている。

敗戦とともに、既成のあらゆる詩的価値は、一応不信のまとになったが、詩を創造のがわからかんがえようとすると、「四季」派の抒情詩を構成している感性的な秩序は、意外におおきな滲透力をもっていて、そこから脱出するためにかなり長期間、方法的な模索をつづけなければならなかった。

いま、「四季」派の本質を理論的に検討してみようとするとき、現実社会の動きとは何のかかわりもないようにみえる「四季」派の抒情詩の本質が、社会の支配的体制と、どんな対応関係にあったのか、かつて単なる便乗としかおもえなかった「四季」派の戦争詩は、かれらのどんな現実認識から生みだされたのか、等々の問題が、重要な課題のようにおもわれてくる。こういう問題の出し方が、あながち詩とは無縁のものだとはかんがえない。こういう問題が解けないかぎり、詩は恒久的に、その時々の社会秩序の動向を、無条件に承認したうえで成立する感性的な自慰にしかすぎないからである。

雑誌『四季』の創刊が、昭和九年(一九三四)、終刊が昭和十九年(一九四四)であるという事実に端的に象徴されているように、「四季」派の全盛期が、日本のマルクス主義政治・文学運動の解体期(たとえば「作家同盟」の解体は昭和九年)から、太平洋戦争の終末期にわたる、危機と戦争の時代であったことは、この問題提起におおきな暗示をあたえてくれる。また、「四季」派が、同人、堀辰雄・三好達治らによって新興芸術派から「文学界」に流れこむ近代主義文学運動に接続し、神保光太郎・蔵原伸二郎・保田与重郎・田中克己らを仲介として「コギト」、「日本浪曼派」に接続していることは、ナショナリズム―ファシズム支配下の文学思潮のなかで「四季」派の抒情感性が占める位置を、あきらかに示しているとおもえる。

詩を構成する感性的な秩序は、詩人の現実認識そのものをしめすことはありえないとしても、現実認識の秩序と構成をおなじくするものだということができる。詩の感性的な秩序はもっとも端的にあらわれた場合、形式そのものに転化してあらわれるが、普通には、形式をささえる内在的な感性の構造としてあらわれてくるとかんがえられる。おそらく、現実社会の秩序が機能的に批判または否定されないところでは、詩を構成している感性の秩序は、現実社会の秩序と構造をおなじくする外はないのである。このようなかんがえかたは、詩と社会的現実との関係という概念のかわりに、詩と社会的現実との構造的な対応というかんがえを導入することによって、容易にみちびくことができよう。

「四季」派の抒情詩が、一見すると社会からの逃亡であるようにみえるとか、社会的動向とは無関係な世界を構成している、というようなことは、かれらの現実認識をかんがえようとする場合、何らの障害ともなりえない。かれらの抒情詩の感性的な秩序が、昭和十年代の危機とファシズムの時代に、支配的な社会体制と、おおくの点で構造的な対応をしめし、おおくの点で、支配体制下の詩的庶民の意識構造に投ずる要素をもっていたことだけが、問題提起の前提となりうるものとかんがえられる。たとえば、「四季」派の代表的な詩人三好達治の『測量船』から『捷報いたる』までの詩業を検討しようとするとき、初期の西欧モダニズム文学の影響が次第に薄れ、伝統的詩形と用語の影響が増大してくるという事実と、この詩人が、次第に、戦争下の現実に関心をしめしはじめてきたという事実の、外観上の矛盾などは何の問題ともなりえない。三好の詩業を構成している感性的な秩序が、ファシズム体制が強化されてゆく社会的動向のなかで、どのように推移していったかが問題となるだけである。

わたしたちが、戦後、詩を構成している感性的な秩序そのものが、現実社会にたいして否定的または批判的機能をもつことは不可能であろうか、という問題に執着したとき、必然的に社会構造の日本型とは何かという問題と、戦争期における日本の支配構造は、どのような特質から成立っているかという問題とを、喚起せずにはおかなかった。

「四季」派の提出する問題は、おそらく、危機と戦争の時代に「四季」派の危機意識はどのようにあらわれてきたかという問題と、この派の詩人たちが、次第に日本の伝統的な詩形と感性とをくりこんできたのはなぜか、という問題をふたつながらはらんでいる。「四季」派を多数派とする昭和十年代の現代詩の様相は、それがどのように斬新なモダニズムの衣裳を装っていても、どんな尖鋭な革命的言辞をはらんでいても、詩の感性的な秩序そのものが、現実社会の構造を否定しているというようには存在しなかった。このことは、マルクス主義文学運動の敗退期から、太平洋戦争の終末期までにわたる全傾向の詩人たちの詩業が、決定的にあきらかにしたところである。このうち「四季」派の抒情詩が提出する問題は、伝統的な詩形と感性の問題をはらんでいるため、ほとんど、社会思想史上における日本ナショナリズム―ファシズムの問題と、同様な意義をもっていた。

戦争期において、「四季」派の詩人のうち、もっとも典型的に、この派の危機意識を定着してみせたのは、「鍾鳴りぬ」の詩人三好達治である。

われはゆかん
牧人の鞭にしたがふ仔羊の
あしどりはやく小走りに
路もなきおどろの野ずゑ

露じものしげきしののめを
われはゆかん
ゆきてふたたび帰りこざらん

いざさらばうからつねの
日のごとくわれをなまちそ
つねならぬ鍾の音声
もろともに聴きけんをいざ
あかぬ日のつひの別れぞ　わがふるき日のうた——

（終り三節を抽出）

「つねならぬ鍾」とは、太平洋戦争を暗示する暗比喩であり、「牧人の鞭にしたがふ仔羊の　あしどりはやく小走りに」は、戦争の危機に処する内心の焦慮と意志の表現であるとかんがえても大過ないとおもわれる。「特攻」、「竹槍」、「斬込み」戦術で、戦後インテリの失笑をかった日本の軍部でさえ、当時総力戦・物量戦を呼号した太平洋戦争の実体は、三好の詩では、「鍾」とか「牧人の鞭」とかいうような、花鳥風月にモダニズムの衣裳を着せた暗喩でしか触れられていない。しかも、これでさえ、「四季」派の感性的秩序をもって、戦争の現実のもっとも近くまでふみこんだ表現であることに注意しなければならぬ。もしも、このような感性的な秩序が、詩概念のすべてを意味するならば、わたしたちは、詩をもって現実社会の体系にわけ入ることを恒久的にあきらめるより外ないのである。しかし、たとえば、第二次大戦期の欧米の戦争詩は、鉄量と砲火と生命の危機のなかで、戦争とメカニカルに対立している人間主体の苛酷なすがたを、鮮やかに詩に定着してみせている。

このような対比は、たとえば三好が、西欧近代文学の昭和十年代における移植者の一人であったことをかんがえるとき、かならずしも不都合であるとはおもわれない。「四季」派の抒情概念が、非日常的な戦争の現実に触れる方法は、このような退化した主体によってしかおこなわれなかったのである。これは、かれらが戦争期にはいってとくに使用した擬古語と擬古定型によって拍車をかけられている。擬古語と擬古律を使用すれば、詩の感性的な秩序は、形式そのものとして制約をうけるから、古代社会感覚まで先祖かえりした詩的実体しか成立しえないのは当然であった。この時代錯誤的な矛盾は、かれらの伝統と伝統詩形にたいする理念のなかに、社会の総体的な発展と、それにともなう内的な世界の発展とが無視せられ、いわば、古典詩概念と詩形が、永続的な生命をもっているという事実を、詩の精神内容が時代をこえて不変であることと同義であると錯覚していたためにうまれた。

たとえば、昭和十八年、当時、連合艦隊司令長官であった山本五十六が、ニューギニア上空で機上死したとき、三好達治がかいた「山本元帥を悼む」は、「四季」派の伝統的詩形と詩概念への先祖かえりが、非情、無惨な近代戦の実体と極端にまで矛盾していることを露呈した点で、注意すべき作品である。

しかすがにうみのをさきみあをぞらに戦死したまふ報あなさやけ
いにしへのふみにもあらぬうみのをさ戦死したまふ報あなさやけ
みんなみのうみにとどまりたまふらんきみのみたまをおろがみまつる
ひのもとのそらにとどまりたまふらんきみのみたまをおろがみまつる　（抄出）

このような完全な先祖かえりの語法と形式によっては、「連合艦隊司令長官」という軍事職制は、「うみのをさきみ」という時代錯誤の情緒的表現によってしか行われないし、この短歌の発想自体が、すでに連合艦隊司令長官を、連合艦隊司令長官と呼ぶことを許さないのである。そして、この人物の戦闘死の実体は、「はや」とか「あなさやけ」とか「おろがみまつる」とかいう、原始人の詠嘆のコトバによってしか触れられない。このような完膚なきまでの「四季」派の先祖かえりは、日本人の伝統的な感性秩序にふかく根ざしているとともに、ファシズムの完全な制圧下における日本の支配体制の本質とふかく照応している。

近代日本の社会構造の特質を、西欧型の資本主義とアジア型の後進性との結合として理解することは、もっとも目安をつけやすい方法であろうが、この結合の意味は、一般にかんがえられている（たとえば三二テーゼ）よりもはるかに複雑であり、多分に誤解せられているきらいがある。近代化が高度におしすすめられたとき、日本のアジア的後進性の特質は消滅するということはありえないから、日本の社会構造における後進性を打開することは、直ちに西欧化をおしすすめることと同義ではありえない。

「四季」派の全盛期である昭和九年から、太平洋戦争の末期までにおける日本の社会構造は、いわば、この西欧的近代性と、アジア的後進性という二つの特質を極度におしすすめたものに外ならなかった。日本は、高度の資本主義的な基盤のうえに立った西欧型の帝国主義の要素を獲得するとともに、極度のアジア的後進性もまた、権力機構によっておしすすめられていった。大体において、天皇制下における金融・産業資本からなる日本の支配権力は、自体のなかに奇妙な前近代性をはらみながらも、高度な資本主義支配の特質をもち、しかし巧妙なことに大衆の意識感情を組織するにあたり、その極度におしすすめられたアジア的後進性の側面を組織した。大衆のなかにある近代的意識を組織したのではなかった。太平洋戦争下の日本の支配体制を、たんに前近代的なもうまいの支配とかんがえることも、高度の資本制支配とかんがえることも誤解であろうとおもわれる。極端にまでおしすすめられた近代的要素と、封建的要素との奇妙な併存ということをぬきにして、戦争下の社会的特質をかんがえることは不可能である。

「四季」派が、抒情概念のなかに最初からもっていたモダニズム意識と、伝統的な永続感性との混合された要素が、極度の近代性と極度の封建性の特質をふたつとも膨脹させた戦争期の支配体制に順応してゆくためには、権力意識にとって都合のよくないモダニズム的要素を失っていけばよかった。日本のナショナリズム—ファシズム支配が、イデオロギイとしてどんなに「四季」派にとって相容れないものであったとしても、ナショナリズム—ファシズム—キャピタリズムが組織しようとこころみた支配感性は、「四季」派の詩的な伝統感性と、けっして無縁ではありえなかったのである。かれらが新古今的な中世意識に最後の拠点をもとめようが、万葉的な古代社会意識に拠点をもとめようが、戦争期の支配体制にとっては問題ではなかった。それは、詩的にいえば、「花鳥風月」的な美意識か、「防人」的な美意識かのちがいにすぎず、「四季」派が、伝統的な詩意識を固定してかんがえているかぎり、かれらの詩が、ひとしく大衆の後進性のカテゴリイにくりこまれて、組織されるべき感性的な秩序にしかすぎなかった。

戦争期の支配体制と「四季」派の感性のなかに、このような固定した伝統意識の照応があるかぎり、初期においてまったく現実社会の動向とは無関係なところに、詩的な世界をきずきあげてきたというような「四季」派の外観的な特長などは、何ものをも意味するものではなかった。かれらの社会的無関心は、たちまち、おそるべき戦争讃歌と密通することが可能であった。わたしたちはこのことを「四季」派の戦争意識の表現について研究してみなければならない。

神州のますらをすぐりあだの拠るわたのかぎりをおほひたたかふ

日の本は曠古のいくさするときも一天はれてくささきさやけし

尽未来紅毛賊子うちはらひあをうなばらにけがれあらすな

はじしらぬめりけんばらはめりけんのくがの奥地におひやらひてん

はじしらぬ海賊の子の海賊らしんがぽうるのもくずとしてん

（三好達治「捷報臻る」から抄出）

欧米人の実体を、「紅毛賊子」とか「めりけんばら」とかいうようなコトバで表現している三好達治が、メリメの訳者であり、ボードレールの訳者であり、西欧の近代文学の昭和における代表的な移植者のひとりであることに注目してみなければならぬ。西欧近代社会の特質と、西欧的な発想について、無知であるはずもない知識人が、太平洋戦争において、封鎖的な無知な排外意識と同等の地点に平然と移行しえた、ということはおどろくべきことである。しかもこれはかならずしも「四季」派の詩人のみの特質ではなかった。日本のインテリゲンチャが、ほとんどひとしなみにたどった発想の経路だったのである。「四季」派の詩人においても、早く死んだ立原道造をのぞいて、すべてこの経路をすすんだのである。

かれらの内部意識のなかで、西欧的近代意識と日本的伝統意識とが、あまり矛盾・対立・葛藤を経ずに、原始的な形で併存していたとかんがえるよりほかに、このような事実をうまく理解する方法はないとかんがえられる。戦争によって、西欧文化から数年のあいだ遮断され、しかも、西欧諸国と抗争しなければならないと強要されたとき、かれらのなかで西欧的教養は、塵か芥のように消滅してしまい、あとは、庶民大衆の多数がたどらされたような、見事な先祖かえりにまで退化していったのである。

三好の「はじしらぬ海賊の子（英国のこと——註）」とか、「紅毛賊子」とかいう表現は、けっして、西欧にたいする劣勢意識とか憎悪とかいうものではなく、また、ファシズムの戦争スローガンの流行を単に模倣したのでもない。また、庶民大衆の動向に、たんにうごかされただけでもなく、伝統的なものを、感覚論理的に掘りさげたあげく、美意識上の反西欧にたどりついたものであった。

日本の戦争権力は、西欧帝国主義の本質を、「紅毛賊子」とかんがえ、これを「うちはらひあをうなばらにけがれあらすな」というような幼稚な認識で、戦争を強行したものではない。戦争権力もまた一面から視れば、高度の帝国主義としての近代性を具えていて、戦争の本質をリアルに把握していただろうことを疑うわけにはいかない。「四季」派の抒情詩人たちは、一見すると権力のプロパガンディストとしての外貌を呈しているが、ほんとうは逆であった。権力のプロパガンダを、自身の固定した伝統意識においてうけとめ、たとえば、庶民大衆が動かされた地点よりも、もっと根深いところで、日本的な原始社会感覚を、掘りおこしていったのである。かつて、昭和十年代の前半に、かれらがモダニズム的な教養として得た論理と論理とが通じあう世界は、こんどは封鎖的な伝統感覚を掘り下げるために使用された。かれらの抒情感性と、庶民大衆の感性とを区別するものは、伝統感覚を論理的に掘りさげる能力と、伝統感覚を組織させられた生活感覚とのちがいであった。

かれらは、狭い孤島に、数年間外界と遮断されてとじこめられたまま、伝統的な感性の秩序をせっせと論理的に掘りさげていった。かつて身につけたと信じた西欧的な感性や発想は、庶民の生活感覚と、支配体制のプロパガンダによって集中的に攻撃されて、しだいに疑わしいものに視えてきたにちがいない。このような経路を、側面から助長したのは、おそらく「四季」派の抒情概念が、主として、かれらの内的な世界と、自然物との接触点によって成立っている特長であった。「おやすみ　やさしい顔した娘たち　おやすみ　やはらかな黒い髪を編んで　おまへらの枕もとに胡桃色にともされた燭台のまはりには　快活な何かが宿つてゐる（世界中にはさらさらと粉の雪）」（立原道造「眠りの誘ひ」）といったような具合に、いつもかれらの感性の周囲の「世界中にはさらさらと粉の雪」が降っていたのである。かれらの抒情は、異質であった中原中也を除いては、すべて人間社会の日常的な葛藤・矛盾・対立さえも、詩概念のなかに導入することができなかった。ましてや、権力社会と権力社会とのインターナショナルな対立・抗争などは「海賊の子」とか「紅毛賊子」が、「神州」の「ますらを」と抗争しているという概念によってしか、詩のなかに導入するすべがなかったのである。

日本の詩に、花鳥風月詠の主題を意識的にみちびいてみせたのは、俊成にはじまる中世の詩論家たちであった。「四季」派の抒情詩人たちが、たとえば定家のように「紅旗征戎非㆓吾事㆒」とうそぶいていられなかったのは、もうまいな前近代意識の組織化が、いかに大規模におこなわれた太平洋戦争期とはいえ、日本の社会もまた、高度資本主義社会としてのメカニズムを、官僚ファッショ体制のうちに保持した近代的社会に外ならなかったからであった。かれらの戦闘意識は、かくしてある側面からは、西欧近代とはまったく異質の烈しさに達し、ある側面からは日常感覚的にしか戦争に触れようとしない、もうまい性をあらわさざるをえなかった。

神州のくろがねをもてきたへたる火砲にかけてつくせこの賊

この賊はこころきたなしもののふのなさけなかけそうちてしつくせ

あだといへあるひはあはれしかすがに奸黠賊のほろぶるすがし

無慙なる奸黠ばらはことごとにうちてしつくせかげもとどむな

おほけなきあきつみかみのみいくさのかかるしこらとたたかふさへや

（三好達治「馬来の奸黠」より抄出）

ここに、庶民大衆の戦意そのものの、論理的な表現をみることができる。今日において、わたしたちを愕然とさせるのは、「この賊はこころきたなしもののふのなさけなかけそうちてしつくせ」というような残忍な戦闘意識が、無意識のうちに表現されていることである。ここに表現された残忍さは、たとえば、東京裁判において「文明の名」により処断されたナチス流のメカニカルな残忍さとは、まったく異質である。このような情緒的な残忍感覚は、三好が、原始シャーマニズム（神道）を、論理的に掘りおこすことによってつきあたった、伝統感性の一極点であった。たとえば、このような戦闘詩が、初期詩集『測量船』で、「太郎を眠らせ、太郎の屋根に雪ふりつむ。次郎を眠らせ、次郎の屋根に雪ふりつむ。」という民話的情感を、優にやさしく定着してみせた三好の詩業と、異質であるとかんがえるのは、まったくの誤解にすぎない。「四季」派の詩人たちが、詩形と詩意識との先祖かえりを敢行したとき、必然的につきあたったのは、日本の恒常民衆の独特な残忍感覚と、やさしい美意識との共存という現象だった。このような伝統感性への先祖かえりが、現実社会からの逃亡によってはじめておこなわれたとかんがえるのはまちがっている。むしろ、三好が、本来的に強靭な生活者であり、リアルな日常生活感覚の把握者であることが、このような恒常民的な感性につきあたるおおきな原因をなしていることは、これらの戦争詩を、背後からささえている強い論理的感覚によって推定できるとおもう。

『文学界』昭和十七年四月号（第九巻第四号）の座談会、「即戦体制下文学者の心」のなかで、小林秀雄と河上徹太郎は、この時期の三好達治について、次のように批評をくわえている。

河上（徹太郎）　文句は表だけ云つて居るかもしれないけれど、三好は裏も見せて居る。今の戦捷の詩は裏を見せて居ないのが多くてつまらない。裏を見せて居るのは三好一人だよ。

小林（秀雄）　三好は結局日常生活詩人だからね。だから、君と亀井とで三好の詩を批評して居たけれど、あゝいふ批評は面白くない。詩にハーモニーがあるとか、リズムがあるとかないとか、さういふ批評は、三好の詩の核心をつかまぬ、三好の詩の本当の美しさは生活に勝つたところにあるのだよ、三好がワイフに勝ち、子供に勝ち、貧乏に勝つたところから来る。

小林と河上は、ここで、三好達治が、本当は庶民社会の裏おもてにつうじた、日常生活詩人である、と結論しているようにおもえる。「ワイフに勝ち、子供に勝ち、貧乏に勝つた」という小林秀雄の奇矯な云い方は、三好もまた、日本の達人的な生活者が、「家」や「社会的諸関係」のなかでたどる発想を、自分の詩の方法としていることを洞察したコトバに外ならない。このような日本的な達人的生活者が、日常社会のなかでもろもろの事柄に「勝つ」過程は、人間対人間の葛藤の本質を見きわめて、主体的自我を確立することでもなければ、貧乏やワイフや子供に勝つことが、どうして達人的な生活者になる所以であるのかを、社会的な構造の特質にからめて洞察することでもない。一方では人間対人間の社会的な諸関係を、情緒的なナレ合いに転化しながら、一方では、他人のことなどかまっていたらきりがない、人生は戦いだというような没社会的な生活認識を徹底させてゆくことにすぎないのである。このような日本的な生活認識が、日本の社会構造の特質にまつわる「恒常民」的な認識に、どこかでつきあたるのは当然である。三好が、その戦闘詩でつきあたった残忍感覚と、情緒的な日常性の併存というものも、生活意識的な面からかんがえればおそらくここに由来するものであった。

「四季」派の抒情詩は、たとえば擬古語と現代語の問題、詩における定型と非定型の問題、抒情の質の問題、等々、種々の方向から検討することができるであろう。しかし、「四季」派の抒情詩の感性的秩序が、現実社会の秩序を認識しようとする場合、はっきりした自立感と遠近法をもたず、したがって現実の秩序と、内部の秩序とが矛盾・対立・対応がなされる以前に融合してしまっているところに、問題があるとかんがえなければならない。かれらは、自然や現実を、自己認識と区別できない平板上にとらえて、少しも疑おうとしていないのである。かれらのうちでは、自然もまた社会と同質な平面上の認識の対象であり、日常社会のメカニズムも、自己意識を拡大することによってとらえられた対象にしかすぎないのだ。

「四季」派の詩人たちが、太平洋戦争の実体を、日常生活感性の範囲でしかとらえられなかったのは、詩の方法において、かれらが社会に対する認識と、自然に対する認識とを区別できなかったこととふかくつながっている。権力社会もかれらの自然観のカテゴリーにくりこまれてくる対象であり、権力社会と権力社会との国際的な抗争も、伝統感性を揺り動かす何かにすぎない。原始社会人が、日常生活の必要から魚獣や他の部族を殺すことを、自然に加える手段の一部とかんがえているにすぎなかったように、殺りくも、巨大な鉄量の激突も、思想的対立も、すべて、かれらの自然認識の範囲にはいってくる何かにすぎないのである。「神州のくろがねをもてきたへたる火砲にかけてつくせこの賊」こういう三好の詩に、鉄器をもてあそぶ原始社会人のシャーマニズム自然観の痕跡をみとめないとすれば、おそらく「四季」派の抒情詩の提出する意味を究極的に理解するのはむずかしいのではないかとおもわれる。かれらが、詩的な認識のはてに、ついに到達した日本の「常民」的認識の特質を解明することこそ「四季」派の抒情詩が提出するもっとも重大な課題ではあるまいかとおもわれる。

かしこ香港島上に
東海の猛鷲飛びかひ
巨弾雨ふり
重砲炸裂し
万物浄化の猛火炎連日かの病竈を燬きはらひて
今その奸悪と譎詐と驕慢との一世紀の理不尽の後に

ああかの図々しき末賊どもの隠れ家は
ああかの死太く厚顔ましき侵略搾取の足溜りは
見よかしこに彼らの白旗を
ああげに彼らの罪悪の一切合財の根城のうへ　竿頭高く
つひに彼らの悲鳴を
永く彼らの忘れはてたる一片の良心を掲げ示せるなり

（三好達治「昨夜香港落つ」より抄出）

これが、大学においてフランス文学を習得し、フランス文学を日本に移植し、また、モダニズム文学の一旗手であった詩人の「西欧」認識の危機における、かけ値なしの一頂点であったことを、わたしたちは決して忘れてはならない。日本の恒常民の感性的秩序・自然観・現実観を、批判的にえぐり出すことを怠って習得されたいかなる西欧的認識も、西欧的文学方法も、ついにはあぶくにすぎないこと——これが「四季」派の抒情詩が与える最大の教訓の一つであることをわたしたちは承認しなければならない。

芸術的抵抗と挫折

近年、いわゆる文学者の「戦争責任」の問題が、かまびすしく論議されたとき、批判の対象になった旧プロレタリア文学系の文学者と、プロレタリア文学の転向、挫折の事実を、あるところまでおおいかくし、救えるものだけは救い出して、この課題に終止符をうとうと試みた民主主義文学者とは、いずれも特徴ある発言内容をしめした。問題提出者でさえ予期しなかったその意外な反応は、日本における芸術的抵抗の実体が、いかなるものであるかを露呈した点できわめて興味深いものである。

例えてみれば、それはひたかくしにかくしていた背信行為をあばき出された宗徒の狼狽に似ていたし、また、聖体をひきずりおろされた宗徒のやみくもな自己防衛に似ていた。そこに封鎖的な宗派心は感じられても、問題を権力にたいする芸術的抵抗の課題として、大衆の前に論議をつくすという解放された意識を見出すことは困難であった。批判の対象になった文学者の一人、壺井繁治は、おおよそつぎのような詩をかいている。(1)

〈膝まずいて生きるよりは、立つて死なう。〉そういつて銃口の前に立つた人がある。その人は死んだが、その人の言葉は僕の中に生きている。お前は膝まずいた、権力の前に。だから裏切者といわれても仕方がない。権力と闘うべき党を裏切つたのだから。(中略)ひとたび裏切つた者は、ふたたび裏切ると誰かがいつた。僕はまた裏切るだろうか。驢馬か、英雄か、わからぬ不安。ふたたびやってくる暗夜の中で、僕は、僕の身体検査をやらねばならぬ。

暗い封鎖的な感覚であり、もう一度、前衛「党」を、超人かなにかの組織に祭りあげたがっている点で特徴的だが、ここでは壺井の内部感覚の問題には立ち入るまい。力説されなければならないのは、壺井が、自己の挫折を、芸術運動の組織、政治と芸術との関係、芸術と大衆との結びつきの問題、というような芸術的抵抗と挫折の普遍的な課題にむすびつけて検討しようとせず、「前衛」としての優越感をそのままひっくりかえしたような、劣等感にまみれた独白や、前衛「党」にたいする忠誠対話に、すべてを還元してしまっていることである。無意識ではあろうが、ここにはひとつの詐術がある。壺井は、今日の腐敗した民主主義文学者なみに、個人の思想的節操の強弱などは、組織的弾圧のまえには無力にひとしいものであった、という戦争期の厳たる事実をおおいかくすことによって、芸術的挫折の問題を、大衆の前にさらすことを拒み、壺井自身が、決して「裏切り」などではなく進んで戦争に協力したのだ、という事実をも外らそうとしているのである。問題は、なぜ自分は思想的節操において弱かったかをざんげすることではなく（それは無意味にちかい）、なぜ、戦争に抗しえなかったかを、思想と芸術と組織と大衆との結び目にからめて、問うことにあるのはあきらかである。こういう文学者は、ふたたび前衛「党」を「超人」党に仕立てあげて優越感にひたったり、自分はついていけないのではないかという不安感を意識したり、独りでつっ走ろうなどとかんがえないで、大衆の意識と広く対話することで、広範な組織的な基礎をつくり出すことをかんがえた方がいいのだ。

しかし、壺井のような思考形体は、かならずしも壺井一個のものではなく、思想的節操をまもって「非転向」のまま獄中にあった、革命運動家のなかにもあったのである。かれらは、逆に思想的節操を守った優越意識が潜在していたため、いやおうなしに戦争にひきずりこまれ、いやおうなしに戦闘に参加して、生活的にも精神的にも徹底的な打撃をこうむった敗戦後の大衆の意識と、「獄中」にあって慴伏していた自己の意識とのあいだに、どれほどの断層があるかを検討しようともせず、戦後革命運動を展開したのである。たとえば、戦後すぐに、革命運動の戦略問題について、かれらの間に論争がおこったとき[2]、その争点は、つぎのような三つにわかれた。

(1) 敗戦後特に新憲法によっても、絶対主義的天皇制は、いうべき変更を蒙ってはおらず、三二テーゼの戦略的規定はそのままあてはまる。
(2) 敗戦後の諸改革によって天皇制は絶対主義的天皇制から立憲君主制に移行した。
(3) 現在の天皇制は絶対君主制への転化の過程にある。

この「天皇制」論争にあらわれた共通の盲点は、戦争後期（太平洋戦争期）に、日本の天皇制が、絶対主義から「超」絶対主義に移ってゆき、その過程で、大衆が「消極」的な戦争協力から、いやおうなしに「積極」的戦争協力体制にくみ入れられていった事実にたいする、過少の評価または無評価である。そして、このことは「非転向」の革命家たちが、自己の思想的節操の問題をこえて、「前衛」と大衆との戦争体験にまつわる、たくさんの断層を検討することなしには、とうてい、みちびきえない洞察であった。

おなじような盲点は、いわゆる文学者の戦争責任論の展開にたいして、もっとも精力的に反撃をくわえた花田清輝の、壺井などとまったく対照的な発言のなかにもあらわれたのである[3]。

戦争中、ながく獄中にいたり、亡命したりしていた革命家たちのなかには、戦争中の獄外における抵抗を過小評価している点においては、吉本隆明などとえらぶところのないような人物がたくさんいることは、あなたもご承知のとおりです。こういう人びとが、上っつらだけをみて、獄外にいたものの抵抗の不足を、心ひそかに見くだしながら、いきなり、真空地帯から運動の渦中にとびこんだのですから、運動そのものも独善的にならないわけにはいきません。かれらには戦争責任はないかもしれませんが——しかし、あきらかに戦後責任はあります。

ここには、「非転向」のまま、獄中や国外にあった革命家たちの盲点にたいする正当な指摘がある。しかし、戦争期における「超」絶対主義体制にたいする過少評価と、大衆の動向にたいする無評価とは、おおうべくもないのである。花田清輝の抵抗体験が、たかだか、大衆組織からも、大衆の動向からもきりはなされた「同人雑誌」によって、戦争讃歌をかかなかったと言うにすぎず、しかも、当人の他は、大衆にたいして責任をもっているジャーナリズムで、ことごとく戦争讃歌を本心からかいたという茶番に外ならなかったのをみれば、こういう評価がうまれるのは当然である。花田清輝もまた、抵抗の基準を自己の主観におき、戦争期の「超」絶対主義体制の問題を、素知らぬ風でやり過そうとしている点で、先の「非転向」の革命家とえらぶところはないのである。

ここに実例をあげて指摘したのは、転向の問題を、抵抗すべき本来的な任務をもった「党」にたいして節操をもたなかったというざんげにすりかえる奇妙な物神崇拝と、主観的抵抗を合理化して、戦争期の「超」絶対主義体制にたいする過少評価に陥っている傾向とにほかならないが、ここに示された大衆の動向にたいする色盲が、そのまま日本における芸術的抵抗の特徴ある性格を暗示しているのを、否定することができない。

言うまでもなく、プロレタリア文学運動を主体として展開された昭和初年の芸術運動は、過去において、はっきりした目的意識をもってなされた唯一の芸術的抵抗である。日本における芸術的抵抗の問題点は、集中した形でここにあらわれたのである。わたしは、いくばくかの愛着と、いくばくかの絶望をこめ、政治と芸術（詩）とのかかわりあいを中心に、この芸術的抵抗と挫折の実相にふれてみなければならない。

一九三二年（昭和七年）は、日本の革命運動にとっても、プロレタリア芸術運動にとっても、ひとつの転換期であった。この年、コミンターンの三二テーゼは、はじめて日本の権力機構のなかで、天皇制が演じている強大な役割を指摘し、当面する革命の性質を、社会主義革命への強行的転化の傾向を持つブルジョア民主主義革命であると規定した。大体において、日本の条件下では、プロレタリアートの独裁へは、ただブルジョア民主主義革命の道によってのみ、すなわち、天皇制を打倒し、地主を収奪し、プロレタリアート農民の独裁を樹立する道によってのみ到達しうるというのが、その戦略規定の中心であった。前年（昭和六年）、満州事変、この年には上海事変が勃発していたため、このような戦略規定は、反戦運動を、もっとも大きな支点として実行されねばならないとされた。だから、帝国主義戦争を内乱に転化する目標に従う日本共産党は、戦争の性質に適応する反戦活動を行い、帝国主義日本が中国国民に対してやっている現在の戦争の条件下では、これを中国からの軍隊の即時召還の要求に結びつけ、兵士委員会を創れという呼びかけに結びつけねばならないと、要請されたのである。しかし、三二テーゼの反戦任務のうち今日的観点から、特に注目をひくのは、つぎのような点である。

革命的階級は反革命戦争の場合にはたゞひとへに自国政府の敗北を切望しうるのみである。政府軍の敗北は日本の天皇主義を弱め、支配階級に対する内乱を容易にするであらう。（中略）中国或は、ソヴエート同盟に対する帝国主義戦争の条件下では日本の共産主義者は、単に敗北（敗戦）主義者たるばかりでなく、ソヴエート同盟の勝利と中国々民の解放とのために積極的に闘はねばならぬ。

（反戦任務〔六〕）

すでに、前年あたりから、創作における唯物弁証法的方法が提唱され、詩のボルシェビイキ化、「前衛」の観点への移行、が叫ばれていたプロレタリア詩運動は、このコミンターンの要請を、すぐに反映するだけの素地をもっていた。たとえば、槇村浩の詩「生ける銃架」（『日本プロレタリア詩集』一九三二年）をとってみれば、三二テーゼの反戦任務と完全に一致する内容をもっていることが了解される。「満洲駐屯軍兵卒に」と副題されているこの詩は、日本軍兵士を、思想も意志ももたない「生ける銃架」としてつかまえ、この集団が姿をあらわすところ、中国と日本の圧制者が手を握り、犠牲の鮮血が二十二省の土を染めた、と表現している。ところで、この詩は、絶対主義体制に組み入れられ、銃を担って戦闘に参加している日本の庶民たちと、コミンターン・テーゼを至上の要請として、絶対主義体制に抵抗している「前衛」の観点とのあいだの断層や矛盾を、どのように捉えているだろうか。

突如鉛色の地平に鈍い音響が炸裂する
砂は崩れ、影は歪み、銃架は血を噴いて地上に倒れる
今ひとりの「忠良な臣民」が、こゝに愚劣な生涯を終へた
だがおれは期待する、他の多くのお前の仲間は、やがて銃を後に狙ひ、劍を後に構へ
自らの解放に正しい途を選び、生ける銃架たる事を止めるであらう

ここで、「前衛」の観点は、日本庶民である「忠良な臣民」の死を、愚劣な生涯を終えたというようにつかまえ、そこから直ぐに、庶民である兵士が、やがて銃を支配権力に向け直すことが期待されている。「前衛」と庶民が、帝国主義戦争をはさんで、全く対立的に図式化されていて、矛盾もなければ、苦痛もなく、また何を機縁にして庶民が、銃を支配者に向けなおすのかを、まったく捉えてはいない。ここには、三二テーゼの反戦任務の忠実なスローガン化があるかも知れないが、それを、日本の支配体

制のなかで具体的にうけとろうとする「前衛」の観点はどこにも存在していないのである。プロレタリア詩が、芸術的抵抗として、高度の政治意識をとらえたとき、生れた意識上の空白はここにあった。いわば異常に盲目的な感覚が、高度の政治目標をとらえたものだと要約することができるかも知れない。

このような実例は、プロレタリア詩のなかに多く見つけることができる。今野大力の「屈辱」(『赤い銃火』昭和七年)は、おなじように「市電の一労働者に代って」、舞台を日本国内の労働社会にとり、反戦を訴えたものである。ここでは、「いのちをささげて　中国ソヴエートや　ソヴエートロシアの同志に　あの労働者の建設の意識に燃えた同志達に　恥なき戦争するために　弾丸を運ぶ」ことを生活の手段にしている交通労働者が、三二テーゼの反戦任務に忠実に「屈辱」として表現されている。しかし、この屈辱は、詩人の意識の実体にまで垂鉛をおろすことがなかったのは勿論、「前衛」と庶民労働者の政治的観点の断層の問題としても、つきつめられることなしに、安直な蜂起の決意に転化されている。

おれたちの力の盛り上りは
日本プロレタリアートの力の盛り上り
おれたちは
おれたちの党の指令を持つ!
決定的闘争の指令を持つ!

全線休止!
きつとおれたちは結束して起ち上る
そしてソヴエート干渉戦争のインボウ者の腕をへし折らう
おれたちは交運労働者

即ち、鉄道、汽船、軍需工場にストライキを遂行するため、全力を尽して努力せねばならぬ、大衆行動と革命的反戦行動は、日を追うて益々広汎に展開されねばならぬ、その場合、ゼネラル・ストライキを宣言しこれを武装蜂起に転化することを目標に努力すべきである、という三二テーゼの要請が、忠実に詩の表現に直訳されている。こういう、詩の実体のなかでは、日本の社会に根を下ろしている労働者の生活意識の構造に、深くさぐりを入れようとする意識は、まったく存在しえない。このとき、「前衛」の観点への移行とは、何を意味するのであろうか。今日的な観点から、三二テーゼを検討すると、天皇制の強大な役割を指摘することで提出した日本の絶対主義の分析は、極めて正確であるが、戦略規定には幾つかの誤謬があることはあきらかである。しかし、もっと根深い地点で、日本の「前衛」のなかに、国際的な革命方式を自国の社会構造に則してとらえるだけの政治意識上の準備がなかったことを、これらの詩は実証している。三二テーゼが、せっかく明示した天皇制の科学的分析は、日本の「前衛」にとって、具体的なイメージになりえなかったのである。鈴木泰治「鋪装工事から」(『防衛』日本プロレタリア作家同盟編　一九三二年)などは、コミンターン・テーゼの天皇制規定が、そのままプロレタリア詩にとり入れられながら、天皇制の具体的実相が、まったく摑まれていないことを素直に物語っている。

俺達は特別大演習までに鋪装を完成する
四ケ師団の軍隊がこの道を行進する
天皇旗！
俺達が夜に日をつぎ、餓ゑた腹をゆすり上げられしきつめた道を
天皇旗！

不可侵の権力——
税のいらぬ日本一の大資本家地主——
俺達が「出版物」ではじめて知り
憤怒を胸にやきつけた奴が
堵列する民衆の前を通る！
ソヴエート同盟攻撃の道を進軍する！

俺達、プロレタリアート
戦争を前に
土性骨の太いところを奴等にみせてやるんだ
——ソヴエート同盟擁護！　と。

これらの作品は、当時、日常的な課題よりも、階級闘争の激化した場面を、「前衛」の観点からとりあげよ、という詩のボルシェビイキ化と「主題の積極性」のスローガンのなかでかかれた典型的な作品である。そして、コミンターンの高度な政治要求を、ともかく詩にかきこんだという意味で、日本における芸術的抵抗のひとつの達成であるとともに、その機械的な主題の取り上げ方、内部的な無葛藤性、絶対主義体制への無理解、芸術として思想としての未成熟さ、などにおいても特筆するに価するものであるということができる。当時においても、中野重治、伊藤信吉、森山啓など、プロレタリア詩の理論家たちは、これらの傾向を、あるいはロマンチシズムであり英雄主義であり、主題の積極性の主観的な理解であるとし、はげしく否定している。たとえば、中野重治は「詩の仕事の研究」(4)のなかで、かいている。

この種の「批判者」（詩のボルシェビイキ化の主張者─註）の註文通りに詩をつくつてゐたらどんな詩が出来るか、それを知りたければ僕ら自身の最近までの詩を見るがいい。そこには「批判者」の仰せどほりの詩が沢山ならんでゐる。（僕自身のことは一番よく分るから言ふが、その恰好の見本の一つが僕の「夜苅りの思ひ出」なのだ）馬鹿な母親たる僕らは、色んな婦人雑誌や安産教科書を読んで来て、かち〳〵の注射薬や胎教やを胎児につぎこんだ。その結果玉のやうな子供を安産したが、その子供はかんじんかなめのうぶ声をあげなかつた。何と馬鹿な母親。

わたしは、ここで「何と馬鹿な母親」という中野重治の自省を、芸術作品として未成熟であるという自明の点でうけとり、プロレタリア詩の創作方法上の欠陥を論じようとする意志をもたない。中野重治が「玉のような子供」と呼んでいる前衛の政治的観点自体に、問題があるとして取上げようとしているのだ。前記の詩に、共通してあらわれている政治意識は、「前衛」の観点を、コミンターン・テーゼの上に乗せ、侵略戦争にかり出された庶民は、「生ける銃架」であり、中国やソヴェトロシアに戦争を仕かけるために弾丸を運ぶ庶民労働者は「めくら馬」であるというような考え方であり、「前衛」的観点と庶民的動向とは、矛盾も葛藤もなく真向うから対立するものとして把握されている。しかし、大衆の動向にたいして思想上の責任も負わず、苦痛も矛盾も感じない「前衛」的観点などは、本来ならば取上げるにも価しないだろう。もちろん、「前衛」だなどと言えた義理ではない。これらの詩が、未熟であるが故にかえって生々しく描き出したのは、絶対主義体制に真向うから抵抗した「前衛」と、絶対主義体制にくみ入れられた「庶民」とが、侵略戦争を契機として、おおきく政治意識上の断層をもつにいたった事実と、その事実にたいして、「前衛」たちが一顧の自省すら示さなかったことである。

しかし、「前衛」と「庶民」とを引き裂くために、「封建性の異常に強大な諸要素と独占資本主義のいちじるしく進んだ発展との結合であるところの日本の支配体制」(三二テーゼ)が、たんに、銃剣と弾圧とをもってしたのだ、という現在も日本の民主主義文学運動内に巣くっている主体性を喪失した俗論は、根こそぎ一掃される必要があるだろう。この俗論によって、彼らはたんに吹けばとぶような誤謬の歴史を擁護しているにすぎないからだ。

思想的に理解すれば、日本の絶対主義権力は、庶民にたいしては「封建性の異常に強大な諸要素」を前面につき出して飼いならし、コミンターン・テーゼを至上の要請とした「前衛」にたいしては、「独占資本主義のいちじるしく進んだ発展」を前面につき出して、その自己意識を幻惑させたということができる。こういう事情のもとで、「前衛」の意識におこったのは、政治意識と生活意識との矛盾であり、庶民の意識が自然成長のままつかませられたのは、後進国意識としてのナショナリズムの問題であった。しかし、日本におけるナショナリズムが、後進国民族主義に終始せず、侵略的方向に結びついて行ったのは、このような庶民のナショナリズムの欲求を、絶対主義権力が、その「独占資本のいちじるしく進んだ発展」の側面から利用したからに外ならない。

アジア的後進性とヨーロッパ的独占資本制との結合という一事情は、おそらく日本以外のいずれの国においても、おこりえなかった。したがって、コミンターン・テーゼに要請された日本の革命運動と、日本の庶民の動向とのあいだの断層は、まったく、特殊の構造をもたざるをえなかったばかりか、革命運動の「前衛」のなかにおこった政治意識と生活意識との矛盾も、特殊な様相を孕まざるをえなかったのである。たとえば、もっとも優れたプロレタリア詩人の一人、中野重治のなかにさえ、「前衛」的な政治意識と「封建性の異常に強大」な生活感情とが、無葛藤のまま並列されている作品のいくつかを視るのである。

(1)夜明けは間もない

この四畳半よ
コードに吊されたおしめよ
煤けた裸の電球よ
セルロイドのおもちやよ
貸蒲団よ
蚤よ
僕は君らにさよならをいふ
花を咲かせるために
僕らの花
下の夫婦の花
下の赤ん坊の花
それらの花を一時にはげしく咲かせるために

（「夜明け前のさよなら」）

(2)どいつとでもぐるになれ
へんな立札を好きなほどおつ立てやがれ
おれらは鎌をとぐんだ
ゴシ　ゴシ
待つてろそこで
てめえも一しよに苅り取つてやる
ゴシ　ゴシ
てめえの二本足かつきつてやる

（「待つてろ極道地主めら」）

「前衛」的なプロレタリア詩人が、「前衛」的な観点から日常感情を唱った詩（中野重治「雨の降る品川駅」）もなかったわけではなく、反対に庶民的意識から反戦をつかまえた詩（金井新作「戦争」）がなかったわけではない。しかし、このような「前衛」の日常感情は、庶民的生活者の生活意識と出会うべき通路がなく、また、庶民の反戦的なヒューマニズムは、たとえばコミンターンの反戦任務に動かされた「前衛」の意識と出会う通路がなかったというのが実情であった。

ここで、日本における芸術的抵抗は、芸術自体の構造としても、政治的思想との関係においても、日本の絶対主義がもっている「封建性の異常に強大な諸要素」と「独占資本主義のいちじるしく進んだ発展」とに、同時に対決する方法をつかみ出す困難な二面性をもたざるをえない筈だったということができる。しかし、「前衛」的な観点からかかれたプロレタリア詩は、この日本の絶対主義がもつ矛盾した二側面に、ほんろうされて、ただたんに庶民的意識と真向うから対立し、また、自己意識のなかに生活性と政治性の矛盾を徹底してつきつめることもできなかったのである。わたしは、この問題を、プロレタリア詩が表現した生活意識の側面から、もう一度改めて検討してみなければならない。

プロレタリア詩にあらわれた、生活意識や生活描写の実体は、日本の下層社会の実体と、下層庶民や反抗者や、社会から疎外された大衆の意識構造を暗示している点で、重要な意味をもつものである。なぜならば、権力に対する芸術的抵抗の母体は、この生活意識の実体を集積し、それを検討し方向づけることによってしか、つくりえないものだからである。明治三十一年、すでに、横山源之助は、『日本の下層社会』(5)のなかで、下層庶民の「家」の実体について、つぎのようにかいている。

而して夫婦喧嘩は貧民の家庭に最も多く見る所、或は生活の苦悶を夫婦喧嘩の上に示せるものなきにあらざれども、亦た何等の理由もなく衝突して罪なき子供にあたり、昼食の用意なきにも拘らず仕事に出でざるもあり、内助たる女房も、亦た互に親切を尽して其の生活の負担を軽んずることをせずして、内職より得たる金を所天に隠し窃に飲食に棄つるもあり、闇黒の方を見来れば真個一幅の修羅場なり。

この横山源之助が描いた一幅の修羅場は、日本資本主義の膨脹にとりのこされ、「家」の存在さえ禁止された下層庶民の生活的な窮乏と、それによって破壊された生活意識とが、錐をもむようにからみあったところから生れたものに外ならないが、政治的観点において日本庶民の政治意識の実体をとらえることができなかったプロレタリア詩は、生活描写においてはこの実相をとらえずにはおかなかった。もちろん、このことはすでに触れたように、プロレタリア詩の特長をしめすものであるとともに、矛盾をも示しているに外ならない。生活意識を目的意識化して政治的観点に達する道と、政治的観点を屈折させて、この下層庶民の一幅の修羅場を指す道とが、そこにはなかったのである。初期、プロレタリア詩は、その自然成長の過程においてのみ、横山源之助がその古典的名著のなかで描いた下層社会の実相を、具体的にとらえてみせた。たとえば、渡部信義の「尖れる心」(『灰色の藁に下がる』)は、ほとんど、前記の横山の描写と一致している。

やはり乏しい米箱だ。
ああ、不平ははけ口を求め、
少しのきつかけにも焦々と打つつからねばやまぬ虐げられた心!
——何に何に? もう一度云つてみろ!
——云ふとも、何遍でも云ふとも、云はないでゐられるか!

――何が、この青ぶくれの尖りつ面のくそあま！
互の心は益々尖つて焦だつて荒々と打つつかる、
そこには亭主もなければ女房もない、
あるのはただ底のしれない憎悪だけだ、反感だけだ、
わけのわからぬ怨恨だけだ、不平だけだ。

実際は、ここに、日本の下層社会のどん底にメスを突入れてえぐり出そうとする第一級の芸術家の絶望や、痛切な実感をもとめることはできず、いささか安直にすぎる感情的なうめきがあるにすぎないが、プロレタリア詩が、このような日本の下層社会の生活の否定的な側面にも着眼しているという事実は、特筆されなければならないとおもう。政治的な「前衛」詩において、あまりに楽天的な「前衛」的観点をみせつけられ、生活詩においても、絶望的な主題を描写しながら、真に絶望した意識をひとつとして見出せないところに、日本における芸術的抵抗の実体はしめされているとは言え、記録的な観点からいうならば、「乏しい米箱」の生活も、破れ障子のかげで行われる夫婦喧嘩の罵りあいも、唯「米の飯を食いたい」ということを人生最高の理想として、遂に一杯の米の飯に舌つづみも打てないで、一個の米作機械として死んでゆく貧農の姿も、すべてかきとめられたのである。このような貧民の生活実相に痛憤して、争議に出かけてゆく青年が、父親から、そんな暇があるならば、縄の一房も余計につくったらどうだ、と浴びせかけられる光景もまた、かきとめられたのである。しかし、総体的に言って、プロレタリア詩は、日本の下層社会の「封建性の異常に強大な要素」に根深く喰いこまれた生活意識を根こそぎ、えぐり出すこともできなければ、これと対決してひっくりかえす道をつけることもできなかった。

これら下層社会の生活のみじめな実相にたいする痛憤は、コミンターン・テーゼ直訳式の「前衛」的観点に移行することができたかもしれないが、根深い生活意識上の対立として、恒久的に日本の社会構

造に対峙することができなかったのである。

わたしたちは、プロレタリア詩における政治意識と生活意識との、諸々の断層を、幾重にも縫いとって、明るみに出すことができるだろう。そして、これらの断層を明らかにすることは、今日、封鎖的な民主主義文学者たちが、ただ、自己合理化のためにのみ覆いかくそうとしている政治と芸術、芸術と実行との関係にまたがる盲点を、あばき出さずにはおかないのである。

プロレタリア詩は、もとより絶対主義体制から抑圧され、疎外された自己自身の感情をも表現している。そこには、社会からほおり出され、放浪を余儀なくされた人間の、社会体制のなかに安息した人間にたいする憎悪感[例(1)]があり、あるいはまた、社会体制のなかで安楽そうに生活している人間にたいする羨望や嫉妬感があり[例(2)]、じぶんも社会体制のメカニズムに乗っかって立身出世したいという疎外された人間の上昇感が表現されている[例(3)]。

例(1)

とりわけて今　村を追はれて歩ける俺には
スチームに温められて
安らかに旅する人の心はなほ憎し
われ等が汗にてなりし
秋の収穫を取り去る代りに
彼の怖ろしき文明の病毒を運び来る
あの汽車は
毒蛇のごとくたまらなく憎し

（後藤謙太郎「雪の線路を歩いて」）

例(2)
おれはよろめきよろめきそとへ出た
どこの家からもみんな幸福さうに明るい灯が洩れ
楽しげな声がながれてくる
そしてどこの家でも一様に膳にむかつてゐる

おれだけをのけものにして
おれだけに三日も飯を食べさせないで
どこでも一様に楽しげな茶碗の音をさせてゐる

お腹がすいても
職がなくつても
ウヲオ！　と叫んではならないんですよ
幸福な方が眉をおひそめになる。

血をふいて悶死したつて
ビクともする大地ではないんです
後から後から
彼等は健康な砲丸を用意してゐる。
陳列箱に
ふかしたてのパンがあるが

（野村吉哉「夕闇から」）

私の知らない世間は何とまあ
ピヤノのやうに軽やかに美しいのでせう。
そこで始めて
神様コンチクシヤウと呶鳴りたくなります。

（林芙美子「苦しい唄」）

例(3)

友は云つた
お前程金銭にルーズな男は珍らしいと
或る知人は僕を引見して云つた
君は世の中を呪咀つてゐるのかと
又或る女は云つた
貴方のお話をいつ聞いても感心しませんわと
たつた一人のおふくろは云つた
お前が出世するまでわたしの寿命はないと
か丶ることの度に僕はよくなりたいといらだつ。

（伊賀上茂「よくなりたい」）

僕はときどき僕に細君と云ふものが出来る日を想像する
そして僕の愛児のことも考へる
僕はそれの方が真実のやうな気がする
確かに何処かに存在するやうな気がする
どうかあつてくれ

（伊賀上茂「どうかあつてくれ」）

わたしは、プロレタリア詩のうち、これら社会から抑圧され疎外された下層庶民の生活意識と生活の描写を、日本における芸術的抵抗の基底の記録として高く評価せざるをえない。しかしここに表現された意識が、一個の芸術思想として成立するみちは、けっして単純なものではありえなかった。ここには、おおよそ被支配者階級のいだく全生活感情が、多角的に断片的にとらえられているにもかかわらず、これを組織して一個の政治思想にまで成長させる困難な道を歩んだ下層庶民詩人も、一個の「革命」的組織力にまで高めた、「前衛」詩人もなかったのである。いいかえれば、ここに表現された被圧迫大衆の生活意識を、よく論理化し革命的思想になりうるものと、民族主義感情に自然成長するものと、ルンペン的な反動性におもむくものとを、よく撰りわけ、方向づける方法を、芸術思想として開花させることは、できなかったのである。

一般的にいって、「前衛」的なプロレタリア詩にあらわれた政治意識と、下層庶民的なプロレタリア詩にあらわれた生活意識とが出会わねばならない「地帯」は、何人によっても手をつけられない「暗黒地帯」として残された、ということができる。コミンターン・テーゼを至上の要請としてインターナショナルな革命運動の戦略を機械的にうけいれた革命運動家と芸術家はあったが、それを、「封建性の異常に強大な諸要素と独占資本主義のいちじるしく進んだ発展」との結合としての日本の社会構造の具体的な、ひとつひとつの場面に即して、解きあかしてゆく道すじをつける方法を、たれも、入念にたどろうとはしなかったのである。もちろん、このような批判は、一個の理想論にすぎないかも知れないが、理想論としても解明しようと試みたものもなく、また、このような日本的な特殊性のために生ずる矛盾を、矛盾としても示しえなかったことは、注意しなければならない。そして、小さくいえば、個々のプロレタリア詩人の、内部の世界にも、政治意識と生活意識との出会うべき地帯が、手をつけられない「暗黒地帯」として、のこされたということができる。

日本の革命運動を、歴史的に考察すれば、絶対主義権力はじつにこの前衛意識と庶民意識とのあいだに横たわる暗黒な断層を衝き、引裂いていったことを、理解することができる。もとより、権力機構は、その封建性の異常に強大な諸要素と、独占資本主義の高度な側面を、組織的に使いわけたのである。

プロレタリア詩の崩壊してゆく過程は、まったく、この「暗黒」な断層を衝かれたものであった。弾圧によって「前衛」的な観点からする芸術的抵抗がゆるされなくなり、発言を封じられ、庶民たちが背離していったとき、かれらの内部の世界にあった政治意識は、簡単にはがれ落ちてゆき生活意識との結合のあいまいさを、露呈していったのである。このような実例を、一九三二年（昭和七年）を境とするプロレタリア詩運動の退潮期から崩壊期にかかれた「前衛」的な詩人の作品から挙げておこう。例(4)、(5)

例(4)

かれらは今どうしてゐるであらうか
私の愛する娘が死んでしまつたやうに
お前の街人（まちびと）の多くも去つたであらう
だから彼らすべてによろしく。彼らすべての苦闘に力あれ。
なほ私は労働者の一介（いつかい）の詩人であつたことを誇りに感じてゐる
そのために飢ゑた、悔いは残らない、――この感傷は私の最後の慰めである
戦線は乱れてゐる、私は一個の廃兵だ――これが私の最後の歎きだ

（一九三二年　森山啓「私の街よ、さらば」）

例(5)

花の如く明るき灯の下に
しづかなる氷河の流れ
わがこころをのせて
何処(いづこ)に流れ行くや
暁かけて
わが読み耽りしその物語は
くにのため
生命捧げて戦ひし
ひとびとの物語なり

（『壺井繁治詩集』所収　作年不詳）

これらは、芸術思想として権力へ抵抗した過去の痕跡を、傷あとのようにとどめながら、日本の庶民の情緒的な生活意識にまで同化していった「前衛」的なプロレタリア詩の典型である。本来的にいえば、政治的前衛としての観点を、社会的にも芸術的にも封殺されたとき、これらのプロレタリア詩のなかには、社会から疎外された人間としての生活者的な反抗が、すくなくとも庶民の生活意識とは、異質のものとして残るはずであった。（事実、小熊秀雄のようにそれを残した詩人もあった。）また、もしも、これらのプロレタリア詩が、前衛的な政治意識と下部構造の反映としての生活意識とのあいだの矛盾をつきつめて、内部の暗黒な地帯を解消しえていたならば、政治的発言を封じられても、生活意識自体の表現のなかに、政治意識を封じこめることが可能なはずであった。しかし、ふたたび繰返して言えば、これらのプロレタリア詩は、その何れのみちもとりえず完全に庶民意識に同化したのである。

日本的なファシズム運動が、いわゆる「政治新体制」をかためて、軍部、天皇制官僚、金融、産業資本の支配の下に、社会民主主義者、マルクス主義転向者、日本的近代主義者、労働者組織を再編して、翼賛政治、文化運動を展開し、いわば「超」絶対主義へ移行するとともに、高度帝国主義的な侵略戦に臨もうとしたのは、昭和十五年である。

日本の庶民は、この支配権力の体制内で、積極的な戦争協力へ転化せざるをえなかった。権力が、庶民を体制下にくみ入れるために用いたのは、おそらく、弾圧期に「前衛」と庶民とを引裂くために行使した方法と、あまり変っていない。いわば、「封建性の異常に強大な諸要素」を体制化して、日本の庶民意識の立ちおくれた部分を組織化して、後進国的な民族主義感情を引出し、しかも、これを「独占資本主義のいちじるしく進んだ発展」の側面から民族的優越意識に転化して、帝国主義戦争の方策にみちびいたのである。東亜共栄圏論、東亜連盟論、八紘一宇論は、この後進国的な民族主義感情を、民族優越論に結びつけた、庶民同化のイデオロギー的な目標に外ならなかった。

封建的な諸要素と独占資本主義の高度な発展とを、巧みに使いわける権力の方策によって、かつて、芸術的抵抗の最前線にあった「前衛」的プロレタリア詩は、「超」絶対主義体制の下で、完全に日本の庶民意識に同化したばかりか、或る部分は、「超」絶対主義の「前衛」となって再生せざるをえなかったのである。例(6)、(7)

例(6)

この日本列島を形づくる大小無数の島々が
一斉に動き出したならば
大編隊を構成し、南下したならば
その勢ひは思ひ知るべく
その向ふところ敵がないであらう
しばらく私は自分の空想に昂奮し

魚信の来るのにも気づかなかつた

（「島々動く」）

例(7)

地図は私に指の旅をさせる
こころを躍らせつつ
南をさしておもむろに動く私の指

キールン
ホンコン
サイゴン
国民学校一年生のごとく呟きつつ
私の指は南支那海を圧して進む
私の呟きはいつしか一つの歌となり
私の指は早やシンガポールに近づく

おお、シンガポール
おお、わが支配下の昭南島
マレーの突端に高く日章旗は翻りつつ
太平洋の島々に呼びかける

（「指の旅」）

前者は、「拷問に耐える歌」の詩人田木繁、後者は壺井繁治が、「超」絶対主義体制下に作った作品である。諸種の事情を分析したうえで、これらの作品をながれる意識が、「超」絶対主義体制に組み入れられた日本の庶民の戦争意識を完全に代弁していることは、あきらかである。しかし、ここで注意しなければならないのは、日本の庶民意識の表現は、かならずしも積極的な戦争協力の意志としてしかあらわれえなかったものではなく、退化した情緒の表現としても成立しえたはずにもかかわらず、これら「前衛」的詩人たちは、ほとんど例外なく積極的な戦争協力の場面を素材として撰ぶことによって、「超」絶対主義体制の「前衛」としても、可成り巧みに適応しえているという事実である。この事実につきあたったところから、ふたたび、日本における芸術的抵抗と挫折の課題は、あたらしくその出発点に向って循環しなければならない。

わたしは、すでに、プロレタリア詩における「前衛」的な政治意識と、抑圧された階級としての生活意識の表現のなかに内在的な接合点がなく、ここに芸術思想としても、政治思想としても「暗黒地帯」があり、これは、内部意識のなかの暗黒地帯と対応していることを指摘した。絶対主義権力が、くさびを打ちこんで弾圧したのも、この政治上、芸術上の暗黒な地帯に対してであった。しかし、プロレタリア詩が、太平洋戦争期に、社会から疎外された自己意識に耐えられず、日本の庶民意識に同化したとき、かつての「前衛」的意識は、内部にある「封建性の強大な諸要素」を共通根として横すべりすることができたことを、先の引例詩は証明しているのである。

アジア的な後進社会では、民族主義的な欲求と階級的な欲求とは、無矛盾のまま結びつくことが出来るだろうし、ヨーロッパ的な資本制社会では、近代化の欲求と階級的欲求とが直ちに結びつくことができよう。しかし、日本の絶対主義社会の独特な構造は、この何れの結合をも許さなかったのである。そして、権力の側から行われた、「封建性の異常に強大な諸要素」を体制化して、「独占資本主義のいちじるしく進んだ発展」の側から、これを利用するという政策は、効を奏していったのである。

先にも述べた通り、三二テーゼは、日本の独特な絶対主義社会を変革するプログラムとして、「かくして日本において当面する革命の性質は、社会主義革命への強行的転化の傾向を持つブルジョア民主主義革命と規定される」という、実質的には無意味に近い表現をつかっている。封建的な要素と独占資本的な要素との日本的な結合を、ヨーロッパ的な封建制――資本制――社会主義制という図式によって解明しようとするとき、この三二テーゼのような折衷的な表現がうまれるのは、当然である。このような表現を、文字通りに解すれば、日本の支配体制にある「封建性の強大な要素」をブルジョワ化する過程で、直ちに社会主義化へ向わせることが可能であるということを意味している。しかし、三二テーゼのこの規定は、日本の絶対主義体制が、「超」絶対主義へ移行しうる要素について、一般的な理解しか示さなかったきらいがある。したがって、「封建性の強大な要素」が、社会主義化の欲求と密通する強大な傾向を無視するに近いものであった。事実、プロレタリア詩は、太平洋戦争期に、この方向に外れていったし、マルクス主義転向者中のある部分は、このような地点で、ファシズムに転化したのである。

プロレタリア詩における芸術的抵抗は、自己のなかにある「超」絶対主義に転化しうる部分を、近代化しながら社会主義化するという二段階の自己変革を課する苦痛に耐えきれないで、封建的な部分を階級意識と強引に密通させるか、または、その封建的部分をそのままにして、近代的な部分を「前衛」的な視点に移行させて、絶対主義権力にたいして芸術的に対決したため、太平洋戦争期の「超」絶対主義体制下において、ファシズム化するか、または、庶民的な情緒にまで後退せざるをえなかったのである。問題は、日本における「封建性の異常に強大な要素」と「独占資本主義のいちじるしく進んだ発展」との結合という意味を、たんなる結合と解するか、楯の両面のように不可分の単一体系と解するかを、具体的な芸術思想として、また、政治的思想として見出すことにかかっている。三二テーゼは、多分に、この結合をたんなる結合と理解した傾向があり、また反対に絶対主義権力は、この結合の両面を、巧みに使いわけた。芸術的抵抗としてのプロレタリア芸術(詩)の挫折の事実が、今日もなお暗示しているたいせつな問題点は、本質的なところでうけとめようとすればここに帰着するとおもわれる。

（1）『詩学年鑑』一九五六年版　壺井繁治　詩「仮面」

（2）例えば、『民主評論』昭和二十一年八月　五頁―十四頁　湯本正夫「革命の現段階と労働階級の戦略について」参照

（3）『文学』一九五七年七月号　25巻　花田清輝「ヤンガー・ゼネレーションへ」

（4）『プロレタリア詩の諸問題』叢文閣　昭和七年刊所収　中野重治「詩の仕事の研究」

（5）岩波文庫版　五十頁

街のなかの近代

げんみつにいえば、街のなかの近代という概念は、はじめから成り立たないであろう。ひとつの社会の構造が、どうなっており、どのように動いてゆくかは、基本的には、農村の構造と、権力、反権力の構造によってきまるからである。しかし、このような社会を測定する基本的な条件を、もっと、本質的なところで規定するのは、法制のイデオロギーであるということができる。法制のイデオロギーが、権力を具体的な執行機関として手足のように動かすということになる。

それでは、法制のイデオロギーは何によって規定されるのだろうか。それは、社会に生きて動いている人間の意識と、その意識を生み出す母体である生きた社会現実そのものである。

ここで、はじめて、街のなかの近代という課題が、浮びあがってくる。

五月号の『群像』に、グラビヤ写真があって、文化住宅のモダンな台所と木造アバラ屋の薄きたない台所を比較したり、洋器ストアーのウインドを背景にして道にムシロを敷いて傘の柄などを貼っている露店を比較したり、焼とり屋の屋台とネオン飾りのキャバレーを比較したりしていた。上林暁の写真解説をよむと、如何にも私小説作家らしく、この比較写真を、貧富の隔りの甚しさというような意味でとらえていた。もちろん、それは正当であるとしても、そこに現在の日本の都市のなかにある社会的生活様式の混乱をみないわけには、いかない筈である。わたしは、たとえば、アバラ屋のごてごてした薄暗い台所（それは東京でいえば荒川と江戸川にはさまれた地区の民家に通常みられるものである）と、文化住宅のモダンな台所（東京でいえば、山手のアッパー・ミドル・クラスの民家に通常のものである）の写真をながめながら、一方に、アジア的貧困の特性を、一方に、ヨーロッパ化した近代的所有の特性を、対応させてみたい誘惑を禁じえなかった。

もちろん、わたしは、美意識上からも、生活様式的にも、この貧困と所有のいずれの様式をも拒否せざるをえない。いいかえれば、文化住宅的モダンのなかにアジア的様式の陰画が焼きつけられているし、アバラ屋的な貧困のなかにも、ヨーロッパ的近代の陰画をみないわけにはいかないのである。それは、この文化住宅的モダンを欧米の生活様式と比較し、アバラ屋的な貧困を地方農村の貧困と比較してみれば、一目で実証されるはずである。

街のなかの近代とは、現代の日本において、こういう関係において現われているということを、了解する必要があるとおもう。

わたしが、今日、アバンガルトなどと称しているマルクス主義者くずれが、丸の内界隈のモダニスム建築を讃美しているのを読むと、虫ずが走るような嫌悪感におそわれ、おもわずぼく滅したくなるような誘惑を感ずるのは、彼等が、こういう日本の近代の具体的二重性を、まったく捨象しているからである。また、自称共産主義者が日本的貧困のなかに、アジア的貧困のみをみようとしているのに出合うと、やはり、ぼく滅したくなるような誘惑を感ずるのは、彼等もまた、日本の近代の具体的二重性を、まったく、捨象しているからである。

現在、日本の都市文化は、頭脳を欧米にあずけている人種、ソヴィエト同盟にあずけている人種、中国、東南アジアにあずけている人種によって繁茂している。彼等が、やがて、夜になって帰ってゆくのが、アバラ屋であるのか、文化住宅であるのか知らないが、日本の近代の具体的二重性のなかに帰ってゆくことだけは確実である。また、彼等の夜の夢のなかに、フランス名、米国名、中国名、日本名をつけた喫茶店やバーや料理屋や映画やショーの光景が、種々雑多なイメージとなって現われることは確実である。また、さらに、この日本の近代の具体的二重性を、洞察しうるものだけが社会変革の具体的なコースを進みうることも確実である。自称の前衛などには、三文の値うちもない。

わたしたちは、日本の都市文化の今日における混乱が、何処へゆくのか、を何によって洞察すべきであろうか。たとえば、小田切秀雄は、大衆的な規模で近代的自我が確立されつつある、という指標をかかげて、この混乱を説明しようとしている。小田切の説明では近代的自我とは、具体的な大衆の生活様式のなかの何を意味しているのか、よくわからないが、おそらく本人にも余りよくわかってはいないとおもう。何故ならば、小田切は（小田切に限らず）大衆現象を有楽町や新宿や渋谷や池袋（おそらく浅草は入っていまい）の街頭の現象のなかにもとめ、決して、かれらが文化住宅に帰ってゆくのか、アバラ屋に帰ってゆくのかを考慮しようとしないからだ。ましてや、大衆が夢のなかで何を視るかをまったく考えようとしないからだ。このような文明批評を、半端物と呼ぶことに躊躇はいらないのである。

わたしは、大衆が近代的自我を確立しつつあるなどと、少しも信じていない。わたしの指標は、基本的には二つある。第一は、日本の反体制的な勢力が現在退潮期に向いつつあること、第二は、体制側からする大衆社会化攻勢が増大しつつあること、である。これを言いかえれば、大衆が、自己の意識上の前衛を失いつつあり、それに加えて、大衆の意識のなかでマス・コミによる欧米化要素（近代化要素ではない）が増大してきたために、日本的な近代の具体的二重性のバランスがゆさぶられているということである。前衛的な指標を失い、自己の意識上及び生活様式上の日本的二重構造をゆさぶられ、はげしい矛盾、撞着、断層を体験しつつある今日の大衆の悲劇を、手放しで大衆的規模において近代的自我が確立しつつあるなどと主張する文明批評は否定するほかはないのだ。また、青年諸君がロカビリーやミユージカルスに解放感を味わっている意識上及び生活様式上の矛盾や断層の悲劇的様相を、喜劇に転化し、ここに芸術様式の新しさがあるなどと称して、創造や批評活動を行っているアバンガルトも否定する外はないのだ。わたしたちはじつにおおくの敵とたたかいつくすことを日本の特殊性によって強いられているのである。

情勢論

1

今日、文学の世界も、批評の世界も、他の文化部門とまったくおなじように、進歩的陣営の内部腐蝕と、マス・コミを通じておこなわれる大衆社会化現象とをふたつの基本的なモメントとして混乱におちいり、ことごとくといってよいほど前途の見透しをうしなって右往左往をつづけている。この混乱のなかから、何が将来につながる永続的な徴候であるか、何が一時的な表徴にすぎないか、何が本質であり、何が仮面であるか、をできるだけ択りわけて整理し、今日の思潮を展望する窓をいくらかでも明るくしてみたいというのが論者のおおきな企図のひとつである。

うまくゆくかどうかは、わからないが、レッテルだけで中身はみいらになっているミリタント（戦闘的）な進歩主義者がいるかとおもえば、昨日の西欧至上主義者が、今日は平然とナショナリストに変貌し、昨日の俗流大衆路線論者が、いまこそ大衆路線を主張しなければ進歩派の孤立はさけられないときに、アバンガルトに変貌するという奇妙な現象を眼にすると、これ以上の混乱は、醜怪で視ていられないという気になるのは、論者ばかりではないであろう。混乱の底からひとすじの大道を見つけ出すために、飽くことのないどんらんな好奇心と明晰な判断力を行使してゆかなくてはならないとおもう。

今月の文芸雑誌、綜合雑誌の論説から、とくに注目したものを挙げてみると、平野謙「若い人たちへの苦言」、伊藤整「先輩をおびやかせ」（以上『文学界』新時代の同人雑誌特集より）、久野収、鶴見俊輔、藤田省三「日本の保守主義」（『中央公論』）、北原武夫「母性と雌との関係」（『群像』）、小林秀雄「感想(一)」（『新潮』）、竹内好、堀田善衛、加藤周一、石田雄「アジアのなかの日本」（『世界』）、亀井勝一郎「天皇家の楽しき未来図」（『文芸春秋』）などである。

総体的にいえば、これらの力篇は「旧人の発言」として概括することができるが、もし、一貫した表徴をあげるとすれば、それぞれのテーマについて、長年、あたまを悩ましてきた中堅、大家が、たたきあげてつくった自分の地理附図を、余裕をもってたどってみせたものだということができる。例えば、同人雑誌や文壇出世意識で思い悩んだ平野や伊藤が、同人雑誌の身すぎ世すぎについて語り、女から女へ渡りあるいてそれをもとにネチネチした恋愛小説を長年かいてきた北原武夫が、女についてうんちくを傾け、合理主義を終始一貫批判してきた小林秀雄が、ベルグソンの意識の純粋持続と母親の人魂（ひとだま）を結びつけてみせ、オールド・リベラリストに若年の頃、鼻づらをひき廻されてきた久野、鶴見、藤田などの哲学者が「心」の老人について論じ、中国コンプレックスや西欧コンプレックスの塊りのような竹内、堀田、加藤、石田などがアジア的日本について語り、戦前、戦争、戦後にかけて思想的な右往、左往をつづけいまや思想的無常観を売り物にしている亀井が、尊崇する天皇家の未来を論ずるといった具合である。

長年、自意識をおびやかしつづけてきたテーマを、余裕をもって客観化してみせているこれらの批評家の論調は、一見するとつまらない随想の類にみえるかもしれないが、ほんとうは、良きにつけ悪しきにつけ、今日の文壇、論壇の大衆社会化現象を、尻眼にかけて動じない強靭な態度をかくしている。それは、どんな意味をもつか、という点を、ややくわしく調べてゆこう。

平野謙と伊藤整は、今日、全国に無数に存在する同人雑誌が、依然として名声にかつえた虚栄乞食の集りであるという大胆（？）な仮説の上にたっていて、平野は、活字をおそれよ、かりそめに作品を活字にして、ほめられたために、人生コースをひん曲げ、文学という悪女と一生くされ縁をもつことになるかも知れぬ、という事実をおそれよと説き、伊藤は、先輩を攻撃しておびやかし、注目を集めておいて、適当に妥協するのが文壇処世上の得策であると教えている。わたしは、かねて、平野、伊藤らの私小説理論を、処世術の文学理論化であるとかんがえてきたが、それが、一個の文学理論として権威をもつためには、また、自ら別個の理由がなければならない。その理由は、日本の近代文学の社会的な背景が、文壇という虚栄乞食の封鎖的な部分社会そのものであり、この部分社会がまた、日本の全体社会の歪みと密着している、という循環的な原因のなかにある。いいかえれば、平野や伊藤が虚栄乞食の集りとよんでいるギルド社会が、そのまま、平野や伊藤の文学理論の支柱である。しかし、この事実のなかには、平野、伊藤理論の権威をささえる実体はない。むしろ、文壇ギルド社会の構造が、日本の社会的な構造と密着して断じて離れることはないという確信の深さが、単なる処世術を万人に通ずる真理を述べるような確信をもって平野、伊藤に語らせる原因となっているのである。

しかし、今日の文壇の大衆社会化現象は、おもむろに、封鎖的な文壇ヒエラルキーをつき崩しつつあるとかんがえられる。文壇社会人が、自分の好みに合致した候補者を拾い上げるというシステムは変形して、今日では、商業ジャーナリズム自体がこのピックアップを代用しつつある。主人公は、文壇先生か、商業ジャーナリズムか、というこの角逐が、今日の文壇大衆社会化現象の進行度を測定する目盛である。ここに、第一級の文壇文学者である伊藤や平野が、大衆社会化現象に抵抗する理由のひとつがあるとかんがえられる。今日、同人雑誌の行くべき道は、はっきりと文学運動として結集しながら、文壇先生と商業ジャーナリズムとの角逐場に乗り入れて自己のエネルギーを滲透させ、位置を逆転させるところまでゆくことのほかにはない。

「日本の保守主義」として、辰野隆、津田左右吉、安倍能成、天野貞祐、小宮豊隆らを同人とする雑誌『心』の性格を論じている久野、鶴見、藤田らの哲学者を、厳密な意味で旧人と呼ぶことはできない。むしろ、新人と呼んだ方がいいかも知れない。その理由を一、二あげてみれば、第一に、このグループ（「思想の科学」にまで拡大してもよい）は、哲学上のハンチュウとハンチュウの間に、また論理的な概念と概念の間に、庶民の心理的なコトバでハシゴをかける術を知っている。第二に、このグループは、日本の大衆現象とか、文化現象とかを、まともに追求する態度をもっている。この態度は、彼らの学問的な価値序列が、旧哲学者のそれとちがって内部の世界で転倒できていることを意味しているとかんがえられる。日本の哲学者におけるこの学問的価値序列の変革は、まったく戦後的である。

久野収は、報告のなかで、『心』に拠る日本のオールド・リベラリストの思想的な公分母を、日本的な保守主義に求め、その最大の表徴とおもわれるものを、老人たちの国家観においている。老人たちは、国家そのものを生活的な共同体とかんがえているから、学識も、教養も、国家権力や国家意志である法律制度の批判に向うことはない。国家に関するかぎり、オールド・リベラリスト達は、銭湯に真昼間から入りびたっている隠居とまったくちがわない。久野の報告のなかでこういう意味のことを展開した部分は、とくに、鮮やかである。おそらく、久野、鶴見、藤田らによって縦横に分析されている日本の保守思想家の諸表徴は、いままでなされてきたどの分析よりも優れている。

しかし、疑念を述べるとすれば、この三人の哲学者が、あまりに自由なハシゴ渡りの名手であるという美点そのもののなかにある。このグループを、これほど自在にしている秘密は、分析する主体である自己の立場を、ハンチュウそのものを固守する深さに賭けないで、ハシゴ渡りの心理的コトバとともに主体自体を移動してゆく発想のなかにある。この発想は、悪く言えば、通俗文学者と私小説作家の中間の発想である。わたしは、俗流エセマルクス主義者の石頭を叩き壊す役割を、このグループに認めるが、その武器を、いささか心もとなく思わずにはおられない。固定観念化してしまった哲学的ハンチュウも、頑強にほじくりかえすことによって主体的に蘇生させることができるものだ、という確信を、わたしは、このグループよりもいくらか深く抱いているからである。ロジン流にいえば、このグループの最大のケンツァイヒェンは秀才プラス大衆哲学。

石原慎太郎の「太陽の季節」以来、「子供たち」（大人たちの反対語）のでたらめな男女関係は、週刊ジャーナリズム、娯楽ジャーナリズムの好んでとりあげてきた主題である。以前、このアプレ的現象が、経済的基礎のよりハイアーなクラスの「子供たち」にある社会的な疲労現象を本質としていることを指摘したことがある。ここで、もう一つの疑念を公開してみよう。このアプレ的な「子供たち」は、はたしてセックスを本当に享受できているのだろうか、というのが、かねがねわたしの抱いてきた疑念である。人間はどうしても、アプレ的「子供」のうちは、男性とか女性とかの本質がわからないように出来ているはずだから、もし、アプレ的「子供たち」がセックスの本質に通暁しているとすれば、「子供たち」ではなく、「大人たち」であるはずだ、というのがこの間の論理である。

わたしは、北原武夫の「母性と雌との関係」（『群像』）という告白的女性論を読みながら、哀しいかな、「子供たち」のアプレ的男女関係のすべてを挙げても、北原のこの評論一篇に及ばないだろうという感想を禁ずることはできなかった。

北原の所論を要約して列挙すれば、第一に、化粧や服装の上で女性がみせる趣味の良さとか品のよさは、絵が巧いとか字が巧いとかと全く同じで、一種の才能であって、品性や人格とは少しも関係がない。第二に、化粧や服装の上で一種の才能がある女性は、志操堅固で心情が強い。第三に、情が深くてつつしみ深く、しかも心情の優しい理想的な女性は、性的要素が弱い。その典型は母親である。第四に、芸者や女将のような色道の玄人は、惚れたとか好いたとかいう心情を、かわりやすい信用のおけぬものとして斥け、金銭という確乎不動のものを、男女を結びつける靭帯として着目しているが、卓見である。北原は、この第四を、あまりいい気持がしないが、と断っている。

わたしは、とうてい、北原の長年月の女性遍歴から得た結論に、抗う力量（?）をもちあわせていない。ただ、今日、マスコミによって馬鹿さわぎされている「子供たち」のアプレ的男女関係も、ロカビリー騒ぎも、北原の旧態依然たる蕩児性をくつがえすことができない薄弱な馬鹿バヤシにすぎないことを、指摘したかった。わたしの考えでは、北原の蕩児的女性認識は、セックスの問題を、社会的な諸関係から切り離そうとするキャバレー的女性認識にすぎないし、アプレ的「子供たち」のセックス意識は、社会的な諸関係を疎外したスネ噛り的女性認識にしかすぎない。スネ噛りは、庶民的生活の達人である蕩児の認識を圧倒することは不可能である。

恋愛関係もセックスも（その享楽ということさえも）、「家」とか「社会的関係」とかを除外して、抽出することはできない。これが、もっとも本能や無意識心理に関係のある問題の密教的性格が負わねばならない、現実的な、具体的な条件である。秘された関係ほど、正確に現実を反映するものはない。

2

現在、はっきりと徴候がみえるように、文壇、論壇のマス社会化現象は、ある一定の境界をかたちづくりはじめている。この境界からはみ出すものは、大家であろうが、中堅であろうが、苦節十年だろうが、虚栄乞食だろうが、ひとたまりもなく疎外されてゆく。べつに新しい現象ではない。テクノロジイが発達し、マス・メディアが高度化するところに、マス社会化現象はあり、そこでは異和分子（インディファランツ）は疎外される。問題は、マス化現象がどこに向って移動し、その境界がどのような範囲を手中におさめるかということだけだ。大衆社会論者がつかう「新中間層」というような概念を好まないから、そのかわりここでは、マス社会の境界という概念をつかってみたいとおもう。

さきに、大家、中堅たちの論説にふれながら、良きにつけ悪しきにつけ、そこには今日の文壇、論壇のマス社会化現象を尻目にかけて動じない態度が秘されていることを指摘した。しかし、彼らがじぶんの資質をかけ、思想をかたむけて発言した場合、かならずマス社会から疎外されるにきまっていることを熟知してないわけはない。また、危惧も感じているはずである。これは、おそらく、彼らの思想が体制的か反体制的かにかかわらない。かれらが、自己表現をすでに確立している、というそのことが、マス社会の劃一化作用にとっては疎外の理由となりうるのだ。ここで出来るだけ、自己表現を潜在化させ、おし秘した方法で自己を表現する方法を編みださなくてはならない。これが、或る意味では私小説的手法の克服という外貌を呈することに注意しなければならない。大家・中堅作家の手法的な俗化（成熟とあやまられ易い）と、新人作家の自己暗喩（新手法とあやまられ易い）とを、わたしは、大体においてこのように解したい。

おそらく、文学のマス社会における疎外序列は極く平凡な法則にしたがっているにちがいない。つまり、自己表現を確立して動じない文学者ほど疎外されやすく、マス社会の境界内にぴったりと、落下する射程をもった自己表現は、ベルト・コンベアーで押出されるにきまっているのだ。

しかし、わたしが、とくに注目したいのは、依然としてマス化の下限である。いいかえれば、体制的につくり出される文化のマス社会は、きっと経済的基礎のロウアーなクラスの文化現象を集団的に疎外する下限をもっている事実である。それはこのクラスの文化意欲が、かりに体制的なマス文化を憧れているか、憎悪しているかにかかわらない。むろん、上限もかならずあるはずだ。もし、本当の意味でブルジョワ文学者が日本にもいると仮定すれば、彼もまた、マス文化の上限からはみ出すだろうことは疑いない。

今日、マス文化が、経済的基礎のロウアーなクラスの文化現象と乖離している現状が、いちばん重要だが、マス社会の下限が、ロウアー・クラスの文化意欲を併呑することもありうるはずである。そのときは、文化のファシスム化が完成するときである。マス文化が、ロウアー・クラスの文化を疎外しているあいだ真の意味で文化的な危機はおとずれない、相対的な混乱がつづくと考えられる。また、逆に、現在、疎外されているロウアー・クラスの文化意欲が、マス文化に相互滲透して、その上限をひっぱることができるならば、何ごとか起りうるはずなのだ。

今月、すくなくとも二人の新人批評家が、現在の文壇、文学作品のマス化現象の問題にとり組んでいる。橋川文三「実感の文学を超えて」、江藤淳「神話の克服」(以上、『文学界』六月号)が、それである。両者とも、構想が熟していないためか、かなり論旨が繁雑であるが、今月第一等の力作である。

橋川の発想は、力作「日本浪曼派の諸問題」(『文学』四月号)の延長線に立っている。橋川の論文は、マルクス主義文学運動、その挫折転向、日本浪曼派の興隆という有為転変に、あざなわれた昭和文学史最大の「政治と文学」(平野謙の創説)の問題を処理するため、中間項として「思想」の項を挿入しなければならないというモチーフを秘しているとおもえる。ここで「思想」というのは、社会科学的な思想(即ち政治)ではなく、社会化された思想のことであるのは言うまでもない。この中間項を挿入すれば、近代文学史は、福沢諭吉、岡倉天心、内村鑑三、柳田国男、倉田百三、等々の業績を含まなければならなくなる。この発想は、たぶん、丸山真男、竹内好、加藤周一、堀田善衛などに種々のニュアンスで存在している。橋川の発想も、この系列に属している。しかし、橋川の世代的な危惧は、こういう操作が、結局、戦争中、保田与重郎、浅野晃、亀井勝一郎などのファシストが試みたものと同価なところに落着くのではないか、という点にかかっている。当然、橋川は、この問題に決着を与えていない。決着をあたえるには入念でなければならない問題だからだ。この問題が、橋川の世代が、如何に自己の戦争体験を戦後に媒介するかという主体的な課題と完全に等価であることは、明らかだろう。

橋川は、決着を与えられないままに、現在のマス文化現象を、伝統的な日本人の自己批評＝自己確認の様式そのものの解体、それと見合った実生活上の定型の喪失という一般的現実であると要約している。この要約は、橋川が、経済的基礎のロウアーなクラスの文化現象に着目する労をおしまなかったならば、日本型近代の発想の二重構造の分裂、それにともなう生活様式上の分裂、断層の拡大として解釈できるものだ。なぜなら、今日の文化のマス化現象は、ロウアー・クラスの文化意欲をそれほど(解体するほど）ゆすぶってはいないし、その生活様式をも解体させてはいない。わたしたちが注意しなければならないのは、ハイアー・クラスのマス化現象と、依然としてさほどゆらぐことのないロウアー・クラスの文化意識とのあいだの断層の拡大ということである。もちろん、大江健三郎の説く文学共同体という得体の知れないものに文学意識のマス的解体への防壁などは、もとめられるはずがない。しかし、この論文の結論的部分に、苦し気につき出された「実感」＝「日常経験」の美学は、けっきょく「天皇制」という自然林的秩序の耽美的正統化におわる外はないという橋川の発想の下限には、同感を禁じえないものがある。

江藤淳の「神話の克服」では、現在の文学作品のマス化現象の本質は、極度のロマンティシズム過剰であり、ムードとしてとらえられた強烈な危機感であると理解されている。江藤が分析の必要上、導入しているのは、「神話的象徴」という概念である。たとえば、『挽歌』、『氷壁』、『亀裂』、『美徳のよろめき』などのマス流行現象は、これらの作品の主調音が、人間が自己の主体を確認する行為としての文学作品を目指さず、人間が人間的次元（文化行為）を放棄して、自然の次元を呪術的に喚起する文学行為によって構成されているところに原因がある、と考えられている。江藤によれば、現在の「文運隆盛」のカラクリは、「文学作品」を書こうとすれば、作家は社会的な孤立におそわれ、行為と構造を欠いた神話的象徴に類する中間小説を書いてムードを喚起しようとするとき、民衆（？）のエネルギーを組織できるところにある。マス社会の境界内でかいているのだから、やむをえないが、江藤のいわゆる「神話的象徴」に組織されているのは、トオタルの民衆ではなく、高々、ロウアー・クラスに対するハイアー・クラスにしかすぎないことは言うまでもない。しかし、境界内での文学作品のマス化現象の分析として、江藤の手際はもっとも俊敏なものであると言えよう。

ところで、江藤は、橋川の日本浪曼派批判の発想にヒントをえて、以上の分析を昭和文学史全般に適用しようとする。小林多喜二の死を象徴とするプロレタリア文学敗退後、昭和文学は一貫して、文学的行為をすてて神話的象徴を顕在化する過程であったという仮説を立てている。これは、強引にすぎて、文学史論をなさない。文学史的事実とも一致しない。マルクス主義文学もモダニスム文学も、その発生の当初から、今のコトバで云えば、文化のマス化、社会様式のマス化に基礎を負っている。両派の差異は、かれらが、経済的基礎のハイアー・クラスの文化に着目したか、ロウアー・クラスの文化意志に着目したかにあった。マルクス主義文学は、ロウアー・クラスの文化意志に政治的な幻想をかけて敗退し、モダニスム文学は、ハイアー・クラスの文化現象をトオタライズする夢をみたおかげでファシスムに組織化された。わたしは、実証的手続をぬきにした早急な文学史論を、この有為の批評家のために、とらない。しかし江藤の「われわれがファシズムや破壊や残酷さから自らをすくい、われわれのなかに現にひそむそのような行為への憧れをならし『神話』を手なずけるということ以上のリアリスティックな行為は、現在ほかにない。」という結論の上限を肯わねばならないとおもう。

橋川や江藤の論調には、今日のマス文化現象が、たんに、もっとも現実社会の危機的な動向に動揺しやすいハイアー・クラス（中産階級）の局部的（全クラスからは）な現象であるにもかかわらず、これをトオタライズしてムード化する誇張があるが、両者にある俊敏な文学思想的抵抗意識は、新人のみが示しうる意欲に充ちているということができる。

これにくらべれば、安部公房「人間未来史観序説」（『中央公論』六月号）は、マルクス主義者中の「未来バカ」が、今日のマス化現象のなかで、危機感を失い、児戯に類するタワゴトにふけっている好個のエキザンプルである。人間は生物進化の一つの極限であり、ちょうど光の速度以上の速度が考えられないように、（質的に）人間より高等な生物はありえない、このことを論証したのがこの論文だそうである。バカバカしくて仕方がない。安部によれば、生物のうち人間だけがコトバをもっている。具象的な事物から抽象的なコトバを喚起できた人間は、進化の最高段階にある。コトバにより抽象能力は、これを無限に開くことができるが、コトバ以上の次元の抽象は考えられないから、おそらくコトバを使駆する人間は進化の極限に位置しているというのだ。いったい、あと百万年もたてば、海底から喋言る大たこやクジラがあらわれる確率があるなどという、ゴジラ映画程度の空想（想像ではない）を、とくとくと書いて何がおもしろい？　大体、この「未来バカ」連中は、空想力と想像力の区別もつかないのに無闇とアバンガルト面をしすぎる。嘗て、奥野健男が酷評を下していた荒正人の『宇宙文明論』という著書の内容を知らないが、『子供の科学』程度の科学知識という一件で安部が荒に優るとも劣るとはおもえない。生命現象がエントロピー増加の原理に矛盾するようにおもえてならないだとか、太陽光線がマイナスのエントロピーにあるだとか、大真面目でかいているのをよむと、この先生は、初等の統計熱力学もマスターせずにエントロピー概念をつかっているのがよくわかるのである。科学的認識も、想像力も、通俗科学からは生れない。『少年クラブ』的な空想が生れるだけだ。現実社会のもっとも悲惨な事実からも眼をそむけない精神が、真の想像力を所有するのだ。コトバを記号から思想へと構成するための人間的実践が、地上の全歴史の過程に対応するのである。

気恥かしくて仕方がないが、橋川や江藤と比較するため安部の論文の結論的部分をかき抜いておこう。

　人間——いささかも神秘的ではないが、しかしこのうえもなくすばらしいもの。みにくさも、美しさもふくめて、その背後の重い歴史に脱帽しよう。

今日のような混乱期に、レッテルを信ずるほど愚かなことはない。橋川や江藤の結論と安部の結論とを比較して、今日のマス社会化に意欲的に抵抗している新人と、マス社会化現象の上に寝そべっている新人との相違を追尋することができる。そして、マルクス主義を、看板さえもらえば何もしないでいい特権と心得ている太平な文学者と、マス社会の境界内にありながら、自分自身の基盤を疑い抵抗する能力をもった、意欲的な文学者とがここにある。しかし乱世の道は遠い。誰がどうなるかおたがいにわからない。平野謙のような苦労人に云わせれば、新人はおしなべてプラトニック・ラブの段階にあるそうだ。

3

現在、ロウアー・クラスをとりのけて、大衆の文化現象を論ずる風潮は、新人のみにあるのではない。あまねく、まんえんした一種の深い批評的病理症候をなしている。マルクス主義的とかんがえられている批評家でさえ、「大衆」という呼び名で、アプレ的少年・少女たちを指しているにすぎなかったり、かれらの芸術大衆化という題目が、ブルジョワ・モダンボーイ目当てにすぎなかったりする例は、ざらに指摘することができる。もちろん、大して希望をかけさえしなければ、それは、それなりの意義をもっているから、口角泡をとばして批判するつもりも必要もない。ただ、これらの論者たちが、自分のいだいている「大衆」のイメージの限界をはっきりと自覚していることが望ましいのだ。

何故、マルクス主義者の抱く大衆のイメージでさえこういう奇妙なところまで、後退してしまったのだろうか。この深い批評的病理症候は、おそらく、二、三年まえ、俗流大衆主義者が、自己合理化のために大衆の名を騙り、逆に大衆からひんしゅくをかったことの一つの反動にちがいないのだ。大衆というコトバ、わけてもロウアー・クラスの大衆＝プロレタリアートというコトバは、騙り者たちの手によって汚され、もはや、マルクス主義者でさえそのコトバをつかうことをためらうほど情けない情勢に立ちいたってしまったのである。今日、体制的なマス文化によって、ロウアー・クラスの文化意志が疎外されている現状の責任を、最終的に負わねばならないのは、これら腐敗したコミュニストたちである。

さらに、もう一つの批評的病理症候を指摘しておかねばならない。それは、今日の大衆芸術論者が、二、三年まえと逆に、ことごとく文化万能主義者にしかすぎないということなのだ。かれらは、大衆が、大衆芸能や、大衆文化運動の周辺に集まるのは、極く一部の社会生活をさいて集まるにすぎないこと、また、大衆文化現象の周辺に集まるのは、極く一部の大衆にすぎないこと、こういう自明の事実にさえ目をおおっているのである。まさか、と思うかも知れないが、大多数の大衆の大部分の時間が、生活の直接生産に費やされねばならない現状は理解されようとしていない。大衆の文化現象の、こういう機能的な限界をわきまえない大衆芸術論者によって、大衆芸術運動が推進されるのは危険をはらんでいる。なぜならば、大衆芸術や文化運動の周辺に集まった一握りの大衆の動向を、全大衆の動向であるかのように錯覚して、プロレタリア文化運動以来、何度も繰返してきた独走を、また、くりかえすほかありえないからだ。文壇、論壇が、楽天的な進歩的言辞で食傷しそうになった丁度そのとき、大衆は反動的な政治に、社会生活を組織されるということになりかねない危険は、いつも文化万能主義者の善意の進歩的錯覚から生れるのである。すでに、その徴候がないわけではない。わたしはこの問題点を楯にして、論壇を分析してみよう。

今月、生活綴り方運動に焦点をあてて、ロウアー・クラスの文化現象に正面から取組んでいるのは、鶴見俊輔・久野収・藤田省三の「大衆の思想」（『中央公論』七月号）である。鶴見は、報告のなかで、生活綴り方の特徴を五つあげているが、そのうちとくに重要とおもわれる指摘は、⑴この運動が「近代」と日本の「土」との関係を結ぶものとして問題とされてきたこと。⑵この運動には、与えられた状況をそのままうけいれる状況主義の傾向があること。裏からみれば、日本の教養主義と反対であり、高等教育をうければうけるほど、日本的小状況を嫌って大状況へとびつくような傾向がないこと。⑶思想を必ずしも文章に結びつけてかんがえないで、あらゆるコミュニケーション・ルート（映画など）と結びつけて考えてゆく実感主義があること。こういう三点に集約される。

久野、鶴見、藤田は討論のなかで、生活綴り方運動の現実密着主義が、日本の遊離近代主義的な思考にたいする強烈なアンチ・テーゼとなりうる美点とともに、その状況を受容したうえの現実密着が、いかなる支配体制によっても利用される欠陥をもっていることをも指摘している。事実、国分一太郎などが戦時に歩んだ道は、あらゆる転向型の一典型に外ならなかったのは周知の事実である。鶴見たちが分析している生活綴り方運動の特徴は、日本のロウアー・クラスの大衆の意識構造の特徴にぴったりと対応している。この意識構造に外部から情況がかぶさるとき大衆的な動向が決定するのだ。しかし、鶴見のいうように、大衆は、あらゆるコミュニケーション・ルートと結びつけて思想を形成してゆくのだろうか。そんなことはあるまい。大衆の思想は、社会生活の一こま一こまと結びついて獲取され、曲りなりにもコトバによって統一した考えを構成するのではあるまいか。生活綴り方や記録芸術運動によってではなく、社会生活そのものから大衆は、いわゆる「処世法」と呼ばれる思想を形成するとおもわれる。したがって、生活綴り方運動が大衆の「処世法」の再編成としての機能を捨てれば、亜インテリ的なクラブ活動に過ぎなくなり、現実にくぐまったままの現実遊離に陥いることはあきらかである。鶴見の指摘する生活綴り方運動の無競争主義、無葛藤主義は、けっして大衆の思想ではなく、例えば無着成恭や国分一太郎などの亜インテリ的指導性の反映にすぎないことに注意しなければならない。大衆の思想的特徴は、処世法の優劣によるどんらんな競争主義にある。大衆の競争主義を抑制することは、反体制的にみえて、実はドレイの思想を大衆にうえつける役割を果すのだ。大衆の競争思想は、もちろん体制的に利用されるものにちがいないが、大衆を反体制に転化する唯一のバネもまたここにあることを忘れて、倒錯に落ちこんではなるまい。

久野、鶴見、藤田の分析は、今回もまた見事なのだが、大衆運動例えば労働運動は、大衆の全社会生活に基礎をおき、大衆文化（芸術）運動は、大衆の文化意欲に基礎をおくもので、次元と領域がちがうということが、はっきりと把まれていないような気がしてならぬ。大衆は、べつにコミュニケーション・ルートによらなくてもコトバとして思想を構成し、自身の社会生活を方向づけているわけである。だから、大衆の社会生活現象と、大衆の文化現象とがまったく乖離することが、実際に起りうるはずなのだ。俊敏なこの哲学者たちの追求にもかかわらず、尚、今日の大衆芸術（文化）運動の問題はいくつかの根本的な省察を必要としている。

埴谷雄高「指導者の死滅」（『中央公論』七月号）、平野謙「日本のテロリスト」（『群像』七月号）、佐々木基一「革命と芸術の問題」（『群像』七月号）は、いずれも執拗にこの大衆、政治、文化の課題をめぐって格闘している。埴谷は、大衆前衛のメカニカルな腐敗の根源をあばこうと試み、平野は、日本のアナルコ・テロリストたちの心情と私生活とテロ行為との矮小な融着を掘り返そうとし、佐々木は、スターリン主義批判やハンガリー事件以後の新しい芸術と政治の結びつきの課題を俎上にのせている。大衆、政治、芸術の課題は、ほんとうは埴谷、平野、佐々木が個別的に追及している領域を並列してはじめて成立する複雑で広範なカテゴリーを必要としているにちがいない。

埴谷の論文は、現在「スターリン主義」と呼ばれてあいまいに総括されている前衛組織の官僚主義の由来を、本質的な段階から解明しようとする、はじめての試みである。埴谷によれば、官僚主義はつぎの三つの歴史的由来からやってくる。第一に、もっとも人民大衆に忠実であり、無私であると自認する革命家も、組織に助けられれば、独裁者に変貌しうる人間的契機をもつばかりか、集団指導制によって責任の所在を拡散することにより、個人的罪悪感なしに恐怖政治を行いうること。第二に、国家を廃滅せずにつくられるプロレタリア独裁形態は、必然的に官僚制の温床となりうること。第三に、前衛組織のなかの階層性の存在。埴谷は、これをフランス革命におけるロベスピエールの例、第一インターのハーグ大会におけるマルクス派とバクーニン派の対立、レーニンの『国家と革命』のなかの前衛制度論などを例証しながら結論している。埴谷の試みが、手のつけようもない巨大な問題を、無限大の方向から逆に解明しようとする試みの、一歩前進であることはあきらかだ。しかし、現在、「スターリン主義」「ハンガリー事件」「丁玲問題」というコトバで象徴されているソヴェトや中共の官僚主義者たちの朝令暮改が、こういう高級なところに原因しているかどうかは疑問であろう。ようするに、かれら（官僚主義者）は、プロレタリアートの利益に奉仕するのが善であり、それに反するのが悪であるというレーニン的原則を忘れた、矮小な自惚れ野郎にすぎないのではないか、という無限小の方向からの解明も可能なはずなのだ。わたしは、ハンガリイ事件の論評で、サルトルの「スターリンの亡霊」以外には悉く感心しなかったが、それはサルトルが微かにこの原則を照しているとおもわれたからであった。日本の前衛党員の論調に至っては、最も良心的な分子でさえ「ではあるが、しかし」式の及び腰を示したにすぎず、前衛としての不屈の思想がない完全な失格者であることを証明したにすぎなかった。

ようするに、矮小な人間は、どんな壮大な理念を前にしても豚に真珠の反応しか示さないのではないのか、という無限小の方向から、古田大次郎、中浜鉄など、日本のアナルコ・テロリストたちの無計画なテロ行動と無頼な私生活との必然的な結びつきを衝き、これらテロリストたちの実践を徹頭徹尾矮小に戯画化することに成功しているのは平野謙である。汚辱にまみれた密告者や殺人者か、その裏がえしとしての権勢欲につかれた野心家だけが、「民衆全体」の名のもとに、よく革命運動に献身することができるのではないか、という平野の疑念は、一念こってリアリティのある日本の前衛像をつくりあげているのだ。野心家でもない、非倫理的な殺人者でもない革命家の像が成立するためには、「思想の名において、よく大衆のために死ぬことができるか、という椎名麟三的な設問をとおらねばならぬ」と平野は云う。しかもこの設問にこたえるには、革命党の組織が、権力組織と質的にちがったものであることが前提であるとして、いわば埴谷の「指導者の死滅」の論旨を、からめ手から照し出している。

わたしには、埴谷や平野の論文を支えているのが、社会主義体制の優位を信じながら、革命党の恐怖政治を一点おそれる内部衝迫であるとおもえる。わたしは、この内部衝迫の生みだす虚像と分析力を高く評価する。日本の前衛官僚の番犬たちは、反共だなどと騒ぐかも知れないが、そんなことはない。ただ、埴谷にしろ平野にしろ、大衆が貴方の望まない方向になだれていったとき、尚、貴方の内部衝迫に殉ずることができるか、という設問に最後には答えねばならないのではあるまいか。

佐々木も、まさに、この点にかかわりあいながら、「組織と人間」の問題が、日本のインテリゲンチャの良心と恐怖の間で、二律背反的な命題に転化されて停滞している現状をつきやぶる方向を、革命的大衆芸術の創造の課題と結びつけて追及している。佐々木には革命党の組織に対する恐怖がつくり出す虚像はない。しかし、サルトルがソ連軍のハンガリイ介入にたいして「すべての怒りをさしむけるのは」云うまでもなく、彼が共産党の批判的同調者であってコミュニストでないことのなによりの証拠であって、本当のコミュニストなら、ソ連の政策の誤りに口角泡をとばして怒号するかわりに、もっと冷静に、誤りを排除する方策を考えるだろう、などとかいているのをよむと、何を云うか、頼むからソ連の政策の誤りを排除する方策を考えてみせてくれ、と反問したくなるのは、論者ばかりではあるまい。わたしは、自己の思想にたいする責任意識が、政治家の責任意識に優越すると自認しうる者は、思想的立場の如何を問わず、如何なる政治に対しても批判する権利があるし、意義もあると信じている。また、前衛組織が腐敗と官僚主義を回避する手近な道は、一度、政治的誤謬を導いた指導者が民主的ルールに則して、きわめて事務的に指導の座を交替することにあるとおもう。芸術運動家もまた別ではない。芸術運動家においても、一将功成って万骨枯る、という現状は政治運動家におけると同様に醜怪なのだ。ただ、芸術運動家の場合、誤謬の影響が具体的ではなく内的であるため目立たないだけである。

4

現実的動向は、急速に転回点をめぐろうとしている。寸木支え難し、大厦の崩るるを、という絶望が時としてこころをかすめないわけではない。現実社会の動向についてヴィジョンをもたない組織などは、幾つあってもおなじことなのだ。先月、わたしは大衆の指標を大衆芸術からもとめてはならない、大衆の社会生活と文化現象との機能的な区別をわきまえなければいけない、などとかきながら、有卦に入っている大衆芸術論者には、どうせこういう発言が陳腐にしか聞えまい、という絶望を感じないわけではなかった。果せるかな、余暇における人間の問題を最大の関心事としたり、芸術は、社会の一定の生産段階における閑暇の産物だなどという珍説を、臆面もなくふりまわしている有頂天が今月ちらほらみえていた。いくらかうっとうしくないことはないとはいえ、わたしは、こういう珍説が、マルクス主義の名のもとに闊歩することができる「平和」を深く愛好しないわけにはいかない。ただ、かれらが「革命」もまた閑暇の産物であり、余暇における人間の問題であると、言い切る度胸をもたないのを幾らかいぶかしくおもうだけだ。

今月、かような有閑マルクス主義者の論説を尻目にかけて、「赤旗と戦った十年間」(『文芸春秋』八月号)をかいているのは日経連専務理事・前田一である。前田は、資本主義イデオローグの前衛らしく、流石に、労働運動を料理する方策は、閑暇の産物だなどという馬鹿気たことは云わず、苦しきことのみ多かりきと述べている。前田は、戦後、虚脱状態にあった資本家陣営が、二・一ゼネストの挫折を境とする占領軍の弾圧政策にたすけられて立直ってゆく経緯をかいているのだが、とくに関心をひいた点は、戦後の争議の特性が、筋金入りの指導者が一人でもあれば、簡単に大争議が展開される状態にあったから、レッド・パージの音頭をとって左翼分子を追放したら、いとも簡単に大人しくなったとかいている個処である。戦後労働運動には、指導者の引きまわし主義があったとか、組織労働者の意識上の遅れや、未熟が目立ったとかいう批判は、わたしにも微少な責任を感ずる事実があったから白々しくて言えないが、前田によってこのように評価されねばならなかった労働運動の弱点は、政治運動と大衆運動との区別がつかない戦前派労働運動家の意識上の溷濁に負うところがおおいとおもう。労働運動は、反体制的な分配カルテルであり、労働者の自主的な運営によって民主的に展開されるべきものである。政治運動は、その政治的プログラムによってのみ労働運動と結びつくはずのものだ。共産党書記長の某君が、党員である組合幹部の某々君たちを叱咤すれば、労働運動が、どうにでも動くとかんがえたら大間違いである。学生運動もまた然り。学生運動は大衆運動の一つであり、学生大衆の自主的運営によって展開されるのだ。共産党の幹部会が、学生運動家の某々君を除名すれば、いささかでも学生運動が方向転換するなどとかんがえるとすれば妄想にすぎない。学生大衆の自主的な意志によってのみ方向転換はなされねばならないのだ。

前田が、指摘している大衆運動の官僚主義的倒錯は、もちろん、大衆運動だけにあるのではなく、一種のもうまい性として資本家陣営をも貫通している。前田は、戦後初期には、たとえば労組が理論生計費を基本にしてカロリーと蛋白必要量とエンゲル係数から割り出した賃上要求をかかげても、資本家側はそれを理解する能力がない程、もうまいであった、とかいている。戦後資本主義意識は、こういうもうまい性から漸次的に近代化されつつある。ただ、わたしたちが、忘れてならないことは、独占資本と中小資本とが、均質的に近代化されているのではなく、いわば、独占大資本が地すべり的に過剰（！）近代化されつつあるのにたいし、中小資本は、根底では戦後それほど変っていないことである。日本資本主義の指標は必ずしもこの過剰近代化された独占資本にあるのではないことを銘記すべきである。この独占資本と中小資本との断層の拡大という一事は、戦後日本の資本主義の重要なメルクマールの一つである。前田が、最後に資本の蓄積の必要を力説し、「戦後、資本主義は変貌して、最近の言葉でいえば、マネージメント資本主義、即ち高度に上げられた収益をどう処分してゆくか、自分の企業の発展のために、あるいは労働者の幸福の増進のために、どう利益を使うか、云々」に資本主義の方向があるなどとかいているのをよむと、いくらか有閑マルクス主義者の理論と似ていないことはないという感想を禁じえなかった。

河上徹太郎「日本のアウトサイダー」（『中央公論』八月号）は、戦後、散発的にしか論文を発表してこなかった河上の本格的の連載らしく、第一回として、中原中也をとりあげている。わたしが、とくに注目したのは、河上が、日本のアウトサイダーの特質を、どのような点で捉まえようとしているか、ということであった。河上によれば、西欧では、アウトサイダーとは、キリスト教徒に対する異教徒のことをさすのだが、近代日本は、民族的に異教的だということができるから、日本のアウトサイダーは、異教的な日本の社会においてむしろキリスト教的であるにちかい、とかんがえられている。

河上は、中原中也が、「分析」を「呼気」と名づけ、「瞑想」（ネガティヴな綜合ということであろう）を「吸気」と名づけて、近代芸術の分析的特質を剔けた所論をかりて、わたしが二回にわたってここにとりあげてきた久野収、鶴見俊輔、藤田省三の連続座談会「戦後日本の思想の再検討」に喰いついている。つまり、久野たちの論は、マス・コミと心理学の発達した現在における分析的批判の最たるものだというのだ。久野、鶴見、藤田が「大衆の思想」のなかで、島木健作の『礎』や『生活の探求』を情況順応主義のサンプルとしてあげたのに対し、河上は、それでは、島木が、『満洲紀行』のなかで現地の官僚や指導者を罵っている情熱は、どうするのか、島木こそ正義派型のアウトサイダーに外ならぬ、とかいている。久野らと河上との論点の相違は、哲学者と文学者の認識方法の相違でも、非寛容と寛容との相違でもない。日本のアウトサイダーの概念が、まったく喰いちがっているのだ。久野たち少壮哲学者によれば、日本の国家権力、わけても天皇制の優性因子にぬくぬくとくるまれたうえで、日常社会をスネたところで、何がアウトサイダーだ、ということになる。いいかえれば、河上のいう異教的社会秩序の根元にぶつかってはじき出されることもない思想は、日本では、アウトサイダーの名に価しないと主張している。おそらく、戦争に加担し、協力したことから、思想的な発条を手に入れる労苦をとらなかった河上には、久野らの内在戦争体験をふまえたアウトサイダーの概念は理解できないかもしれない。それは、河上が、久野たちの「心」グループ批判にも言及して、破滅型の辰野隆を秀才優等生型に分類しているのはおかしいと批判している個処からも明らかである。「天皇様」の辰野隆が久野、鶴見、藤田たちの戦後的概念から、どうして破滅型でありえよう。高々、日常環境をスネて、飲んだくれたこともある文学青年にしかすぎないのである。

久野、鶴見、藤田の「心」グループ批判は、河上ばかりではなく、「心」グループ自体からも、『東京新聞』のヤジ馬「大波小波」からも、レッテル貼りだ、などと反撃されている。しかし、筆者はくりかえして述べるが、久野らの批評は、オールド・リベラリスト批判として、最もコンセツで最も鋭利な批評であり、ミリタントなマルクス主義者でさえ範とするに足りる示唆に充ちている。

「大波小波」のヤジ馬などは論外だが、「心」グループの反批判でも、久野たちが批判した最大モチーフは、故意に避けられている。即ち、オールド・リベラリスト達が、日本の国家を、夫子たちの良識あるサロン談義を包容してくれる居心地のよい生活協同体とかんがえ、大衆を自分たちの見解のとどく隣組の仲間だ位の調子で、文明批判などやっている所以のものを自己解剖してみせねば、反批判をなさないのだ。わたしは、久野、鶴見、藤田が、ひるむことなく反論を展開することを願わずにはおられない。それは、日本の思想や哲学が、戦乱の苦しい内在体験を通過して、どこまで本質的に変りえたかの試金石だからである。真の思想は、鑑札をぶらさげた遊び人や、教養主義のなかに育たず、あの戦乱の体験を思想に発条となしえたもののなかに育つのであることを示すがよいのだ。

竹山道雄「教育学界の異常」（『新潮』八月号）も、進歩的教育学者の発言を、片っぱしからとらえて、揚げ足をとっている。毎回、わたしなど面白くよんでいたフランス滞在記をわざわざ止めてかいた今回の竹山の「手帖」は、まったく、いただけなかった。竹山の論点は、つきつめていけば、むかしは何事も皇室をもち出せば他人を黙らせられたが、いまは何事も核兵器や平和をもちだせば他人を黙らせられる。こういう論理は、戦争中の論理によく似ている、というところに帰着する。いいかえれば、竹山は、或る全体的カテゴリーに含まれる部分的カテゴリーのなかで価値を争っても、全体的カテゴリーの価値がすべてを貫徹するのだから無意味だ、という発想の仕方は誤りであり、ここに進歩的教育学者の論理の盲点があると指摘している。たとえば、教育勅語に説かれているのは、自然法的な徳性であって、それを何の拘束力もない形で諭したからとて、「絶対服従道徳を上からたたきこんで、人権の意識をおさえ――無謀な『聖戦』に引きこんだ」ということにはならない、と竹山は云うのだ。いま、教育勅語がはたして「自然法」的な徳性かどうか、また何の拘束力もなかったかどうかは、問題の外におく。竹山の発想は、保守的思考法の指標であることを、わたしは指摘したいのだ。河上徹太郎のアウトサイダーの規定は、つまり竹山と裏腹で、部分的カテゴリーのなかでアウトサイダーの性格を論じながら、全体的カテゴリーに対する考察を脱落した場合に外ならない。いいかえれば、竹山にしろ河上にしろ、カテゴリーを形成すること自体が、現実社会の構造との対応づけなしには無意味なのだ、ということを忘れている。

筆者は、以前、福田恆存から、戦争中は、国家が戦争しているのだから、戦争に協力するのは当り前で、戦後は「平和」なのだから平和を享受するのが当り前である、平和擁護闘争だとか、何とかいうのは、それ自体、矛盾だし、戦争責任などは何もないのだ、という論理で、からかわれたことがある。いかにも、戦争中は、米英撃滅のためジャーナリズムを統合しなければならぬ、何をぼやぼやしているのだ、などと叱咤しながら、戦後は、ロックフェラー財団の援助か何かで渡米した福田恆存らしい言い草だとおもって、苦笑したが、苦笑しながらどうしても一つの疑問を感ぜずにはおられなかった。それは、福田の論理が、日本に特有の庶民の論理であり、決して近代的でも、インテリゲンチャ的でもないという一事である。この論理は、福田の文学理論と、殆んど真正面から激突する。社会的現実を考察する場合は、カテゴリーの形成を、日本庶民特有の発想で極力排斥しながら、文学理論において自然主義的思考を文学的カテゴリー感覚から否定するという矛盾は、どこから起るのか。ここに、日本的インテリゲンチャの土着後進性の問題があり、これは、福田恆存のような保守的インテリゲンチャの発想のなかによく典型を見出すことができるのである。わたしは、カテゴリーを貫通しようとする欲求のあまり、カテゴリーを、現実社会のひだにつきあわせて検証しようとしない他愛もない進歩的文化人をいささかも擁護しようとは、おもわないが、部分的カテゴリーだけで、全体的カテゴリーを脱落した保守的知識人の指標を、なおさら擁護しようとはおもわないのだ。今日、保守的知識人は、イデオローグとして日経連専務理事前田一に、はるかに及ばない。

5

今日、進歩主義者のあいだに思想的な指標の変化がおこったとすれば、ソヴェト共産党第二十回大会におけるフルシチョフのスターリン批判、ハンガリイ事件、ポーランド事件などが、つづいて突発して以後のことである。おもえば、ハンガリイ事件によって、世界中の進歩主義者たちが、動揺したとき、人民内部の矛盾と、支配者と人民とのあいだの矛盾とは、本質がちがうのだ、という奇妙な論文を発表して、トランキライザーの役割をはたしたのは、中共の指導者であった。筆者のしるかぎりでは、当時、この論説に批判をくわえ東欧革命の意味を救いだそうと試みたのは、『批評』という小さな理論同人誌によっていた同人たちと、『探究』による黒田寛一らの理論家と、マルクス主義哲学者、三浦つとむである。筆者は、そこにマルクス主義者としてのまれにみる質の生粋さをみないわけにはいかなかった。雑誌『批評』で、鶴見俊輔などとは全く反対の立場から筆者の「芸術運動とは何か」に批判をくわえ、武井昭夫の日共内における妥協的な態度を非難し、ハンガリイ事件にたいする日共幹部の無節操ぶりを攻撃していた大池文雄が、こんど、日共から除名されたときいている。また、周知のようにここ半年ばかりのあいだ黒田らは、トロツキストとして攻撃をうけている。これら生粋の対立的な理論家を、同じ陣営にかかえて切瑳するだけの自信がなく、番犬と、ろくでなしの同伴者をあつめて暗がりで乳くりあっているような組織体のありかたこそ、恥ッさらしの好見本というべきである。ハンガリイ事件は、じつに、日本の革命家とインテリゲンチャとの正体をうつしだすリトマス試験紙の役割をはたした。

わたしたちは、ハンガリイ事件によって、一滴の血をも流す必要はなかったかもしれないが、思想の血を内部で流すことなく、この事件を忘れさることはできないのである。思想的な意味で、この事件の教訓がわたしたちの内部世界に実を結ぶのは、まったくこれからであることを銘記しなければならない。

今月、ハンガリイ事件の最後の余波であるナジ処刑の問題をとりあげて、論じているのは、松田道雄「修正主義への不寛容宣言」、埴谷雄高「フルシチョフ主義の秘密」、アンリ・ルフェーブル「マルクス主義者として」(以上、『世界』九月号)など、である。

松田の論文は、ナジ処刑を、国際政治の背景から浮き彫りしようとしている。松田によれば、ナジ処刑は、ソヴェトのユーゴスラビア共産主義者同盟を先頭とする修正主義の傾向にたいする批判の一環としておこなわれたものである。現在、社会主義国も、帝国主義国も核兵器をかかえて対峙している。ひとたび、両陣営が干戈をまじえれば、人類ははかりしれない損傷をこうむるほかない。フルシチョフを先頭とする、ソヴェトの指導者たちは、平和的共存の道をうち出してみたものの植民地や従属国の民族主義運動を引火点にかかえた国際情勢のなかで、平和的共存政策が各国の社会主義者たちにあたえた楽天性を、そのまま放っておく場合は、戦争にたいする警戒体制をかためることができない。ここで、平和的共存政策以後、息を吹きかえしてきた修正主義の傾向に打撃をあたえることが必要となってきた。松田によれば、ナジ処刑は、ソヴェトの修正主義にたいする不寛容の宣言であり、以上のようなソヴェトの政策転換のシンボルに外ならない。ところで、修正主義とは一体何であろうか。松田の論は、いくらか床屋政談のたぐいにちかいため、社会主義国対帝国主義国の対立する世界情勢を、大国対小国の対立におきかえようとするユーゴスラビア共産主義者同盟の傾向が、ソヴェトの正統主義にたいし修正主義を代表するものだとかんがえられている。松田のこの修正主義のうけとりかたは、必然的に床屋政談にちかい結論にみちびかれる。松田は、ソヴェトの指導者たちが、資本主義社会に住んでいる社会主義者がおなじ目にあうのが嫌なら、自分たちの社会体制のなかに住んでいる反体制的な人間を死刑になどすべきではない、というような奇妙な意見で論をしめくくっているのだ。

筆者のかんがえでは、現在の世界情勢を、資本主義国と社会主義国との対立という側面からのみかんがえようとし、昨日平和共存をとなえたかとおもうと、今日は世界政策上の必要から反右派闘争をとなえ、その象徴として一匹の小羊にひとしいイムレ・ナジを処刑するソヴェトや中共の官僚主義的な傾向こそ修正主義の典型とみなければならない。この典型は、強いていえば、黒田寛一らをトロツキストと非難して仇敵視し、大池文雄の若々しい幼ない批判にも堪えきれずに行政処分に附する日共の官僚主義的傾向にまで尾をひいているにちがいないのだ。松田道雄にこういう理解をもとめるのは無理であるとしても、現在の世界情勢を、支配権力と労働者大衆との対立という永久の観点を脱落してながめる官僚政治家の転落ぶりが、ナジ処刑を、本質的にあやつったのである。わたしには、ナジ処刑を、ナジが元ハンガリイ勤労者党の指導者であったが故にビッグ・ニューズとしてとりあげるジャーナリズムの方式をはなれて、本質的な問題としてとりあげる観点があるとすれば、これ以外にはかんがえられない。

埴谷雄高の「フルシチョフ主義の秘密」はほぼこういう見地にたっていて、「永久革命者の悲哀」以来の埴谷の全思想体系をあげてこの短かい論文につぎこんだ今月もっとも優れた論文である。スターリン主義がピラミッドの頂点にあるスターリン個人の傾向だけを指すものでなく、それを支える多様なピラミッドのあらゆる一辺に於てまた、堅固に形成されてはじめてスターリン主義となったごとく、このフルシチョフ主義もフルシチョフ個人の傾向だけを示すものではなく、あらゆるかたちの大衆討議をきらうこの頑強な秘密主義は、ただソヴェトの党の上層部の慣用になっているばかりでなく、大衆から自身を切り離すことによって自身の位置を保全しようとする世界各国のあらゆる無自覚な党の上層部の一般傾向にすでになりつつあることを、埴谷は、正当に指摘している。この指摘によって、すでに埴谷の論文が、松田道雄の進歩的床屋政談を、はるかに抜きんでていることはあきらかである。埴谷は、つづいて、スターリン批判が、スターリン主義を発生させた深い根拠にメスをいれず、スターリン個人に罪をおわせてすりぬけたため、そのヴァリエションとしてフルシチョフ主義を成長させたと説く。松田によれば、ナジ処刑は、反修正主義闘争の政策的一環であるが、埴谷によれば大衆の利益にたいする奉仕を忘れたハンガリイ前衛党の官僚主義者たちが、ハンガリイ労働者大衆の下からの組織である労働者評議会にたいして加えた死刑宣告の一環にほかならない。松田と埴谷との理解の相違は、さかのぼれば、現在の世界情勢を、ソ連圏と米国圏の対立としてみるか、支配階級と労働者大衆との対立としてみるかにかかっている。本質的な課題、革命の永久の課題をわすれた現象論は、いかに政治的データをあつめても空しいものにすぎないことを、両者の理解のちがいがしめしているのだ。埴谷の論文は、ハンガリイ、カダル政府が、労働者評議会に加えた弾圧、指導者の逮捕、死刑、そして、その延長線におこなわれたフルシチョフ主義者によるナジ処刑が、二十世紀革命における最大の汚点であることを、はっきりとしめしえている。

アンリ・ルフェーブルの「マルクス主義者として」は、松田道雄の解説的な論文ともちがうし、埴谷雄高ほどの事態の本質にせまろうとする論理的な迫真力もなく、きわめて主観的な表白である。そこには、ソ連共産党第二十回大会におけるフルシチョフのスターリン批判を、国家至上主義の時代、政治的犯罪の時代の終末として理解したこのフランスのマルクス主義美学者の、正直で幼ない絶望が語られている。「ゴールキーよ、マヤコフスキーよ、何と彼等は遠くへ行ってしまったことか、そして、何と彼等が我々を魅惑することか！」こういうルフェーブルのコトバは、いくらかの困惑をもってきくほかはないが、それでも、けっして、かれがナジ処刑の政治的意味を、見逃しているわけではないことを、云っておかねばならない。ルフェーブルによれば、ナジ処刑が政治的に意味するのは、ユーゴスラヴィアとの断絶であり、バンドン・グループとの喰い違いの発生である。かくして、労働運動の統一と解体した左翼の再結集のための困難は倍加した、とルフェーブルは、のべている。では、ナジ処刑自体をルフェーブルは何とみるか。それは、かれによれば、全世界の前に、あることを、しるしづけるために、何人かの人間をつかまえ、計画的に、冷やかに、落ちつき払って、時期を撰んで、これを殺したことである。ここでは、生と死はもはや記号であり、アンダーラインを施したり、消したりする黒板の字とおなじことだ。人間の記号への還元にたいして、人間の権利の名において抗議せざるをえない、とルフェーブルは語っている。

わたしは、ルフェーブルが埴谷雄高ほどに事態の本質をみていないことも、ロマンチックな理解にひたりすぎていることも、指摘する必要はないとおもう。ここに、現代の西欧マルクス主義美学者がさらけ出してみせてくれた真情をうかがえば充分である。ナジ処刑を、ハンガリイ労働者評議会の官僚主義者による絶滅命令の一環としてみる日本の埴谷雄高の理解は、すでに、ルフェーブルを、はるかに越えて世界的水準にたっしている。一介の時評者としては、もって瞑すべきであろう。かような認識力の強大さに出あうことは、今日の日本のジャーナリズムのなかではきわめてまれな幸運にほかならないからだ。

アンリ・ルフェーブルの理論的紹介者のひとりである佐々木基一は、『群像』七月号の「革命と芸術の問題」において、サルトルの『スターリンの亡霊』にふれ、サルトルが、コミュニストだったら、ハンガリイ事件にすべての瞋りをさしむけるよりも、ソ連の政策の誤りを排除する方策を、しずかに考える方をえらぶだろうとかいた。そして、八月号の同論文で、ナジ処刑問題にふれて、自分はナジ処刑の報をきいて当惑した。どうしても正しいことであるとはおもえない、とかいている。ここには動揺する佐々木の良心の所在がしめされているにちがいない。しかし、わたしは、すでに言及したように、日本におけるオーソドックスのマルクス主義芸術理論家である佐々木に、かるがるしくサルトルにイズムの優位をひけらかしてみせたり、ナジ処刑に当惑してみせたりしてもらいたくはなかった。佐々木の理論的支柱のひとりであるルフェーブルでさえ、一個の美学者として、いうべきことを、すっきりといいつくしている。それが、どんなに馬鹿正直で、幼稚であろうとも、じぶんの思想に忠実でありさえすれば、何人も全世界に向って残りなく云うことができるのだ。今日、日本の進歩的文学者は、もっとも戦闘的な分子でさえ、おれは正札がついているが、おまえは赤札だ、などという糞にもならぬことを馬鹿の一つおぼえのようにくり返して遊んでいる思想的石女（うまずめ）にすぎない。

6

戦後社会が安定化にむかった朝鮮戦争のころからすでに七、八年たっている。芸術の分野で、この間にいちじるしく変化した現象といえば、だれもが大衆芸術・娯楽が多種になり、高度に盛んになったことをあげざるをえないとおもう。映画・演劇・ミュージカル・ロカビリイ・大衆文学等々の娯楽・芸能は、戦前には考えおよばなかった規模と多様さと高度の組合わせで流布されている。これにともなっていわゆる純芸術の娯楽化、大衆機能化という現象がおこっている。このような現象は、いうまでもなく戦後資本主義体制のある期間持続された安定化と、テクノロジイの発達とが複合されたために起ったものである。テクノロジイの発達と社会体制のちがいとは、関係があるかもしれないが、別個のものであるから、社会の安定化とテクノロジイの発達という二本の足が具わった社会では、大衆娯楽と芸能の繁栄はつきものであるということができよう。

戦後、「政治と文学」の論争を提起して、政治の人間化を主張した「近代文学」系統の芸術家たちのうち、たとえば、花田清輝、佐々木基一、野間宏などは、現在、大衆娯楽の綜合的な芸術化という主張に転じている。これらの芸術家たちが、政治と芸術の課題を失うまいとすればいつも、いくつかの問題に悩まなければならない。第一に大衆娯楽をささえる一本の足は、日本では資本主義の支配体制そのものであるということである。第二に、大衆娯楽にあつまる大衆は、僅かの余暇をさいてあつまり、また、芸術的大衆を目当にすることに限定されるため、大衆娯楽の芸術化という主張には政治と芸術の関係を解く鍵は、機能としてかくされる余地がないことである。

第三に、映画にしろ、ミュージカルにしろロカビリイにしろ、娯楽であって芸術ではないからこれを、総合化し芸術化しようとする意企は、テクノロジイの発達という一本の足からはささえられるだろうが、大衆現象が転変すればすぐ忘れられるためたえず大衆現象を後から追わざるをえなくなることである。

わたしの目算では、現在、大衆娯楽の一本の足である社会体制とそれに対峙する反体制的な勢力との対立がはげしくなって、大衆娯楽がテクノロジイの発達という一本足でたたざるをえなくなるのは数年以内であるとおもう。この数年以内にまた別途の方策を考えることを余儀なくされよう。大衆芸術論者たちは、現在、芸術活動とは別に、時事的、政治的な発言を試みることによって方便的にこれらの問題を補っているにすぎない現状である。

「近代文学」系統の芸術家たちのうち、たとえば、平野謙、荒正人、埴谷雄高、本多秋五、大井広介などは、政治の人間化という当初の主張から、現在、組織と人間、組織悪の問題の追及に転じている。これらの芸術家たちの問題意識は、はじめに戦前のプロレタリア文学運動の再検討という形でおこなわれた。戦前、小林多喜二や蔵原惟人や宮本顕治などに代表される芸術家たちにとっては芸術の創造と政治活動とを実践的に統一することが、いわば最高の理想であった。

これらの芸術家が、政治家としては文学青年的でありすぎ、文学者としては政治主義的でありすぎた弊害は、おそらくそこからうまれた。

かれらは、プロレタリア芸術運動のまわりにあつまってきた芸術愛好者や読者を、大衆のシンボルのように錯覚して、これによって大衆の動向を測ろうとしたのである。もともと、芸術的大衆は、芸術上のリアリストであって、社会生活上のリアリストではないが、本格的な大衆の方は社会生活上では強靭なリアリストでありながら芸術上ではセンチメンタルな大衆娯楽の愛好者である。

政治運動は、この本格的な大衆の社会生活を組織する問題であるが、芸術運動は、芸術的な大衆の芸術意欲を組織する問題である。

こういう矛盾がかれらに芸術の内容をなすのは階級的必要だとか、芸術は広義の政治的アジテーションだとかいうひどい謬見を強引につきつめたのである。

戦後、平野謙、荒正人などが小林多喜二の「党生活者」をめぐって追及したのはこの問題であった。平野謙は最近では、組織体には必然的に悪がともなうものであるから組織のあり方をまったく別に考え直さなければならないとし、荒正人は、組織悪か個人悪かという問題の設立をやめて、情況によって組織悪も個人悪も善になったり悪になったりするから、政治体の悪の問題は、情況悪の問題として解かれるべきだという主張に転じている。大井広介は日共の「トラック部隊」事件などをあげて、個人悪を組織悪に解消すれば組織の名をかたってどんな個人悪も横行することになると主張している。埴谷雄高は、ソヴェト共産党第二十回大会におけるフルシチョフのスターリン批判、ハンガリイ事件などを契機に、組織悪の問題を革命組織の官僚主義悪の問題として本質的に見直そうとしている。これらの芸術家たちは総括して、政治体の課題を、文学的な発想から解明しようとしているので、いわば敗戦直後の政治のデヒューマニゼイションにたいする抵抗の観点を徹底化していったものということができる。

しかし、これらの芸術家たちにとって、政治と芸術の問題は、芸術家の眼をもって、執拗に政治体のなかの人間と組織のあいだにおこる力学的関係を追及するということに帰着していて、実際の政治と芸術課題からは遠ざかるばかりになっている。

だから、組織というような、イエスかノーかの大衆意志によって民主ルールに則して組織をすすめてゆくという日常茶飯の問題が、ばかに神秘化されたり、深遠な意匠をまとったりして、深読みの傾向が必然的にでてきてしまっている。

これらの概観によって知られることは、「近代文学」系統の思想家、芸術家たちが、現在でも、依然として、芸術と政治が、まったく機能と次元をことにしており、芸術運動と政治運動とがまったく機能を別にしていることを明瞭につかんでいないとおもわれることである。芸術運動は、大衆の芸術意欲を組織する問題であり、政治運動は、大衆の社会生活を組織する問題であることが解かれていないため、大衆芸術論者のほうは、大衆娯楽を総合的に芸術化することに政治的な意欲を蕩尽し、組織と人間論者のほうは、官僚主義者とは、ちょうど裏腹に、組織を物神化する結果におちいっている。

わたしは、これら戦後派の芸術家、思想家たちが、戦後支配体制の安定膨脹とテクノロジイの発達に幻惑されておちいっている欠陥を克服し、芸術と政治との正しい関係を奪回する第一の方法は、まず、芸術家たちが、日本の現在の社会構造の総体のヴィジョンをはっきりと把握することにあるとおもう。そして、このヴィジョンによって芸術の形式、内容、芸術運動の方法などをたえずテストしながらすすむことだとおもう。

これは、すでに支配体制が、間接的なマスコミ文化攻勢によらず、直接的な大衆統制によって芸術の機能にたちむかおうとしているときに急務である。

ただ単に、文学の形式と内容だとか、スペクタクル芸術だとかミュージカル形式だとか、組織と人間だとかいう課題は、芸術的カテゴリイとして空無でなければ記号にしかすぎないのだ。これらはすべて、その社会の構造の総体のヴィジョンによって芸術家が自己検証したとき、はじめて芸術的な実体となりうる性質のものである。そうでないと、どんな情勢になってもミュージカルを演じていたり、組織体を物神化していたりする錯誤におちいるか、または、大衆現象に応じてくるくると転身したりするよりほかにありえない。

今月の作品から

1

今月眺めわたした詩誌のなかから、まず、作品ベスト5を挙げておこうかね。
第一位　悪童たち　茨木のり子（ユリイカ5）
第二位　セルロイドの矩形で見る夢　清岡卓行（現代詩5）
第三位　家系　　米屋　猛（ユリイカ5）
第四位　本になる　那珂太郎（詩学6）
第五位　愛の傷口　嶋岡　晨（詩学6）
この詩人たち、一度や二度ベスト5に入ったからとて、へえ、おれもまんざらではないな、などと自惚れるといけないからいっておきますが、茨木・清岡両先生はいくらかましであるとしても、みんなその日その日の出来ごころで創りあげた作品ばかりで、とうていまともな批評に耐えるものではない。また、ベスト5にもれた詩人諸先生もヒガム必要はない。貴君がこれらの諸先生に劣った詩人であるわけではなく、すべては偶然今月の貴君の作品が、偶然ベスト5の諸先生の偶然作に劣っただけなのだから。
ついでに、喧嘩のベスト3を挙げておくか。
第一位　メスカリンの幻影　児玉　惇（ユリイカ5）

第二位　論争以前の問題　　沢村光博（詩学6）
第三位　詩論批評　　関根　弘（詩学6）
番外　レッド・リボン大賞　マルクシズムは死んだか？　三浦つとむ（現代詩5）
特別　監督賞　四季派の呪い　鮎川信夫（現代詩5）

これも偶然、ベスト3の第一位、第二位を占めているのは飯島耕一先生に対する喧嘩である。どうやら、この先生は、「狂犬」ではあるまいか。来月あたり、この狂犬先生が反論をかくだろうから、主治医の診断はそれからにするとして、医者として所見を一言いわしてもらえば、「真の狂犬」と「偽の狂犬」を区別するのは、「真の狂犬」は必然的に噛みつくのに対し、「偽の狂犬」は忘れられた頃噛みつくことである。沢村光博先生などは、いかに寛容なネオ・トミスムの信奉者であるにしろ、せめて、ジャック・マリタンのマルチン・ルッター批判のような物凄いやつを一席ぶてば、平常の手腕からかんがえてベスト3の第一位にのし上っただろうに惜しいところで、聖書の「怒る勿れ」を思いだして自戒したのがいけなかった。

筆者のような局外の医者兼フランス文学ホンヤク業からみると、どうしても詩壇の論争というのが、のっぺらぼうなムード論争におもわれてきてしかたがない。論争のうえを霧のように流れているムードにひたり切れるものは、あちらの山、こちらの谷、細々ながれる川、一木一草にそれなりの価値も見つけ出せるわけだろうが、どうしても、そういう根気や善意がわいてこない。そこでつい同業の加藤周一君のようなヒネクレタ提言のひとつもやってみたくなるのである。今月はひとつ加藤君にならって「現代詩への提言」をやって、お茶を濁さして頂こう。実は『詩学』の「五月の詩祭」の広告をみて思い附いた。

提言（A）旧人を対象とする戦後詩人協会（仮称）Q氏賞判定の件

何が愉快であるといって、今月いよいよ、第八回H氏賞が、富岡多恵子という女子生徒の詩集『返禮』に贈られることになり、長谷川龍生先生の『ナントかの鶴』（題名を失念、ゴメンナサイ）が次点になったというニュース程愉快な詩壇ニュースはなかった。嵯峨信之先生などは、本気でそんな馬鹿なことはないと怒っていたようだが、それは選衡にあたった老詩人にたいする買いかぶりというものだ。また、富岡女子生徒が、わたしこれでも大したものだわ、などと自惚れ、長谷川先生が、おれの詩の価値はアバンガルトにしかわからない優れたものなのだ、などとふて腐れたらとんだ見当ちがいである。ようするに詩人の質の問題だよ。選衡にあたった老詩人の顔ぶれをみてみたまえ。何れ劣らぬロマンス・グレーだ。ロマンス・グレーの色慾ほど始末に悪いものはない。温和な童顔か何かでにこにこしているが、その年頃がもっとも根深い色慾の発動する時期である。詩人はとくに甚だしいことは金子老人、北園老人、小野老人をあげるまでもなかろう。老詩人が若々しい女子大生のムードに陶酔し、長谷川先生の詩のような毒気のあるサディスト趣味に顔をそむけるのは、人性の本然のしからしむるところである。こういう人性の本質を忘れて清岡卓行先生のように詩は技術だ（うまくない詩人に限ってこんなことをいう）などとうそぶいていると老詩人たちに寝首をかかれることになる。そこで筆者は提案するわけだが、『詩学』・『ユリイカ』・『現代詩』が年間二万円ずつ位もちよって、旧人を対象とするQ氏賞を設定しては、どうだろうか。選衡委員は、公平な詩評家を自認する清岡先生をはじめ多士済々であるはずである。飯島先生のような狂犬も一枚加わった方が興味深い選衡事情が生れるだろう。頭の悪いくせにいばっている村野四郎老人や、詩壇の大ボス北川冬彦老人、ロカビリイ女史深尾須磨子婆さんなどが、次点か何かになる風景は、想像しただけで愉快である。計六万円の資金ともなれば少しぐらい恥をしのんでも老人たち受取るにきまっている。何しろ詩人は貧乏だからね。

インカン遠からず、黒田三郎先生のような生え抜きの戦後派でさえ賞金三万円（？）に目がくらんだのか、戦前派の招きに応じたし、田村隆一先生とか木原孝一先生とか、きくところによると次点の長谷川龍生先生まで恥ずかしげもなく現代詩（老）人協会に入会しているということではないか。井上俊夫先生などは根っからの小心者で、はじめから問題外だが、こういう先生たちが若い身空で甘やかすから、老人たちはつけ上るのである。感心にも「よろめかない」のは、「荒地」一派の総師鮎川信夫先生くらいなものである。第一次戦後派も総帥ともなれば、よく時流に抗するだけの貫禄をもっているというわけかね。

提言（B）詩誌の評論を厳選する件

今月の『詩学』・『ユリイカ』・『現代詩』を見渡して文章らしい文章をかいているのは、数える程しかないね。文章らしい文章をかける詩人もかぞえる程しかない。詩人先生は、乃公のような詩は誰でもかけるというわけにはいかないが、散文は啞でないかぎり誰でもかけるなどと考えていたら大間違いだよ。そういう安直な気分で詩論をかいている詩人は、今後は詩だけかくように筆者は提言したい。これは今月にかぎらず毎度のことなのである。ろくすっぽ満足な文章もかけない中原佑介のような美術青年に批評欄を提供したり、ろくすっぽ満足な詩の批評もかけない飯島耕一先生のような「天ぷらの空揚げ」詩人に作品月評欄を担当させたりすると、有頂天になってろくなことは仕出かさない。第一編集者が見識を疑われる物笑いの種になるだけのことだ。筆者の今月の提案はまさに現代詩の病根に迫る提案と心得るが如何がなものでござろう。

2

筆者のように戦後、フランス本国から直送されてくる原書をタネ本にして、「想像力の問題」とか、「想像力とは何か」とかいうもっともらしい題名をつけた解説をかきなぐってきたものは、十年もおなじ商売をしていると、「想像力」という言葉をきいただけで、ゲップが出てくる。まったく、生理的現象だから仕方がない。加藤周一君などは、筆者よりも秀才であるせいか、もう二三年まえに、こういう商売が嫌になり、「想像力」ときいただけで反吐がでるらしく、ミソヒトモジの方へ転向してしまった。もっとも、加藤君の場合わざわざフランスくんだりまで出かけていって、憧れのフランス人からスマトラ人か何かみたいにあつかわれてはじめて眼から鱗がおちたのだから、余り自慢にはならない。そんなことは、筆者のようにいながらにして判るはずで、つまり、想像力が不足していたのである。しかし、何といっても加藤君は、詩壇にうろちょろしている文学青年に比べれば、本物ですよ。

近頃、左翼の諸君が、威勢とみにおとろえロカビリイやミウジカルに転向してしまったせいか、またぞろ、馬鹿の一つおぼえみたいに想像力だなどとうそぶく詩人がちらほらしてきた。筆者が大別すると、想像力論者は、二つにわかれる。第一が「火焔ビン」派で、第二が「フランス天ぷら」派である。柾木キョウ介君などは、さしずめ第一の方で、「想像力は思想に優先する」などという怖るべき珍説を、先頃発表していたが、魯迅の「故事新編」を冒険小説のはしりだという柾木君のことだからそれは仕方がないが、筆者の想像力ではもう三四年前には、「火焔ビンは思想に優先する」という説を称えていたのではないかとおもう。するとこの派にとっては、火焔ビンイコール想像力ということになって、猫の子一匹殺せないお粗末な結論がでてきてもやむをえまい。この派の代表的詩人、木島始君が「天才的革命詩人」という腰巻をつけて出版した詩集が手元にあれば、「われわれ　の　政府　を　造ろう」などという痴呆の詩を引用できるのだが、幸か不幸か今もちあわせていない。安心したまえ。今や天才的革命詩人も「われわれの政府を造る」かわりに想像力を養っているわけである。花田清輝君のような奇特な批評家でなければ、とうてい賞めようにも賞めどころがないのである。「フランス天ぷら」派からは、オナジミの飯島耕一君の御登場を願いましょう。『現代詩』六月号「セントルイスブルース」の書き出しである。諸兄は、この書き出しの感情移入をよく御覧になって、飯島君の想像力の性質を見さだめて下さい。

吉本隆明全集 5

月報4

2014年12月
晶文社

吉本と光太郎

北川太一

僕の親父は日本橋の裏通りのブリキ屋の親方だった。そこから深川の学校まで、市電が永代橋を渡ると、右手に大きな石川島の造船所が見える。吉本のいた月島はその向こうだ。洲崎の先を左に曲がると東陽公園前。そこに市立第一高女があった。次の次が府立化学工業学校前。吉本も僕も、昭和十二年にはその学校にいた。あたりの埋立てたばかりの草地には、大きな材木を浮かべた何本もの掘割や、池というにはおこがましい幾つもの水溜りがあって、腹の赤いヰモリや黒く光るゲンゴロウ、グロテスクなタガメなどがいた。糸を垂れれば大きな鮒さえ釣れた。その年には日支事変が起きていたが、生徒たちは勝手に青春を謳歌し、女学生たちとの恋文事件もしばしば口の端に上った。

四つあったクラスの中で僕の組には、当時絶対の権力を持つ配属将校に平気でタテつく若い担任がいて、ガリ版刷りのクラス誌の作り方を教えてくれた。しかし吉本たちのクラスが少し遅れて作り始めた『和楽路』については、特記して置かなければならない。吉本が早くから門前仲町の今氏塾に通い始めたことは、天の配剤と言うべきか。昭和十五年頃には、読書家だったその書庫は、吉本のために解放される。「高村光太郎私誌」の冒頭は書く。

「はじめて高村光太郎の詩にふれたのは今氏乙治先生の私塾で、或る日先生は河出書房版の『現代詩集』の全三巻を、蔵書のなかからとりだしてきて読んでみたまえとわたしてくれた。」

その第一巻にあった光太郎の「猛獣篇其他」を圧倒的に優れていると思い、殊に「寸言」という短詩と「老聃、道を行く」を暗誦するほど読んだ。そして『和楽路』に光太郎についての最初の創作「孔丘と老聃」を書いた。『論語』を精読しそれを構成したのは十六歳の少年である。僕は虫ばかり追い廻している稚い昆虫少年だったけれども、吉本はファーブルの『昆虫記』の、生きるもののいのちに魂をゆすられる感性を兼ね備えた、哲学少年だった。

光太郎の詩集『道程改訂版』が世におくられたのも昭和十五年、たぐい稀な愛の詩集として『智恵子抄』が出たのはその翌年。戦争詩とともに、どれも僕等を夢中にさせた。太平洋戦争が始まり、繰上げ卒業で、進学組の吉本は米沢高等工業に、就職組の僕は学費を稼ぎながら東京物理学校の夜学生になって、それぞれの時間を紡いだ。進行する民族戦争に、どちらも死を覚悟した愛国青年だった。戦い終わり、海軍技術科士官として飛行予科練習生たちといのちをかけた南四国から帰ったあと、工業大学進学を選んだ時、すでに吉本は大学にいた。そして二人ともアトリエを焼かれて花巻郊外に孤坐しているという高村光太郎が、いま何を考えているか、それればかりが気になった。光太郎がここに至った道を明らかにしない限り、これから何が出来ようかと思いつめた。そしていつのまにか、僕は重い荷物を背負った定時制高校の生徒の中に埋没し、吉本は渦巻く自分の想念の生み出し手になっていた。原紙切りから製本までその生徒たちに手伝ってもらって、五十部足らずの『高村光太郎年譜』を、こちらから読者を選んで勝手に送りつけたのは、昭和二十九年の夏休みの仕事だった。そしてそれが僕の一切の仕事の原点となった。思いがけずたくさんの反響があったけれど、ことに折り返すように届いた吉本のハガキは僕を力づけた。吉本の本の決して良い読者ではなかったけれど、僕をいつも大切にしてくれた吉本を、勝手にかけがえのない友達だと思う。

「高村光太郎年譜いただき、早速むさぼるように読みました。驚嘆すべき労作で、こころの底から敬意を表したいと存じます。下らない詩や詩論がマス・コミの波にのつて氾濫するとき、貴方のこの研究は、それらすべてを圧して、長くその価値をとどめることを確信いたします、いづれ、あらためて北川さんのこの仕事に触れさせていただきます、お会ひ出来るまでお元気で」

いくら調べてもわからない年譜の穴を埋めるために、誰の紹介も無しにアトリエに押しかけて聞き書きを取り始めた僕に「自分では何処がわからないのか分からないから、何でも聞け」と話してくれた光太郎にどんなに面倒をかけたか、その生涯はもう一年あまりしかなかったのに。吉本の最初の光太郎詩論「高村光太郎ノート――『のつぽの奴は黙つてゐる』について――」が『現代詩』に発表されたのは翌年四月だった。

春の大雪のあと、四月二日早暁、孤棲の光太郎がアトリエで亡くなったのは昭和三十一年だが、草野心平らの配慮で直ちに全集編集の仕事に取り掛かった僕は、第一巻の月報の執筆を吉本に頼んだ。その「『出さずにしまつた手紙の一束』のこと」の一節を、ここにはどうしても書き抜いて置かなければならない。

「『道程』一巻も恐るべき詩集である。『智恵子抄』も恐るべき詩集である。前者は、その背後に父光雲の芸術と人間にたいするぞっとするような憎悪と排反を秘しているからであり、後者は、夫人の自殺未遂、狂死という生活史の陰惨な破滅を支払って高村があがない得たものだからだ。／わたしは、『道程』をヒューマニズムの詩と評価することにも、『智恵子抄』を比類ない相聞と評価することにも無条件に賛成できない。」

四半世紀後、一緒に『光太郎選集』の増訂版を作った時、その最初の巻の帯に、吉本はみずからに語りかけるように、こうも書く。

「人間という概念をどこまでも拡大しようとして、到達したところを造型し、また追いもとめて際限のなかった詩魂であった。わたしたちは、結局はこの詩魂が探索した域外に在ることはないような気がする。」

これこそが吉本の、光太郎について生涯追い続けた膨大な仕事の、根幹のテーマであり、自ら筆をとったその最後の発言を導くものであった。

戦後の山林生活で作り出された最も優れた詩の一つ「人体飢餓」に触れ、なまじ解説などをつけるよりも、こういう断片にあらわれたこの詩人・彫刻家の自負と自由意志と老いを知らない芸術性ははっきり見てとることができる、と書いたあとで、「本音をいえば晩年の高村光太郎の詩も彫刻も理解しにくい部分がのこる。西欧近代の芸術を腹中に容れた東洋の意味が、負数であるのか正数であるのかは、まだ本格的に問われるほど、この詩人・彫刻家は読み切られていないと思える。」と、吉本にしてそう断言する。はるか後の吉本の追随者たちの耳に、この言葉は、ついに死なないその仕事のすべての意味を、問いかけるように響く。誰がいつ自分の仕事を読み切るだろうかと。

（きたがわ・たいち　文芸評論家）

ノラかっ

ハルノ宵子

父が亡くなる4、5ヶ月前だろうか。初冬の寒さを感じるようになった頃、2階で母の晩酌の付き合いをしていると、玄関で「ガチャン！」という音がした。あわてて階下に降りて行くと、玄関の石のたたきに父が転がっていた。杖を握りしめ、セーターに愛用の帽子、しっかりベルトを締めたズボン姿。あきらかに異常だ。

この頃の父は、「もうすぐお客さん来るし、頼むから着替えて！」と言っても面倒くさがり、何も無い日は終日下着と、ももひき姿で過ごしていた。まして夜の外出なぞは、目が見えないものだから、付き添いがいようが車椅子だろうが嫌がった。

こいつは――野垂れ死にするつもりで出て行こうとしたな。

助け起こすと、何も映っていない真っ黒なガラス玉のような目をしていた。私は何気ない風を装って、「散歩なら夜は危ないよ。明日ガンちゃん（助っ人）が来る日だから、陽のある内に一緒に行こう」と、努めて明るく言った。

やっとこさ上がりかまちに引っ張り上げ、キッチンの椅子まで連れてくると、セーターとズボンを脱がせ、さっさと〝装備〟を解除してしまった。いつもの下着姿だ。父はしばらく椅子に座っていたが、やがて寝所としている客間に這って寝に行ってしまった。終始無言だった。

情けなくて涙が出た。「お前はノラ猫かっ！この家はお前にとって、そんなに安心できない場所なのか——」

残念ながら現代社会は、そう簡単に野垂れ死にさせてはくれない。脚が不自由な父なんぞ、玄関を突破したとしても、数10メートル先の大通りに出る前に転んで立てなくなり、通行人にパトカーか救急車を呼ばれるのがオチだろう。〝徘徊老人〟が家や施設を抜け出し、そのまま行方不明になったり、事故に遭う話は後を絶たない。彼等はただ単に、帰り道が分からなくなっただけなのだろうか？それとも今は無い思い出の地に、帰ろうとしていたのだろうか？

昔から猫は、死を予感すると姿を消すと言われている。動物全般、自分の身体がツライ時には、なるべく外界から遮断された暗くて静かな場所にジッと身を潜め、飲み食いもせずにひたすら回復を待つ。それ故そのまま死んでしまうことも多い訳だが、自分がもうすぐ死ぬなんてことを予測して生きる動物なんている訳がない。そんなのは、余命0ヶ月などと余計な情報を吹き込まれる人間だけだ。動物はすべて、死ぬ瞬間まで生きようとしている。

そろそろアブナイかな…というノラが、軒下の暖房入りの箱にうずくまっている。でもある日力を振りしぼって、1歩2歩と箱の外へ出てへタり込んでいる。また暖かい箱の中に戻してやる。しかし翌日には、10歩進んだ所で力尽きて死んでいる。

そうだった——出て行こうとするノラ猫を「情けない」なんて思ったことはない。死ぬために出て行くんじゃない。1歩でも2歩でも、自分の力で生きるために行くんだ。

生ぬるい家も家族もいらない。最後には真の自由と孤独の時間を生きるために、すべての老人も出て行くのだと思う。

（はるの・よいこ　漫画家）

編集部より

＊第４巻解題に再録の記載漏れがありました。「マチウ書試論」の項に、『〈信〉の構造２　全キリスト教論集成』（一九八八年一二月二五日、春秋社刊）を、「「出さずにしまつた手紙の一束」のこと」の項に、『現代の文学25　吉本隆明』（一九七二年九月一六日、講談社刊）、『際限のない詩魂――わが出会いの詩人たち――』（二〇〇五年一月一日、詩の森文庫、思潮社刊）を、「昭和17年から19年のこと」の項に、『背景の記

憶』（一九九四年一月一〇日、宝島社刊）とその文庫本（一九九九年一一月一五日、平凡社ライブラリー、平凡社刊）を、「西行小論」の項に、『〈信〉の構造　全仏教論集成 1944.5～1983.9』（一九八三年一二月一五日、春秋社刊）を補足訂正します。また「アラゴンへの一視点」の項の「井上光晴編『新日本プロレタリヤ詩集』（一九四六年八月一五日、九州評論社刊）の収録形」を、「『コスモス』創刊号（一九四六年四月二〇日、コスモス書店発行）に発表され井上光晴編『新日本プロレタリヤ詩集』（一九四六年八月一五日、九州評論社刊）に収録された初出形」と補足します。

＊第6巻解題に再録の記載漏れがありました。「時のなかの死」、「孤独の幼女」、「戦争と世代」、「映画的表現について」、「読書について」、「ある履歴」、「去年の死」、「詩とは何か」、「想い出メモ」、「六・一五事件と私」、「思想的不毛の子」、「西行論断片」の項は、いずれも『模写と鏡〈増補版〉』（一九六八年一一月一五日、春秋社刊）への再録があります。また「読書について」は、改題の上『〈信〉の構造2　全キリスト教論集成』に再録されています。なお、正誤その他の訂正表は、最終配本の際に一括して掲載する予定です。

＊初出の掲載誌で探しているものがりあます。詩「みどりの聖餐」が掲載された『聖家族』（一九四九年五月二五日　第3号、聖家族発行所発行）をご所持の方がいらっしゃいましたら、本文・目次・奥付・表紙の複写をご提供いただけましたら幸いです。

＊次回配本（第9巻）は、２０１５年3月の予定です。

雨が降る
丘のうえのセントルイスブルースが
雨滴に汗ばむ
楽器の金属をふるわせ
肺の呼気を全開させて
曇った空めざして舞いあがると
とおくの方に消えて行く。

「さて、この文句の意味が判る者は手を挙げて！」「一人もいない。よろしい！」あたりまえなことだ、意味がないのだからね。「では、ここから統一したイメージを感受できる者は手を挙げて！」「一人もいない。よろしい！」あたりまえだよ、頭の先ででっちあげた気取った説明句の羅列だからね。ちえっ！　この先生、身の程を知ることだよ。貧弱な想像力をカバーするため、詩のあとに御丁寧に「シュールレアリズムの霊媒だったロベール・デスノスは……」などという註釈まで付いている。先ずカイより始めよ、という奴で自分の想像力の貧しさを自己批判することだ。フランスくんだりの空の色を空想したってぼけるだけだぜ。

筆者のように、深刻なことはすべて嫌いで、何でも遊ぶこと第一で、ユーモアとフウシが三度の飯よりも好きな人間にとって今月は、腹をかかえて笑わせてもらう豊富な話題にみちていた。もっとも『詩学』の七月号には長谷川龍生君、杉本春生君などの一頁立志伝が掲載されていて、これを読んだときばかりは、さすがに感激してシュンとなってしまった。長谷川君は、戦争中、学徒動員係にぶんなぐられて、よし作家になろうと志を立て、「死物ぐるいで、ポエジイの道をあゆんでいった」次第をかいているし、杉本春生君は病弱に鞭うって札幌短大の講師となるまでの次第を感謝をこめて語っている。ふたりとも立志伝中の人物である。美談である。筆者は、花田君のように、名声欲も金銭欲も、虚栄心もないインパーソナルな革命家だなどと自称する青少年向きの偽善者が嫌いである。まかりまちがえば、筆者も東京大学仏文科の教授くらいになろうとおもっている。もともと、頭の悪い教授と、文学のわからぬ学生しかいない所だから、多少でたらめな想像力の講義をやっても、わかるまいとたかをくくっているのだ。

　しかし、長谷川君、杉本君。二十代にして自伝などかくとは、ちょっといかせるじゃあないか。筆者は、長谷川君が、同僚開高健君のような偉大な作家になり、杉本君がやがて北海道大学文学部教授になることを祈る点では、人後に落ちるものではないが、今後は、みだりに他人を反共よばわりなどしてはいけない。君たちは、未来の偉大な作家、教授にすぎないのだ。君たちには、大衆の心は判らないからなあ。大衆の心がわからないといえば野間宏君の「詩人と社会責任」（『詩学』七月号）という関根弘君への反論などもそれだ。幾分ヒステリー気味で、思わず口走ったのだろうが「これが日本の現代詩人か、それならば現代詩人などには、私は全く用はないのだ。いや日本人は用がないのだ。」などとかいている。よせやい。関根君イコール日本の現代詩人というのは飛躍じゃありませんか。もっともこれはまだ被害がない。筆者は、最初「いや日本人は用がない」という文句を、いや日本人に用がないと読みちがえて、アヴァンガルト奴、とうとう痛快にも、日本人に用がないなどと公言しはじめたかとおもって愉快になりかけたが、とんだ買いっかぶりであった。野間君、「私は全く用はない」が、どうしてイコール「日本人は用がない」ということに飛躍できるのか説明してくれたまえ。野間君や花田君のような昔気質には、自分の気に喰わぬ人物を、反共だとか、日本人民の敵だとか口走る癖があるが、はやくそういう悪癖を直した方がいいよ。だれだって、こんなのが権力を握ったら有頂天になって、ただ、君を批判しただけなのに、日本人民の敵にされかねないと思うからね。それじゃあ、首が幾つあっても、足りないからたまったものではない。せめて、野間宏君や花田清輝君が、関根弘君や長谷川龍生君のような生活的苦労人だったら、余り子供だましみたいなことは云わなくなるだろうが、もともとインテリ・ボンボンだから仕方がない。又、関根弘君や長谷川君がもう少し偏執狂なら面白いのだけれど、とかく浮世はままならねえわい。

3

筆者の本欄の匿名時評は、日本近代匿名批評史上、劃期的なもので、いにしえの内田魯庵や、石橋忍月居士に匹敵するものであると自惚れて、いささか得意になっていたら、ぶったまげたことに、『東京新聞』の「大波小波」欄で狐狸庵主人というのが、「ぐれん隊的匿名評」の見本にあげて、心情下劣だなどと、ぬかしていた。ぐれん隊必ずしも心情が下劣とは限らぬなどと、いくら説明してやっても、狐狸庵君のような教育勅語的批評家にはわかるまい。こういう馬鹿先生は、深夜喫茶を改廃すれば、ぐれん隊がなくなるだろうなどと、おちょぼ口で論じている暇があったら、伊藤整君の『氾濫』でもケンケンフクヨウしたらよかろう。紳士というのがいかに心情下劣であるか、くどいほど書き込んであるから、眼から鱗がおちるだろうとおもう。そもそも何が下劣であり、何が高級であるか、などと改まる必要はない。狐狸庵君に、一席説教しておくが、例えばだ、他人の論争の最中に割って入り、君たちの喧嘩ぶりは、たいへんフェアーだ。日本には、こういうフェアーな喧嘩がないのは、近代化されていない証拠で……などと、テキ屋の親分みたいなことをかいて、テラ銭をかき集めている学生上りの批評家などがいるが、こういうのを本当のテキ屋批評というのだ。狐狸庵君などには、それが紳士批評にみえるだろうが、君、服装だけで、ぐれん隊と紳士を区別していたって、いつまでたっても君は、二流批評家だぜ。

こういう批評家にかぎって、文壇には劇的対立がないとか、私小説は駄目だとか云うが、商業ジャーナリズムに睨まれるのが恐かったり、文壇仲間に憎まれるのが辛くてびくびくしていて、劇的対立もないものだ。おまけに、筆者の非私小説的匿名批評をスカしてみて、心情の下劣などをノゾキ見しようなどとは、おおそれたデバカメ批評というものだ。本欄は、『ロンドン・タイムス』の社説などとも、襟を正してよむ教育勅語ともちがうのだ。それに、狐狸庵君！　他人の文章を引用するときは、正確にやってもらいたいものだ。君は、筆者の文章を勝手に変えて引用しているが、それだけでも批評家失格だぜ。余計な世話をやかずに、せいぜい「文壇ニ友ニ、ジャーナリズムト相和シ」て、かせぐことさ。君の方でチョッカイを出さなければ文句をつけるものなんざいねえよ。「おたがいに自戒したいものである。」も、へったくれもあるものか。自戒しなければならないのは、君だけで、筆者の方はごめんこうむりたい。

狐狸庵主人のようなのが、したり顔で、どうも日本は近代的でなくていかんなあ、などとうそぶくと、そうです、そうです、dam 4 のようなのが、あたりかまわず、ハラハラするようなことを匿名の下でかき散らす風景は、まったく日本にしか見られぬ下劣なものでごぜえます、などと追従するような手合が、近代的だということになるのだから、加藤周一君が、オナラ一つしても、襟を正して拝聴するという事態が出現するのだ。フェアー・プレイなどは御免こうむりたい。筆者は、臆病なせいで、今まで論争一つやったことはなく、つつましくホンヤク商売をつづけてきたが、かねがね、この野郎、とおもうような筆者の悪口を公表しながら、次の機会に座談会とか講演会とかで出会うと、ニコヤカにお辞儀などする批評家を、ニガニガしくおもっていた。どだい、殺される位の覚悟とは云わぬが、一生その男とは口をきかぬ位の覚悟もなくて、他人や他のグループの悪口をみだりに云わぬ方がいいのだ。こういうのをフェアーだとおもったら、とんでもない見当ちがいである。故、太宰治君は、こういうのを「うちひしがれた文化猿」と呼び、いずれも後進国（つまり近代的でない）文化人の特性だとした。筆者も、太宰説に賛成で、狐狸庵君が紳士的だとおもっている批評はおおむね封建制の産物であり、筆者のような匿名批評こそ、万人の意識下に光を当てた近代批評の典型なのである。

「大波小波」の先生のような匿名批評が、大手をふって歩いている新聞ジャーナリズムに比べれば、詩壇批評の方が、まだしもフェアーである。今月も、鮎川信夫君が、「飜訳詩の問題」(『詩学』8月号)と題して、東京外語大教授安藤一郎君に、はげしく噛みついている。「死の灰論争」後日版で、安藤君のホンヤクをくさし、スペンダーが原爆詩「再建の広島」をかいたことを、鬼の首でもとったようにかつぎまわる安藤君の「文化猿」ぶりを、こき下ろし、ついでに加藤周一君や桑原武夫君の文化人ぶりをヤユし、川崎洋君や「真の狂犬」吉本隆明君の発言を軽くいなし、最後に「私は、銀座へでも出て、マガイもののジャズでも聞くとするか。」で一席のオソマツとなる鮮やかなもので、芸術はヒマツブシだとおもっている筆者は、今月文壇、詩壇を通じて第一席の論文としてこれを推したい。大体、日本の外国文学者が、どの程度のオソマツな語学力を売りものにしているかは、筆者自身から類推すればよくわかる。精々、この動詞は第三人称だから、この関係代名詞以下は前のこいつを受けるのだ、といった中学生位の実力である。だから、安藤君などを相手に喧嘩するとは大人気ないなどと、マユをシカメる狐狸庵君のような、したり顔が円熟しているということになり、鮎川君は、ぐれん紳士ということになりそうだが、そうではないのだ。『死の灰詩集』のバカらしさを決して忘却しないで喰いさがる鮎川君の態度こそ近代的なのだ。ついでに、安藤君の十四年前の戦争詩でも引用してやれば、超近代的ということになるのだが、その方は吉本君にでもまかすよりほかない。

今月、再び野間宏君に反論している関根弘君にしろ、飯島君に反論している沢村光博君にしろ、その精神は何れも狐狸庵君以上の高潔なものである。いくらか才能らしいものがあっても、狐狸庵主人のようなことを、云うようになったら批評家もおしまいである。鮎川君のいうように、「静かなる世に事もなし」もよいが、狐狸庵君のような批評家や詩人や美術青年が、したり顔で、そこらを歩いている世界は、いつまでも後進国特殊部落ということで、カッコにくくっておきたいものだ。

4

今月は、アバンガルト談義といきましょう。

花田清輝君の説によると、アバンガルトには芸術のアバンガルトと政治のアバンガルトがあり、どちらにもちょろちょろ移行できる便利なものだそうである。

筆者は、最近あるフランスの文学書で、このコトバに当面したので、「お先棒」と訳しておいた。いまに、この訳書が、できたら読みたい奴は、読んだらよかろう。そこらの美術青年のホン訳などとものがちがうからね。

さて、芸術の「お先棒（アバンガルト）」の方から登場願いましょう。岡本太郎君！「私のモード」についてやって頂きましょう（以下は岡本君の文章である）。

（前略）こんど、評判を聞いて、テトロンで作ってみた（洋服を作った―註）。そしてすっかり嬉しくなってしまった。ほとんどしわにならないのである。

それよりも気に入ったのは、さらさらっとした肌ざわりだ。天然の繊維の方が肌にしっくり来るなんてのは、過去の迷信である。澄んだ空気と、やわらかい草を思わせるような感触は、新しい素材の近代性だろう。（『朝日新聞』）

読者は、御存知かどうかしらないが、テトロンは帝国人絹発売の化繊の商品名である。つまりこれは、岡本太郎君が、帝人のアバンガルトになった文章である。早合点してもらうと困るから、先に断っておくが、このざまは何だなどと筆者はいおうとしているのではない。筆者だって、こんなチョロイことをかいて原稿料がもらえるなら、帝人だろうが、三菱レーヨンだろうが、東洋レーヨンだろうが、かまわずにお先棒に宗旨がえしたいくらいだ。筆者などは、ただ本を造るのがうれしかったり、詩集をつくるのがうれしかったりするだけの芸術家にすぎないくせに、生意気なことをいう偽善者のほうが嫌いである。だから岡本君が悪びれもせずに帝人の広告マンをつとめている態度は、大へん愉快である。ところでだ。筆者が岡本君の「私のモード」を引用したのは、このゲッーとなるような文章を眼にとめたからである。「澄んだ空気と、やわらかい草を思わせるような感触は、新しい素材の近代性だろう。」何だね、これは。女子学生だって、今どきの奴は、こんなオセンチな文章はかかないぜ。この先生が山本太郎君（この詩人はアバンガルトではなく、草野心平君直伝の「気合い」で詩をかいている後衛である）との対談「非仮面の時代」（『ユリイカ』9月号）で、何といっているかとおもうと……

山本　詩の外部への働きかけというものは盛んになっているんですが。
岡本　しかし今の詩人はセンチメンタルだからな。
山本　そうでもないですよ。
岡本　言葉に酔ったりなんかして……

冗談じゃねえよ。言葉に酔ってるのは君の方だろうぜ。俺は絵かきが本職だなどとはいわせない。この先生の絵が、甘っちろい美術青年に受けるのは、柄にもない大甘な「テトロンの洋服」の、コンストラクションと色価にただよっているためで、非情だからでも、嫌ったらしいからでもない。花田君の文章や、この先生の絵が、真に非情や嫌ったらしさだったら、同じものを目指している筆者などは、筆を折りたいくらいなものだ。

次に、政治のアバンガルトとして安東仁兵衛君に登場願おう。安東君！　ひとつ、全学連の学生から集団暴行をうけた津島君をベンゴしてやってくれ給え。

いったい、一人の人間に加えられた数を頼んだ集団的リンチの、どこに、大井氏がかねて「保持したいと念願している」青年の客気があるのだろうか。私は当日暴行を文字どおり一身に集中された津島君を以前から知っている。彼は、六全協の復党以前に、マーフィラインという反戦学生同盟に加えられたヒボウのさ中で、今でも焼傷のあとが残っているまでにリンチを加えられた。私は当時、彼の頑張りを聞かされて、感心したものだった。当日も、彼は暴行を加えられそうな気配を身辺に予感しつつも、あえて会場から退こうとはしなかった、と聞かされて、自分だったら体よく逃げるのではあるまいか、とも考え、彼のファイトには改めて感心した。私は、あえて青年の客気というならば、彼のようなファイトを買いこそすれ、数を頼んで、——というのは、一対一のなぐり合いを正式に申込むような青年ならば、集団的暴行を制止しこそすれ、参加ないしは傍観はしない筈である——襲いかかる彼らの卑劣さに、客気どころか女々しささえ感じる。

これは、安東仁兵衛君がかいた、「果して青年の客気と純一さか」(『現代詩』9月号)の一節である。読者は、安東君が、「安藤組」の親類かなにかで、ヤクザデイリの始末記をかいているのだ、と誤解してはいけない。人民大衆の前衛党ということになっている日本共産党の先頃の全学連事件の始末記である。この短かい文章で、安東君は、二回も「感心」しているが、馬鹿なことに感心していると、きみたちは自滅だぜ。こういう馬鹿気た組織——仲間に加えられた「焼傷」や、暴行されることを予感して会場へ出むくことが「ファイト」であると「感心」されたりするヤクザ同然の組織——そういう組織の在り方と闘って正しくすることの出来るのが「勇気」であり、こういうことに「感心」するのは「腐敗」というものだ。安東君、まさか君は、日共に十年ばかりいて、呆けたのではあるまいな。大井広介君のような善意の「自由人」は、君たちを目して日共の革新派とおもっている。筆者は、かねがね大井君の日共批判を、日共幹部諸君などと反対に、甘すぎるとおもっていた。甘すぎるからザルの目にちかいとおもっていた。ザルの目だから、日共幹部諸君の眼からウロコを落す力が弱いとおもっていた。君たちは、大井広介君の批判などに甘やかされていい気持になっていたら、とんでもない大まちがいだよ。学園をでて十年。どうやら君たちには、官僚主義の匂いが、いくらか沁みついてきたのではないか――という微かな疑いが筆者などにはやってきた。安東君は、大井広介君のナジ処刑問題の批判その他に故意に触れていないが、それは、まさか、ズルサではあるまい、とおもう。それよりも君たち東京都委の「一段革命論」とやらも、理論的程度が低いことでは、相当なものだぜ。馬鹿なことに「感心」している暇があったら勉強することだ。勉強とは、マルクスやレーニンを読むことだけではなく、日本の支配構造と現実動向と大衆の指向とを、具体的な像となるまで洞察しつくすことだ。「テトロンの洋服」革命論などにやにに下っていると、岡本太郎君程度の大甘な「革命」しか描けないにきまっているさ。

5

筆者の本欄のグレン隊的な批評もこれで何カ月になるのかな、ええと、三カ月目か四カ月目になるのだろう。よくおぼえてもいない。これで、いい詩や詩論にであえば、はっきり何カ月目だ、と覚えていられるのだが、残念なことに一度もそういうものにお目にかかれない。高望みをしているわけでは決してないのだから、誰か、せめて一年位いじくりまわした詩や詩論を、一度にどっと視せてくれるとよいがね。どうせ書かせる方も書く方もロハなのだから、腰を落ちつけてやるよりほかに、詩壇雑誌が商業ジャーナリズムの水準を超える道はないはずだよ。よくも、飽きもせずに、一度いえばわかるつまらぬことを繰返してかいている、「続・詩論」の小野十三郎君をはじめ詩論家諸君は考えたほうがいいし、詩人諸君も、おれの詩をロハで載せてやるのだぐらいのつもりで、「貴先生の詩一篇を戴きたく……」

などとやってきたら、十篇くらい送って強引に掲載させることだ。

　今月は、どこをタタイてみても、筆者のグレン隊的な興味にひっかかってくるような文学的事件は、なかった。（まともな興味にひっかかるのは無いにきまっているからはじめから望んだことはない。）わずかに、関根弘君の「詩論批評」（『詩学』一〇月号）が、綿々としてふんぎりのつかない論争を野間宏君とやっているし、安西均君が「それは禁句だ」（『詩学』一〇月号）をかいて、嶋岡晨君に一席説教をぶっている。前者は、マス・コミニスム論争とでも名づけたらよかろうとおもう。マス・コミニストというのは、古林尚君が、どこかの書評新聞で云ったようなマス・コミを遊泳する術にたけたコミニストということではなく、たとえば、だれかがミュージカルだなどというと、よくもまあ、口裏があうものだとおもうほど、あっちでも、こっちでも、ミュージカルだ〳〵と騒ぎだし、ドキュメンタリイといえば、ドキュメンタリイと答え、シネ・ミュージカルという珍妙なコトバをつくりあげれば、それを担ぐといった具合に、すべての題目をマス・コミ化するコミニストのことを云う。筆者などの眼の黒いうちは、決して後になって「わたしは終始一貫マルクス主義の立場に立って抵抗してきた」などと云わせないから、宣伝インテリも宣伝亜インテリも覚悟しておいたほうがよかろうよ。

　関根君は、今ごろになって、「詩のない論争は、わたしだって、願い下げだ。」などとかいているが、野間宏君のようなふんぎりの悪い文学者と、綿々数カ月も応酬をかわし、決定打を一パツ喰わしてノック・アウトできないようじゃあ、あまり賞められたものではないぜ。『現代詩』の編集長だとか、編集責任だとかいうことは、大した問題じゃあない。あんなものは、民主的ルールの初歩を心得ていれば、馬鹿にも、チョンにも務まることだ。ましてや、いまは、四海波静かで、きみたちの仲間の一人が、サークル運動も遊び、歌ごえ運動も遊び、芸術はヒマツブシ、俺はヒマツブシを売って喰っているルンペン・インテリくずれだと、最近宣託をたれたばかりではないか。誤ちなどは、何度克服しても、おなじことさ。火焔ビンの時代は、火焔ビン、国民文学論のときは国民文学論、ミュージカルス時代はミュージカルス……こんな文学者を、持上げることなど、進歩的大衆はもう飽き飽きしているんだ。ひとつ、ここらで一発喰わしてくれ給え、胸がすくぜ。関根君。「自分の頭の円光などは気にしたまうな、台湾坊主でないかぎり」という詩があったじゃあないか。

安西均君、嶋岡晨君の論争は、衆目の一致するところ「美男論争」と呼ばれるべきもので、日本近代文学論争史上、最大の恥ッさらしである。安西君！「ところで嶋岡晨さん！　私はケチな恩きせがましいことはしないから、タバコ銭にでも不自由したら、また相談に来給え」とは一体何のことだね。いくらきみが、朝日新聞学芸部記者で、シコタマ給料をもらい、親の光は、七光の財産があるのかどうかしらないが、こんなことをかくと身の破産だぜ。嶋岡君のような紳士なら（こういう紳士にかぎって、ちょっとベランめえ口調をつかいたがるが付焼刃さね）いいが、仮りに、筆者のようなグレン隊が、「嶋岡の代理でめえりやした。御タバコ銭をちょっと御拝借のほどを――」などと仁義を切ったが最後、万や十万のタバコ銭じゃすまされねえよ。安西君も、新聞記者のはしくれなら、その位のことは承知だろう。とんだミスをかいたものだよ。

嶋岡君も、御気の毒にとんだ悪たれ記者につかまったものさ。世の中、なにごとも修業だがね。朝日新聞だけが新聞じゃあねえ。くよくよするない。そのうち読売や毎日から口がかかってくるさ。（いけねえ、ここにも詩人がいたかな？）ただ、嶋岡君に、少し冗談じゃなく云っておくが、何ごとも商売だから新聞にものをかくのもいいとして、新聞の学芸欄などにかかれているのは、つまらないものばかり、つまり新聞というのは、つまらないことしか署名入りではかけないのだ、ということを知っておいた方がいいよ。朝日新聞は大新聞、そこへ何かかいたおれは大詩人（文学者）などとかんがえたら噴飯ものだよ。ただ、商売だとおもってかきたまえ。そうでないと、安西君などから一本とられることになる。それから、もう一つ冗談でなく、云っておくが、君のようなフランス文学青年や美術青年は、ランボオがどうしたとか、こうしたとか、詩の論理と思想とを混同するなとか、バカな非論理的なことを舌足らず論文でかいていればいいかもしれぬが、安西君の属する朝日新聞だとか、何とか新聞だとかいうのは、革命的思想の持主にはかかせないボン・サンスな商売新聞にすぎないのであって、決して公平な天下の公器ではなく、すでに無言の言論統制があるのだということを知っておいた方がいい。そんなところから何かかいてください、などといわれるのは恥ずかしいことだと思え、などと君らにはいわないが、元来、何ら特権なしと自分でおもっていても、客観的には自分は特権階級にあらざるか、という自省くらいは思想の如何をとわず持っていてもらいたいものだ。それが詩人というものだ。安西君にしても、御同様では、ござるまいか。なるほど、貴君は「新聞の仕事と引きかえに誰かに恩を売った実績」はないかもしれぬが、ついうかうかッと、朝日新聞学芸部の封筒で、自分の詩集を贈ってしまった、というミス位は、神にあらざるかぎりあるのではないか、と自省してみるのも悪くはあるまいて。

今月、江原順君に叩かれ（「詩にとって論理とはなにか」『現代詩』一〇月号）、コスズルイ長谷川龍生君（「おわび」『現代詩』一〇月号）に逃げられて、踏んだり蹴ったりの目にあっているのは木島始である。木島君！　革命的天才詩人の名において「植民地インテリ」に威張らせておく必要はない。叩きつぶしてしまえ。筆者は、木島君とは、終始対立的であるが、こういうモダン・ボーイをやっつけるのは大賛成なんだ。君がやらなくても筆者がそのうち、本名で徹底的にやっつけるがね。

6

編集部　今月で、どうやら雑誌づらの今年もおわりだし、君の匿名批評も、だいぶ怨嗟のまとになっているから、ここらで、お払い箱にしたいし、ひとつ、今月ぐらい真面目になって、今年の詩壇時評総決算をやってもらいたいものだね。

dam 4　ごめんだね。急に狐がついたみたいに真面目くさって一席やるのは、戦争中の狐つきどもで、あきあきしているんだ。それに、『詩学』などがそんなこと微に入り細をうがってやってくれるさ。

編集部 そうかね。きみの匿名の批評のおかげで、『ユリイカ』が下品になったたって評判もあるんだ。営業上もよくないよ。それに、今月は、安西均君が反論をかかしてくれって云ってきてるし、ぶんなぐってやると息まいている奴もあるそうだぜ。すこしは、恭順の意を表さないと、君は「終ニハ爪ハジキセラルルマデニ至リヌベシ」ってことになるぜ。

dam 4 何かねそれは軍人勅諭じゃねえのか。きみも、世代は争えぬねえ。そいつには前句があるんだ。「彼ノ伝染病ノ如ク蔓延シ」というんだよ。おれの匿名批評も棄てたもんじゃねえって証拠が、その前句よ。安西均君のような紳士を立たしめる伝染力があるんだからな。大いにやっつけてもらいたいね。朝日新聞学芸部記者を見直してやるぜ。その、ぶんなぐってやるといった奴は誰かね。

編集部 よく知らんね。知ってたって君には云わんがね。あとが祟るからな。どうせ、君に悪口いわれた奴にきまっているさ。芸術家なんて賞められたくて身もだえしてるんだからな。

dam 4 誰かな。花田清輝君かね。長谷川龍生君かね。すこしは腕っぷしの強そうなのはこれ位じゃねえのか。君、面白いからそいつにおれの本名を教えてやれよ。武器は何でもいい、いつでもお相手しよう。だいたい、モダンボーイなどとくすぐり合って、逃げっとおしに逃げてるのに喧嘩ができるのかね。

編集部 おい、よせよ。ただでさえ、君の匿名は、心情下劣な鬱憤ばらしだって評判なんだぜ。

dam 4 冗談いうなよ。たびたびかいてるようにおれはねちねちしたことはかかねえ主義だ。「ソレガスベテダ・ソレガスベテダ」。心情下劣だとか、ぶんなぐるとかいった奴はみんな図星だからさ。君の雑誌にしたってそうだぜ。「詩壇、歌壇ハ顔デモツ」なんて奴にばかりかかせていると、いつの間にか第二芸術になってるんだ。責任を追及されると、いい子になって「おわび」などかきやがって。反吐が出らあね、その臭気に気がつかなくなったときが、仲ヨシ倶楽部なんだ。インパーソナルな芸術運動などと称して、口裏を合わせてるのは大抵これさ。政治運動もおなじなんだ。プロレタリアートのために、指一本よごしたことのない奴が、革命家気取りで政治の悪にまみれているようなことを云いやがるんだ。

編集部 おいおい、やめてくれ。おれんところの雑誌は、芸術的香気の高いサラブレッドで評判なんだ。きみのような雑犬が、勝手なことをかきちらすんで、高尚な雰囲気が台なしだよ。途中で首にするわけにもいかんから今月までかかしてやったんだぜ。

dam 4 よせやい。本当なら原稿料をふんだくるところだが、ロハでかいてやってるんだぜ。おれは、「臥竜一度立タバ」というかくれた生粋の芸術家なんだ。それが、政治的発言をするのは、二三年前まで革命的な芸術家気取りでえばりちらしていた奴が、みんな転向したから、頑張っているんだ。みたまえ。連中はみな「流レ流レテ落チユク先ハ北ハシベリヤ南ハジャワヨ」って具合じゃないか。恥を知れってんだ。

編集部 勝手な気焔を吐くなよ。白雲流水。きみのようにこだわっているとバスに乗りおくれるぜ。

dam 4 連中のバスは、直ぐにテンプクだよ。論争ひとつやるのにも、組織に甘ったれなければ出来ないような奴、ようするに番犬に何ができますか。せいぜい官僚根性になるのが落ちさ。ほんとうの革命家や革命的な芸術家というものは、そんなものじゃねえよ。

編集部 どうも、きみの気焔は、おさまりそうもないね。ひとつ、具体的にやってもらおうよ。今月、『現代詩』で、木島始君が、江原君相手に、きみの好きな論争をやってるぜ。どうかね、感想は。

dam 4 「メデタサモ中位ナリオラガ春」。この論争はね。現代詩の会の発会を、三段組か何かで報じながら、「おわび」を、ぬけぬけと一頁つかってかいたり、かかせたりしている奴の神経を問題にしなければ、はじまらないさ。こんなのがインパーソナルだなどといってるんだ。それにしても、江原順君が、学生運動上りの左翼だとは初耳だね。どうりで、日本の学生運動のドラ息子ぶりを、天ぷらで揚げたようなことをかくとおもったよ。つまり、江原君は、革命家の卵から芸術の革命家に転換したつもりで、花田清輝君のアバンガルト理論の通りさ。ちえっ！　おれの理論では、ドラ息子が道楽青年になっただけさ。

編集部　しかし、君、江原君のシュルレアリスム紹介ぐらいは買えよ。悪くないぞ。

dam 4　それは、悪くなかろうさ。しかし、きみは経験あるだろうが、アチラ物を論じたり、紹介したりすると、どんな馬鹿でも利口にみえるものだぜ。竹馬に乗ってるのさ。いじらしいじゃないか、日本インテリというやつは。このいじらしい根性が曲りなりにも日本を近代化してきたんだ。尊重しなくちゃいけねえよ。しかし、この連中やアバンガルト連中は、インターナショナルということを誤解しているのさ。もっとも、誤解だろうが、マガイモノだろうが、現に眼の前にあるものこそ、足を着けて歩む土壌だという鮎川信夫君の「ホンヤク詩の問題」のとらえ方もあるけれどね。しかし、それは真じゃないとおもう気持は潜在しているべきものだとおもうよ。おれも長年ホンヤクをやってきたから、いくらかわかるさね。

編集部　大岡信君の「詩人の青春」という、保田与重郎論はどうかね。

dam 4　時勢ヲ知ラズ、かね。悪心がなさすぎるよ。だが、この詩人のエッセイでは、はじめて、はっきりと物が云えてるね。詩人にしか通じない論理がフッ切レてなくなってきているのだ。この詩人の最上のものでしょうよ。しかし、保田は政治を知っていたが、この詩人は、まるで知らないで論じている。保田は時代の子だったが、この詩人は永遠の美学さ。喰い足りないのはそこさ。

編集部　お次は、小野十三郎君の「続・詩論」といくか。

dam 4　この詩人は、いい年をしてモダニストなんだ。モダニストだから、詩論の上ではセンチメンタルなのは駄目だなどといいながら、実生活上のセンチメンタリズムから、「若者よからだをきたえておけ」などという唱ごえを賞め上げたりしていたじゃないか。きみ、詩論や芸術理論で、センチメンタルはだめだなどといっているのは、大抵芸術青年くずれの実生活上のセンチメンタリストにきまってるさ。だから、実生活上のリアリストである大衆は、いつでも、こんな理論に鼻もひっかけないんだ。まわりに集まるのはチャチな芸術青年だけさ。センチメンタル詩がどうしていけねえんだ。再構成するに価する感情があるとすれば、センチメンタルな感情だけさ。そんなことが判らんのだ。おれなどモダニストの知性や論理などに三文の興味もないし、本当のセンチメンタリストは、そういう連中だとおもっているんだ。

編集部　どうやら詩論のベスト3はあがったね。長らく御苦労を願ったが、きみ匿名時評をやって何か得るところあったかね。

dam 4　あるものか。百害あって一利なし。逆ウラミされたが落ちだろうさ。しかも、闇夜に鉄砲をとばしたおかげで、当てずっぽうで恨みがハネカエッたりしてね。此の間、友人に会ったら、この頃、詩人や批評家に会うと、妙な眼付きをして睨む奴が多くなったが、おめえのとばっちりだとぼやかれたぜ。割りの悪い仕事をやったんだ、少し原稿料を出せよ。

編集部　出すもんか。どうせ、きみなど、ろくな往生はしないんだから割りの悪いなどとぼやく必要はなかろうて。

dam 4　馬鹿をいうない。一殺多生菩薩行。多殺一生残生ヲ恥ズ。さ。ひとつここらで、朝日新聞学芸部記者に介シャクを願おうか。南無阿弥陀仏〱。

芥川龍之介の死

昭和二年、芥川龍之介の自殺にあたって、大山郁夫は、芥川の芸術が痛ましい「実践的自己破壊の芸術」であった、という感想をしたためた。青野季吉は、一芥川の死は崩壊期のブルジョアジーの一様相にすぎないが、われわれの内部にも一芥川が住まっていないとは云えないではないか、という同情ある批判を行った。周知のように、宮本顕治は、二年後、この大山、青野の見解の延長線にたって、「敗北の文学」をかき、「後世は我々の上に謬りを咎めるよりも、むしろ我々の情熱を諒としてくれるであろう」という芥川のことばに息苦しい闘いの楯を認めたのち、芥川の階級的土壌を踏み越えて往かなければならない、と結論した。

鬼才井上良雄は、芥川の死後五年たって、あらためて芥川の死によって与えられた激しい衝動を反すうし、つぎのようにかいている。

最早、問題は有島武郎氏の場合の様に「人ごと」ではなかつた。それは、われわれ自身の死の問題であつたのだ。当時この芥川氏の死を契機として、若い作家たちの間に根底的な動揺が行われたことは当然である。片岡鉄兵氏は芥川龍之介論を講演して、急速に左翼へ転向していつた。横光利一氏は芥川氏の死が自分に一転期を劃したと、人に語つたと聞いてゐる。少くも今日真実に生きようとする作家に対して、芥川氏の死は絶対に何等かの解決を要求する問題として投げ出されたのだ。

如何にかして芥川氏の死を越え得る者のみが、今日以後自殺の誘惑なしに生きることが出来る。例へばわれわれは今日、最早恬然として主知主義などといふものに関つてゐることは出来ない。既に芥川氏が死を以て証明したものは、われわれの知性の無力以外のものではなかつたのだ。

わたしは、人なみに文献をほじくりかえしながら、この井上良雄の若々しくせきこんだ「芥川龍之介と志賀直哉」の冒頭まできて、もはや心中に熟している困惑を堰きとめるわけにはいかなかった。

わたしたちの世代は、片岡鉄兵の行方も、横光利一の行方もすでに見とどけてしまっている。そればかりか、大山、青野、宮本らを指導的な先達とするマルクス主義的政治、文学運動の行方もみとどけてしまった。芥川龍之介の死が、ブルジョアジーの崩壊期における誠実な実践的自己破壊にほかならなかったとするならば、芥川の死こそ、まさにいくらか早まりすぎた自己否定にすぎなかったのではないか。すくなくとも、昭和十年代の戦乱が、ひとたびは昭和文学の全流派を、波濤のなかに没し去らせたとするならば、否定されたプチ・ブルジョア芸術家芥川も、否定したマルクス主義政治家や批評家も、誠実な主観をもって芥川の死に動揺を感じたインテリゲンチャ文学者も、すべて時代の一区劃で演じられたドラマの登場人物にしかすぎなかったのではないか。わたしのこの困惑は、何ものによっても代えることができぬ。

「玄鶴山房」のなかで、とってつけたように登場する重吉の「従弟の大学生」は、玄鶴を火葬場へ送りだす馬車のなかで、とってつけたように、リイプクネヒトの「追憶録」を読む。そして、玄鶴の妾、お芳親子が玄鶴の死によってあてもなく生活を送らねばならない上総の海岸の漁師町をおもい描くのである。「玄鶴山房」は、作品の構成から、この「従弟の大学生」の登場をまったく必要としていない。ましてや、この大学生が、リイプクネヒトを読むことを必然としていないのである。芥川は、この必要としていない登場人物を登場させ、必然としていないリイプクネヒトを読ませた理由を、青野季吉宛の書簡で弁じたのである。

……それは篇中のリイプクネヒトのことです。或人はあのリイプクネヒトは「苦楽」でも善いと言ひました。しかし「苦楽」ではわたしにはいけません。わたしは玄鶴山房の悲劇を最後で山房以外の世界へ触れさせたい気持を持つていました。（最後の一回以外が悉く山房内に起つてゐるのはそのためです。）なほ又その世界の中に新時代のあることを暗示したいと思ひました。（「芥川龍之介に聯関して」）

当時、興隆しつつあったマルクス主義政治運動や文学運動にたいする芥川のシムパッシイと「新時代」（！）にたいする微妙な動揺が、このようなものであり、このようなものが芥川を自殺におもむかせた原因であるという批評が正当であるとすれば、芥川の死を早まりすぎた死と呼ぶほかにどんな術があろうか。しかし、芥川の自殺の事情はこれとちがっていた。その死は早すぎもおそすぎもしなかった。この種の時代的意味を芥川の自殺に附与した批評を、わたしは全く否定してよいと信じている。芥川龍之介の死は、「歯車」や「或阿呆の一生」のあとに、どのような作品も想像することができないように、純然たる文学的な、また文学作品的な死であって、人間的、現実的な死ではなかった。したがって、時代思想的な死ではなかった。「架空線の火花」を、とらえようとして、すでに、それをとらええなくなった失墜した作家の文学的自然死であった。人生の、社会の、ぶつかりあい矛盾しあう現実社会の火花をとらえようとして、とらええなくなった作家の人間的な死ではなかった。

たとえば、北村透谷の死は、文学的な死ではない。透谷が中絶したエマーソン論には、よし円熟した文学思想の表現をみうるとしても、いささかの批評上の衰弱と死をもみることができない。透谷の肉身が、明治資本制の軌道にぶつかり、おし倒されたことを信ずる外ないのである。その死は倫理的な問題をはらんだ時代思想的な死であった。また、太宰治の戦後的な死は、文学的な死ではなく、時代的な死であった。太宰の晩年の作品、「斜陽」、「ヴィヨンの妻」、「人間失格」には、いささかも作品としての衰弱と死を認めることができない。その死は、敗戦で受けた傷手を、戦後社会において回復することのできなかった作家の人間的な死であった。時代思想的な死であった。

しかし、芥川の自殺は、けっして時代思想的な死ではない。その死に、時代的な死をみたものは、丁度、「玄鶴山房」に登場する「従弟の大学生」に、新時代の象徴をみたとおなじような浅薄な批評にすぎなかったものであったと信ずる。「歯車」をつらぬいている関係妄想と被害妄想の表現に、ゆきづまったプチ・ブルジョア作家の思想的な苦悶をみるのは、神経的不安と思想的不安をとりちがえたものであったと信ずる。それらの作品は、おしなべて、「架空線の火花」をとらえることを芸術的念願と心得た作家が、「架空線」をとらえる術を失って、「神経」の火花を表現したものに外ならなかった。そこに、病理的な凄惨を感ずるとしても、思想的な苦悶を感ずることはできないのだ。

妻の母の家を後ろにした後、僕は枝一つ動かさない松林の中を歩きながら、ぢりぢり憂鬱になつて行つた。なぜあの飛行機はほかへ行かずに僕の頭の上を通つたのであらう？　なぜ又あのホテルは巻煙草のエエア・シツプばかり売つてゐたのであらう？　僕はいろいろの疑問に苦しみ、人気のない道を選つて歩いて行つた。（「歯車」）

どうしてこの「苦しみ」が思想的な苦悶につながりえよう。おそらく「大導寺信輔の半生」以後、芥川は、失った人工の翼のかわりに、自己自身の神経の発する火花をもって、人工の翼にかえねばならなかった。「私」を祭壇に供して安定した表現圏に還ろうとせず「人工」をつなぎとめねばならなかった芥川は、いわば本卦がえりをしえなかった芸術家であった。ただ、「私」をすら素材に使わざるをえないほど、精神的に窮迫していたことのために、当然、死にまでゆきつかざるをえなかったのである。「大導寺信輔の半生」や「或阿呆の一生」につきまとっている一種の倫理的な衣裳や時代的衣裳の如きは、フィクションにすぎない。おそらく、芥川の出身階級にたいする嫌悪感と劣等感の表現だけが、その晩年「私」を素材に供したことの倫理的意味につながるものであった。

『澄江堂遺珠』（佐藤春夫編）のなかに、心をとどめる詩がある。

汝と住むべくは下町の
水どろは青き溝づたひ
汝が洗湯の往き来には
昼もなきづる蚊を聞かむ

この詩には、芥川のあらゆるチョッキを脱ぎすてた本音がある。芥川が、どんなにこの本卦がえりの願望をかくしていたか、を理解することができる。下町に住んだことのあるものは、この詩の「溝づたひ」からどんな匂いがのぼってくるかも、「汝と住むべくは」とかかれた家が、格子窓にかけた竹すだれをとおしてみえる家の中に、下着一つになった芥川の処女作「老人」や「ひよつとこ」の主人公のような、じいさんか何かがごろっと横になっている家であることをも直覚せずにはおられないはずである。「大導寺信輔の半生」にかかれた「彼は本郷や日本橋よりも寧ろ寂しい本所を——回向院を、駒止め橋を、横網を、割り下水を、榛の木馬場を、お竹倉の大溝を愛した。それは或は愛よりも憐みに近いものだつたかも知れない。」という芥川のことばは、自己嫌悪感に抑制されているため、ほとんど信用することはできないが『澄江堂遺珠』の中の「汝と住むべくは下町の」という詩は、信じざるをえないのである。芥川の本領は、ここにあった。芥川の死に、時代的な意義をみた批評が一面的な誇張にすぎなかったように、芥川の文学的生涯のなかに、ヴォルテエルやアナトオル・フランスやボードレールに学んで、西欧的知性と伝統的文人気質を綜合した西欧的近代小説を私小説的風土のなかに移植しようと試みた知的作家をみとめようとする福田恆存のような評価も、また一面的な誇張にすぎまい。このような評価もまた、己れを忘れた楽観的なインテリ文学者が、自己合理化の必要上、中期の安定した物語、「地獄変」、「戯作三昧」、「或日の大石内蔵之助」などをぬき出してきて作りあげた芥川像に外ならないとおもう。おそらく、芥川の生涯をくるしめた問題は、己れを忘れた楽観的インテリ批評家の批評とも、己れの思想的優位性をひけらかした通俗マルクス主義批評家の批評とも無縁なものであった。

芥川龍之介は、中産下層階級という自己の出身に生涯かかずらった作家である。この出身階級の内幕は、まず何よりも芥川にとって自己嫌悪を伴った嫌悪すべき対象であったため、抜群の知的教養をもってこの出身を否定して飛揚しようとこころみた。彼の中期の知的構成を具えた物語の原動機は、まったく自己の出身階級にたいする劣勢感であったことを忘れてはならない。かれにとって、この劣勢感は、自己階級に対する罪意識を伴ったため、出身をわすれて大インテリゲンチャになりすますことができなかった。また、かれにとって、自己の出身階級は、自己嫌悪の対象であったために「汝と住むべくは下町の」という世界に作品的に安住することもできなかったのである。芥川は、おそらく中産下層階級出身のインテリゲンチャたる宿命を、生涯ドラマとして演じて終った作家であった。彼の生涯は、「汝と住むべくは下町の」という下層階級的平安を、潜在的に念願しながら、「知識という巨大な富」をバネにしてこの平安な境涯から脱出しようとして形式的構成を特徴とする作品形成におもむき、ついに、その努力にたえかねたとき、もとの平安にかえりえないで死を択んだ生涯であった。

処女作「老年」は、あらゆる作家の処女作が、おぼろげながらその文学的宿運を暗示するものだ、という意味で、芥川の作家的宿運を暗示している。「青年と死」、「ひよつとこ」など、「老年」につづく作品は、それらをとりまとめて眺めることによって、芥川の資質の指向するものが、芥川に冠せられた主知的作家という呼称と、まったく裏腹なものであったことを明示している。「老年」に登場する隠居の房さんは、芥川が、「汝と住むべくは下町の」と唱った、その下町庶民の典型的な人物である。「ひょっとこ」のなかで、ひょっとこの面をかぶったまま大川を流す花見船のなかで、踊りながら頓死する哀れな人物・山村平吉は、おなじように下町の下層庶民である。そして、「青年と死」に、はやくも象徴されている「死」は、芥川の出身に対する自己嫌悪の暗喩である。これらの作品によって、芥川が示しているのは、決して自分を下層庶民の境涯から脱出させようとしないで、放蕩によって無意味に生を蕩尽してしまう自己の血族にたいする愛着と嫌悪であった。これを鋭角的な断面によって示しうるものは、芥川以外にはいなかったはずであった。芥川を目して、主知的な作家というほど、馬鹿気た批評はない。彼は、作家的出発において、ごく自然に中流下層の庶民作家であり、放蕩のかわりに、知識によって生を無意味に蕩尽すれば足りた下町庶民のひとりであったのだ。

「うらみも恋も、のこり寝の、もしや心のかはりやせん」というような一中節をききながら、若い頃を憶いだし、別部屋で、まるで昔の女とさしむかいでいるように、独り艶言をつぶやく隠居の房さんの、心情と生の残火によせる芥川の執着は、そのまま、自己にたいする執着であったはずだ。花見舟のなかで酔いしれて「ひょつとこ」の面をかぶったまま頓死してしまう平吉の、舌うちしたくなるような馬鹿らしく無意味な生にたいする作者の愛着は、そのまま作者自身にかえってくる性質のものであった。すでに、二十一歳のとき、柳川隆之介の筆名でかかれた「大川の水」は、これら処女作にしめされた芥川の資質が、極めて自然であるとおもわずには読めないことばに充ちている。

　自分はどうして、かうもあの川を愛するのか。あの何方かと云へば、泥濁りのした大川の生暖い水に、限りない床しさを感じるのか。自分ながらも、少しく、其説明に苦しまずにはゐられない。唯、自分は、昔からあの水を見る毎に、何となく、涙を落としたいやうな、云い難い慰安と寂寥と

を感じた。（中略）

此三年間、自分は山の手の郊外に、雑木林のかげになつてゐる書斎で、静平な読書三昧に耽つてゐたが、それでも猶、月に二三度は、あの大川の水を眺めにゆくことを忘れなかつた。

不幸なことに、芥川龍之介が作家として人々の認めるところとなったときは、彼が自己の資質を捨てて作品の形式的構成におもむいた時に合致していた。この自然的資質の放棄と、文学的生涯の出発との不幸な一致は、それ自体で芥川の文学的自殺を暗示している。「羅生門」、「鼻」、「孤独地獄」、「父」などの作品にはじまり、「手巾」、「偸盗」、「戯作三昧」、「或日の大石内蔵之助」等におわる現在芥川の作家的本領として考えられている物語群は、かえって、芥川が自己の作家的資質を捨て、おそらくは出身コムプレックスに促されながら爪先立って人工的な構成の努力を支えた苦痛な作品であった。芥川は、当然、この秘された苦痛から復讐されなければならなかった。これらの作品群に、西欧近代作家に学んだ精緻な心理図を読んだり、知的遊戯をよんだりするのは、それほど当っているわけではない。これらの作品をやむをえず隈どっている心理の絵図は、中流下層の庶民作家たる自己の資質をすてて、大インテリゲンチャを気取ろうとした芥川が、知的構成の努力の代償としてうけとらざるをえなかった自己土壌から離れたものの不安な意識を象徴している。「羅生門」を、いろどっているのは、人間の行為、生や倫理の相対的な不安感であり、この不安感は、形式的構成の代償としてうけた自己意識の社会的土壌からの復讐である。「鼻」の主人公、禅智内供が、不具な長い鼻を気に病み、これを治療してからかえって不安な被害意識にさいなまれ、また、もとのままに延びてきた自己の鼻を鏡に写して安堵するという図式は、まったく芥川の出身コムプレックスの図式を象徴している。「孤独地獄」は、主知的作家の芸術的孤独の暗喩ではなく、トンビたる中産下層庶民が、タカの真似をしたためにうけた孤独の暗喩である。「父」は、道化の罰が自分の父親を恥かしめるに至るという図式によって、能勢五十雄をかりて表現した芥川の出身からの復讐の自己確認である。

芥川の全作品のなかで、安定した自足感をしめしているのは、「手巾」、「偸盗」、「戯作三昧」、「或日の大石内蔵之助」などを除けば、童話的作品にとどまるのではあるまいか。そして、この自足した安定感は、まったく作家としての社会的名声にたいする自己暗喩を表現した作品にあらわれたのは偶然ではないのだ。悲しいことに、作家的名声にたいするふやけた自己満足によって、これらの作品の形式的構成は、はじめて円熟した内実性をしめしえたのだ。自己満足によって、しばし忘却した出身コムプレックスが、作品を安定した知的物語たらしめた。この悲劇は、芥川龍之介にとって決定的な意味をもつものであった。

作品の形式的構成力は、作家にとって、自己意識が安定感をもって流通できる社会的現実の構造の函数である。論理性の大きく通用する社会層に安定した意識を感じうる作家にとって作品を論理的に構成することは易々たる自然事なのだ。また、論理性があまり通用しない社会層を意識上の安定圏とする作家が頭も尻尾もない私小説的な作品をつくらざるを得ないことも当然である。文学の形式的構成力を、たんに知的能力に左右されるものと考える見解は、由来、日本の近代主義的批評家のあいだに広くゆきわたった謬見だが、芥川の作品は、こういう批評家の好餌となりやすい特徴をもっている。「歯車」のなかで、芥川は「暗夜行路」の主人公にたいして最後の自虐を告白している。この自虐に、たんに知的資質の相違しか見られない批評家にとっては、この自虐から芥川の志賀直哉にたいする作家的なせんぼうを見るより外に仕方がない。しかし、この芥川の志賀にたいする自虐に、中産下層社会を自己の生意識上の安定圏とする芥川の、上層社会を生意識上の安定圏とする志賀にたいする劣等意識をみないとすれば、無意味なのである。文学の形式的構成力が作家の生意識の社会的基礎の函数であるかぎり、井上良雄のいう「性格上のゲエテ的完成」も、作品上の精緻な形式的完成も、志賀にとっては、易々たる自然事にすぎなかった。これに対し、中産下層を生意識上の安定圏とする芥川にとって、作品の形式的構成すらも、爪先立った知的忍耐の結果に外ならなかったのは当然であった。形式的構成力を、知的能力の大小にのみ左右されるものと誤解している批評家たちが、芥川の造型された物語作品を、芥川の本領のように誤解したのも当然である。芥川は、このような誤解の背後で、形式的構成の努力の連続によってこぼたれた自己の神経に苦しめられ、それは必然的に作品の内実を不安な意識で彩ったのである。この神経的不安に、芥川が倫理的、時代的色彩をかぶせようとも、それは飾りつけ以上の意味をもつことはできなかった。彼の自殺に動かされ、ここに時代的死の典型をみた批評家たちは、この飾りつけに幻惑されたのである。芥川にとって、形式的整合の背後におし秘した自己の出身階級にたいする嫌悪と愛着との複合体（コムプレックス）だけが真実であったのだ。

　中期の造型的な努力をかたむけた物語群において、唯一の真実ある心理図式は、たとえば「偸盗」、「藪の中」、「開化の殺人」、「開化の良人」、「疑惑」などによって一貫して追求された、男女の三角関係に象徴されてあらわれた男女関係にたいする根深い不定意識だが、その師夏目漱石にならうかのような暗い図式は、芥川の出身コムプレックスが倫理的な核にまで凝集されようとした唯一の例にほかならなかったと云うことができる。

　芥川の全作品を通観するとき、意外にも「自己の現実を告白的に描写することよりも、自己の可能性の延長線上に造型すること」（福田恆存）を択んだ形式的構成を特徴とする物語作品が、かえってすくないことに驚くはずである。芥川の作品は、とうてい自然主義的な自己告白にたいするアンチ・テーゼの楯とはなりえない。作品上の自己告白は、内容のみに重味をかけずに、当然、形式的構成をも左右するものである。形式的構成力が、作家の自己意識の社会的安定圏に対応するかぎり、芥川の自己告白の欲求が、容易に形式的安定感を破壊してしまうのは当然であった。芥川の物語作品群が「つくりもの」であるというとき、それは、たとえば福田恆存のいうように「自己の可能性の延長線上に造型すること」が、はるかに徹底していたのだ、ということを意味するものではない。むしろ、逆に、芥川の形式的構成力が、自己の社会的安定圏から切断された如何に脆弱なものであったかを意味しているのだ。

このようにかんがえてくるとき、芥川龍之介の作品的頂点が、「蜜柑」、「沼地」、「妖婆」、「雛」、「一塊の土」などの作品にあることは明瞭である。そして、この系列の頂点に位置するのは「玄鶴山房」であった。これらの作品は、芥川が自己の本来的な社会的土壌から行った自己主張が、かろうじてその形式的構成力と均衡を保ち、ひとつの倫理的な核を形成しえた作品群にほかならなかった。芥川が、フィクションや反語を混えずに自己主張をおこなっているのは、これらの作品以外にはなかった。こういう見解は、「人生は一行のボオドレエルにも若かない」という「或阿呆の一生」の最初の節のことばを、文字通り芥川の芸術的造型への宣言とみなし、「鼻」から「地獄変」にいたる物語に、芥川の特質をみようとする見解からは、理解しえないかも知れない。しかし、「或阿呆の一生」は、完全に自己告白を素材にしてかかれた、フィクション、否、むしろ反語の集積にほかならないのだ。「人生は一行のボオドレエルにも若かない」という断言の背後には、かならずや百行のボオドレエルの詩も、下層庶民の生活の一こまにも若かないという痛切な反語的な自己処罰の鞭があったはずであった。芥川は自分を「或阿呆」と呼ぶことによって、この自己処罰は、彼の全生涯を覆っていたはずである。芥川の悲劇は、ここに胚胎している。中産下層の出身コムプレックスを吐き出すために、「人生は一行のボオドレエルにも若かない」という誤解にみちた言葉を、文字通り文学的に実践しようと試みてきた生涯の創造的努力のなかに、悲劇は進行していたのである。「大導寺信輔の半生」や「或阿呆の一生」などの自己展望が、どんなに倫理的な色彩と巧まれた陰えいをひきずっていても、すべて、フィクションにすぎなかった。芥川が晩年の私小説のなかでも、否、「或旧友へ送る手記」のような遺書においてさえ、なお、形式的構成の努力を捨てなかったという評価は、ひいきの引倒し的な倒錯した批評にすぎない。実際は、晩年の自伝的乃至は私小説的自己告白をフィクションの材料にしなければならなかったという事実そのものが、芥川を自殺に追いやったのである。

芥川を極度につきつめられた造型的な努力へ駆り立てたのは、中産下層という出身にたいする自己嫌悪にほかならず、いってみればここに芥川の作家的宿命があった。造型的努力の持続は、出身圏への安息感を拒否することに外ならなかったため、まず、芥川の神経を破壊せずにはおかなかった。彼がはっきりと自己の造型的努力に疲労を自覚したとき、自己の安定した社会意識圏にまで、いいかえれば処女作「老人」、「ひよつとこ」の世界にまで回帰することができたならば、徳田秋声がそうであるように、谷崎潤一郎がそうであるように、永井荷風がそうであるように、室生犀星や佐藤春夫がそうであるように、生きながらええたはずだ。そのとき芥川は、「汝と住むべくは下町の」の世界に、円熟した晩年の作品形成を行ったであろうことは疑いを容れない。しかしそのためには、「或阿呆の一生」の冒頭の一節には、「人生は一行のボオドレエルにも若かない」というエピグラムのかわりに「ボオドレエルの百行は人生の一こまにも若かない」という生活者的諦念がかきとめられねばならなかったのである。芥川はこの道を択ばなかった。わたしは、彼の回帰をおしとどめたのは出身階級にたいする自己嫌悪、神経的な虚栄にみちた自虐であったと信ずる。

芥川は、「大導寺信輔の半生」、「点鬼簿」、「河童」、「歯車」等の自伝的作品で、自己の破壊された神経の散らす火花を素材にしてアクロバチックな造型的努力をつきすすめる道を択んだ。作品形成に関するかぎり、もはや、これ以上のことはなしえないのは自明の理である。自己の尾を喰って生きようとする蛇が、やがて自己自身を呑みこむ外はないように、芥川は自殺によって、もはや作品構成の道がないことを自己確認したのである。

悲劇の根源は、終生もちつづけた自己の出身コムプレックスを、造型的な飛揚によって補償しようとせずにはおられなかった芥川の作家的宿運に胚胎していた。芥川の出身コムプレックスが、社会的位置の上昇によって補償できる程度の幼ないものであったら、悲劇は、また、回避される道があったのだ。

芥川の人工の翼を、出身コムプレックスの反語的表象とみずに、主知的衣裳をきせた当時の文学的情況は、彼にブルジョア的衣裳を無理におしきせた文学的情況と相まって、芥川の自殺を促進させる役割を演じた。

転向論

転向とはなにか、については、すでに本多秋五が、その『転向文学論』(註1)のなかで普遍化した周到な定義をくだしている。本多によれば、転向の概念は、つぎの三種にきせられる。第一は、共産主義者が共産主義を拋棄する場合、第二は、加藤弘之も森鷗外も徳富蘇峰も転向者であったという場合のように、一般に進歩的合理主義的思想を拋棄することを意味する場合、第三は、思想的回転(回心)現象一般をさす場合である。もし、転向を現象としてみるならば、本多が分類したこの三種の観念につきるであろう。転向の問題が、とどのつまり輸入思想の日本国土化の過程に生じる軋りだ、とする本多の見解が、よくこの分類をうらづけている。

わたしは、ここで、いくぶん本多とはちがったモチーフから転向をあつかってみたいので、いくらかちがった観点から、転向とはなにか、をいいきっておきたいとおもう。わたしのモチーフは、かんたんにいえば、日本の社会構造の総体にたいするわたし自身のヴィジョンを、はっきりさせたいという欲求に根ざしている。現在、政治運動家、社会学者、文学者などが、あるいは観念的に、あるいは社会科学的にかいつまんでみせてくれる、その種の認識にたいして、すこしずつ不満をもっていることは、わたしがこういう欲求をおこす一つの原因である。しかし、何よりも、当面する社会総体にたいするヴィジョンがなければ、文学的な指南力がたたないから、このことは、すべての創造的な欲求に優先するのだというとてつもないかんがえが、いつの間にか、わたしのなかで固定観念になってしまっているらしいのである。敗戦体験は、こういう気狂いじみた執念のいくつかを、徹底的につきつめるべきことをおしえてくれた。わたしは、ただ、その執念の一つをたどってみたいのである。

わたしの欲求からは、転向とはなにを意味するかは、明瞭である。それは、日本の近代社会の構造を、総体のヴィジョンとしてつかまえそこなったために、インテリゲンチャの間におこった思考変換をさしている。したがって、日本の社会の劣悪な条件にたいする思想的な妥協、屈服、屈折のほかに、優性遺伝の総体である伝統にたいする思想的無関心と屈服は、もちろん転向問題のたいせつな核心の一つとなってくる。

習慣的な意味で、転向というとき、共産主義者が、共産主義をすてて、主義に無関心となることや、すすんで他の主義に転ずることをさしており、もっと狭義には、共産党員が組織から離脱して、組織無関心になることを意味している。このような転向の定義は、昭和八年、佐野学、鍋山貞親が「共同被告同志に告ぐる書」(註2)を公表して、政治思想上の転換を声明したとき使用され、それにつづくマルクス主義政治運動家、文学者の錯綜した屈服と屈折にたいして慣用されてきた。しかし、これらの転向は、けっして別種のものではなく、転向のなかの特殊な一つのケースにすぎない。ただ、日本の社会構造をつかまえることが必須の課題である革命的な自己意識のあいだにおこり、しかも、長期間の投獄か、死か、という権力からの強制によって自己意識の変換を迫られたため、日本的転向の特長が、このケースにもっとも鋭い形で、象徴的に集中せざるをえなかったのである。転向論が、ここを中心に展開されたのは当然だが、転向のカテゴリーをここに限定することは、それほど意味があるとは、おもわれない。わたしのかんがえでは、「非転向」的な転向も、「無関心」的な転向もありうるのだ。

近代日本の転向は、すべて、日本の封建性の劣悪な条件、制約にたいする屈服、妥協としてあらわれたばかりか、日本の封建性の優性遺伝的な因子にたいするシムパッシーや無関心としてもあらわれている。このことは、日本の社会が、自己を疎外した社会科学的な方法では、分析できるにもかかわらず、生活者または、自己投入的な実行者の観点からは、統一された総体を把むことがきわめて難しいことを意味しているとかんがえられる。分析的には近代的な因子と封建的な因子の結合のようにおもわれる社会が、生活者や実行者の観念には、はじめもないおわりもない錯綜した因子の併存となってあらわれる。もちろん、けっして日本に特有なものではないが、すくなくとも、自己疎外した社会のヴィジョンと自己投入した社会のヴィジョンとの隔りが、日本におけるほどの甚だしさと異質さとをもった社会は、ほかにありえない。日本の近代的な転向は、おそらく、この誤差の甚だしさと異質さが、インテリゲンチャの自己意識にあたえた錯乱にもとづいているのだ。

佐野学、鍋山貞親が共同署名で公表した「共同被告同志に告ぐる書」が掲載されたのは、昭和八年七月の『改造』である。この文書は日本の共産主義者の転向のさきがけをなすものであったが、佐野、鍋山の転向に反撥しながら、後に転向したマルクス主義者も、社会的なカテゴリーからは、この転向の外にたつものではなかった。その意味で、この文書は、きわめて重要である。わたしは、まず、当時、日本共産党の最高指導者と目されていた佐野、鍋山の転向声明書が、どの程度まで転向のさきがけと典型としての性格をもつか、どこまで質の高さ、思想としての到達点をもつか、どの程度の真理をもっているか、について言及してみなければならない。佐野か鍋山に自伝的な回想があれば、この声明書が公表された事情は、よほどはっきりするだろうが、ここでは、やむをえず、同じ号の『改造』にかかれた、中野澄男のあまり上等でない「佐野・鍋山転向の真相」によらなければならない。中野文は、かいている。

ところで、これも官憲によれば、佐野が、最初に、市ケ谷刑務所の富山教誨師に対して、日本の国体、国民思想、仏教思想に関する書籍の看読を願出たのは昨年十月十二日で、大森ギヤング事件があつてから一週間目であつた。刑務所では早速『日本思想史』を貸与したが、同月十七日にまた、佐野から日本特殊の国民性を知るため仏教思想を研究する必要上仏教書を貸してくれと申出たので『仏教史の研究』と『思想と信仰』と云ふ二冊を貸与した。佐野はその後藤井教誨師に逢つて「お蔭で仏教とヤソ教の相違点を知ることが出来た、今後も大いに研究したい」と云ふことだつたので、『大乗起信論義記講義』を読ませたところが、その深淵さに一驚を喫したと云ふことである。

それから今年の一月十二日かに佐野は一身上のことで森口典獄補まで面接を願出た。大坪看守長が代つて逢ふと、心境変化のことを訴へたので、これを典獄に報告し、翌十三日は佐野の妻てる子が面会して、心境変化の模様を聞いて帰へり、十四日には佐野から平田検事（東京地方裁判所思想部主任、現同地方裁判所次席検事）に心境変化の要領を上申書やうの形式に認めて提出したので、同検事が佐野をたづね、その席に鍋山とも逢ひ、それから二三日して宮城裁判長と平田検事と二人連れ立つて佐野と鍋山を訪ね、心境を聞き取つて帰つた。それが一月廿日のことで、越えて同月二十九日又も平田検事と宮城裁判長とが佐野と鍋山を訪ねた際、室内筆記と特別書籍の閲読許可のことについて申出があつたので、佐藤典獄と相談して許可したところ、佐野は二月三日から執筆しはじめ半紙九枚のものを書きあげたので、これを鍋山に見せたところ、同月六日に至つて、鍋山はこの末尾に——

同志佐野の見解は根本に於て私の見解と一致してゐる、自分が云つた意見も適当に採用されてゐるから自分は本文に対し一言の修正附加の必要を認めない。

旨を附記し署名をしたので、同月十二日、佐野と鍋山が分担をきめ、上申書を執筆し本文と附録とを合せ二百六十四頁ほどのものが出来あがつた。五月下旬になつて、二人から上申書の要旨を声明書として獄内外の同志や弁護士に送りたいから許して貰ひたいと願出があつたので検閲の結果、許可したのが今度の声明書である。

当然、二、三の疑問がおこってくる。第一に、佐野、鍋山の声明書は、官辺にたいする屈服をあきらかにしたのち、上申書の要旨をかきあらためたものであるから、何らかの程度で、官辺との合作になるものではないか、ということである。文学的には、ここで優に一篇の転向心理小説をつくりあげるだけの想像をくわえることができるはずだが、それをしりぞけたいとおもう。声明書にあらわれた思想的内容は、その成立の事情とは別に自立できるものだ、とかんがえるからである。本多秋五は、『転向文学論』のなかで、佐野、鍋山の転向が、獄中生活の苦痛や日本国家による圧迫強制なしにも、不可避的に、声明書のような内容をもちえたかどうか疑問で、耳を覆って鈴をぬすむ背教者の仕業とみるのが、当時もいまも変らぬ健全な常識であろうと思う、とのべているが、わたしは弾圧と転向とは区別しなければならないとおもうし、内発的な意志がなければ、どのような見解をもつくりあげることはできない、とかんがえるから、佐野、鍋山の声明書発表の外的条件と、そこにもりこまれた見解とは、区別しうるものだ、という見地をとりたい。また、日本的転向の外的条件のうち、権力の強制、圧迫というものが、とびぬけて大きな要因であったとは、かんがえない。むしろ、大衆からの孤立（感）が最大の条件であったとするのが、わたしの転向論のアクシスである。生きて生虜の恥しめをうけず、という思想が徹底してたたきこまれた軍国主義下では、名もない庶民もまた、敵虜となるよりも死を択ぶという行動を原則としえたのは（あるいは捕虜を耻辱としたのは）、連帯認識があるとき人間がいかに強くなりえ、孤立感にさらされたとき、いかにつまずきやすいかを証しているのだ。

ことに、「共同被告同志に告ぐる書」が、転向心理的には、「返り忠」のカテゴリーにはいるにもかかわらず、佐野、鍋山が、この「返り忠」を、一個の見解にまで組みあげ、しかも、戦後、両者が再転向しなかったことが、かえってこの声明書を、歴史的文献として、思想的内容から検討することを可能にしているとおもう。

第二の疑問は、中野文を信用するならば、佐野、鍋山が、「日本思想史」や「仏教史」について何ほどの知識も見解もなくて、共産主義運動の指導者だったのか、というくらかみじめなものとしてやってくる。『大乗起信論』（にかぎらず）ひとつ手にしたこともなかったのが大衆の前衛指導者だったか、こういう情けない疑問は、情けないにもかかわらず、佐野、鍋山が、わが後進インテリゲンチャ（例えば外国文学者）とおなじ水準で、西欧の政治思想や知識にとびつくにつれて、日本的小情況を侮り、モデルニスムスぶっている、田舎インテリにすぎなかったのではないか、という普遍的な疑問につながるものである。これらの上昇型インテリゲンチャの意識は、後進社会の特産である。佐野、鍋山の転向とは、この田舎インテリが、ギリギリのところまで封建制から追いつめられ、孤立したとき、侮りつくし、離脱したとしんじた日本的な小情況から、ふたたび足をすくわれたということに外ならなかったのではないか。日本の国体、国民思想、仏教思想に関する書籍の看読を願出たとか、『大乗起信論義記講義』をよんで、その深淵さに一驚した、などという件りをよむと、中野文の白々しさよりもさきに、みじめな日本のインテリゲンチャ意識が、こころにかかってくる。モダン文学者と共産党の指導者との逕庭は、いくばくぞや、ということになるのである。わたしは、声明書の内容からかんがえて、この佐野、鍋山の声明書にまつわる第二の疑問は、あるいは、日本における転向の一つの典型にまで、ひきのばしうるのではないかとかんがえる。

中野重治の転向小説「村の家」のなかで、もっともコムパクトなプロットの一つは、主人公勉次が、保釈願をかき、政治的活動をせぬという上申書を提出するが、非合法組織に加わっていなかったという主張を守ることができたときの、獄中の勉次の描写である。

「失はなかつたぞ、失はなかつたぞ！」と咽喉声でいつてお菜をむしや〱と喰つた。彼は自分の心を焼鳥の切れみたいな手でさはられるものに感じた。一時間ほど前に浮んだ、それまで物理的に不可能に思はれてゐた「転向しようか？　しよう……？」といふ考へが今消えたのだつた。ひよいとさう思つた途端に彼は口が乾上がるのを感じた。昼飯が来て受け取つたが、病気は食ひ気からと思つて今朝までどし〳〵食つてゐたのが一と口も食へなかつた。全く食慾がなく、食慾の存在を考へるだけで吐きさうになつた。両頬が冷たくなつて床の上に起き上がり、きよろ〳〵見廻した。どうしてそれが消えたか彼は知らなかつた。突然唾が出て来て、ぽたぽた泪を落しながらがつ〳〵嚙んだ。「命のまたけむ人は――うずにさせその子……おれもヘラスの鶩として死ねるぞ。」彼はうれし泪が出て来た。

ここに描かれた主人公の転向は、もちろん、白々しく日本思想史やら仏教史やらの貸与を願出て、ヤソ教と仏教のちがいがわかったなどと、腑抜けたことをうそぶいたり、『大乗起信論義記講義』をよんでその深淵さに一驚したなどいいながら、（中野文を事実として）「共同被告同志に告ぐる書」を、官辺との納得ずくでかいた佐野、鍋山にくらべれば、はるかに人間として水準が高いことは、いうまでもない。それは、不可避的な転向とさえ呼ぶことができる。文学者が、文学者として政治家よりもはるかに高い水準をしめした例をこの主人公にみることができる。政治的活動を拋棄するという上申書を逆手にして立ち上ろうとする鮮やかな文学者の例が、ここにあるのだ。佐野、鍋山と中野の転向のあいだには、「返り忠」と「転向とはいえぬ転向」との大差がある。もちろん、主人公勉次が作中で洞察しているように、この大差といえども、心理的な機微にまで立ち入れば、わずかな差異にすぎないだろうが、ひとたび、人間と人間との対他的な条件におきなおせば、人間的な水準の大差となってあらわれるのである。

しかしながら、転向の「個々的要因」の質のちがい、人間的水準の大差にもかかわらず、佐野、鍋山の転向と、中野の転向には、共通した「社会的要因」があるのではないか、とかんがえる。この要因は、個人的な資質の高低や、思想的節操の強弱の範囲外にありながら、日本的な意識変換のあらわれとして共通なものという外はないのである。たとえば、「村の家」の主人公勉次が、転向出獄後、村の家にかえってのち、父親の孫蔵から、たしなめられるところがある。

それぢやさかい、転向と聞いた時にや、おつ母さんでも尻餅ついて仰天したんぢや。すべて遊びぢやがいして。遊戯ぢや。屁をひつたも同然ぢやないかいして。竹下らアいゝことした。死んだことア悪るても、よかつたぢやろがいして。今まで何を書いてよが帳消ぢやろがいして。（中略）あかんがいして。何をしてよがあかん。いゝことしたつて、してれやしてるほど悪なるんぢや。あるべきこつちやない。お前、考へてみてもさうぢやろがいして。人の先きに立つてあゝのかうの言うて。（中略）本だけ読んだり書いたりしたつて、修養が出来にや泡ぢやが。お前がつかまつたと聞いた時にや、お父つあんらは、死んで来るものとして一切処理して来た。小塚原で骨になつて帰ると思うて万事やつて来たんぢや……

お父つあんらア何も読んでやゐんが、輪島なんかのこの頃書くもな、どれもこれも転向の言訳ぢやつてぢやないかいや。そんなもの書いて何するんか。何しるつたところでそんなら何を書くんか？　今まで書いたものを生かしたけれや筆ア捨てゝしまへ。それや何を書いたつて駄目なんぢや。今まで書いたものを殺すだけなんぢや。

作品によれば、この孫蔵は、永くあちこちの小役人生活をして、地位も金も出来なかった代りには、二人の息子を大学へ入れた、正直ものの――ごく平凡な庶民として設定されている。

孫蔵にたしなめられている「村の家」の勉次は、このとき、『大乗起信論義記講義』をよんで、その深淵さに一驚した佐野学と、それほど隔っているだろうか。わたしは、おなじカテゴリーに入るとかんがえる。この箇所は「村の家」の全モチーフを凝結させた優れた会話であり、作品の根幹をなしている。孫蔵からみるとき、勉次は、他人の先頭にたって革命だ、権力闘争だ、と説きまわりながら、捕えられると「小塚原」で刑死されて主義主張に殉ずることもせず、転向して出てきた足の地につかぬインテリ振りの息子にしかすぎない。平凡な庶民たる父親孫蔵は、このとき日本封建制の土壌と化して、現実認識の厳しかるべきことを息子勉次にたしなめる。勉次のこころには、このとき日本封建制の優性遺伝の強靭さと沈痛さにたいする新たな認識がよぎったはずである。すなわち、「村の家」が、転向小説の白眉である所以は、主人公勉次と、父親孫蔵の対面を通じて、この日本封建制の実体の双面を何ほどか浮びあがらせているからであり、「お父つあんは、さういふ文筆なんぞは捨てべきぢやと思ふんぢや。」という孫蔵に対して、「よく分かりますが、やはり書いて行きたいと思ひます。」とこたえることによって、勉次があらためて認識しなければならなかった封建的優性との対決に、立ちあがってゆくことが、暗示せられているからである。

『大乗起信論義記講義』の深淵さに一驚した佐野と、孫蔵から軽浮なインテリ振りをたしなめられる「村の家」の勉次とは、転向としておなじカテゴリーに入り、しかし、両者の差異は、人間としての水準の高低に、かかっていると、わたしはかいた。しかし、ここまできて、いくらかの修正を加えることが可能である。両者の「人間としての水準の高低」に、わずかではあるが、社会的意味をあたえることが、できるはずなのだ。佐野らの転向は、日本封建制の優性因子にたいする無条件の屈服であり、「村の家」の勉次は、屈服することによって対決すべきその真の敵を、たしかに、眼のまえに視ているのである。いいかえれば、日本封建制の優性にたいする屈服を対決すべきその実体をつかみとる契機に転化しているのである。

佐野、鍋山の「共同被告同志に告ぐる書」は、その最大のモチーフの一つを、コミンターン・テーゼにたいする公然たる批判においていることは、周知のとおりである。ことに、佐野、鍋山が、反撥をしめしたのは、三二テーゼの反戦任務であった。周知のように、三二テーゼの反戦任務は、はっきりと、反動戦争においては、前衛は、自己政府の敗北を切望しうるだけであり、そのためには、積極的にソ同盟擁護のためにたたかわねばならないことを規定している。日本封建制の優性に屈服した佐野、鍋山が、まず、ここに反撥をしめしたのは当然であった。コミンターンが、「蘇聯邦擁護」の一語を各国共産党の最高無二のスローガンたらしめ、各国労働階級の利益をもこれが犠牲たらしむるを要求しているのは、世界的労働者運動の発展にとって決して正しいことではない。（中略）我々は過去十一年間、忠実に一切の苦楽をコミンターンに托してきたが、今一切の非難を甘受する決意をもって、「コミンターンの諸機関」から断然分離して、迫り来る社会的変化に適応しなければならない、としたのである。

おそらく、このとき佐野、鍋山の胸中にあったのは、権力の圧迫にたいする恐怖よりも、大衆的な動向からの孤立感であったはずだ。

一九三一年（昭和六年）満州事変、一九三二年（昭和七年）上海事変、国内における相つぐ右翼テロ事件にあおられて、次第に、戦争へ傾いてゆく大衆的動向を、どのような観点から評価するか、が、このとき、佐野、鍋山らを指導者とする共産主義者たちの試金石であった。「共同被告同志に告ぐる書」は、どのような観点からコミンターン批判を行ったかによって、佐野、鍋山の日本の大衆的動向にたいする評価の如何を露呈したのである。同声明書は、かいている。

最近の世界的事実（蘇聯邦の社会主義をも含んで）は我々に教へる。世界社会主義の実現は、形式的国際主義に拠らず、各国特殊の条件に即し、其民族の精力を代表する労働階級の精進する一国的社会主義建設の道を通ずることを。民族と階級とを反撥させるコミンターンの政治原則は、民族的統一の強固を社会的特質とする日本において特に不通の抽象である。最も進歩的な階級が民族の発展を代表する過程は特に日本に於てよく行はれよう。世界革命の達成のために自国を犠牲にするも怖れざるはコミンターン的国際主義の極致であり、我々も亦実に之を奉じてゐた。しかし我々は今、日本の優秀なる諸条件を覚醒したが故に、日本革命を何者の犠牲にも供しない決心をした。

民族と階級とを反撥させるコミンターンの政治原則、というのは、佐野、鍋山のコミンターン批判の眼目であり、その転向のモチーフの根本をなしている。民族と階級とは、カテゴリーを異にするものだから佐野、鍋山はここでマルクス主義理論を抛棄しているのだ、などといってもはじまらない。ここで民族は生活意識の側から佐野、鍋山にやってきたのだ。コミンターン・テーゼを、民族と階級とを反撥させるものだとする佐野、鍋山の観点は、いいかえれば、日本の社会の近代的要素と封建的要素を対立的にかんがえて、封建的民族主義に屈服した観点にたっているということができ、このことによって、満州事変以後の大衆的動向を、全面的に認めようとしていることを意味している。もしも、日本の社会の近代的な要素と封建的な要素とが、矛盾しつつ対立するものとはかぎらないことを洞察しえていたならば、民族と階級とを対立したカテゴリーとして、反撥か、または融合か、というような佐野らの問題提起は、おこらなかったとかんがえられる。佐野、鍋山の転向を、天皇制（封建制）への屈服とかんがえるのは、常識的なものであるが、わたしは、さらに、このことを、大衆的な動向への全面的な追従という側面からもかんがえる必要があるとおもう。これを、佐野、鍋山の転向の内面的なモチーフからいいかえれば、天皇制権力の圧迫に屈した、ということの外に、大衆からの孤立に耐ええなかったという側面を重要にかんがえたいのだ。佐野、鍋山の転向には、それなりに、大衆的動向からの孤立にたいする自省があったのはあきらかである。この自省は、政治的には、民族と階級との反撥か、融合か、というような見当外れの形でおこなわれたため、思想的な意味をもつことができなかったが、この自省に関するかぎり、三二テーゼの原則をまもって、非転向のまま獄中におかれた二、三の革命家が、佐野、鍋山よりも高級であった、ということはありえない。いわば、それは、同じ株が二つにわかれたものにすぎなかった。

ここで、「佐野・鍋山転向の真相」が、ふたたびかえりみられる必要がある。佐野、鍋山の転向が、獄中で官辺から貸与された『日本思想史』とか『思想と信仰』とかいう駄本（であろう）から影響をうけたのだ、というほど、見くびったかんがえ方をするつもりはないが、佐野、鍋山が、典型的に日本インテリゲンチャの思考変換のタイプの一つをたどったのではないか、という点を問題にしなければならないとおもう。

日本のインテリゲンチャがたどる思考の変換の経路は、典型的に二つあると、かんがえる。第一は、知識を身につけ、論理的な思考法をいくらかでも手に入れてくるにつれて、日本の社会が、理にあわないつまらぬものに視えてくる。そのため、思想の対象として、日本の社会の実体は、まないたにのぼらなくなってくるのである。こういう理にあわないようにみえる日本の社会の劣悪な条件を、思考の上で離脱して、それが、インターナショナリズムと接合する所以であると錯誤するのである。このような型の日本的インテリゲンチャにとって、日本の社会機構や日常生活的な条件が、理に合わない、つまらぬものとしてみえるのは、おそらく、社会的な要因からかんがえて、封建的な遺制の残存することによるためではない。むしろ原因の大半はこの種のインテリゲンチャの思考法に封建的意識の残像が反映しているためであり、その残像を消去するためにかれらは思考を現実離脱させているのに外ならない。わたしのかんがえでは、日本の社会が理にあわぬつまらぬものとみえるのは、前近代的な封建遺制のためではなく、じつは、高度な近代的要素と封建的な要素が矛盾したまま複雑に抱合しているからである。

この種の上昇型のインテリゲンチャが、見くびった日本的情況を（例えば天皇制を、家族制度を）、絶対に回避できない形で眼のまえにつきつけられたとき、何がおこるか。かつて離脱したと信じたその理に合わぬ現実が、いわば、本格的な思考の対象として一度も対決されなかったことに気付くのである。このときに生まれる盲点は、理に合わぬ、つまらないものとしてみえた日本的な情況が、それなりに自足したものとして存在するものだという認識によって示される。それなりに自足した社会であると考えさせる要素は、日本封建制の優性遺伝的な因子によっている。佐野、鍋山の転向とは、これを指しているのではないか。わたしの見るところでは、日本のインテリゲンチャはいまも、佐野、鍋山の転向を嗤うことができないのである。

理にあわぬ、つまらない現実としかみえない日本の社会の実体のひとつひとつにくりかえし叩きつけて検証されなかった思想が、ひとたび日本的現実のそれなりに自足した優性におぼれたときこそ無惨であった。「共同被告同志に告ぐる書」は、おそらくここをターンニング・ポイントとして、眼をおおいたくなるような次のことばに接続する。

我々は日本共産党が、コミンターンの指示に従ひ、外観だけ革命的にして実質上有害な君主制廃止のスローガンをかゝげたのは根本的な誤謬であつたことを認める。それは君主を防身の楯とするブルジヨア及び地主を喜ばせた代りに、大衆をどしどし党から引離した。日本の皇室の連綿たる歴史的存続は、日本民族の過去における独立不羈の順当的発展——世界に類例少きそれを事物的に表現するものであつて、皇室を民族的統一の中心と感ずる社会的感情が勤労者大衆の胸底にある。我々はこの実感を有りの儘に把握する必要がある。

かくして、佐野、鍋山の天皇制にたいする屈服は、ほとんど何の余情ものこさずに完結されたのである。文学的な想像をはたらかせれば、ここでも、官辺との合作、権力にたいするさもしげな迎合の匂いがかぎとられないことはないが、そのかんがえをとらない。上昇型の日本のインテリゲンチャが極端に追いつめられた情況で、その思考経路を徹底的につきつめてゆけば、かならず、佐野、鍋山のたどった思考転換の過程をつきすすむとかんがえられる。ただ、ある場合には、「日本の皇室の連綿たる歴史的存続」のかわりに、日本封建制の優性遺伝にたいする文化的または文学的妥協や、伝統的なものへの屈服が、とってかわるだけで、内実において佐野、鍋山の転向とちがったものではない。

日本のインテリゲンチャがとる第二の典型的な思考過程は、広い意味での近代主義（モデルニスムス）である。日本的モデルニスムスの特徴は、思考自体が、けっして、社会の現実構造と対応させられずに、論理自体のオートマチスムスによって自己完結することである。文学的なカテゴリーにおいても、たとえば想像力、形式、内容というようなものが、万国共通な論理的記号として論ぜられる。或る場合には、ヴァレリーが、ジイドが、またある場合にはサルトルが、隣人のごとくモデルニスムスのあいだで論じられ、手易く捨てられるという風潮は、想像力、形式、内容というような文学的カテゴリーが、論理的な記号としてのみ喚起されて、実体として喚起されないからである。実体として喚起されるならば、これらの文学的カテゴリーは、その社会の現実の構造と、歴史との対応なしには、けっして論ずることができないものなのだ。

このような、日本的モデルニスムスは、思想のカテゴリーでも、おなじ経路をたどる。たとえば、マルクス主義の体系が、ひとたび、日本的モデルニスムスによってとらえられると、原理として完結され、思想は、けっして現実社会の構造により、また、時代的な構造の移りかわりによって検証される必要がないばかりか、かえって煩わしいこととされる。これは、一見、思想の抽象化、体系化と似ているが、まったくちがっており、日本的モデルニスムスによってとらえられた思想は、はじめから現実社会を必要としていないのである。日本的モデルニスムスにとっては、自己の論理を保つに都合のよい生活条件さえあれば、はじめから、転向する必要はない。なぜならば、自分は、原則を固執すればよいのであって、天動説のように転向するのは、現実社会の方だからである。

一九三二年を前後して、プロレタリア文学運動の解体期に行われた「右翼的偏向に関する論争」において、林房雄、亀井勝一郎、徳永直、貴司山治、藤森成吉などを、批判した際の、小林多喜二、宮本顕治、宮本百合子などの論理は、典型的に日本的モデルニスムスの思考型を、しめしている。わたしは、すすんで、小林、宮本、蔵原らの所謂「非転向」をも、思想的節守の問題よりも、むしろ日本的モデルニスムスの典型に重みをかけて、理解する必要があることを指摘したいとおもう。このような「非転向」は、本質的な非転向であるよりも、むしろ、佐野、鍋山と対照的な意味の転向の一型態であって、転向論のカテゴリーにはいってくるものであることはあきらかである。なぜならば、かれらの非転向は、現実的動向や大衆的動向と無接触に、イデオロギイの論理的なサイクルをまわしたにすぎなかったからだ。

周知のように、右翼的偏向に関する論争は、一九三二年、林房雄が「作家のために」をかいて、作家同盟指導部にたいする不満を、プロレタリア作家は、彼の文学を、どこまでも文学の上にきずくという固い決意をもたねばならぬ、というような発言によってぶちまけたとき、最後の段階にはいっている。出獄後の林の主張の背景には、ほぼ、佐野、鍋山をおとずれたとおなじ意識上の転換があった。終始、大衆文学的な触手を鋭敏にしめしていた林房雄に、このとき大衆の動向にたいする一定の認識があったことは、その後の林の創作活動からかんがえても推定することができる。これにたいする小林多喜二の批判は、「――我々が昨年の九月以来『主題の積極性』といふことを主張し、実践してきたことは、取りも直さず現実の階級闘争の広汎な政治的任務に創作活動の主題を従属させ、全体として文学活動が政治闘争の補助的任務を果たすためだつたことは、今では何人にも明かなことではないか。そして此の『主題の積極性』のスローガンのもとに、我々は我々の創作活動に於けるあらゆる偏向と脱落に対して闘争し、我々の陣営を強化してきた。約一年間の実践は、不充分とは謂へ、我々の方針のたゞしさを証拠だてゝゐる。」というところにつきるものであった。ここで、小林が問題としているのは、林房雄や亀井勝一郎の論旨の背後に、どのような社会的な動向があるのか、どのような大衆的な基礎があるのか、ということではない。当時、マルクス主義として流通していたイデオロギイ的なサイクル（実際は少しもマルクス主義的ではない）を基準にして、誰それは、それから逸脱しているか、逸脱していないか、を繰返し論理的に空転させているにすぎない。小林に象徴されている当時の芸術理論の誤謬を論ずるのは別個の課題だからここで触れる必要はないのだが、日本的モデルニスムスに特有な、現実と接触なしに完閉する（マルクス主義とかんがえられた）論理的なサイクルの固執があることは指摘されなければならない。そこには林の論議が、党派性の抛棄の公然かつ恥知らずの宣言であるとか、右翼的偏向であるとかいうコトバはあっても、現実の構造につきささってゆく思想的実体はないのである。このような、原則論理のサイクルは、もしも、原則論理自体の誤りがはっきりしたときには、何らの思想的な実体も残さない。たんに、正当とかんがえられる別のサイクルが、ふたたび、とってかわるだけである。

宮本顕治の「政治と芸術・政治の優位性に関する問題」が、はらんでいるのも日本的モデルニスムス特有の問題である。林房雄の「乃木大将」に触れて、プロレタリア作家であるならば乃木大将の社会階級的役割を曝露しなければならない、「天皇制官僚」としての役割を批判することこそ、最も、本質的な乃木を描くことである、などとかいている宮本の理論の批評には、ここでたちいる必要もないが、宮本の論理が、階級芸術は階級闘争、政治闘争の一形式だなどという出鱈目きわまる原則的サイクルを廻転させるだけで、少しも、現実的な危機の構造にふれて思想の展開を検証しようとする意欲をもたないことに注意しなければならぬ。いまや、決定的な闘争の前夜だというような、まったく、現実を無視した洞察は、機械的にマルクス主義と信じている原則的サイクルを空転させる日本的モデルニスムス特有の思考によって生みだされたものに外ならないということができる。このような、機械的原則論理は、これを固執する個人的環境を完備すれば、絶対に変更する必要がないものであり、節守以前の論理にしかすぎない。

社会的危機にたった場合、民族と階級とをいたちごっこさせねばならなくなる佐野、鍋山の転向と、原則論理を空転させて、思想自体を現実的な動向によってテストし、深化しようとしない小林、宮本などの「非転向」的な転回とは、日本的転向を類型づける同じ株からでた二つの指標である。

わたしは、佐野、鍋山的な転向を、日本的な封建制の優性に屈したものとみたいし、小林、宮本の「非転向」的転回を、日本的モデルニスムスの指標として、いわば、日本の封建的劣性との対決を回避したものとしてみたい。何れをよしとするか、という問いはそれ自体、無意味なのだ。そこに共通しているのは、日本の社会構造の総体によって対応づけられない思想の悲劇である。

佐野学、鍋山貞親にしろ、小林多喜二、宮本顕治にしろ、まず、身をもって一時代の現実の突端にたつことによって、日本的インテリゲンチャとは、どんなものであるかを示してくれた。この転回の二つのタイプは、いずれも、日本の後進性の産物に外ならないが、この後進性が、佐野、鍋山のような転回と、小林、宮本などのような転回とに分裂するのは、まさに、日本の社会的構造の総体が、近代性と封建性とを矛盾のまま包括するからであって、日本においてかならずしも近代性と封建性とは、対立した条件としてはあらわれず、封建的要素にたすけられて近代性が、過剰近代性となってあらわれたり、近代的条件にたすけられて封建性が「超」封建的な条件としてあらわれるのは、ここにもとづいているとおもう。わたしたちは、おそらく、佐野、鍋山的な転向からも、小林、宮本的な「非転向」からも、思想上の正系を手に入れることはできないのだ。転向の問題は、日本では、その大抵の部分が思想的な節操の問題、いいかえれば、一人の人間が、社会の構造の基底に触れながら、思想をつくりあげてゆく問題とは、水準としてなりえていない。それは、おおくイデオロギイ論理の架空性（抽象性ではない）からくる現実条件からの乖離の問題にしかすぎない。転向論議が、権力への思想的屈服と不服従の問題として行われてきたことを、わたしは全面的に肯うことができないのである。

一九三四年、板垣直子は、「文学の新動向」をかいて、転向論争の口火を切った。板垣は、冒頭で、ルードヴィヒ・レンが、ナチスにとらえられたとき、自分はコムニスムスを承認する。コムニスムスの理論は正しいが故にコムニストである。それは心理であるが故に全能だ、と明言したという例を引き、日本的な転向を、つぎのように糾弾した。

後世の史家はかくであらう。——当時社会状勢の急激な変化につれて、大多数のプロ作家は転向したが、その代表的な者は、片岡鉄兵、村山知義、中野重治云々と、そしてなほその後にも、それらの転向者は、社会に適応したる方法で売文渡世して終つたと附言されることが予想される。

今日、転向論議と目されている論争は、じつに板垣のこの痛烈な皮肉がなければ、おこらなかった。この板垣のコトバが、たとえば中野重治の「村の家」で、主人公勉次に、お前が当然「小塚原」で刑死するものとおもっていた、今後は何もかくな、とたしなめる父親孫蔵の論理と、まったくおなじものであることに注意しなければならない。杉山平助の「転向作家論」も大宅壮一の「転向讃美者とその罵倒者」も、この板垣のコトバを正確に評価できないで、お前は他人に対して威猛高に第一義の生活を要求しながら、自分は第一義の生活をしているのか、とか、「転向作家」の思想を云々する芸術派に、これまでどんな思想があったのか、という反撥をしめしたにすぎなかった。宮本百合子の「冬を越す蕾」でさえ、日本のインテリゲンチャは半封建のまま忽ち帝国主義に発達した社会に即応するため、いやおうなしに敏捷な適応性をみにつけたから、封建的圧力そのものがインテリゲンチャの精神に暗黙の作用をなしていて、それが転向の発生をうながしたのではないか、という常識的な見解をとり出しえたにすぎなかった。

この転向論争ほど、胸くその悪い論争は、近代文学史上にかつてないものだが、わたしのみるところでは、この中で、さきの板垣直子の痛烈な糾弾のコトバと、これに対して本質的にこたえようとした中野重治の「『文学者に就て』について」だけが、鮮やかに日本的転向の根源にふれようとしている。板垣の罵倒が、爽快な印象をあたえるのは、「村の家」の父親孫蔵のような平凡な庶民が、だれでもなしうる罵倒にほかならないからであり、それが日本封建制の深部意識からの典型的な批判とつながりうるからである。中野重治の「『文学者に就て』について」は、貴司山治への反駁としてかかれているが、本質では、「村の家」の主人公勉次が、父親から問いつめられて、「今こゝで筆を捨てたら本当に最後だと思つた。彼はその考へが論理的に説明され得ると思つたが、自分で父に対してすることは出来ないと感じた。」そのことを、板垣の糾問にふれ、貴司山治の転向論にもこたえながら、論理的に説明しようとしたものに他ならぬ。

板垣の糾問のコトバが、「村の家」の父親孫蔵ほどの庶民が、たれでも糾問しうるコトバに外ならず、それ故にこそ本質的な意味をもちうるものであることを、洞察しえたのは、中野重治だけであった。だからこそ、貴司山治が、板垣や芸術派からの批判にたいしてお前などは何もしない傍観者のくせに何をいうか、何もしないお前よりも何かやって失敗した転向作家の方が、まだ、高く支払っているのだ。という論理を、良心的ポーズとない混ぜて応答したとき、中野は黙視しえなかったのだ。中野は、板垣や貴司山治に反論するよりも「村の家」の父親に象徴されるような日本封建制の優性からの批判にこたえねばならない情熱を感じたであろう。何故なら、この優性が佐野、鍋山を屈服させる力をもつとともに、「村の家」の父親孫蔵に、口先だけで革命論をかきまくり、あげくのはては「小塚原」で刑死するのがこわさに転向する位ならば、はじめから何もしない方がいいのだ、と沈痛な生活者の信念から断言せしめた実体にほかならなかったからである。

もちろん、宮本百合子の「冬を越す蕾」などには、日本封建制の土壌からの批判に、じぶんの思想を対置させようとする意欲はなかった。彼女が、中野や村山が口惜しいとかいたとき、その位置は、典型的な日本的モデルニスムスに外ならぬ。原則を固執して、獄中に「非転向」をまもった蔵原、宮本も、大衆的動向から前衛党が孤立した原因である封建的優性との対決をさけてとおったにすぎぬ。中野は、おそらく独り、これと真正面から対決した。中野は、板垣の糾弾のコトバを、ひとまず次のようにうけとめる。

君の言葉によると、板垣直子の転向作家非難は世間の評判が悪かつたさうである。君自身も、一方でその言葉に君として強く打たれたといつてゐるが、他方で彼女の図式主義を誤謬として指摘してゐる。君の書いたものに現れてゐる限りでは、僕も彼女の言葉を正しくないと思つてゐる。しかし彼女が「転向作家は転向するよりも転向せずに小林の如く死ぬべきであつた」といつた時、彼女の求めたものは転向作家の死ではなくて第一義的な生活であつたこと、彼女の言葉が片寄つたものであつたとしても、その片よつた表現へ彼女を駈りたてた激情の源泉に対して彼女が強い肯定の立場に立つてゐたことは君自身見逃してゐはしないか?

ここで、中野重治は、「村の家」の主人公勉次が父親に対するように、板垣の糾弾をうけとめている。この受けとめ方こそ、佐野、鍋山になく、小林(多)、宮本になく、中野にだけあったものであった。このときほど、中野が、日本封建制の総体の双面をまざまざと目のまえに据えたことはなかったろう。板垣の糾弾は、その総体からの批判を象徴した。転向論議は、杉山平助のものにしろ、大宅壮一のものにしろ、宮本百合子のものにしろ、胸くその悪いしこりを感ぜずにはよめないのに、板垣の糾弾と中野の論議だけが、すっきりした印象をあたえるのはそのためである。

転向作家が、批判に屈して、少しでも弱気をだしたが最後、はてしなく転落する外はないという心理と論理は、「村の家」の勉次が筆を折れという父親の忠告にたいして、かいてゆきたいとこたえたときの唯一のモチーフであった。中野は、このモチーフを、板垣の糾弾の正面にすえたのである。

弱気を出したが最後僕らは、死に別れた小林の生き返つて来ることを恐れ始めねばならなくなり、そのことで彼を殺したものを作家として支へねばならなくなるのである。僕が共産党を裏切りそれに対する人民の信頼を裏切つたといふ事実は未来にわたつて消えないのである。それだから僕は、あるひは僕らは、作家としての新生の道を第一義的生活と制作とより以外のところには置けないのである。もし僕らが、自ら呼んだ降伏の恥の社会的個々的要因の錯綜を文学的綜合の中へ肉づけすることで、文学作品として打ち出した自己批判を通して日本の革命運動の伝統の革命的批判に加はれたならば、僕らは、その時も過去は過去としてあるのではあるが、その消えぬ痣を頬に浮べたまゝ人間および作家としての第一義の道を進めるのである。

中野が、ここで「日本の革命運動の伝統の革命的批判」とよんでいるものが、日本封建制の錯綜した土壌との対決を、意味していることはあきらかである。このとき、中野は転向によって、はじめて具体的なヴィジョンを目の前にすえることができたその錯綜した封建的土壌と対峙することを、ふたたびこころにきめたのである。「閏二月二十九日」、「『微温的に』と『痛烈に』と」、「文学における新官僚主義」、「一般的なものに対する呪い」など、時評の形で、昭和十一年から十二年にわたって『新潮』にかかれた論文は、もはや、そのたたかいが戯画としかうけとられないような暗い時代の文学情況のなかで、たたかわれた、目に見えない封建的土壌との孤独なたたかいであった。

わたしは、中野の転向(思考的変換)を、佐野、鍋山の転向や小林(多)、宮本、蔵原の「非転向」よりも、はるかに優位におきたいとかんがえる。中野が、その転向によってかい間見せた思考変換の方法は、それ以前に近代日本のインテリゲンチャが、決してみせることのなかった新たな方法に外ならなかった。わたしは、ここに、日本のインテリゲンチャの思考方法の第三の典型を見さだめたい。中野に象徴されるこの第三の典型の優位性が崩壊にたちいたったのは、昭和十年代の後期太平洋戦争下においてであった。ここから、日本的転向の問題は、また、別個の課題にさらされるのである。また、それが、わたしたちにまったく別個の思想的典型を創造すべき課題を負わせている理由でもある。

註（1）本多秋五著『転向文学論』（未来社）二一六頁

註（2）『改造』昭和八年七月　一九一―一九九頁
別に同種の要旨を述べたものに次のものがある。
『改造』昭和八年八月　一一四―一三〇頁　佐野学「コミンターンとの訣別」
『中央公論』昭和九年五月　六二―七一頁　佐野学「所謂転向について」

中野重治「歌のわかれ」

だいたい一九三二年というのが、日本のプロレタリア文学運動の、ひとつの転回点になっているわけです。同時に、日本の革命運動も、ここの所が転回点になっています。

一九三二年には三二年テーゼというのが出されています。三二年テーゼというのは、猛烈に激しいもので、つまり戦争ファシズムの時代に入ってゆく日本の支配階級が、すぐに崩壊するというのは明らかだから、反戦運動を中心として、日本にブルジョワ民主主義革命を強行することによって、必然的に社会主義革命に移行させる、という革命的戦略目標でいかなければいけない、というものでした。

三二年というのは国内的に見てゆくと、むしろこれから退潮期に入ってゆく混乱期の始めになっているわけです。

そういうときに革命的にもっとも激しい政治的戦略テーゼが出されたので、そこにいろんな矛盾がおこりました。三二年テーゼというのは、始めて天皇制が日本の支配的権力の大きな要素を占めていることを提示した大切なテーゼですが、いろいろな意味で三二年ごろに、困難とか矛盾が集中してぶっつかってきたために、正当にテーゼがうけとめられる事が難かしかった。極めて純粋な革命意識をもっている連中、例えば蔵原惟人、宮本顕治などは、三二年テーゼのさし示す方向にひたすら進んでいった。ところがその一、二年後にプロレタリア文学運動の組織が崩壊してゆくわけですが、どういう崩壊の仕方をしたかというと、徳永直、林房雄、藤森成吉などと、宮本、蔵原、小林多喜二の間に論争が起った。

つまりその論争が現在「右翼的偏向に関する論争」といわれています。蔵原など指導者たちが林などを右翼的偏向であると批判していった、その論争がさいごの論争となって分裂していった。この論争は、三二年テーゼのさし示す方向が正しいとすれば徳永などが右翼的偏向ということになり、正しくないとすれば、その反対になるというような性質を一面でもっていました。

日本のプロレタリア文学運動を検討するときに、獄中にあって転向しなかったことがそのまま正しいとは限らず、非転向ということと正しいということは、別個の問題であると考えねばならないと思う。なぜプロレタリア文学運動崩壊期に、右翼的偏向に関する論争が起り分裂していったか、の社会的背景を尋ねてみると、だいたいこの背景は、顔ぶれを見てもわかるように、宮本などの方がきわめて純粋な意識をもった革命運動家乃至は革命文学家であったわけだが、徳永、林などは作品を見てもわかるが大衆文学的傾向がつよい。そういうことと社会的背景と密接な関係をもってくるが、日本の大衆は三二年の示す方向が上向きの方向だとすると下向きの方向に行った。

大衆的な動向に対して、徳永などの方が鋭敏であったわけです。宮本などは純粋意識を大切にした人たちです。明らかに右翼的偏向について論争が起ったということは、徳永などが大衆の方向に傾いてゆき、宮本などは、三二年テーゼの方向にまっしぐらに進んで行った。そういう社会的背景がこの論争をそれからそれに次ぐプロレタリア文学の崩壊には、含まれているのです。

必ずしも転向しなかったからとか、獄中で虐殺されたから、こちらが正しいというようなことはいえないわけです。この問題はそういう原則論で解決できない問題をはらんでいる。

右翼的偏向に関する論争が起ったとき、大衆的動向は明らかに、右翼的方向、ファシズムの方向に向い、三二年テーゼは、その方向は必ず崩壊する見とおしをたてて、社会主義革命に強行的に、転化する傾向をもつ、ブルジョワ民主主義革命が当面の目標であるとし、それに対して忠実に打込んで行った人たちと、大衆的動向に流れていった人たち、つまり流れながら、個々の反応を示していった人に別れていったのです。

この動向はどちらが正当かということは簡単にきめられない。例えば宮本や蔵原が純粋で転向もしなかったから、ということで、解ける問題ではない。ここで大衆的動向についていった人たちは個々の反応を示した。その場合に中野重治はかなり特異な反応の示し方——特異な転向の仕方と抵抗の仕方——を示し、宮本百合子は彼女なりの特異な反応の仕方を示した。

文学の方でゆくと、プロレタリア文学運動の崩壊直後、昭和八、九年から昭和一二年の支那事変ぼっ発の中間というのは、昭和文学の中で、文芸復興期といわれたときです。文芸復興期とは何かということも昭和文学史の課題です。日本のプロレタリア文学運動が崩壊し、ある者は転向し、転向文学をかいていたわけです。昭和初年から六、七年頃まではプロレタリア文学は日本の文壇を席捲した勢いをもち、大なり小なり、これに対して、自分の態度をもたなくして、文学をすることはできなかったほどでした。

プロレタリア文学運動に対して、別個の方法をたてるとしても、横光利一や中河与一にしても、大なり小なりプロレタリア文学運動に対して、また文学理論に対してアンチテーゼを出していった。モダニズムの文学者たちにしろ、つまりプロレタリア文学運動を否定する人たちにしろ、またプロレタリア文学運動に対して理解と同情をもっていて、しかし自分は書かないという人にしろ、何らかのプロレタリア文学運動に対する意見をもたなければいけなかったほど席捲していたわけです。

日本のプロレタリア文学運動が始めて導入した文学と政治の概念について態度を決めなくても文学は生み出すことが出来るという状態が文芸復興期にあったのです。

いずれにせよ、この時期は文学が盛んになった。ある程度昭和文学の代表的作品といわれている、堀辰雄の『風立ちぬ』とか、横光利一の代表的作品、島木健作、中野重治、石坂洋次郎、高見順などの代表的な作品もこの短い期間に書かれている。

その直接の大きな原因は日本のプロレタリア文学運動の崩壊が重要な契機になっているのです。いいかえれば政治と文学との関係について作家達が頭を悩ますことなしに文学を生み出し得た短かい期間が文芸復興期に当るわけです。

プロレタリア文学運動が崩壊したら、文芸復興期になったというのは、おかしいじゃないかという問題もあるわけです。プロレタリア文学運動は文学に関して、あるいは文学と政治に関して正当に問題を出し示し得なかったのではないか、それから文学を生もうとする個々に対して何らかの制約を加えるという作用も、またあったのではないかという問題もひとつあるわけです。

大きな流れからみると次の戦争が始まってから、また政治と文学の問題が出てくるのです。こんどは革命的政治と文学ではなくて、ファシズム的政治と文学の関係がだんだん出てくる。そう考えてくると政治と文学の関係について、何らかの考えをもたず文学が生み出し得たというのは、昭和文学の中でわずかにこの期間でしかない。この間の文学自体の概念は正当ではないだろうという別個の考えが出てきます。

すくなくとも政治と文学との関わりあいについて正当と思われる考え方を樹立することなしには、本来的にいえば昭和文学は成立たなかったのです。そう考える方が正当かもしれない。これは戦後といえども同じで、政治と文学との正当な関わりあいを確立しない限り、文学を生みがたい状態であると考えることが必要だと思います。

現在でも政治的なものに対して無関係に文学を生みだしている人もいますが、本来的意味では、正当な文学は生みえないだろうということを昭和文学の教訓自体が教えていると考えられます。ところで政治との関わりを問題にしないで文学を生みうるのではないか、という考え方が成立しうる根拠は、昭和二〇年以降、現在昭和三三年の間が、戦前の文芸復興期とかなり似た時代的背景が来ているといった、そういう基盤に政治との関わりあいなしで文学の概念が行われうる理由があるのです。

ここにも研究課題がある。文芸復興期の文学の状態と、現在のそれと、かなり類似的に考えられる時代がいま来ているということ。また社会的背景からしても、似ているということがあるわけですから、そういうことを基本点として文学の在り方を研究してみるとよいと思うのです。

大衆社会現象つまり、マス文化現象というのは、戦後プラグマティストが導入した考えですが、そういう社会的現象は、戦前のその時代にもあったのです。三上於菟吉や直木三十五などを筆頭に、大衆文学を書き、純文学の人がいまの中間小説的なものを書いて、よく売れたという時代だった。大衆文学が盛んだったのです。

そういう文化的情勢とか、文学的情勢、社会的情勢、日本の革命運動自体の情勢とか、日本の民主主義文学と戦前のプロレタリア文学の情勢がかなり似ているという問題も研究課題となっています。

昭和一六年から政治と文学の関係が出て来て、特に太平洋戦争のぼっ発と同時に、プロレタリア文学の関係と逆な形で政治と文学の関係が問題になってきたというのが僕の考えです。

中野重治の「歌のわかれ」は昭和一二年―一六年の間に書かれています。彼は文芸復興期の時代に「村の家」など転向小説をかいているのです。時代が流れて逆な方向で政治と文学の問題が出てくる。その中で、改めて自分のプロレタリア文学運動に入っていった以前の学生時代のことを、ふり返って書いてみたのが「歌のわかれ」です。そのとき彼の転向時代は完結していて、完結した中から、再び逆方向な流れに対して、ヒューマニテーを打出してゆくことで、ある程度そういう動向に対して抵抗を示そうとした最初の作品が「歌のわかれ」です。

「鑿」や「手」もいっしょに考えてその後の「空想家とシナリオ」になると、ヒューマニテーを打出すことによる抵抗ができなくなって来て、昭和一六年に「斎藤茂吉ノオト」があるのです。そういう時期の最初の作品として「歌のわかれ」が書かれているのです。

転向からまた転向する、転向の完結したところから再び立ち上ってゆくという状態を表明したものとして「歌のわかれ」がある。転向を完結して、次の逆向きの政治と文学の方向に入って行く、だいたいそういう所が「歌のわかれ」の成立する背景です。

生徒・質問　昭和八年頃というと、ほとんど転向文学しか出版されず、ほとんどの作家が転向そのものを、生活のために書いてゆかなければ生きてゆかれなかったのではないか。

答　そうではなくて、みんなまじめに、転向という問題を、自分の人間の問題として、転向文学を書いたのです。

生徒・質問　村山知義、高見順などは転向文学を書いているが、その中の主人公は転向しているが、転向したことを後悔している。それを逆にいって作家は、転向に対して罪意識をもっていたのではないか。

答　だから罪意識の問題をどうするかが、転向文学のテーマになっているのです。

生徒・質問　どちらが正しかったかは、ひとつの観点を設ければいえると思う。太平洋戦争のあいだに戦争讃美みたいなものを書いた。どこまでもプロレタリア文学をおしすすめてゆかずに方向をかえたことは作家として責められるべきだと思う。

答　僕は、そう簡単なことではないと思うのです。プロレタリア文学運動の崩壊に際して、個々の人達は自分はこの方向に行くのが正しいと思うと主張する。例えば右翼的偏向に関する論争の時に、徳永なら徳永が、創作方法の新転換といってプロレタリア文学運動が、政治主義的な指導理論によってなされたために正当な創作運動ができなかった、だから今こそ文学運動の官僚的支配も蹴ってわれわれは自由に主体的に作品を生まなければならないと主張する。例えば宮本顕治なら、いや政治の優位性こそ正当である。要するにお前たちこそ、政治の優位性論、またプロレタリア文学運動の線から、それてゆく考え方にすぎないと主張する。

各人が各様に自分はこういう方向が正しいと、その時に徹底的に争っているわけです。その結果が分裂したのです。各人が自分の考え方はその時代の流れの中で正しいと思って、それぞれ崩壊的にそれぞれの道を歩いてゆくのです。ある時代的な環境の中にあって時代がどう動いてゆくか、どう動いていって、だから文学の方向はどうゆくべきか、とある時代の中にいて、考え、その時代に対して自分の文学の方向を考える――主観的には、それぞれ正しいと思うわけですけれど、客観的にどうであるか、時代がどの方向にゆくかを、その時代の環境の中にあって洞察することは、たいへんむずかしいことだと思うのです。

そのことは現在われわれがふり返って見て、あるいは歴史的事実として示された事実を検討していって、事実を論理づけることとは、おのずから別のむずかしさがあると思うのです。どうすれば正しかったかは、その時代にあって決定的に出るものでもないし、出せるものでもない。

転向の形が、次にどういう形になってゆくかを洞察することもむずかしいと思うのです。また転向しなくて、獄中にいた人達や、その大もとになっている三二年テーゼが時代はこうゆくと洞察したように、動いてゆかなかった。

御承知のように昭和二〇年に日本が敗北せしめられたのは、決して支配権力自体の、つまり三二年テーゼが洞察したように崩壊したのではなく、敗戦という結果がもたらしたもので、三二年テーゼのように歴史は動かなかった。

歴史自体が、転向しないで獄中にあった人達の見通し、三二年テーゼどおりにも、転向した人達が考えていたふうにもゆかなかった、転向しても、まだやってゆけるのだと、いうような見通しにもゆかなかった。転向して行った人達の個々の主体的誠実さ、主体的真実さをこえて、どんどんひとつの方向に圧迫されていった。獄中の人が考えたようにも戦争は進んでゆかないで、戦争自体は拡大して行った。

転向というものから、倫理的な意味をみつけ出してきて、例えば彼は転向を肯じなかったから倫理的に上で、そうでなかったから下だったとか、そういうことではあまり問題は出て来ない。個々の人が、気の強い人も弱い人もいるように、あるいは信念の強い人、弱い人がいる、という問題にしか還って来ない。問題は倫理的に強い、信念として強かったということでなく、政治というものの動き、政治の在り方と文学というものの在り方と、文学を生む人の方法の在り方というものとの、正しい関係をつくってゆくとか、それから時代の流れに抵抗してゆけるような文学運動自体の在り方はどうなるか、その中での文学の方法の在り方はどうかということ、それから、それと政治の関係はどうなるかということで、転向の問題をとらえてゆかなければ、作家の倫理の強弱、信念の強弱ということでしか出て来ないと思うのです。

時代の流れは個々の人間の中にある、倫理的上下、強弱で、どうなってゆくものでもないのです。僕の考え方は、転向した人たちの背景の中には大多数の大衆的動向があり、転向しないで獄中にあった人達の背景には当時のコミンターンが打出して行った方向と、それを実践して行った一握りの人達の動向が含められる。戦争が終った時昭和二〇年には非転向の人は全国で一三人しか残っていなかった。この人達の倫理的強弱、信念が強いということで大衆的動向がどういったか、時代の流れがどういったかを方向づけることもできないわけです。

転向文学自体が、中野重治の作品をとっても、そこには罪の意識もあれば、罪の意識も時代に対する転向のバネとして出てゆこうとする考え方もあるし、また一面では自分は立ち上れようかという危惧もある、そこには個々バラバラに切りはなされて、時代の動向に、何とかして抵抗しようとしている人の内部におとずれる複雑な要素があるわけです。それは、単純な罪の意識だけの問題でもないし、そこにはまた、絶望的意識もあればまたそこから立ち上ろう、という意識もあるし、そういう複雑に絡みあった問題が転向文学として一様に出てくるわけでもない。そしてまた転向文学自体も島木健作の「癩」「生活の探求」「続生活の探求」で進もうとした方向と、中野が「歌のわかれ」から「斎藤茂吉ノオト」まででしようとした方向とは相当に質的な開きがあるのです。

島木の場合には、政治的運動は自分には出来ないが、農村自体の生活を少しでもよくすることは出来ないものかという善意的な問題が「生活の探求」のテーマになっているのです。中野の場合はひとたび転向を承認しながら、承認した自分自身を自己解剖することによって、どこかにまだヒューマンなものを打出してゆく方向はないものかという内部的な格闘が、彼の転向文学の主題をなしているのです。

個々の人達はそれぞれ転向後と時代の流れに対し自分のなし得る主体的誠実さの方向はどちらにあるかというものを決定的に、出しているわけです。だから転向文学というのは生活のために書いたとか、どこかにそうじゃないものを残しておいて、それを書いたとかいう問題ではなくて、それぞれの作家が少くとも自己を救済するために、どうしても書かざるを得なかったということです。

中野の「村の家」では、転向して郷里の親の許に帰って飜訳などをしながら生活の資をかせいでいる主人公に、ある時、年とった中農民にすぎないおやじさんが、(中野と思われる主人公と)酒を呑みながら話す。お前が転向してうちへ帰ってくると思わなかったというわけです。自分はお前は殺されて、その死骸を受取りにゆくと思っていた。それなのにお前は転向してしまった。転向したことは恥しいことだ。いままでお前は人の先頭に立って書いたり行動したりして来たが、それは転向したことによってゼロになったではないか、つまり全部嘘パチだということになったじゃないかというわけです。そして今後お前はもう書くなという。それに対し、息子はおやじさんのいうことに弁解はできない。自分はそう考えてはいない、自分は書くことをやめてしまったら、全部だめになってしまう。一から十までだめになってしまう、だからなんとかして書いてゆこうというふうに思うわけです。

おやじさんは普通の農村小役人で生活的な苦労をもとにして、しっかりした考え方をもっている。年とった農村民にとっては、自分の息子がそういう運動をし、転向して、またものを書いてゆくようなことは、人間として全然だめだと感じられるわけです。ところが中野はそう考えるのではなく、ものを書かなくなったら自分は人間としてだめになってしまう。それで、おやじさんに、自分はこれからも書いてゆくつもりだ、という。するとおやじさんはそうかと、軽蔑したような顔をしていうのだけれど、何故書いてゆくかということはおやじさんに対し、わからせるように説明もできないし、説明することも人間的でないような、卑怯のように思って説明しない。だから、ほんとうはそう考えていないのだけれど生活のために書いたというような問題として転向文学の問題は始めからないのです。「鞶」「手」「歌のわかれ」、現在「歌のわかれ」といわれているのは大体この三つの作品から成っているのです。「鞶」「手」は高等学校時代の自分の青春を主題とし、「歌のわかれ」は大学に入った当初、一年ぐらいの間を主題にした作品です。これの続編というのが戦後にかかれた「むらぎも」で大学の初期ぐらいを主題にした作品です。

これらの作品は青春時代、すなわち自分がプロレタリア文学運動に入った時代ではなく、それ以前の青年期を主題にした作品を、転向後に書いているのです。転向直後文芸復興期には、その転向した自分を主題にかいている。だから作品の主題からいえば、あとに青年時代を主題とした作品が書かれ、前にプロレタリア文学運動崩壊から崩壊後の自分が書かれている。主題的には逆になっているけれど、書かれた年代からいえばこの方が後になっているのです。

戦後にも彼の作品を見ますと、戦後すぐあとのことを主題にした「五勺の酒」というのがありますが、同時にまた「むらぎも」のような作品があります。

彼の「鞶」「手」「歌のわかれ」「むらぎも」とつながる作品の系列は、作品の価値としては重要かどうかはわからないが、彼自身にとっては重要な作品となっています。彼の作品が全部そうであるように「歌のわかれ」も作品の筋はそんなにないわけです。どちらかといえば特異な受感の仕方と現実に対する特異な批判の仕方、そういった断片を何回もつみ重ねていってひとつの作品をなす、といったものです。こういうのが、詩人的だといわれているわけですが、そういうことではなくて、小説自体の構成力の点からいいますと殆んど完結した構成力をもっておらない。ところがそういう弱点を、どうして補っているかというと、文章の密度が非常に高いわけです。また受感性がきわめて特異なのです。彼独特の受感性で作品を書いています。

「鑿」というのは、彫刻する時の鑿ですが先ほど申しました通り、この一連の作品は Plot 自身が進行してゆくような小説ではないのです。しいて出してゆくと片口安吉という主人公が、金沢の高校の学生で一年間高校を落第して、二年目に落第するか、どうか、という境目にいるわけです。この人物は落第しそうで、しかも非常に狭いけれど独特なかたい倫理意識をもっていて、同じ落第仲間の多数がいて、金之助という友達がいるのです。

これは私小説という Plot のなさ、構成の弱さということから考えて、明らかに主人公が作者自身であると読みながら前提としなくてはならぬという、書き方で、分類すれば私小説ということになりますが、典型的私小説とわずかにわけているのはこの作者のもっている独特の受感性の積み重ねというもの、それから独特の倫理意識、問題意識があって、わずかに従来の私小説と区別する要素になっているわけです。

安吉は、中野自身ということはすぐわかり、いろいろの事情に通じているものには金之助は窪川鶴次郎とわかる、事情に通じている人にわかるというような書かれ方は変則なので、私小説に特有なものであります。構成力の弱さ、なさと重要な関係があるのです。日本の文学の特殊な性格として、こういう問題が出てくるが、同じ仲間の佐野という人物のグループは落第生であり、不良でもあるデカダンというものを意識せずにもっているのです。作品の進行で安吉は落第しないですむ、青年期のどうしようもない鬱屈感もあるし倫理観もある。それで学校の学問はあまり面白くない。青年期特有の雰囲気が描写されているが、筋としては佐野が飲んでいる飲み屋へ安吉が出かけてゆき、何となく嫌な奴がいると思い、向うも思う、安吉が出てゆこうとする時、入口にいる佐野に「失礼する」と声をかけると、佐野は妙な声を出して安吉をからかう。それから安吉は家へ帰って勉強するが、勉強が身に入らず、佐野の態度が許せぬと考える。

許せない、ということはどうでもよいが、自分が挨拶して出てゆく、その時、変な声を出してからかった、そんなことは何でもないと主人公は思うわけですが、そんなことは何でもないのだけれど、そういうことを許す自分というものが許せないと考える。そこで安吉は彫刻用に持っている鑿をもって佐野のいる飲み屋へ佐野を刺してやろうと出かけてゆくのです。

「鑿」の筋の運びはそれだけですが、その中で佐野の無礼は許せるが、その無礼をその時見過してきた自分が許せない、という非常に屈折した、強く狭い潔癖感倫理感をもっている。その独特な倫理感の表現が、この作品のモチーフになっているのです。

時代に押流されていった時代に書かれたものだから、そういう要素は独特の感想として、独特な受感性、独特な文体、表現も出てくるわけです。独特な表現というのは「彼は非常につらく、気のきかぬ自分の性癖に足ずりするやうな敵意を感じた」という非常に屈折した表現で、屈折した曲り角の所に彼の独特な受感性があらわれています。

「手」も全然、筋、プロットの展開がないのです。青年期の雰囲気がその受感性によって切りとられて断片的に出てくるわけです。これは転向初期に書かれたものだから、そういう問題が出ているのです。例えば「結局おれは精神の貧弱さから、知らず知らずどたんばを避け、また、他の場合には、外からの偶然がどたん場につき当ることから自分をよけさせ、かうして『窮地』に落ちることなく一生過ぎてしまふのではないか？　幸福といへる幸福不幸といへる不幸を経験することなく、人間として低い水準をずるずると滑つてゆくのではないだらうか」これは転向体験から出てくる感想がそこにはめこまれてあるのです。

独特な受感性を語る例として女の問題、セックスの問題があります。安吉が女学生と行きあうところ

「公園のダラダラ坂で彼は四、五人でかたまつた女学生の群を追ひ越した。今日は彼は『来るぞ！』とは思はなかつた。『来るかな?』と思つてそれは来なかつたのである」そういう彼の女の人に対する独特な受感性があります。あとの「歌のわかれ」にも、中野重治詩集にも出てきます。

「歌のわかれ」では大学の校庭で、その頃名高くなっている双児の運動選手がくる、学生達が見に行く、安吉も見に行きたくなって、運動場へ行くのです。「名高い双児の娘は、安吉にもすぐみつかつた。……彼は家へかへつてさういふ詩をかいてみたが慰まなかつた」この詩は、中野重治詩集の初期の所にも入っています。非常に安定した恵まれた家の、健康でふっくらとした女に対して、彼がもっているコムプレックスがよくでている、これを社会的に解釈すれば一種の階級コムプレックスに該当するのですが、彼には独特なこういうコムプレックスがあり、これが受感性を特異なものにしているのです。その特異な自分自身の受感性と、自分自身の葛藤が、広い意味で彼の作品にある倫理感とつながっているのです。

彼は日本の魯迅といわれていますが、魯迅だったらこういう形で、コムプレックスは出て来ない。ここでは女に対するコムプレックスとして出ていますが、一般的な階級コムプレックスというか、出身コムプレックスというのは魯迅なんかの場合はこういう生な形では出て来ないと思います。

そういう違いは、きわめて強い倫理感をもち、しかも大衆の運命に対して自分を関わらせることを、文学上の主題とし、自分の生き方上の主題としてきた、中国と日本の二人の作家の受感性の違いはそういうふうに出てくるわけです。

魯迅の方は怖るべき作家だと思う。ところが中野の受感性はかなり素朴な所があります。素朴なということは、重要なことだし倫理的にも高いものですが、その素朴さはただの素直さによって出てくるものではない。自分の中にある現実社会の構造に対するコムプレックスを生なまま、解放する形では本当の意味で素朴とはいえないのです。

魯迅の倫理感は非常に素朴で強いというふうに考える。その素朴さと中野の素朴さは違う。中野の素朴さはナイーブで触れられない素朴さであり、魯迅の持っている強い、そのくせ、複雑な跳返りのある素朴さというのは触れられない素朴さではなく、そいつをメチャクチャに触れていって出来上った素朴さです。

中野の場合には、かなりな程度自己抑制というものに、また自己抑制を加える、それから、また、それをひっくり返すという操作が、たくさん行われているわけですから、何か出てくるものは、まさに、もっとも触れられないものであって、そこの所が違うのです。

中野が転向した時、魯迅は「やはり中野も転向したそうだ」と書いていますが、この違いと、日本の転向期或いは弾圧期の権力的弾圧と、中国の中国革命前期の弾圧と、その性質も全く違う。日本の場合がずっと強力であったので、弾圧の違いが一つあり、支配構造の違いがあります。その違い方で、大衆と運命を共にしてゆく、日本と中国の代表的作家の態度の違いというものが現われて来ます。これは魯迅の方が偉くて、中野が駄目だということではないのですが明らかな違いです。

「手」の時代から卒業して大学に行く、大学に行っても、やはり学校が面白くないし、自分の受感性は満足させられないし、新しく接触するようになった都会の学生とも受感性が違う。そして有名な作家を訪れていっても、チグハグであわない。そういうやりきれない状態の中で、最後に大学の掲示板にあった大学内の短歌会に出てゆく。安吉はつまり中野は高等学校時代から歌を作っていて、自分が作った短歌を二つばかり持って合評会に出かけて行く、それが「歌のわかれ」の峠になるのです。

……彼は袖を振るやうにしてうつむいて急ぎながら、何となくこれで短歌ともお別れだといふ気がして来てならなかつた。短歌とのお別れといふことは、この際彼には短歌的なものとの別れといふことであつた。……

……しかし今となつてはその孔だらけの顔の皮膚をさらして行く外はなかつた。彼は兇暴なものに立ちむかつて行きたいと思ひはじめてゐた。

そこで「歌のわかれ」は終っていますが、高等学校から大学に入り、いろんな事が彼の受感性と違う、学校も面白くない、そういう問題に対して安吉がいろいろな姿勢で反応しながら、ある時、ふっと短歌会に行き、そこで行われている批判や状態が、まるで遊びごとに過ぎない、中途半端に過ぎない、そこで自分の作品が最高点になったが、うれしくない。ふと加わった短歌会の雰囲気で、それまで混迷していた精神状態が、幾分はっきりして来て、こういう世界から自分に別れよう。こういう世界に自分は加わるまい、と考えて何か狂暴なものに立向ってゆこうと考えている。という話が表現されています。

中野重治が「歌のわかれ」のような書き方の状態で一途に狂暴なものに立向ってゆこうと考えて大学にある新人会に入り、マルクス主義芸術研究会を林房雄などと起してゆく時期の問題が次にかかれる筈なんですが、その情勢がないまま戦後に「むらぎも」の中で始めて書かれました。

「歌のわかれ」から「空想家とシナリオ」を書いて昭和十五年に「斎藤茂吉ノオト」を書いて、あとは太平洋戦争に入って行くのです。だいたい中野のこの文学的道行きが、日本が中日戦争の後、太平洋戦争に入って行く時期の文学的業績でもあるし、ある意味では文学的抵抗の仕方でもあったわけです。「斎藤茂吉ノオト」以後、つまり太平洋戦争中に書いたものもあるそうですが僕は見ていません。大体中野などの戦争期の文学的生き方が、日本の文学的抵抗としては最前線にあったのです。最前線にあった表現が典型的に「歌のわかれ」の表現です。ここにある表現ここにある独特な受感性と倫理観の表現というものは、戦争期の現実の中に持って来て、どういう意味を持ったかということが、非常に重要になってくるわけです。この作品自体の中には何も明らさまには、権力に対する抵抗もなく、現在読んでみれば、そのまま自伝的作品として入ってくるが、それが全体的状況——その時の社会的状況の中では可成り有力な支柱となっていったと思います。

最近僕らと同じ世代の橋川文三が『文学』で、プロレタリア文学運動が敗退して、それ以後文芸復興期から戦争期にかけての文学的主張は、必ずしもプロレタリア文学運動を主軸とした観点からだけでは解釈できない、この時文学的主流をなし、かつ広汎な影響を与えた日本浪曼派の問題を再評価し再批判してゆかなければ問題は出て来ないと論旨していますが、この論旨は本質的には僕らは同感なのです。僕らの世代だから、そういう発想をとるわけです。

ある年代にとっては戦争というものは、避けられないもの、自明の理であって、そこで闘うか死ぬか、しかないとして受けとめられ、マルクス主義文学運動をしていた人達にとっては戦争はいまわしいものであったし、もっと若い世代にとっては戦争というものは勤労動員の体験であり、またもっとも若い世代にとっては学童疎開などで地方へ預けられた体験であります。

思想的な観点の相違によって、個々の体験が分裂して、個々の考え方が分裂してゆくという現象は日本だけではない。どこの国でも戦争というものは、それに反対する勢力、それをやろうとする勢力はあるのです。どこの国にとっても思想的な相違によって戦争に対する考え方も、その体験も違ったわけです。

世代的相違によって戦争に対する考え方が極端に分裂している、或は戦争の体験が分裂しているというような所は、日本を除いてはないわけです。ここに橋川君の問題提出の理由が一つあるのです。考え方の相違にかかわらず世代的相違によって、戦争体験が極端に分裂しているのは日本の特殊な現象ではないか、そういう所からもって転向自体が悪であるとか、非転向が善であるとかいう問題提起の仕方は全然成り立たないわけです。そこに縦の関係として世代の関係があり、思想の問題がある。二つの軸がからみ合った形で転向と戦後文学の問題が日本の場合は出てきているのです。

この二つの軸というのは基本点として入れて、その上で果してどの道が正しいものとして選ばれるべきであったか。これからの場合でも、どの道が正しい道として選ぶべきかという問題が、この二つの軸を基本として考えられなければならない、日本における特殊な事情ではないかと考えられます。

中野重治評価も、従来プロレタリア文学、民主主義文学陣営での評価は、その一方の軸しか使っていないのですけれど、もう一つの軸を使って問題を考え直すことが重要ではないかというのが、僕の考え方であります、また思想的にはいくらか違う橋川文三の考え方ではないかと思われます。

生徒・質問　「歌のわかれ」の中で、公園で女学生を追いこすときの、コムプレックスは青春期にある羞恥ではなく、階級的コムプレックスだといわれたが、最近『映画雑感』の中で、中野重治が「空と海との間に」を批評して、通信士、スチュワーデス、船員などは自分など、とてもかなわぬ人間ではないか――と書いている。これはコムプレックスといっても階級的なものではない。彼はこれを超えられるというのではないかと思う。女学生の場合だが、性に対するもの、容貌に対するコムプレックスみたいなものがあるので、階級的なものだとはいえないと理解しましたが。

答　僕は、中野の独特な受感性の構造を考えて見ると、階級コムプレックスというものに包括されるのではないかと思うのです。

生徒・質問　中野の場合、女性一般のものではない。遊女などに対する気持は、詩などにあるが、運動をやっている女たちに対しても自分と同一物のようなものの感覚がでてくる。女性一般ではなく容貌も気にしているし、階級というより、出身に対するコムプレックスといえると思う。

答　僕も出身コムプレックスと思う。今の中野は、円熟しているから違うと思うが。

生徒・質問　独特な受感性があるといわれたが、私もこの本の限りでは、それはわかるが、さっきいわれた受感性とは別に、次元を異にした受感性があると思う。知覚と聴覚との二つに分裂した受感性があると思う。眼でとらえるものとしては、外人教師の眼に藤色を発見する。また「手」の最後に機関車が出てくるが、その時のことも、聴覚の例としては豆腐屋が呼んでいる、その時、トーとフィーとをわけて捉えている。そういうのは聴覚的受感性と思う。先生のいわれたものと、そういう意味で違うと思う。第2の「手」は、機関車が走って前部から、手が出、後から手が出、みじかい間に、深い感銘をうけるが、それを標題としたときの、彼の捉えていたモチーフは何かということがよくわからない。

答　よくわからないが、「鑿」と「歌のわかれ」の主題は明らかに倫理感だと思う。

生徒・質問　政治と文学との論争が、目的意識の洗礼を受けた人の間に起ったものだし、中野と蔵原との論争は未解決のまま、これを書いたのだが、その後はどうなったか。

答　その後蔵原は、階級的、政治的意識を借りて、文学をするという自分の論旨をレーニンを引合いに出して全面的に否定した。しかしそれを論ずるゆとりはなくて、蔵原が自己否定したことは運動上も、方法上も問題にならなかった。戦後は少しある。僕もとり上げた。平野謙が、宮本、中野らとやった論争は文学理論としての論争にならなかった。だから、その問題は依然として残っている。僕としては蔵原理論はダメだと思う。こういう見解が妥当だという形で承認されたものは出ていない、定説がない。政治と文学の問題も解決されていないし、文学運動上もどうしたらよいかも解決されていない。

Ⅲ

死の国の世代へ

——闘争開始宣言——

どんな遠くの気配からも暁はやってきた
まだ眼をさまさない人よりもはやく
孤独なあおじろい「未来」にあいさつする
約束ににた瞬間がある

世界はいつもそのようにわたしにやってきたか
よろこびは汚辱のかたちで　悪寒をおぼえ吐きだす澱のように
希望はよれよれの雲　足げにされてはみだした綿のように
けれどわたしのメモワール　わたしのたたかい
それは十年の歳月をたえてやってきた
わたしの同志ににたわたしの憎悪をはげますように

こころが温もったときたたかわねばならぬ
こころが冷えたとき遇いにゆかねばならぬ
十年の廃墟を搾ってたてられたビルディングの街をすてて

まだ戦禍と死者の匂いのただよう死の国のメトロポールへ
暁ごとに雲母のようにひかる硝子戸を拭いている死の国の街へ

戦禍によってひき離され　戦禍によって死なななかったもののうち
わたしがきみたちに知らせる傷口がなにを意味するか
平和のしたでも血がながされ
死者はいまも声なき声をあげて消える
かつてたれからも保護されずに生きてきたきみたちとわたしが
ちがった暁　ちがった空に　約束してはならぬ

Ⅳ

不許芸人入山門

——花田清輝老への買いコトバ——

さる詩人の詩に、「不許士商入山門」というのがあります。「鼬は鼬、商人の眼。劒は劒、武辺の腰。」という文句ではじまる諷刺の詩です。わたしが、いま、かりに「不許芸人入山門」という詩をかくとすれば、「娯楽は娯楽、芸人の頭」という文句ではじめるでしょう。

近頃、二三十年前のモダニストがいいふるした映画的思考だとか、スペクタクル芸術だとか、やれ大衆芸術を媒介にしろだとか、ばかばかしいことをムシ返している時代おくれの芸人が、めっきりふえ、またぞろ悪時代のはじまりかと憂ウツになったので、ある映画雑誌の座談会で《娯楽は娯楽、芸術は芸術》だと、断定してやりました。すると、早速、二人の芸人が雑誌『群像』で因縁をつけてきました。一人は、わたしが前に未来バカと名づけた若い流行作家で、問題にはなりませんが、他の一人の老芸人は、娯楽と芸術とを区別するのはふんぎりが悪い奴で、区別があるのは、芸術と非芸術だけである。そんなことをいうお前は職人だ、などとわたしを罵っていました。(『群像』一月号「戦後文学大批判」)

いい気な男もあるもので、この老芸人・花田清輝は、自分では、芸術家のつもりでしょう。では、この芸人は、芸術を何だとおもっているのかと申しますと、以前、雑誌『文学』に、「芸術は社会の一定の生産段階における閑暇の産物である」という説を発表しているのであります。なるほど、暇ツブシには、芸術も娯楽も区別があろうはずがない。あるのは、暇ツブシかそうでないか、即ち芸術か非芸術かのちがいだけです。この芸人の芸術は娯楽であり、非芸術は、わたしのいう芸術であることは申すまでもありません。おもうに、この老芸人は、生涯のうち社会的生産に従事したことのない芸術青年上りで、人間の社会生活の生産や再生産の意味について、思いをいたしたことがなかったため、自分の閑暇と大衆の閑暇との質のちがいをとり逃したのです。芸術理論ほど、素性を語るものはありません。

今度、この老芸人が、本紙（十二月二十二日号）に、「新人診断」という文章をかいています。そもそも、芸人には、二つの特長があります。ひとつは、実体でものを診断せずに、意匠で診断することであり、もうひとつは、世の中の奴が、みんな自分のためにあるとでも思っていることです。老芸人の「新人診断」には、この二つの特長が歴然とあらわれており、新人たちの作品から、言葉尻を拾いあげて、お前はマルクス主義を知らんとか、常識程度には心得てもらいたいとか、威猛高になってかき散らしています。

他人が気に喰わぬ評価を下したからとて、悪質なデマ呼ばわりするのは、大衆の社会生活のなかでもまれたことがなく、もっぱら、取巻のオベンチャラに囲まれている書斎の（劇場の？）世間知らずな芸人の特長なのですが、まあ、そんなことはどうでもよろしい。

芸人が職域をまもって、ミュージカルをかいている分には、一向、さしつかえありませんが、いっぱしのマルクス主義者気取りで、革命の実体に言及しようとするとき、馬脚をあらわすのであります。花田老は、かいています。「日本のような、後進国におけるこれからの革命が、ブルジョア民主主義革命であることは、自明の事実です。ただし、その革命のにない手たちが、ブルジョアジーではなく、プロレタリアートであることも、これまた、自明の事実です。」素人のタワゴトとは、これをいうのです。

後進国などという非科学的なコトバを、ぬけぬけとつかいながら、わたしが「転向論」（『現代批評』創刊号）でたった一カ所つかった《封建的民族主義》というコトバを、非科学的だなどと罵っているモウロク振りも相当なものですが、いったい、この老人は、日本を後進国だと本気で考えているのでしょうか。ばかばかしいことです。日本は後進国ではありません。レッキとした高度の資本主義社会であります。したがって、これからの革命は、花田老の素人診断に反して、社会主義革命であることは、自明の事実です。

そのうえ、なお珍妙なことに、ブルジョワ民主主義革命のにない手が、プロレタリアートであるというのだから、やりきれません。(ああ、三二年テーゼ!)

石原慎太郎や大江健三郎を相手に、お前は、マルクス主義を知らんなどとハッタリをかけている分には、ボロは出ないでしょうが、わたしを無智よばわりして、よくも口が曲らなかったものです。

わたしは、本紙の鶴見俊輔、橋川文三との座談会「リーダー論」(十二月一日号)のなかで、双面革命というコトバをつかいました(または二面一段革命というコトバもつかいました)。それは、これからの革命が、社会主義革命であることは、自明であるにもかかわらず、日本の資本主義の構造のなかに、封建的な残像が、(然り、残像が!)かならずしも、高度な資本主義的要素と対立的な意味ではなく、相互にたすけあうような相補的な関係で存在することを、重視する必要があるのを強調したかったからであります。いいかえれば、日本資本主義の構造を西欧型のそれと共通の基盤からかんがえようとしたのであります。

したがって、これからの革命が社会主義革命であるにもかかわらず、そのにない手は、プロレタリアートのみではなく、プロレタリアートを主体とする農民、インテリゲンチャ、中小企業その他、買弁的に近代化された独占資本勢力から疎外された被支配階級の連合戦線であることは、自明の理であります。ついでだから申しあげておきましょう。私の診断では、現在はっきりとした革命のヴィジョンを具えている大衆運動は、総評を主体とする労働運動と、全学連を主体とする学生運動だけであります。

前者はプロレタリアートの組織主線であるという点で、後者は、意識上の革命性を失っていないという点で、わたしはそう断定するのであります。

何を血迷ったのか、花田老は、おれは、社会主義革命だといったおぼえはない、などと、アワテテ打消しているばかりか、わたしの発言を悪質なデマ呼ばわりしています。お里が知れるとは、このことです。偉そうなことを、ヤンガー・ゼネレーションに説教しながら、ただ、官僚から反党のレッテルを貼られるのがこわいだけじゃないか。

いずれにせよ、花田清輝が、太平洋戦争期における日本資本主義の発展構造と、マッカーサー農地改革以後の変化を、まったく素通りした無智なブルジョワ民主主義革命論者であることを、自ら暴露したことは、結構なことです。これによって、花田が、芸術上で、なぜ三十年前のアバンギャルドを担いだり、ブルジョワ・モダニスムと結びついたりするかもわかりますし、戦争責任論を、茶化してナシクズシている理由も氷解するからです。

ミュージカルや、ロカビリーやボクシング映画をもちあげたりしている見当外れのマルクス主義者が、マルクス主義の魅力だ、などとは笑止ですが、花田老が、わたしの転向論に言及して、「民族と階級との関係を論じようとおもうなら、まず、氏族と種族と民族との区別くらい、ちゃんと歴史的にとらえたあとでも遅くはないでしょう。」などとかくと、いかにもわたしが馬鹿で、花田老が達識の士にみえるから不思議です。芸人の芸とは、こういうハッタリを指すのですが、すくなくとも、社会科学の領域では、ハッタリは通用しないことを知るのは、今からでもおそくはないでありましょう。

最近、花田老は、とみに、ヒステリー的な発言を、くりかえしているようであります。天狗になった芸人のヒステリーにかかずらうことは、女性のヒステリーに関与するよりも愚であることは、わたしといえども承知しています。しかし、物には順序というものがあり、これからの理論闘争に先だって、花田老の悪質なデマに、《買いコトバ》を投げかえして、一応貸借関係をゼロにしておかねばなりません。

花田老によれば、わたしは、戦争中ファシストで、十分の自己批判をせずに、戦後、自由主義者に転向したので、一貫しているのは反共という点だけだそうです。ふざけるな、とはこのことです。わたくしは、花田を、戦争中は、ファシズムに寄生し、戦後は、ブルジョワ民主主義に寄生しているくずれ党員で、一貫しているのは、その時代時代の尖端思想を担ぎ上げている点だけだと見ています。（わたしが、戦争中、ファシストだったとしたら、軍国主義下に育ち、第二次大戦のさ中で、たおれた幾十万の同世代の青年は、みな、ファシストだったということになります。花田とちがって、わたしは戦争中、いかなる右翼団体にも接触したことはありません。）

わたしが、世代に固執し、戦争責任論を体系化しようと試みてきたのは、花田のいうように自由主義者（非科学的なコトバではないか！）だからでもなければ、江藤淳（『朝日新聞』一月三日号）がいうように、宿命の星をみつめすぎているからでもなく、思想の如何にかかわらず、世代によって全く異質の戦争体験を強いられねばならなかったあの大戦争の近代史的な意味が、芸術的にも政治的にも社会史的にも、きわめられていないかぎりにおいてです。歴史を偽造して素通りしてゆこうとするくずれ党員や、何もしらない若い批評家に、わたしどもが、自己否定の契機を社会批判に転化することで打ち出した戦争責任論を、非難する資格はないのです。

花田老をしてマルクス主義者と自惚れさせているのは、党員証だけですが、わたしは、この手形に、あらゆる大衆批判から免れ革命性を保証される免罪符は、含まれていないとかんがえます。真に革命的であるかどうかは、プロレタリアートを主体とする被支配階級のために、何をし、どういう結果をもたらしたか、によってのみ評価されることは自明の理です。わたしは、一貫してそういう批判の観点をつらぬき、また、及ばずながら実践しようと努力してきました。

最近、花田老は、わたしを一度、刑務所にぶちこんでみれば、本音をあげるだろうなどとかいていますが、（『文学』一月号「プロレタリア文学批判をめぐって」）ヒステリーもここまで昂じては、手の施しようもないでしょう。つける薬は、たったひとつ、この芸人を、一度でもいい、プロレタリアートの社会生活実体のなかに叩き込んでみることです。「不許芸人入山門」とはこれをいうのです。

「乞食論語」執筆をお奨めする

花田翁が、『図書新聞』の「文芸時評」欄に便乗してかいた「不許芸人入山門」評と、本紙にかいた「反論」をよみました。一言で申せば、《悲惨》です。翁が、珍妙なブルジョワ民主主義革命論に、曲りなりにも《実践的プログラム》をつけて、売りつけてくるものと、手ぐすね引いていたわたしは、まんまと胸くそ悪い小股スクイを読まされました。敵は、意外に、器量のない小悪党にすぎません。こんなものを相手どったかとおもうと、いくらか腹が立ってきます。

ここには、すでに《モラリスト論争》時代の、心情のトロツキストもいなければ、わたしを反共リベラリストに仕立て、「転向論」にむかって猪突した昨日の首切り役人もいないのです。「泥棒論語」をみた下ッ端官僚が、大衆を愚弄するものだと怒ったくらいだぞ、などと、云わずもがなを口走ってどこにも転がっている愚劣な《話のわかるコミュニスト》づらにまで、転落しているのです。日和見主義者とは、これをいいます。

もともと、花田翁のようなブルジョワ民主主義革命論者が、激しく対立してしかるべき、労農派の論客、向坂逸郎などに、オベンチャラをふりまいているばかりか、向坂論文とやらを、楯にもちあげて、わたしの主張との対立点を、なし崩してしまっています。もはや、戦略論の分野での勝負は、おわりました。わたしにできるのは花田翁の理論的破産を宣告することだけです。

わたしは、花田翁に「官僚乞食か、河原乞食か——それ以外に道はないか?」というセリフではじまる「乞食論語」というミュージカルをかくことを、すすめざるをえません。

何となれば、現在、花田翁のモウロク政談とは反対に、日本の資本主義は、拡大安定期にはいり、恐慌など起る可能性は当分ないばかりか、この拡大安定が、永続的にみえる危機の情況こそ、社会党が、右派と左派との闘争によって、理論と組織の再編成の必要にせまられ、共産党官僚が、左派にやたらに反党のレッテルを貼りまわして、自ら墓穴を掘ろうとしている原因の一つであることを、花田翁は、まったく理解していないからです。

それればかりではない。官僚乞食か、河原乞食以外に道がないかのように、前衛党なくして革命ができるか、などと自明の理にあぐらをかいて、居直っているのです。

現在、総評を主体とする労働運動が、後退しつつも闘う以外にみちがない地点にたたされ、学生運動が、スネ噛り理論にもかかわらず、意識上の前衛点に立たされ、すぐれた活動家たちが、官僚主義者にあきたらず、大衆運動やサークル組織のなかで、下からの組織の再編にむかっているのは、花田翁のいうように、ニヒリズムからでもなければ、大衆団体で革命をやろうなどというバカバカしい魂胆からでもありません。このような、ジリ貧的な危機情勢に、自主的な叡智によって、即応しようとしているのです。

こういう反体制勢力の必須の方向転換を、まったく理解せず、馬鹿の一つおぼえみたいに、前衛党なくして、だとか、何よりも看板だとか、タワゴトをくりかえしているのは、ミイラ官僚と、花田のようなブルジョワ相手にテラ銭をかきあつめる一方で、官僚の番犬をつとめている《二足わらじ》の岡ッ引だけです。

花田翁は、わたしにむかって「かれの戦争責任の追及が、コミュニストだけに向けられていることに注目するがいい」などと、いつのまにおぼえた河原乞食の客寄せ口上を、ふりまわしていますが、残念なことに観客層がちがうのだ。このモウロク爺は、モダニストの戦争責任（「現代詩の問題」飯塚書店

『講座現代詩』も、抒情派の戦争責任（『四季』派の本質」岩波書店『文学』五八年四月）もわたしのみによって徹底的に追及されているのを知らぬのか。

また、わたしは、コミュニストの戦争責任を追及したことはなくプソイド・コミュニストの戦争責任を追及し、その過程で、日本資本主義の戦中・戦後の構造上の特質と、それに対する芸術上、政治上の問題点を、あきらかにしているのです。(『芸術的抵抗と挫折』未来社)

もちろん、この課題を強いられたのは、戦争体験を否定的に媒介しつつ、戦後、大衆運動の組織のなかで、闘争の敗北と分裂のにがい教訓を、胸に刻んだからに外なりません。花田のように、新日本文学会か何かの編集をやって、仲間もめに一役かったくらいで、大衆にたいする戦後責任をはたしたつもりなのは、コッケイですが、わたしにむかって、「いまだかつてかれは、一度もおのれの戦後責任を問題にしたことがないではないか。」と居直るとき、悪質なデマゴーグに転落しています。闘争は、筆先きでするとはかぎりません。沈黙でする大衆の闘争もあるのです。わたしは、『吉本隆明詩集』(ユリイカ)に、あつめた詩篇によって、一貫しておのれの戦後責任の問題を、芸術的に骨肉化してきました。

もちろん、花田翁のように、官僚にむかっては、官僚乞食のような顔をして迎合し、ブルジョワ大衆には、河原乞食のような顔をして迎合している《二足わらじ》の岡ッ引などに、わたしの詩集の背後にある戦後大衆運動の悪戦の一コマを理解しろなどと野暮なことは、云いますまい。だいいち、仲間とブルジョワ以外にホメたことのない花田のような床屋批評家にホメられでもしたら、ナメクジにナメられたみたいで気色が悪くて仕方がありません。

花田は、わたしや奥野健男が、おれの芸術論を誤解しているなどと、泣き言を並べていますが、大衆芸術を否定的に媒介しようが、肯定的に媒介しようが、それがどうしたというのだ。そんなものはマルクス主義と縁もゆかりもないばかりではない。大衆の社会意識と芸術意識とを、素朴に混同しているだけで、その矛盾と関連とをつきつめていない花田の芸術大衆化論などは、どんなに具体化しても、カッコ付きの中間大衆の芸術意識と心中する外ない、とわたしは主張しているのです。

盗人たけだけしくも、翁はわたしを俗流大衆路線論者呼ばわりしていますが、はたして左様か。すでに、一九一〇年、ルドルフ・ヒルファディングが、その『金融資本論』のなかで、テクノロジーの発達にともなう会社的企業の形態によって、プロレタリアートを凌駕するほど階層的成長をとげるものだ、と喝破した《新中間階級》大衆に迎合している俗流大衆路線論者は、花田およびそのエピゴーネン一派であることは、自明であります。

もともと、今様をジャズ化すれば、民族的伝統が超近代化されるなどと、考えている遠近法知らずの花田に、わたしの『高村光太郎』（飯塚書店、改訂版＝五月書房）を、とくに「敗戦期」を、遠近法をまちがえずに読むのは、無理だったのかも知れません。

三十歳の思想的地点から、二十歳の戦争体験を分析した文章を、べったり告白か、べったりドキュメンタリイとまちがえて、鬼の首でもとったように、ファシスト呼ばわりを繰返しています。小賢かしいトッタリは花田の身上ですが、私が太平洋戦争に、いかれていた未熟な思想感情を、ことさら部分的に拡大したのは、はっきりした目的意識が、あったからです。

そのひとつは、花田のような、戦争中、「東方会」というファシスト団体に寄生して、わたしども学生を寧日ない勤労動員にかりたて、同世代の青年を死地に追いやった片棒かつぎの転向ファシスト文学者が、『復興期の精神』などという、田舎インテリのペダンチシズム以外には、転向理論しか残らないような文章をかいたくらいで、戦後、抵抗者づらをしているのが小癪にさわったことです。

もう一つは、自分だけ物質的な特権をもとに戦争の苛酷さから逃げたり、ただの怠け者にすぎなかったくせに、戦後、花田などの口車にのって、被害者づらだけを拡大し、歴史の偽造に協力している一部の同世代の青年に、あきたらなかったからです。

もちろん、ほんとうの戦争被害者は、花田でも、この一部の青年でもありません。この被害の意味を加害として追体験することによって、日本現代史のなかに意味づけ得るのは、わたしたちを除いてはないのです。加害者のくせに、抵抗者づらや、被害者づらを、できていたら、いまごろ花田清輝ぐらいには偉くなっているはずです。そうではないか。花田翁！

アクシスの問題

転向について、さいきん、わたしは『現代批評』創刊号に、ひとつの試論をかいた。この試論にたいしてだされた否定的な批判は、転向評価のアクシスについて、とくに、戦中、戦後をむすぶ時間的なアクシスをどこにとるかについて、あらためてたたかいを開始せねばならない必然をかんじさせた。かねてから、わたしは、旧作家同盟系の文学者と、「近代文学」同人とによって、おもにすすめられてきた転向の評価にたいして、いくつかの異論があり、いつかそれをあきらかにしようとかんがえていた。「転向論」は、そのひとつの試みにすぎなかった。

ちょうどそこへ、とんでもない批評家が、横合いからとびだしてきて、いきなりわたしの向こう脛をかっぱらったのである。かれは、他人の向う脛をかっぱらうことが、まぎれもなく、階級的な利益をようごすることになると、信じているらしいのだが、他人から頭の鉢をたたき割られると、やつは、人民の頭をなぐりつけたなどと、宣伝してあるいたのである。いったい、いつ、だれから許可をえれば、そういう白々しいことが云えるのかしらぬが、この種の批評家がおちてゆくさきは、じぶんのカボチャ頭の判断を、オール・マイティと錯覚してデマゴーグになりさがる道であることはうたがいない。

わたしは、まず、この種の批評家のひとり花田清輝の転向評価のアクシスを、徹底的に転倒してみせることから、はじめなければならない。

花田清輝は、さいきん、やつぎばやに、「戦後文学大批判」（『群像』新年号）、「プロレタリア文学批判をめぐって」(『文学』一月号)などをかいている。その要旨は、第一に、プロレタリア文学者の転向の事実を、転向ではなくて、かえって、地下ふかく滲透する過程であったということにある。第二に、戦後文学は、反戦的な性格によってかえって日常性にしがみつき、そのために反革命的であるから、ほとんど全面的に否定されるべきである、という点に帰着する。第一の点は、花田ほど厚顔ではないにしろ旧作家同盟系の文学者に共通のものであり、わたしはすでに数年前、「『民主主義文学』批判」のなかで、小田切秀雄の壺井、窪川評価にふれてアクロバチックな評価と名づけている。また、第二の点については、以前に、堀田善衛の「記念碑」、「奇妙な青春」に登場する《党員くずれ》安原克巳にふれながら、「この党員くずれは、転向から戦争へ、戦争から革命へと、いわば非日常的な理念のあいだを綱渡りし、永久に革命と戦争のあいだを循環してゆく賭博師にほかならない。」として否定的な批判をくわえている。このように分解してみれば、花田のアクシスは、べつにあたらしいものではなく、転向者のうちファシズムに走った者のだれもが口にする常識論にすぎないが、問題は花田のうちでこの二つのアクシスがわかちがたく複合されている、点にもとめられる。

わたしは、さきごろ、読書新聞で、花田と一、二の応酬をかわしたが、それは、花田の複合されたアクシスを、政治的な見解のなかにさぐりたいモチーフからであった。花田は、前記の二つの論文のあとで、「新人診断」(『読書新聞』)をかき、日本は後進国であるから、当面の革命はブルジョア民主主義革命であり、その担い手がプロレタリアートであるという見解を、はじめてあきらかにしている。いうまでもなくこのような見解は、ほとんど三二テーゼをそのままに延長しているにすぎないのであって、この見解にしたがえば、一九三二年から一九五六年にいたる二十数年間、いわば戦前、戦中、戦後をつらぬくアクシスは、空洞として静的(スタチツク)にとらえるほかないのである。花田のこの政治的な見解は、戦前、戦中転向のなしくずし的な評価、戦後文学の否定という花田の文学論のモチーフと、まったく対応するものにほかならない。

たとえば平野謙も「日本のテロリスト」のなかで、わたしの「芸術的抵抗と挫折」を批判しながら、日本の支配権力もまた見透しをあやまって敗戦によって倒されたのだ、という見解をのべている。わたしは、このような平野の見解をも否定せざるをえない。日本の資本主義は、三二年から五八年において、その特殊構造を極端に顕在化しながら急速な発展をとげたのであった。太平洋戦争期にはいって天皇制絶対勢力の連合による強力な総力戦体制化で、農村は徐々にブルジョア化し、敗戦後の農地改革の下地を用意したのだ。わたしのアクシスによれば、この二十数年は、ダイナミックな問題性を、政治的にも文学的にもはらまざるをえないのである。

わたしは、花田が講座派も労農派も、いっしょくたにして、ただ芸人的な勘で政治論をたたかわせているにすぎないのをしって、政治論争によって、花田のアクシスをあきらかにする意企を断念したが、なお、プロレタリア文学評価の問題と、文学理論の問題について決定的な対立はのこされているのだ。

花田の「プロレタリア文学批判をめぐって」は、まず、杉山平助の『文芸五十年史』の序文のせんさくからはじまっている。花田がなぜ杉山の五十年史をいまさらのようにとりあげたのか、了解にくるしむが、この時期の杉山が思想的に花田にちかいところにでもあったとかんがえる外はあるまい。杉山が序文のなかで、プロレタリア文学をあつかうのにもっとも困難をおぼえ、統計年表をつくってきりぬけようとしたが、それも今日（太平洋戦争期——註）では思想政策的見解から時機にあらずとかんがえてついにきり捨てざるをえない、いつかプロレタリア文学に関する知識が、あたかも切支丹文献をあつかうのとおなじように社会に病毒を感染する惧れがないと認められるようになってから、学問的見地から再発掘されるに委すより外ない、という主旨を述べた個処をぬきだしてきて、花田は、杉山のプロレタリア文学評価の慎重さや、支配階級にたいするプロテストを、よみとっている。しかし、杉山の序文はつぎのようにはじまっている。

今日、大和民族の飛躍する姿は、神話的に雄大であり、壮烈である。しかし、かくも雄々しき民族の精神を、予兆反映すべかりし近代日本の文学は、果してそれにふさはしく偉大であつたであらうか。

今や、あらゆる近代日本の文学が、頸筋に冷水を浴せられるやうな、切ない審判の危機に直面してゐることは、何人も疑ひ得ないところであらう。

本書は、その機運にうながされた初歩的な試みの一つである。

これだけでもあきらかなように、杉山平助の『文芸五十年史』が明治以後の日本近代文学を、移植自由主義思想と、それのうえに開花した社会思想との芸術的な表現であったとし、それをファシズムの観点から、自己批判をこめて批判しようとしてかかれたものであることは、よほどの馬鹿でないかぎり、何人の眼にもあきらかである。また、花田のように、杉山が、プロレタリア文学をあつかうのに困難をおぼえたとかいた個処から、慎重さや支配階級に対するプロテストをよみえないこともあきらかである。たかだか、杉山の庶民的な気骨と反インテリゲンチャ的な思考が、ファシズムに転向しようとする時期に、プロレタリア文学のなかに裏がえされた親近性をみたのだ、とかんがえるより外にありえないのだ。もちろん花田は、そんなことは知っていたはずだから、わたしは、花田の評価を、ただちに、詐術だなどと云おうとはおもわない。ただ、だれにも疑いえないのは、花田が、杉山の全面的なファシズムへの転換のなかから、微細なレジストをよみとって拡大し、杉山の心情的なためらいを、再評価してうけとっていることである。もちろん、作品を評価する場合、こういうやり方は、アクシスの如何では充分に成立しうるはずだ。だから、わたしはここでも、花田の評価が詐術であると云おうとはおもわない。文学作品は、たとえそれが批評文であっても、作者の構成した主体的な世界だから、評価の多義性は、当然おこりうるはずだ。じじつ、花田のような評価は、ある意味では、「近代文学」派にも、旧作家同盟系にも共通した評価の方法である。ただ、わたしは、そのような評価のアクシスに組しえないのである。

なんとなれば、杉山の全体的にはファシズムへの転換の過程にかかれた批評から、部分的なレジストを拡大再評価することは、文学作品のうえでは、成立つかもしれないが、歴史的な現実がのこした軌跡は、いいかえれば太平洋戦争が実体として遂行され、杉山が軍の手先になって序文をかいた直後に南方へ出かけ、花田が、中野正剛の東方会というファシスト団体に所属し、わたしなどが東北、関東、裏日本、東京と、各地を学徒動員にかり出されていたという事実は、すこしも、部分的な拡大評価や、部分的な切捨てをゆるさないからである。ここには、おそらく一般的な意味で、文学評価と歴史評価との分裂する原因がかくされている。わたしたち太平洋戦争を、もっとも生々しい現実のなかで背負わされた世代が、じぶんの戦争体験を架空の幻であったとかんがえないかぎり、花田のように、また強いていえば「近代文学」同人や旧作家同盟系の文学者たちのように、文学評価と歴史評価とを分裂させ、あるいは切離す方法のアクシスに同意することはできないことは、あきらかである。

花田などの転向評価のアクシスが、わたしなどと異なるのは、つきつめてゆけば、戦争体験の異質さと分裂とに帰着する。このようなアクシスの対立を、花田のようにプロレタリア文学は、階級的な文学であり、プロレタリア文学者は、階級的な文学者であったのだから、これをコキおろすやつは、つまるところ階級敵であるという観点にすりかえたり、戦争体験の異質さと分裂を個人の思想的な相違にすりかえることは、日本の社会構造の特質と、それによってもたらされた太平洋戦争の実体について、なにも洞察していないとおなじなのだ。このような日本の社会的な、思想的な特質にたいする無洞察は、その政治的見解のなかに露呈され、また、わたしの転向論のアクシスをファシズム呼ばわりした酬には、自身が東方会ファシストであったという歴史的事実によって、矛盾となって循環するほかはないのである。戦後民主主義文学運動によっておこなわれた転向評価のアクシスは、ほとんどすべて、文学評価を、歴史的現実の全体から切り離したり、もっとも極端な場合には、背反させるものにほかならなかった。

ここに意識せざる詐術が成立したのだ。花田が、いま、それをむしかえそうとするとき、わたしは反動的な意企のほか何もくみとることができない。

花田は、平野謙、小田切秀雄を批判しながら、つぎのようにかいている。

　戦後、プロレタリア文学にたいしてひたすら否定的な評価をくだしているものの大部分は、かつてプロレタリア文学の没落にあずかって大いに力のあった自由主義者のむれと、ほとんどどこにも変りはないくせに、すこしも自由主義者としての自覚をもたず、したがって、また、杉山平助のように、プロレタリア文学との関連において、自由主義そのものの功罪を検討してみようとするものも、一人としていないらしいからだ。

わたしは、花田などとちがって、平野謙、小田切秀雄、本多秋五、荒正人、佐々木基一など、「近代文学」同人が開拓した、プロレタリア文学評価の研究的な仕事を、高く評価している。ことに、花田のような自称ボルシェビイキが、ただの一度も、プロレタリア文学の実体を、実証的にたどろうとせず、杉山平助の『文芸五十年史』一冊をよみかじって、恥かしげもなくプロレタリア文学の評価に言及しようとしている現状では、なおさらである。もちろん、わたしは、「近代文学」の同人と、評価のアクシスを異にしているが、それはまた別個の問題である。

戦後、「近代文学」同人によっておこなわれたプロレタリア文学評価は、個々の批評家でニュアンスの相違があるとしても、作家同盟が、文戦派を社会民主主義者と規定して、はじめから対立と抗争の道をえらび、ついに作品のボルシェビイキ化、前衛の観点への移行のスローガンにまで自己結晶してゆく過程を、二七テーゼから三二テーゼにいたるまでの政治的戦略論にあざなわれた組織論的な欠陥としてみようとする点で、ほぼ一致するものとみることができる。ただ、かれらがその運動につきすぎていたために、共同研究討論「日本プロレタリア文学運動史」に成果の公約数が要約されているように、おおく運動史的な検討に制約せられざるをえなかった。いいかえれば、あの時、こういうことが行われたのは、誰それがどうしたからだというようなせんさくに熱中された。個々の批評家たちによって、個々のプロレタリア文学作品も精密に研究されているが、公約数としては運動史の研究に集中された。わたしの知るかぎりでは、運動を推進した、蔵原・宮本・小林などの指導的な芸術理論の検討は、政治と文学論争における平野謙や荒正人が言及したことをのぞけば、本多秋五の「蔵原惟人論」や小田切秀雄、佐々木基一などがいくらか解明したにとどまっている。わたしは運動史的な追及がそれほど実りがある方法だとはかんがえないが、その評価のアクシスは、運動の影響をうけなかった世代にとっても、充分、なっとくされるものだとかんがえてきた。むしろ欠陥は、かれらもまた運動の影響下にあったために、その検討は一定の限度以上になるとためらいとなってあらわれ、徹底をかいている点にこそもとめられなければならない。

しかるに花田は、何ら実証的な手続をとらずに、自由主義者がプロレタリア文学の没落にあずかって大いに力があったとし、「近代文学」同人が自由主義者であるゆえにプロレタリア文学を没落させたとおなじ理由で、プロレタリア文学に否定的な評価を下しているのだと結論している。自由主義者、社会民主主義者が、プロレタリア文学没落にあずかって力があった、というような見解は、べつだん物珍らしいものではない。官僚主義者が戦後用いてきた常套語である。運動の末期に右翼的偏向がなく、左翼が健在であったらそのままの形でプロレタリア文学が存続できなかったとしても、後退は整然とおこなわれたはずだ、という宮本顕治などの一片の自己批判をもふくまぬ論旨のエピゴーネントウムにすぎないのだ。花田はいったい「政治と芸術・政治の優位性に関する問題」などが、どのような芸術理論と情勢判断をつらねて、右翼的偏向を促進する役割をはたしたかを、検討したことがあるか。もちろん、獄中に戦争期を慴伏していた宮本がこういう見解を固執することは、その見解の当否はべつとして理解されないことはない。しかし、戦争中、東方会の制服などをきてファシストといちゃついていた花田が、プロレタリア文学を没落させたのは、自由主義者や、社会民主主義者であったなどというふざけきった論議を、今日になって蒸しかえそうとするがごときは黙許することができないのである。

たとえば、「思想の科学研究会」の共同研究『転向』（上）のなかで、藤田省三は、共産主義者が、自由主義者とチーム・ワークを組みえていたら統一戦線的な抵抗が組織されていただろうという見解をのべ、自由主義の思想的な多義性が、抵抗のクッションになりうることが、共産主義者によって理解されず、孤立をまねかざるをえなかったとしている（「昭和八年を中心とする転向の状況」）。藤田の見解は、「近代文学」同人の見解と、ほぼ一致するものであり、花田の見解はちょうどこの裏にあたっている。

藤田のような見解は、そのかぎりにおいては正当であるにちがいない。しかし、プロレタリア文学の敗退は、また政治運動の敗退は、それ自体に内在した、理論的な、組織的な欠陥と誤謬によって、大衆から孤立したことに最大の原因があったのだ。もしも、文学評価や政治評価を、歴史的な社会情勢の全体ときりはなし、大衆の芸術意識史や政治意識史と分離させるならば、プロレタリア文学（政治）運動を没落させたのは、自由主義者のせいだという花田の見解や、自由主義者とチーム・ワークをくみえなかったせいだとする藤田の見解は、それなりの意味をもちうるかもしれない。しかし、わたしのアクスは、このような文学評価や政治評価と歴史評価との分裂を拒絶せざるをえないのである。わたしども不毛の世代の戦争体験への自省がおしえるところによれば、芸術的なまた政治的な抵抗の問題は、大衆の政治意識や芸術意識の変遷と、きりはなして、ただ、異なれる思想の協力か対立か、という問題におきかえることはできないのである。自由主義者と対立しようが、チーム・ワークを組もうが、大衆意識や大衆組織との対応性の問題が、芸術理論や組織論として、正当に解明されないかぎりは、いつの時代でも反体制的な運動の没落は必至であるというほかはないのだ。

花田のような自称ボルシェビイキが、ミュージカルをかく片手間に、政治的八ツ当りをやって異なった思想と対立したつもりになっても、自身の芸術大衆化論が俗流の見解にすぎないかぎり、なんの役にも立たないのだ。革命も抵抗も芸術老年のニヒリズム組織論や、鼻もちならぬ気まぐれな感情を満足させるためにあるのではない。現在においても、進歩的自由主義者や社会民主主義者との広範な統一戦線の結成は、必要な課題であり、大衆の芸術意識史と政治意識史との結合を模索することは必須の課題なのだ。死滅しなければならないのは、他人の感情や行動のサヤをとって、オルグを気取っている古くさいルンペン・コミュニストだけである。

針生一郎は、「『社会主義リアリズム論争』以後」（『文学』一月号）のなかで、埴谷雄高の「政治のなかの死」にふれてつぎのようにかいている。

埴谷雄高のような、政治通の文学者でさえ、ソヴエトの粛清やアフリカの植民地諸国での黒人の虐殺に代表されるような「政治のなかの死」が、いまや、人間が条件によって可変的であるという認識とともに終りを告げ、敵を味方に転化する努力のなかで、政治そのものの死に道をゆずる、——といった高遠な予言をたれているありさまだ。だが、人間が条件によって可変的であるとの認識は、はたしてそうやすやすと「政治の死」をもたらすだろうか。わたしの考えでは、政治は死滅するどころか、ますます人間のあらゆる領域をまきこもうとしており、そうである以上、死や流血の事態を原理的に排除した解決は、ほとんど空想にひとしい。急行列車に乗りながら、停止した状態にのみあこがれているような、こういう議論は、はたして今後の政治の状況に妥当するだろうか。

コム・ファシストの口車にのって、血のしたたる革命オルグを気取るのはやめるがいい。このような発言のどこに、不毛の世代としての針生の戦争体験にたいする自己批判があるのか。革命は、死や流血の事態を、原理的に排除しなければならぬ。被支配者階級の死や流血を原理的に排除するためにのみ、革命はあるのだ。花田や針生などは、流血や死や刑務所が、非日常的な世界にだけあるとおもっているかも知れぬが、それは、被支配者階級の日常世界のなかにたえず花田や針生のようなプチ・コミュニストの眼にはみえない形で存在するのであり、そのためにこそ革命はあるのだ。日常世界を非日常的な観点からながめ、非日常世界を日常的な観点からながめる眼をもたないかぎり、戦争と革命のあいだを循環する賭博師に転落するほかはない。これを忘れて、前衛党のために大衆があったり、革命があったりするのだとかんがえて焦燥したとき、自身が「政治の死」を、死なねばならぬ。

藤田省三は、前掲の論文のなかで、『昭和』の革命運動の経験を創造的に転化させて生きる日本人は少ないが、たとえば家族愛の絶対化を軸とした転向を見て、自分の家族構成をインパースナルなものに切り換える無理をあえて行うことによって、私生活の場から革命精神を培養する途を発見した花田清輝（思想史的にはレトリックの意味の日本における開拓者）のような人物」として、花田を評価しているが、わたしは、このような、歴史評価を疎外して、単なる文学作品をうけうりした評価に同ずることはできない。花田清輝流のレトリックをつかえば、こういうのを、《伴天連ころび》（ころび伴天連の反対で、伴天連と岡っ引の両方をかねていたもの）の回想録をよみかじってかかれた評価というのであり、プラグマチズムを身上とする少壮学徒のとるべき態度ではあるまい。もちろん、藤田も、《革命精神》というコトバをつかって、それが、ファシズムにもマルクシズムにも通ずる両義性であることを暗示はしているが、こういう藤田の評価が、藤田自身の血肉となった思想から出発していないために、現在このときにあたって「戦争中、ブルジョア・ジャーナリズムから、プロレタリア文学が閉めだされていたという事実をとらえて、かつてのプロレタリア文学者が、ことごとく、マルクス主義を放棄したとみることは、ジャーナリスティックな――あまりにもジャーナリスティックな見解であって、もともと日本人というやつは、それほど軽薄にはできていない」など、花田を居直らせることになるのだ。戦争中、花田清輝は、東方会に所属していた。このことは、歴史評価のアクシスを考える場合、それだけで充分の戦争責任をもつものであることは、東方会が果してきた役割をかんがえれば、云うをまたないことである。一方において同時期に『自明の理』や『復興期の精神』がかかれた。ここには、マルクス主義的思考が適用されている。転向評価のアクシスを、歴史評価からきりはなされた文学評価に限定するならば、藤田のような見解は成立しうる。しかし、太平洋戦争期の大情況のもとで、東方会に所属していた一文学者が、この作品をかいたのであることを、文学評価と歴史評価の正位置から考慮するとき、花田の作品からでてくるのは、コム・ファシズムの両義性にほかならない。この両義性は、現在もまた、独占ブルジョアジイの支配的情況のなかで貫かれている。いや、最近花田はまた転向したのかもしれぬ。たとえば、最近の花田がかいた「戦後文学大批判」は、思想としてみるときは、「戦争を否定するものが革命であり、革命を否定するものが戦争であるとはいえ、否定するものと、否定されるものとのあいだには、おどろくべき類似性がみいだされる。」「戦争中、戦争の革命へ転化する決定的瞬間を、心ひそかに待ちつづけてきたわたしは、あまりにも早過ぎた平和の到来に、すっかり、暗澹たる気持にならないわけにはいかなかった。」というような、マルクス主義とはにてもにつかぬニヒリズム革命観を基調としているのである。ここでは、人間の日常意識を捨象することで、戦争と平和とを同型にかさねる操作がおこなわれている。ここから、戦後文学は、反戦的性格のゆえに反革命的であるというような評価がうまれてくる。いうまでもなく、このような評価は、ファシズムの心情を、マルクス主義的な理論で包装したものに外ならないのだ。

太平洋戦争は、不毛の世代とよばれるわたしたちを生産した。この世代にとっては、死をおそれざる自己の否定という課題が、戦後の思想的な課題となりえた。イデオロギイとしていえば、戦争という非日常的な世界につかれた観念から、日常世界への通路をつける思想的な課題であった。すくなくとも、平和とはそのように理解されたのである。このような世代にとって、革命という課題が、思想上の日程にのぼるとすれば、けっして革命を戦争体験とそのまま同型にかさねあわせることはありえないのである。花田清輝のような理念が、戦後、革命者としてとおることをゆるすために、わたしたちは戦争中、必然的にやってくる自明の死をさけることはしまい、と決意したのではなかった。花田清輝が、「プロレタリア文学批判をめぐって」のなかで、「土壇場にのぞんでいかなる音をあげるか、こういう人物を、いっぺん、刑務所のなかへたたきこんでやりたいものである。」と、わたしを指したとき、わたしは、何を、この東方会の下郎め！　とおもって微笑した。この男はナメているのだ。わたしたちの戦争体験と戦後の思想的、実践的な悪戦を、この男はナメているのだ。死をすらおそれなかったわたしたちの戦争について、厚顔な詭弁をつかって居直っているのだ。わたしどもの世代に、死を自明のこととして決意させ、また、実際上、自明の死にまで追いつめた片棒かつぎなどは、他人を煽動する前に、ちょうどわたしたちがやったように自明の死を追いつめてみるがいいのだ。花田が土壇場でどういう音をあげるか、わたしもまた見物させてもらうつもりだ。

わたしは、花田の「プロレタリア文学批判をめぐって」をよみながら、憤怒が蘇るのを禁じえなかった。丁度、花田が杉山平助の『文芸五十年史』をよんで、コム・ファシストらしい感銘をうけた昭和十七年の暮から、三カ月ばかり後のことだ。当時、東北の学校にいたわたしは、卒業後すぐに軍隊に入り、軍隊に入れば、すなわち死であるという予定のコースを踏むため卒業してゆく共同生活の学生を送別するために、したたか飲みあった。一人の卒業学生は前後不覚であった。地方出身の素朴で悪童だが、共同生活の雑事は真先きにやる頑健なその学生を、わたしは煙たくてしかたがなかったが好感をもっていた。わたしは、その夜その学生を肩にかついでかえった。途中で、わたしにかつがれているのを気付いたその学生は、餞別のつもりらしく「ああ、吉本か。お前は自分の好きな道をゆくんだな。」と一言だけ云った。ああ、好きな道！　その学生は、二年後、特攻機にのって出かけ、自明の死を死んだ。通知をうけとったとき、わたしもまた正確に数年後自明の死を死ぬだろうと考えたことを思い出したのだ。断っておくが、その男もわたしも、一介の学生として、戦争を自明の環境とし、そのために死ぬことを避けまいと考えた世代の人間にすぎぬ。とうてい花田のような高級ファシストではなかった。

すなわち、花田は、「宗教のばあいでも、芸術のばあいでも、思想のばあいでもそうだが、それらのものが地下深く真に根をおろすのは、運動の興隆期ではなく、かえって、衰頽期であって、プロレタリア文学運動もまた、その例外ではないということは、いま、ここで、あらためてことわるまでもあるまい。」というような、子供だましの詭弁をもって、プラグマチズムの学者を、あざむくことはできるかもしれないが、戦争の実体に、おのれの生存の中核でぶつかった、わたしどもの評価のアクシスを、こういうひとかけらの自己批判もない言辞をロウして通りすぎることはできないのである。いったい、東方会ファシストの血まみれた手によってかかれた『復興期の精神』が抵抗の文学であるというのか。歴史体験と文学評価とを、けっしてきりはなすことができないわたしなどのアクシスは、それを拒絶するのである。文学評価のアクシスだけをきりはなすとき、はじめて藤田省三のような評価も成立つのだ。

文学の創造や文学運動には、それ自体として階級的な観点などはありえない。過去のプロレタリア文学とても例外ではないのである。花田のような紙の上でだけ革命的な俗流コミュニストには、いくら説明しても理解できないかもしれないが、文学運動が階級的な観点をもちうるのは、それが被支配者階級である大衆の社会意識や大衆組織と対応づけられるときだけである。けだし、ここに文学評価のアクシスが歴史評価ときりはなすことができない理由があり、文学運動が、大衆の意識変遷史と対応づけて検討せられなければならない理由があるのだ。転向といい、非転向といい、それが政治好きの文学者と、文学好きの政治家の仲間組織の問題であり、大衆の政治意識史や芸術意識史と何らの対応もないかぎり、びた銭の裏表にすぎないことはあきらかである。

芸術大衆化論の否定

もともと、芸術というものは、それほどつまらないものではない。少なくとも、経済学や政治学や科学がつまらないものではない程度には、芸術もまたつまらないものではないはずだ。しかし、ほとんど例外なく芸術家というやつはとくに日本ではつまらない奴にきまっている。だから、とくに必要でないかぎり、わたしは、芸術家とは、すすんでつきあったことはない。芸術を創造するためには、人はかならずしも芸術家の概念を必要としないのである。こんなことをいうと、あげ足をとりたくてうじうじしている連中は、おまえは、大衆に迎合してアマチュア精神でも強調するつもりか、などと因ねんをつけてくるかもしれぬが、わたしがここで云いたいことは、芸術の諸ジャンルに頭を占領されているような芸術家の概念を、創造者は必要としていないということなのだ。世の中には、芸術をかりあつめて綜合したいなどとかんがえているばかりか、それを大衆に喰わせなければ、不安でたまらないという芸術家がいるのだからやりきれない。かれは、おそらくとうの昔に、大衆の社会生活を深部からえぐりとる眼を失っているにちがいないのだが、それでもなおいくらかのこっている己れの生活にたいする懐疑が、かれをかりたてて芸術の綜合化即大衆化などという主張におもむかせるのだ。この種の芸術家の一人は、わたしの雑文にふれてかいている。

わたしと佐々木基一と野間宏とを、十把ひとからげにしてとりあげる粗雑さもどうかとおもうが、いったい、「大衆娯楽の綜合的な芸術化」とはいかなる意味であろうか。芸術の綜合化というわたしの主張と、その綜合化にあたって、マンネリズムにおちいっている芸術を変革するために、いっぱんからは非芸術として受けとられている、大衆芸術を否定的に媒介しなければならないというわたしの主張とを、一緒くたにして混乱した頭で受けとめたためであろうが、なによりくだらないと感じたのは、芸術と娯楽とを区別するうじゃけた精神である。つねに創造の場に立っている芸術家にとっては、娯楽などというものはない。芸術家の手によって創造されたものを享受する側にだけ、芸術が娯楽としてうつるのだ。（花田清輝「戦後文学大批判」）

だいたい、わたし独りは別のものだ！　などとかんがえている自惚れからして、つまらない根性だが、すでに社会的現実の実体をみる眼をもたないため、人間は人間を誤解しかしないものだという自明の事実さえ忘れてしまっている。しかも、何よりもくだらないとおもうのは、おれはミュージカルが好きだから一つかいてやろうといえばすむどうでもよいくだらぬことを、芸術の綜合化などと称し、おれは昔から浅草の三文オペラや活動写真が好きだから、そいつを生かして芝居でもかいてやろうとおもうといえばすむところを、大衆芸術を否定的媒介にしなければならぬ、などと、もったいをつけている夜郎自大ぶりだ。こういうもったいぶりだから、つねに創造の場に立っている芸術家にとっては、娯楽などというものはない。芸術家の手によって創造されたものを、享受する側にだけ、芸術が娯楽としてうつるのだなどというでたらめな結論がうまれるのである。「アルミニウムの金秤　上二匁の分秤　風もないのにぢりぢりと　日がな一日ふるへては　休む瀬のない気のくばり」とはこれをいうのだが、だいたい、革命の芸術だとか、芸術の革命だとかいうものは、芸術マーケットしか知らない芸術家が、己れの生活喪失の代償として、空想を過度に緊張させてつくりあげたようなじりじりしたものではない。革命後の社会主義社会でも『シャーロック・ホームズ』もよまれていれば、ベートーヴェンの交響曲も演奏されているのだ。いいかえれば、娯楽もあれば、芸術もあるのだ。もちろん、芸人もいれば、芸術家もいるし、芸術を愛好する大衆もいれば、娯楽を愛好する大衆もいるのだ。ただ、どこにもいるはずがないのは、花田のいうように芸術が娯楽としてうつったり、娯楽が芸術としてうつったりする奇妙な大衆である。わたしは、べつに、花田の芸術の綜合化とか、大衆芸術の否定的媒介とかいう主張を否定しようとはおもわぬし、否定するに価する主張だともおもっていない。わたしは、そんなばかばかしいことは真平御免だが、結構な御主旨だから、ひとつとことんまでやってみせてくれ、とでもいうより外ない、つまらぬ理論であることは、いうまでもないのである。

しかし、花田のような空想を過度に緊張させてつくりあげた芸術大衆化論が、なぜうまれてくるかを追究しようとするとき、その病根はとおく深く、とうてい看過することができないのを感ずる。わたしにいわせれば、病根は過去の芸術大衆化論の錯誤と過去の芸術理論の錯誤とが複合されたものに外ならないが、すくなくとも、花田の芸術大衆化論などを、社会科学のジャンルからも、政治学のジャンルからも、思想のジャンルからも徹底的につきくずしてしまうまで、たたかいはつづけられなければならないのである。ジャンルの綜合とは、これをいうのだ。わたしは、べつに、日本にいますぐサルトルやカミュのような綜合的な芸術家がうまれることを期待しているわけではないが、芸術の綜合化即大衆化などと他愛もないことをかんがえているギルド的な芸術家概念を、崩壊させないかぎり、ほんとうの意味で芸術が大衆化されるはずがないのだ。かつて、プロレタリア文学が、新世代にになわれて近代文学のなかに登場したとき、大衆作家菊池寛は、文芸時評のなかで、つぎのようにかいている。

社会意識がないと云ふことは、現在の所謂ブルジヨア文学に対する唯一の非難であるらしい。しかし、社会意識など云ふものが、文学的に云つてどれだけの価値があるだらう。今こそ、プロレタリヤが擡頭するにつれ、さうした非難を我々に下してゐるが、これで日本にフアスチシズムでも起れば、我々はまた民族意識がないとか国家意識がないとか云つて非難されるに違ひない。

社会意識など云ふものは、目下の社会にとつていかに重要なものであれ、民族意識国家意識などと同じ程度に、文学についいては無関係のものである。文学の上に現はれてもよければ、現はれなくても一向差支のないものである。

だが、社会意識を文学に現はさないからと云つて、我々所謂ブルジヨア文学者に社会意識がないと云ふのではない。現代に生活してゐる以上、鈍感で馬鹿でない以上、資本主義制度の不正と、プロレタリヤ階級の当然なる擡頭を信じないものがあるだらうか。我々は、そんな意識位は、プロレタリヤ文学者と同程度に持つてゐるつもりだ。たゞ、何故にそれを作品の上に、出さないかと云へば、あまりに分り切つたことであり、文学的に多くの価値がないと思ふからだ。

資本家の不正を鳴らし、プロレタリヤの惨苦を描き、社会改造の必要を叫ぶことなどは、あまりに分り切つた大道だ。文学の道から云つてはあまりに、もつともすぎるのだ。文学上の題材は、そんな分り切つたところには存在しなくなるのだ。分り切つたことを更によく分るやうに描くのは、宣伝であつて文学ではなくなるのだ。(『中央公論』昭2・2)

ここで菊池が示しているプロレタリア文学に対する当然の反撥はともかくとして、菊池寛をして、「現代に生活してゐる以上、鈍感で馬鹿でない以上、資本主義制度の不正と、プロレタリヤ階級の当然なる擡頭を信じないものがあるだらうか。我々は、そんな意識位は、プロレタリヤ文学者と同程度に持つてゐるつもりだ。」とかかせた事情に注目しなければならない。それとともに、菊池が階級運動の擡頭を当然だとしながら、プロレタリア文学の登場の意味を否定していることも注意しなければならない。

このような事情は、おなじく当時の中堅以上の作家であった佐藤春夫によっても、とらえられている。

まつたく逆に時代がいくらか不安になり、動揺を感づくと、まづそこに批評的な精神が、その要求が生れて来る。つまり、僕にいはせると、批評の勃興といふことは、創作力の減退と関係があり、さてその批評勃興の気運の隆盛の程度が、やがて次の文運の消長によほど重大な影響がある。僕が見るところでは、批評はいつも一つの時代から次の時代に歩み入らうとするその一瞬間で、つまり過渡時代で、片脚がまだ地上に落つかぬ場合のその状態とよほど似通つてゐる。次の足の踏み場がただの足場でないやうな場合、我々は足を挙げたままで、長いこと思案しなければならぬやうに批評的要求が多ければ多いだけ、またそれが隆盛であればあるだけ、次の時代の頼もしいことと同時に今日の難局とを証拠だてることにもなる。（「批評の勃興」『中央公論』昭2・4）

佐藤春夫が、ここで過渡期の批評の欲求ということを、マルクス主義批評を念頭においていっていることはあきらかである。

僕は前月号に於いて、我国の文学者の大多数がどれ程所謂心境的で、また、身辺雑事的作風で、世界が狭小であるかを述べた。この現代の我国の文芸界の一隅に無産階級文学者が存在することは文芸界全体として均衡を保つ上に於いて甚だ必要なのを痛感する。さうして、無産階級文学者達の議論が多くは一人合点な或は翻訳乃至誤訳的の書生論議であり、またその作品に於ては底力に乏しい思付き或は即興的乃至童話的寓話的で世俗の苦労人が見、または専門の研究家達が見たならば、玩具を弄するやうなものでたとへあつたからといつても、僕はこれらの一団の文学者をその存在の意義を喜んで認めるのである。（中略）

無産階級文学の運動が果して花々しく成功するかどうかを僕は予言し得ない。しかし彼等が主張の中には今日の人間生活の不合理を指摘してゐる以上（！）に、今日の文芸界の通弊を穿つてゐるやうな気がしないでもない。さうして彼等の信念をも持たないでたゞ鑑賞と分析と燻された情緒とにのみ終始してゐる今日の文芸界に向つて、社会主義的信念を持てとばかり呼びかけることは正当かどうかは知らないけれども、仮りに僕が何でもいい何か一つの信念を持たうではないか、持ちたくないか、と呼びかけても誰も返答はしてくれないものだらうか。(「無産階級文学について」『中央公論』昭2・6)

菊池は、現代に生活している以上、鈍感で馬鹿でない以上、資本主義制度の不正と、プロレタリア階級の当然なる擡頭を信じないものは、ありはしないが、わかりきったことを、更によくわかるように描くのは宣伝であって、文学ではないという論法で、プロレタリア文学の興隆をしりぞけた。佐藤は、プロレタリア文学は、おおく書生論議にすぎないが、心境的な身辺雑事的な狭小な世界にうずくまった文学のなかに社会主義的信念を持て、という理想をかかげたとき、その意義を評価せずにはおられようか、というところに力点をおいて、これを評価した。

すでに、通俗文学に転じて大家であった菊池寛と、やがて、すぐに、「神々の戯れ」という新聞小説をかくことになる佐藤春夫が、一方は、階級運動の興隆を、一方は、プロレタリア文学出現の意義を、それぞれのニュアンスのうちに承認せざるをえなくなっている事情こそ、プロレタリア文学運動が、すでに大規模な大衆的な基礎と対応して登場したことを傍証するにたりるものであった。リアリスト菊池寛は、これを資本主義の不正とプロレタリアートの当然なる擡頭というコトバで社会的な大衆運動の相において肯定し、だが文学概念の面では否定した。ロマンチスト佐藤春夫は、プロレタリア文学者のいうことはおおく書生論議だが、心境小説に毒された日本の文学概念のなかに、社会主義的理想をもて、という論議をもちこむことが、文学概念としてあたらしい意義をもたらすものであることを認め、いわば文学運動の相において、プロレタリア文学の理想やよし、と肯定したのである。プロレタリア文学運動の擡頭は、大衆的な基礎と対応してとりあげようとするとき、菊池寛や佐藤春夫がその理解のなかに片鱗をしめしているように、おおよそ、三つの側面からつかまえられねばならぬ。第一は、佐藤春夫のいうようにプロレタリア文学概念が近代文学史のなかにはじめて登場したことである。第二は、菊池寛がいうように社会的に階級運動が擡頭したことである。第三に、だれも触れようとしていないが、おそらくこのテクノロジイの発達につれて享受者としての大衆が多量に登場したことである。この三つは、相互に関連をもつものだが、まったく別個のハンチュウに属することを、はっきりと把握する必要がある。何となれば、第一の問題は、プロレタリア文学者自体の文学概念の問題であり、第二は、大衆の社会意識の問題であり、第三は、大衆の芸術意識の問題であるからだ。いま、わたしは、第一の問題を、第二、第三の問題との関連においてとらえようと試みているのだが、ここで、あらかじめ、具体的な表示をやっておこう。

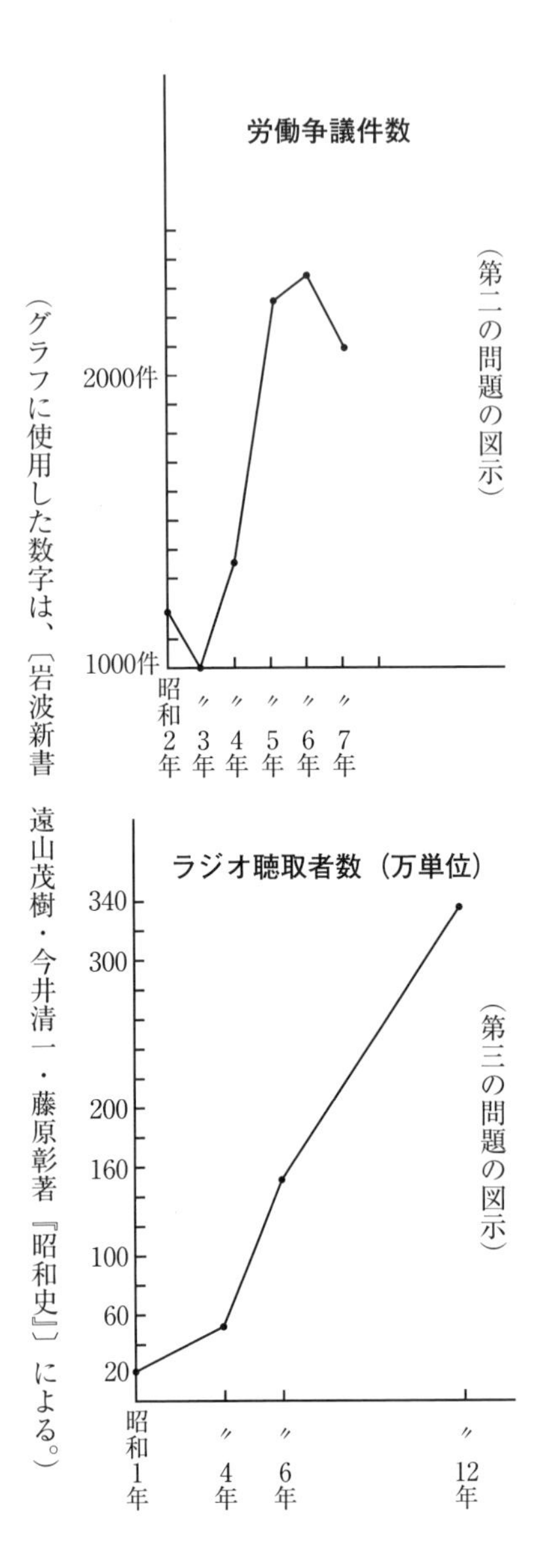

（第二の問題の図示）

（第三の問題の図示）

（グラフに使用した数字は、（岩波新書　遠山茂樹・今井清一・藤原彰著『昭和史』）による。）

周知のように、プロレタリア文学運動では、昭和三年（一九二八）ナップ結成と同時に、これらの社会的な情勢をふまえて、はやくも中野重治、蔵原惟人、林房雄などによる《芸術大衆化》についての論争がおこなわれている。この論争をうごかした根本的なモチーフは、プロレタリア芸術運動は、その周辺に大衆をひきよせることが必要であるにもかかわらず、現実には、大衆は通俗芸術のまわりに多数あつまっている。この原因はどこにあり、この現実を打開して、芸術を大衆化するには、どうすべきか、という素朴な問題であった。しかも、プロレタリア文学者が、自身の文学概念から《大衆》を、どうとらえているかをしめすものとして、きわめて重要であった。

プロレタリア文学者の常識的な見解は、通俗文学のまわりにあつまっている大衆は、政治的な意識が低いから、高度の政治意識をもったプロレタリア文学にはついてくるはずがない。ひとまず政治的意識を低めて作品を通俗化するか、さもなければ政治運動を強化して、文学外の要因とあいまって大衆をプロレタリア文学の方へひきよせるより外はないのではないかという点におかれた。このような芸術大衆化論の共通様式は、もちろん現在もかわっていない。大衆は、テレビにあつまり、映画にあつまり、ミュージカルにあつまり、大衆小説にあつまってくる。テレビや映画からは映像思考の方法を、ミュージカルからは、歌と踊りを、大衆小説からはプロットの運びを、かきあつめてきて綜合芸術なるものをつくりあげたらどうか。もっと、素朴には、文学者が小説形式をすてて、テレビ・ドラマやラジオ・ドラマや映画製作を試みて、大量の大衆を対象とする伝達手段を利用したらどうか、という形で提起されざるをえない。プロレタリア文学時代と現在との芸術大衆化論のコモン・センスのちがいは、前者が内容の通俗化を目論んだのにたいし、後者が伝達手段（形式）の通俗化を目論んでいるだけで、俗論であることはかわりがない。

このような俗論には、重大な落丁がある。大衆が、三上於菟吉や林不忘や直木三十五の通俗小説のまわりにあつまるが、プロレタリア文学のまわりにはあつまりたがらない、という事情のなかには、プロレタリア文学者が、まったく見落している重要な問題があった。それは、通俗小説のまわりにあつまる大衆の政治意識や社会意識が、はたして、プロレタリア文学のまわりにあつまる大衆よりも、低いと断定できるかという問題であった。今日的な観点からは、テレビや映画やミュージカルや中間小説にあつまる大衆の政治意識や社会意識が、はたしてアバンギャルドの芸術綜合化即大衆化などという主張の作品にあつまってくる大衆よりも、低いと断定できるか、という問題である。早急なプロレタリア文学運動は、芸術大衆化論争のはじめにあたって、この重要な疑問を素通りし、遠く禍根をのこしたのである。

このことは、いうまでもなくプロレタリア文学運動の理論家たちが、プロレタリア文学の大衆化というモチーフを解くにあたって、《大衆化》とは、大量に登場した享受者層の芸術意識を対象にしているのか、または、興隆してきた大衆運動の社会意識や政治意識を対象にしているのかを、まったく混同していたことを意味している。この混同は、プロレタリア文学者が、大衆の芸術意識を、そのまま社会意識の反映にほかならないとかんがえたところから由来したのである。

大衆の社会意識と芸術意識との同一視は、芸術は広義のアジテーションであるという初期蔵原理論から、芸術は時代の現実の客観的な反映だという後期蔵原理論にいたるまでの指導的な芸術理論の政治主義的な錯誤が負わねばならない。

プロレタリア文学運動は、大量に登場した読者（享受者）としての大衆の芸術意識を対象として、大衆化論を提起すべきであって、興隆しつつある大衆運動のなかの大衆の社会意識や政治意識を対象として芸術の大衆化論を提起すべきでないことを、何人も気付かなかった。かれらの大衆化論のイメージのなかには、とりそこなった二重うつしの写真とおなじように、この二つの《大衆》のイメージが混同されていたのである。

粗雑な政治主義や芸術の現実反映論を、固守しないかぎりは、大衆の社会意識と芸術意識とが同じようにあらわれるはずがないことは、あきらかに洞察しうるはずである。三上於菟吉や林不忘や直木三十五の通俗小説にあつまる大衆の社会現実にたいする認識が、低級であるとは絶対にかぎらないし、プロレタリア文学やアバンギャルド芸術のまわりにあつまる大衆の社会意識や政治意識が、高級であるとはかぎらないのだ。もっとも、極端な場合には、高度の社会意識や政治意識をもち、すぐれた現実認識をもった大衆が、通俗文学の愛好者であり、低級な社会意識とセンチメンタルな現実認識をもった大衆が、プロレタリア文学やアバンギャルド芸術の愛好者であることもありうるのだ。いや、今日、アバンギャルド芸術などといっている連中は、六十面をさげてもなお政治意識上、現実認識上のセンチメンタリストにすぎないかもしれないのだ。

プロレタリア文学運動における、芸術大衆化論の核心は、高度の芸術意識即高度の社会意識（政治意識）であり、芸術の大衆化即大衆運動の社会的拡大という素朴な一元論のなかにあったのである。このばかばかしい認識は、たとえば戦後になっても、芸術の綜合化即大衆化などというアバンギャルド大衆化論となって相続された。この種の大衆化論のゆきつくはては、文学運動が政治運動の代行をなしうるかのごとき錯誤であり、文学愛好者を、階級運動の実践者となしうるがごとき錯誤であるのはあきらかである。

実際は、芸術の大衆化などという問題の提起自体が何らの意味もなさないことはあきらかである。このことは、徹底的に理解される必要があるのだ。すでに、大衆の芸術にたいする欲求が、その社会意識や政治意識と同一でもなければ、並行関係にもないかぎり、芸術の大衆化などというものが、政治的に何の意味ももちえないのは当然である。芸術家が資質において大衆芸術の創造に適するか、そうでないか、また、ここに大衆芸術を愛好する大衆もあれば、高度の芸術を愛好する大衆もあり、一回性の大衆芸術である娯楽を愛好する大衆もあるという問題にすぎない。大衆が芸術のまわりにあつまり、芸術を享受するということは、芸術作品が再構成している世界を、追体験するところからはじめられる。このとき大衆は、おのれの現実の社会生活が、そこにはっきりとしたイメージをもって再編成されることを求める場合もあり、またおのれの社会生活とかけはなれた想像の世界につれだされることを求める場合もあれば、おのれの現実の社会生活の惨苦を忘失させる世界を求める場合もあるのだ。しかも、芸術の享受は、作品世界の追体験からはじまり、ついにそれだけで終る娯楽もあれば、追体験がやがて享受する大衆の内部の問題との交換に転化し、いわゆる芸術となる場合もありうるのだ。このとき、芸術大衆化とは、まったく、意味をなさないではないか。

花田清輝は、「戦後文学大批判」のなかで、たとえば、現実社会において大衆運動と前衛運動とがあるように、大衆芸術と前衛芸術とがあり、前衛芸術は大衆芸術を否定的に媒介するところに成立するなどという幼稚な図式をつくりあげ、日常闘争で対立していたものが決定的な瞬間に革命に飛躍するように、セリフで劇的に対立していた人物が決定的瞬間に歌と踊りに転化するミュージカルという奴は、芸術綜合化即大衆化の原則に叶うものだ、などとかいているが、いくら、現実社会を洞察することを放棄して芸術諸ジャンルに頭をうばわれた芸術家にしろ、ばかも休み休みいうがいいのだ。このように花田の図式は、大衆の芸術意識と大衆の政治意識とを幼稚に対応させ、芸術運動と政治運動とを素朴に対応させているにすぎないのだ。むろん、こういう図式のうえにきずかれた、花田のミュージカルにあつまる大衆は、大衆として高度の社会意識や政治意識ももたなければ、生活者としても高度の現実認識をももたない中間大衆にすぎないことを洞察するには、べつに実体調査などをひつようとしないのである。芸術理論のたてかたが、すでに決定的にあやまっているのだ。このような芸術大衆化論は、ただ、おれは、ミュージカルや三文オペラや活動写真がすきだから、それらを万端繰合わせて猿芝居をかいてみたい、という花田の個人的嗜好以外のいかなる意味をもつこともできない。

すでに、大衆の社会意識と芸術意識とは別個のものであり、大衆の芸術にたいする欲求が、自身の社会意識を再現する欲求のうえにも、否定する欲求のうえにも、自身の社会意識との断絶の欲求のうえにも開花するかぎり、芸術の大衆化論は、プロレタリア文学運動における大衆化論のような意味でも、花田清輝の芸術綜合化即大衆化論の意味でも、成立することは不可能である。事実、花田の芸術理論にとっては、まことに気の毒というより外はないが、日本の社会主義が実現される前も、実現されてからも、大衆は、戦後文学も読むだろうし、大仏次郎も吉川英治も江戸川乱歩も読むだろうことは自明の理である。もしも、花田のような誤れる芸術大衆化論者が、権力の座について大衆の芸術的欲求を統制しないかぎりは！　そして、この大衆の欲求をみとめることは、断じて誤りではないのだ。

周知のように、中野重治は「いわゆる芸術の大衆化論の誤りについて」（『戦旗』昭３・６）のなかで、プロレタリア文学運動のコモン・センスとしての大衆化論にたいし、イデアルな《大衆》を対置させた。中野によれば、このイデアルな《大衆》は、《芸術の芸術、諸王の王》をもとめるはずであり、階級関係の認識者でなければならぬ。しかも、中野によれば、このイデアルな《大衆》は、階級関係を認識しているがゆえに、階級的な諸関係の認識のうえにつくられた《芸術の芸術、諸王の王》をもとめるはずである。したがって、通俗小説のまわりにあつまる現実の《大衆》を、イデアルな《大衆》に転化するのは、プロレット・クルトの問題であり、芸術自体の問題ではないとしたのである。おそらく、現実の《大衆》を、イデアルな《大衆》に転化するのはクルトの問題であり、芸術の問題ではないという中野のかんがえは正確であった。また、プロレタリア文学者が、イデアルな《大衆》を、眼底に描きながら創造をすすめるべきことを主張したのも、一つの芸術家の態度（唯一ではないが）として正当であった。中野の誤認は、現実の《大衆》のなかにも、イデアルな《大衆》のなかにも存在する、芸術意識と社会意識とのちがい、芸術にたいする欲求と社会に対する欲求とのちがいが、むしろ当然なのだということを無視して、むりにふたつを同一視するために、大衆をイデアルに階級関係の認識者に仕立てあげ、芸術の創造を階級的な諸関係の描写のうえに基礎づけようとした点にあったのである。

蔵原惟人の「芸術運動当面の緊急問題」（『戦旗』昭３・８）では、中野のイデアルな《大衆》の欠陥が指摘されている。蔵原は、階級的な見地から、どんなに高度な芸術をつくっても、それによって動員される読者には限度がある。しかも、一方では、広範な大衆をイデオロギー的に教育しなければならない任務があるから、このために、階級芸術を確立する外に、大衆的な絵入雑誌をつくって、大衆をアジプロしなければならないとしたのである。蔵原においても、もちろん、大衆の芸術的な欲求と社会的・政治的な欲求とは、当然のように同一視されている。そればかりか、高度の階級芸術なるものは、もともと、存在しないこと、ただ、芸術というものが存在するだけであることは、まったく、蔵原の理論からは、とらえられなかった。そのため、芸術なるものは、階級的な観点から享受されることが可能であるというにほかならないことは、蔵原の理論からは、とうていとらえようがなかったのである。大衆的な絵入雑誌をつくって、大衆をイデオロギー的に教育することは、芸術の問題ではなく、純然たる政治的問題である。蔵原においては、おそらく、すべての芸術の問題は、じつは、純然たる政治的問題であった。しかし、大衆は、いかなる社会でも芸術的欲求を、社会的・政治的欲求の直線上にもとめるものではなく、『シャーロック・ホームズ』から、ドストエフスキイまで、江戸川乱歩から夏目漱石までの、すべての芸術は、かならず大衆にうけいれられるだろうという厳たる事実が、もっとも徹底的につきつけられなければならないのは、過去の蔵原の芸術理論と、その延長線にはびこっている現在の芸術大衆化論にたいしてである。

林房雄の「プロレタリア大衆文学の問題」（『戦旗』昭3・10）では、あきらかに大衆には心理において、意識において進んだ層と遅れた層とがあり、進んだ層に受入れられる文学と、遅れた層に受入れられる文学とがあり、後者をなおざりにしてはならないことが強調された。もちろん、林は、大衆の意識や心理を、真二つに割ってみせたわけではなく、このとき林の《大衆》のイメージが、千差万別の意識や心理をもった無数の像として眼底にあったことはあきらかである。このことは、プロレタリア文学運動の芸術大衆化論のなかで、劃期的な意味をもつものであった。なぜならば、この林の認識には、大衆の芸術的な欲求もまた、千差万別の欲求として存在するはずであり、存在すべきであるという認識への萌芽がかくされていたからである。しかるに、林は、意識において心理において進んだ層は、高度の階級芸術をうけ入れるはずであり、遅れた層は、大衆芸術をうけ入れるはずであるという、中野や蔵原とおなじ錯誤を、ルナチャルスキイに拠ってくりかえしたのである。すなわち、大衆の社会意識や政治意識と、芸術意識とが差別や矛盾としてあらわれるのが、まったくあたりまえのことであることを、洞察しえなかったのである。

プロレタリア文学運動における、芸術大衆化論の共通の錯誤は、芸術が、生活の必要や、社会的現実の即自的な反映であるという芸術理論のなかに根本的な原因があった。だから、大衆の社会的欲求や政治的欲求は、即自的に芸術にたいする欲求として反映するのは当然だとかんがえられたのである。このような、芸術理論は、決定的にあやまりである。このあやまりは、プロレタリア文学運動が、芸術大衆化論争によって、自らの《大衆》認識の限界と輪廓を明瞭にした、ちょうどそのときモダニズム文学運動の側からの反措定によって、別の側面から照しだされることになった。

横光利一は、その「文芸時評」（『文芸春秋』昭3・11）で、蔵原惟人の「芸術運動当面の緊急問題」（『戦旗』昭3・8）をとらえ、次のような芸術作品の内容と形式論を反論した。

芸術はイデオロギーであると共に技術である。内容であると共に形式である。そして形式が内容に決定されることが事実であるとするならば、その形式が内容から自然発生的に生れて来ないことも事実だ。芸術作品の形式は新しき内容に決定されたる過去の形式の発展としてのみ発生する、——それがマルクス主義的見地から見た唯一の正しい芸術発達の法則であるのだ。

横光によれば、形式が内容に決定されることが事実である、というのがマルクス主義的であるとするならば、それは、あたかも、主観が客観を決定するということにおなじである。文学の形式とは文字の羅列である。文字の羅列とは、文字そのものが客観性をもった物体であるが故に、客観物の羅列である。客観があって主観が発動するという唯物論の原則が正当ならば、形式が内容を決定するとなるべきではないか、主観とは、客観物からなる形式が読者に与える幻想に外ならないのだ、と主張されたのであった。文字が物体であるとか、形式とは文字の羅列だとかいう横光のドグマは、ほとんど何の意味ももちえないのはあきらかである。それにもかかわらず、横光の発言が、発言自体として意味（プロレタリア文学にたいするモダニズム派からの反論という文学史的意味を除外して）をもったのは、蔵原が、芸術を創造の側からみて内容が形式を決定するといっているのにたいし、横光が享受（読者）の側から芸術の形式が内容を喚起し、決定すると主張しているところにある。

蔵原の形式と内容論は、あたかも《大衆化論争》が、受け手たる《大衆》の社会意識や芸術意識の分布や差別を無視しておこなわれたように、いわば、受け手を無視した原則論にほかならなかった。

横光の発言の意義は、受け手を当然のように意識して、読者は文字の羅列たる形式から内容を《幻想》するのだとかいうところに、形式主義優位論を設定したところにあった。

プロレタリア文学運動は、終始、《大衆》を目標にしたのにたいし、モダニズム派が、大衆化を疎外したハイ・ブロウであったとかんがえることはあやまりであろう。プロレタリア文学運動は、《大衆化論》において、《大衆》の意識分布を無視した限界と、《大衆》の芸術性と社会性とを錯覚した限界とを、当初からもっていた、と対称的に、一見高踏派的な形式主義文学運動とかんがえられた新感覚派は、あきらかに横光が示しているように、受け手たる大衆をはじめから意識したものであり、通俗化（大衆化）の傾向を潜在的にはらむものであった。「大衆文芸が勝つか純文芸が勝つかと云ふ話題は、多くの人々の近年の話題の中心をなしてゐる。」（『文芸春秋』昭3・12　文芸時評）というのが、横光の形式優位論の中心課題であり、「『話すやうに書く』は行きづまり『書くやうに書く』即ち新しき硯友社時代へ進行することは、これは当然の法則である」（同前）というモチーフこそ横光の形式論の根本であった。すなわち、新感覚文学派もまた、《芸術の大衆化》を課題として形式主義論を展開したのである。昭和三年の横光の形式優位論は、すでに必然の傾向をもって昭和十年の「純粋小説論」を指すものであった。

わたしはここで、横光を筆頭とする新感覚派の形式論がよむに耐えぬナンセンスにすぎず、新感覚派のプロレタリア文学の進出に対する挑戦という文学史的意味があるだけだとする立論（例えば、臼井吉見『近代文学論争』上巻　筑摩書房）を卻けておきたい。横光が揚言したように、形式論によって、はじめて、プロレタリア派と新感覚派とは、それぞれの《大衆》のヴィジョンを争ったのである。

この事情は、中河与一の形式主義論では、横光よりも、さらにはっきりとあらわれている。中河与一の「形式主義文学の一端」（『朝日』昭3・11・22）では、（一）まず素材がある。（二）作者がそれに形式を付与する。（三）内容とは、形式と素材とを通して第三者に触れてくるものである、というように形式と内容とがきめられていて、「素材の選択は作者の方向を示し、形式は作者の能力を示し、内容は作者から切り離されて思ゐの対象として、社会に放散する。」というのが中河の形式主義論の発端であった。なによりもまず、内容を受け手（第三者）の側から規定していることは、横光の場合と同様に、中河の形式主義論の特徴であり、それが、どのように幼稚であろうとも、プロレタリア文学者の虚をつく理由をもつものであった。中河の場合は、横光よりも、文学の通俗化への傾向は、はげしく、美形の毒婦にまどわされるものが多数者（大衆）である、という比喩をもちいて、形式優位をとなえたのである。中河によれば、大衆文芸の強力な発展は、内容主義への反動に外ならないとされた。

> 我々が現代人である事は、古来からの我々の肉体が変化したからではない。あるひはその思想が発展したからではない。ただ一つ、我々を包む生活の形式が変化したからである。即ち発展した思想が一つの生活としての形式を持つに至つたからである。
>
> つまり我々を現代人たらしめるものは、我々の肉体や思想ではなくして、生活形式に他ならぬ。

生活形式が、古来からの肉体に現代人たるの符牒を付与したものに過ぎない。（「形式主義文学の一端〔三〕」『朝日』昭3・11・24）

ここには、中河の形式優位論の理論的な根拠がしめされている。人間の肉体や思想は、現代人を現代人たらしめる表象ではなく、それをつつむ生活形式の発展が現代社会の特徴であるとして、文学の形式優位論を、生活形式の発展とアナロジカルに理由づけた。このような立論の背後には、テクノロジーの発達による享受者の大量の登場がふまえられていたことはあきらかである。中河の念頭には、もちろん大衆運動の興隆などはなく、おそらく、生活様式の近代化と、大量の読者層の登場による、大衆文芸の進出という事情だけがあった。したがって、ある意味では、中河の芸術の形式主義化即大衆化論の錯誤は、プロレタリア文学運動の芸術大衆化論よりも単純に看破できるものであった。この事情は、蔵原の反論である内容優位論と対照することによって、はっきりする。蔵原によれば、次のようにして、芸術の内容は、形式に優位でなければならない。即ち

芸術はいふまでもなく自然発生的に生れるものでなくて、人間によつて作られるものである。しかして人間をして芸術を作らしめるものは人間の生活の必要であり、そしてその芸術の内容をなすものは人間の生活そのものである。人間の生活の必要は人間の生活――物質的および精神的――がもつとも高い表現形式を見出すことを要求する。芸術においてもこの生活――即ち芸術作品の内容は常に最高の形式へと努力する。この際一たび取あげられた形式が今度は反対に内容に影響することはあり得る。しかし最後の決定的要因は常に内容――生活である。（「理論的な三四の問題〔三〕」『朝日』昭3・11・28）

ここで、大衆を生活内容からとらえるか、生活形式の変化からとらえるかによって、プロレタリア文学派と新感覚派とは、それぞれ大衆のヴィジョンの相異をあきらかにしたのである。形式主義文学論争において交叉したプロレタリア文学運動とモダニズム文学運動とは、以後この論争でつかんだ《大衆》のヴィジョンを実体とかんがえて、それぞれの道をつきすすむことになる。

しかし、問題は、生活形式とアナロジカルに芸術の形式をかんがえた中河と、生活の必要や内容が芸術の内容をなすとかんがえた蔵原とでは、共通の錯誤をもつものであった、ところに存在した。そのため、それぞれの運動の過程で、次第に部分的に孤立した《大衆》のヴィジョンをかかえて、崩壊せざるをえなくなったのである。蔵原惟人は、形式主義論争の翌年、「新芸術形式の探求へ」をかいて、モダニズム芸術の形式を摂取する必要をといている。たとえば蔵原は、未来派のなかに生産関係のなかにおける技術者的・従業員的インテリゲンチャの意識の反映をみ、表現派に近代的技術的工業社会に対する小ブルジョア的反動の芸術的表現をみ、構成派のなかに技術インテリゲンチャの直接的な芸術表現をみ、プロレタリア芸術は、この未来派から構成派へと進んでいった機械美にたいする見解を継承するが、機械にたいする盲目的讃美やフェティシズムと訣別して、主人公は常に社会、人間におくのだ、とのべている。このような蔵原の見解は、生産的労働過程によって予め作られた形式的可能性が、芸術の形式をうらづけ、社会的および階級的必要が、芸術の内容をうらづけ、芸術の実体は、この弁証法的交互作用のなかに決定される、という理論によってうらうちされている。じつに、今日のアバンギャルド・モダニスト達のおろかなる生産力理論の源流は、ここにあった。中河与一の生活形式の発展が、形式を規定するという形式優位論は、いいかえれば、この生産力理論を、現象的に変形したものに、ひとしかった。

芸術の形式は、社会の生産的労働過程によって、決定されはしない。芸術の内容は、社会的・階級的必要によって決定されはしない。ただ、芸術家の想像力（内部世界の再構成力）の形式と内容によって決定されるだけだ。芸術家の内部世界の再構成力（想像力）を決定するのは、芸術家の内部世界と、その全社会生活過程の交互作用であって、断じて社会の生産的労働過程のみではない。しかも、芸術家の内部世界と全社会生活過程との交互作用は、そのまま芸術に反映するのではなく、文字通り再構成されるのだ。生産力理論に毒されたアバンギャルド・モダニストたちが、芸術を機能的な内容と形式とかんがえて、機械が発達すれば機械美をあげつらい、テレビや映画が発達すれば、映画的思考などと称し、ミュージカルが入りこめば、歌と踊りとセリフなどと称し、やがて、シンクロ・リーダーでも量産されれば、音響と文字の組あわせなどとわめき出すにいたるのは必然である。ようするに、芸術の実体と享受者大衆への伝達様式を、内部世界の再構成力と、それにたいする追体験の様式として、理解することができないのである。

おそらく、プロレタリア文学運動の芸術大衆化論の誤謬を、根本的なところで支えたのは、この芸術理論の誤謬であった。芸術の実体が、芸術家の想像力(内部世界の再構成力)の実体であり、芸術の享受が、この想像力の実体の追体験からはじまるかぎり、大衆の芸術意識や芸術にたいする認識が、社会意識や社会的必要などと対応しないのは、あたりまえである。かれらの芸術大衆化論の誤謬は、芸術の形式を、生産的労働過程の形式的可能性の表象とみ、芸術の内容を社会的・階級的必要の表象とみたために、大衆の社会生活の形式的・内容的な必要が、ただちに芸術にたいする欲求としてあらわれるにちがいないと、錯覚したところにあったのである。

花田清輝の芸術綜合化即大衆化論のごときは、このプロレタリア文学運動の芸術大衆化論の錯誤を、モダニスト的に歪曲したものにすぎないのであって、芸術の諸形式を綜合するにあたって、大衆のあいだに自然的に流布されている娯楽芸術の様式を媒介すれば、芸術は大衆化されると機能的に錯覚しているのだ。もちろん、この錯覚は、大衆の芸術にたいする欲求のなかに、いかなる社会的欲求も、生活的な欲求もそのまま再現されるものではないことをかんがえないことで決定的である。大衆は、芸術のなかに機能的な綜合化や、アクチュアリティなどをもとめはしない。それは、生活実体を喪失したプソイド大衆がもとめているにすぎないのだ。大衆は、自分が芸術のなかをアクチュアルに追体験してあるきたいとかんがえているのだ。かかるとき、大衆のあいだに自然的に流布されている娯楽芸術を、否定的に媒介して、形式的な綜合化のなかにかきあつめようなどとは、芸術大衆化論として、ナンセンスにすぎない。もちろん、如何なる社会的変革期にさいしても、すでに変革された社会でも、少数の大衆に愛好される芸術も、多数の大衆のなかに一回性の芸術として流布される娯楽も、けっして否定されもしなければ消滅もしないことは、あえて社会主義社会の事例を、たどるまでもないことである。

芸術大衆化論こそは、過去のプロレタリア文学運動において、それを支配した芸術理論と、運動理論の錯誤の集中的な表われであった。今日的観点から、自体成立することが不可能である芸術大衆化論をむしかえしている芸術家のごときは、根柢的に自身のいだいている政治理論の錯誤から変革する必要があるのだ。

いうまでもあるまいが、芸術大衆化の課題は、芸術運動を、いかにして社会的な大衆運動と結びつけるか、また、いかにして大衆運動のなかから大衆芸術をうみだすか、という問題としてのみ成立するのであって、プロレタリア文学運動におけるように、芸術運動内部の問題としても、花田清輝におけるように芸術家の問題としても、まったく、成立しないことは自明である。プロレタリア文学運動は、その芸術大衆化論の錯誤から組織論の錯誤をみちびき、崩壊せざるをえなかった。たとえ、いかなる思想のもち主を成員としようとも、芸術や芸術運動は、政治的な機能をもつことはできないし、もたせることは錯誤に外ならぬ。社会的な大衆運動と結びついたときにのみ、芸術運動は政治的な機能をもちうるのだ。芸術家の想像力（内部世界の再構成力）のなかに、被支配大衆にたいするヴィジョンが生々と存在するとき、かれの芸術は、はじめて政治的な機能をもちうるのだ。

近代批評の展開

1　非転向軸の問題

いままでプロレタリア文学運動を主導的なかたちで推進した文学批評は、じゅうぶんに検討されたとはいえない。文学史的な常識では、すくなくとも昭和三年（一九二八）四月、全日本無産者芸術連盟（ナップ）が成立してから、昭和九年（一九三四）三月、作家同盟（ナルプ）が解散するまでのあいだ、プロレタリア芸術理論と、それを作品に適用した批評とが、文学作品の創造に優先していたことが指摘される。まず、指導的な文学批評が提出され、討議され、あるいは論争されたあげく、それを強力なわくぐみとして、創作がおこなわれた。文学の批評が、このような形で、創作に優先した文学運動は近代文学史上劃期的なものであった。したがって、また、プロレタリア文学運動の組織としての解体は、徳永直（明治三二年—昭和三三年 一八九九—一九五八）の「創作方法上の新転換」（『中央公論』昭和七年九月）が、いみじくも象徴しているように「文学批評の官僚的支配を蹴って、のびのびと、自由に、ぼくらは大いに創作しようではないか」というように、まず、文学批評の優先性と指導性を払いのける形ではじまったのである。

現在の支配的な考えでは、プロレタリア文学運動における、芸術理論の支配権は非転向軸を象徴しており、これを払いのけて、のびのびと創作せよ、というような主張は、転向軸を象徴するものであったとされている。すくなくとも、これがプロレタリア文学批評史を検討する場合の倫理的な判断基準となっている。しかし、この原則は、決定的に排除される必要がある。プロレタリア文学批評史を、たえず、背後から規定しつづけたのは、当時のソヴィエト文学理論である。具体的にいえば、ルナチャルスキー、ミーチン、アヴェルバッハ、グロンスキー、キルポーチン、ラージン等々の理論がその時々に支配権を移植された。どれも、現在では誤謬性と限界効用があきらかにされている。現在の段階でプロレタリア文学批評史を検討する場合、倫理的規準から解放され、根柢から再検討することが、必要で十分な条件となっている。このことを確認しなければ、成果をおさめることはむつかしいとおもう。

いままで行われてきたプロレタリア文学運動の主導的な文学批評と、これによって推進された文学運動とを再検討する立場は、大体、次の三つに大別することができる。

(1) ナップ成立以来のプロレタリア文学批評の主導的な役割を、正当であるとするもの。例えば、宮本顕治「新しい政治と文学」、中野重治『日本文学の諸問題』(昭和二十一年　新生社)、極く最近では、花田清輝「プロレタリア文学批判をめぐって」(『文学』昭和三十四年一月)、中野重治、平野謙対談「転向と文学の諸問題」(『図書新聞』昭和三十四年四月十一日)における中野重治などがある。これらは、いずれも、批評史のわくぐみをはなれて、組織論・作品批評・政治論と混合した形で提出されている。これは、同一情況では同一の方法を再現しようとする現在の立場を象徴するものであることはいうまでもない。責任は悪しき歴史自体にあったとする立場である。

(2) プロレタリア文学批評の主導的な役割にたいし、何らかの形で批判的なもの。いいかえれば、原則的には否定的でないにもかかわらず、批判的であるもの。たとえば、本多秋五「蔵原惟人論」(『転向文学論』昭和三十二年　未来社)、平野謙「『ナップ』結成前後」(『政治と文学の間』昭和三十一年　未来社)、小田切秀雄「プロレタリア文学の文芸思潮としての成立」(『文学』昭和二十五年一月)、「頽廃の根源について」(『思想』昭和二十八年九月)、西田勝「『主体性』論争が新世代にあたえるもの」(『近代文学』昭和二十九年九月)などである。

(3)　プロレタリア文学批評の主導的な役割に対し、間接的に否定的なモチーフを内包しているもの。竹内好「国民文学の問題点」「近代主義と民族の問題」「ナショナリズムと社会革命」(『国民文学論』昭和二十九年　東京大学出版会)、橋川文三「日本ロマン派の諸問題」(『文学』昭和三十三年四月)などである。竹内好の場合には、ナショナリズムのアクシスを導入することにより、橋川文三の場合には、日本浪曼派の文学史的、思想史的な意味を再検討することにより、プロレタリア文学批評史への間接的な反措定となっている。むしろ、ナショナリズムの観点の導入、日本浪曼派の再検討自体が、優に(1)の立場の反措定をなしているということができる。

ここでは、プロレタリア文学批評史を検討する立場を、この三つのいずれの立場にもとらず、プロレタリア文学批評そのものの根柢を、べつに他のアクシスを導入せずに掘りかえすという立場をとりたいとかんがえる。このような立場は、必然的に、(2)・(3)の立場とあたうかぎり重なりあう部分をもつが、この重複は検討する軸の類似性よりも、時間的な軸の類似性によるものとかんがえる。いいかえれば、時代的《転機》を、いくつ重ねて、プロレタリア批評史を追及するか、という問題であり、ここでの立場は、かんがえられる時代的な《転機》をすべて重ねあわせた複屈折した視点を、一本の線で貫通させた、ひとつの立場を設定してゆきたいとかんがえる。

プロレタリア文学批評のケンツアイヒェンは、ふたつに要約することができる。第一は批評のなかへの《大衆》概念の導入である。第二は、一般に、文学の作品そのものを本質的に規定する方法を導入したことである。いいかえれば、芸術に関する分析理論がプロレタリア文学批評によってはじめて成立したことである。文学作品の内容・形式・政治的価値・芸術的価値というような概念が、作品にたいする主観的な印象批評の問題をはなれて、はじめて論理の科学として分析されたのは、プロレタリア文学批評においてであった。このような特徴は、竹内好(岩波講座『日本文学史』第一三巻「プロレタリア文学」II)が提案するように、プロレタリア文学が《党史》と、《文学の様式史》の両極に還元して、プロレタリア文学という独立の項目が不要となった場合でも、なお残留する価値をもった特色であるということができる。

第一の問題、文学批評のなかへの《大衆》概念の導入から問題にしてゆきたい。

プロレタリア文学運動の興隆が、大衆運動(たとえば労働運動)の興隆と、大衆コミュニケイション手段の大量化という二重の社会的な要因とアナロジカルな関係にあり、この重層性を混同してはならないことを、わたしは「芸術大衆化論の否定」(『現代批評』3号 昭和三十四年四月)のなかで指摘している。ナップ機関紙『戦旗』誌上で行われた芸術大衆化の論争は、このふたつの情況を背後にふまえたものであったことはあきらかである。したがって、それは、基本的には二つの問題をふまえている。ひとつは、大衆をプロレタリア文学の周辺に、いかに結集し、いかに政治的に教育するかという問題。他のひとつは、大衆コミュニケイション手段の発達にともない、大衆が通俗大衆文学・大衆娯楽(映画・ラジオ・演劇等)のまわりにあつまる傾向にあるのを、いかにしてプロレタリア芸術のまわりに転換させるかという問題である。

この問題について論及した主要な論文をあげれば、中野重治「いはゆる芸術の大衆化論の誤りについて」(『戦旗』昭和三年六月)、蔵原惟人「芸術運動当面の緊急問題」(『戦旗』昭和三年八月)、林房雄「プロレタリア大衆文学の問題」(『戦旗』昭和三年十月)、蔵原惟人「芸術運動における左翼清算主義」(『戦旗』昭和三年十月)、中野重治「解決された問題と新しい仕事」(『戦旗』昭和三年十一月)などがある。

中野の論文は、大衆運動をすすめている意識的な大衆と、通俗芸術のまわりにあつまっている大衆との深い断層を、イデアルな大衆を設定することによってアウフヘーベンしようとこころみたものと解される。それは、「今日大衆はその生活がまことの姿で描かれることを求めて居る。生活のまことの姿は階級関係の上に現れる。生活をまことの姿で描くことは芸術に取って最後の言葉だ。大衆の求めて居るのは芸術の芸術、諸王の王なのだ。」ということばに端的にあらわれたのである。このように《大衆》

概念をイデアリジーレンするためには、大衆運動にあつまる意識的な大衆は、通俗芸術のまわりに集まることはなく、また、プロレタリア芸術にあつまる大衆は、かならず意識的に運動のまわりに結集されるという仮説が必要である。しかし、実体は、これに反する。これを図式的にいえば、プロレタリア芸術運動にあつまる大衆と大衆運動にあつまる大衆とは無関係であり、また、通俗芸術にあつまる大衆は、かならずしも政治的に低意識の大衆とはかぎらないのである。

蔵原論文では、中野の大衆概念のイデアリジーレンが否定され、プロレタリア芸術をいかに高度に創造しても、それによって動員される大衆には限界がある。これとは別に大衆を直接政治的に教育する手段を独立にかんがえなければならないとされている。ここでは、政治の大衆化が芸術の大衆化のカナメであることが、すでに前提されている。

林の論文では、大衆には意識心理において進んだ層と遅れた層とがあるから、プロレタリア文学とプロレタリア大衆文学との二つを考えなければならない。このプロレタリア大衆文学には遊戯的な要素としての面白さを含んでいなければならないと主張された。

プロレタリア文学批評における《大衆》概念の導入は、この中野・蔵原・林のなかに異った三つの典型が象徴されている。それは、背景としてあった大衆運動の興隆と、コミュニケイション手段の発達にともなう享受者大衆の大量化という社会的情勢をふまえて、いかにして大衆を通俗大衆芸術・娯楽からひきはなしてプロレタリア芸術の影響下におくかという課題と、プロレタリア文学自体が、いかにして政治的な観点を高揚するかという課題のまえで、それぞれの異った解答を提出したものである。これらの解答が、根柢において折衷的なあいまいさと、釈然としないしこりをかんじさせるのは、いずれも《大衆》概念を導入するにさいして、《大衆》の政治意識と芸術意識とを、直線で結びつけ、あるいは対応関係でむすびつけようとしているからであって、これが、芸術理論としての現実反映論または対応論とわかちがたく結びついているところに根本的な問題があった。

プロレタリア文学批評の第二の特色は、芸術作品にたいする分析の理論である。芸術理論がいかに精緻をきわめても、創造に寄与するところはないというように近代日本文学史の常識がかんがえたところを、論理の科学として創造行為から自立させたのは、プロレタリア文学批評のおおきな特徴であった。

蔵原惟人「プロレタリア芸術の内容と形式」(『戦旗』昭和四年二月)、「新芸術形式の探求へ」(『改造』昭和四年十二月)は、この達成の頂点であった。前者では、芸術の形式と内容が、後者では、芸術形式の発展の様式が、それぞれ、社会の生産諸関係の発展と対応づけられた。芸術の形式的な可能性は、生産的労働過程によってきまり、芸術の内容は、社会的・階級的な必要によってきまるというのが、その論理の基本となっている。本多秋五は「蔵原惟人論」のなかで、この基本原則を、「それは一切の陶磁器を砂土に帰し、すべての染織品を繊維に帰せしめる美学に似てみえる。論を全体として見れば――そして美学という点に深くかかずらわないならば、全然の誤りとはいえないまでも、いわばあまりに原理的すぎる。すべての結果には原因がある、というのが原理的すぎるように、原理的すぎるのである。」と批評しているが、この批評は正当であろう。しかし、この原理的にすぎる対応によって動かしようのない社会の生産諸関係と、芸術の形式的可能性とを結びつけ、政治的に申分のない社会階級的必要と芸術の内容とをむすびつけて芸術の形式と内容の概念を強固なベトンでかためたところに、よかれあしかれ蔵原惟人に象徴されるプロレタリア芸術理論の特色があったのである。このような理論の欠陥は、本多秋五のいうように、あまりに原理的にすぎるところにあるのではないかもしれない。芸術の形式と内容を、人間の内的な過程と、全社会生活過程との交互作用から開かれる無限に多様性をもった想像世界の形式と内容とみずに、生産的労働過程と対応させて固いベトンで塗りこめたところにあったのである。

さきに《大衆》概念を導入するにあたって、大衆の芸術意識と政治意識とを固く結びつけてかんがえたとおなじことが、芸術の内容と形式とを規定する場合にもおこなわれる。このような概念によれば、必然的に芸術作品の価値は、社会的価値に結びつけられざるをえない。事実、蔵原は、「理論的な三四の問題」（『朝日新聞』昭和三年十一月二十六日―二十九日）で、芸術作品の芸術性と芸術的価値とをきりはなした。これは、人間の芸術意識と社会意識とを無理に同一視したためにおこった必然的な二律背反にほかならなかった。《芸術大衆化》論において、大衆の芸術意識と社会意識とを別個のものとして洞察しえていたならば、もちろん、芸術作品の芸術性は芸術的価値と対応することが結論されたはずである。

平林初之輔「政治的価値と芸術的価値」（『新潮』昭和四年三月）は、蔵原の主導的なプロレタリア文学批評のなかにある芸術の芸術性と芸術的価値との二律背反の矛盾を、ある作品が芸術的にすぐれていても、政治的に反動的である場合には、評価は分裂するのではないか、という疑問を提起することによってつきとめたものである。中野重治「芸術に政治的価値なんてものはない」（『新潮』昭和四年十月）は、芸術の窓と政治の窓とは別についている、トルストイが偉大な芸術家だったのは、人間生活の真実を偉大な手わざで表現したことであるが、神さまにすがりついて地主階級の感情を擁護したのは、平林のいうように政治的マイナス価値ではなくて、芸術的マイナス価値だ、と主張して、根本的には蔵原とおなじように、芸術性と芸術的価値とはべつであることを結論している。ここのところは、正当には、トルストイが神さまにすがりつき、その信仰が地主階級の意識を象徴するものであるということは、芸術的価値とは無関係であり、偉大な芸術性を有するトルストイの文学作品は、偉大な芸術的価値をもっている、と結論されなければならなかったはずである。

一九三二年、林房雄が発表した「作家のために」（『改造』昭和七年七月）をはじめとする一、二の論文、それに応ずる形でかかれた亀井勝一郎「同志林房雄の近業について」（『プロレタリア文学』昭和七年十月）、徳永直「創作方法上の新転換」（『中央公論』昭和七年九月）などのモチーフは、林房雄のように《政治か》《文学か》ではない、《組織活動か》《創造活動か》ではない、文学だ！　という言いまわしにしろ、徳永直のように、文学批評の官僚的支配を蹴れ！　という言いまわしにしろ、決定的な点は、いずれも、プロレタリア文学批評における《大衆》概念の導入の方法と、芸術の実体を社会階級的な必要や生産労働過程と対応づけて固くしばりつける芸術理論への不信の形として提出された。《大衆》概念への不信からは、必然的に文学運動の組織方法への不信が導かれ、《芸術概念》への不信からは、いわゆる《文芸復興期》における文学概念の独立性の思想へ導かれる最初の兆候がみちびかれたとかんがえられる。

これに対立するかたちで提出された中条百合子「一聯の非プロレタリア的作品」（『プロレタリア文学』昭和八年一月）、堀英之助（小林多喜二）「右翼的偏向の諸問題」（『プロレタリア文学』昭和七年十二月）、野沢徹（宮本顕治）「政治と芸術・政治の優位性に関する問題」（『プロレタリア文化』昭和八年一月）などは、プロレタリア文学批評の《大衆》概念と、芸術概念とを何ら変更せずに擁護しようとするモチーフから書かれている。

結論をつぎの諸点に要約することができる。
(1) プロレタリア文学批評は、近代批評史のなかにはじめて《大衆》概念を導入したこと、また、はじめて芸術作品の構造を生産労働形式および社会階級的な必要と結びつけることによって分析可能な論理の科学として成立させたことによって劃期的な意味をもっている。
(2) プロレタリア文学批評が導入した《大衆》概念は、大衆の芸術意識と社会政治意識とを直線的に同一視したことによって誤謬であったこと。したがって組織論が誤謬であったこと。これと関連した形で、芸術の構造を生産労働過程と社会階級的な必要とによって分析した点において誤謬であったこと。芸術の価値概念もこれにともなって誤謬であったこと。
(3) 以上のことから、作家同盟の解体期に、林房雄、徳永直、亀井勝一郎などによって提出された論議は、それ自体では正当性を含むものであった、ということができる。しかし、この正当性が逸脱、転向の方向へ導かれねばならなかったのは、すでに、一九三一年の満州事変、一九三二年の上海事変、また国内での血盟団事件、五・一五事件、社会民衆党のファッショ化などの情勢に象徴されるとおり、《大衆》概念自体の転換がおこなわれたためであるとかんがえられよう。いわば、林・亀井・徳永などの主張は、《大衆》概念が自体として変換しつつあることを前提せずに、《大衆》の芸術意識と社会政治意識を分離すべきことを主張し、また、芸術性と芸術的価値との一致を欲求するにひとしいものであった。したがって、組織論の組みかえを行いえないままに急転落下してゆく情況にさらされたのである。

2　転向軸の問題Ⅰ

思想の科学研究会の共同研究『転向』上（昭和三十四年　平凡社）のなかで、鶴見俊輔は「転向の共同研究について」という論文をかき、つぎのように述べている。

私たちは、まず第一に、一般的なカテゴリーとしての転向そのものが悪であるとは考えない。むしろ、転向の仕方、その個々の例における個性的な展開の中に、より善い方向、より悪い方向が選ばれるものと考える。したがって、転向をきっかけとして、重大な問題が提出され、新しい思想の分野がひらけることも多くあると考える。もともと、転向問題に直面しない思想というのは、子供の思想、親がかりの学生の思想なのであって、いわばタタミの上でする水泳にすぎない。就職、結婚、地位の変化にともなうさまざまの圧力にたえて、なんらかの転向をなしつつ思想を行動化してゆくことこそ、成人の思想であるといえよう。非転向の稜線に規準をおいて、そこから現代の諸思想を裁くことは、子供の思想によって大人の思想を裁くこっけいをあえてすることになりかねない。

このような見解は、日本的転向を取扱う態度として劃期的なものであるが、その意味は、転向・非転向の問題を善か悪かという倫理的規準から切り離した点にある。わたしもまた、「転向論」（『現代批評』創刊号　昭和三十三年十二月）のなかで、転向を日本の社会構造の総体にたいする認識の錯誤からくる思考変換として意味づけることによって、倫理的規準から切断する方法をもとめた。このように、転向の問題を倫理的な規準から切り離すことは、文学批評史の検討においても重要な意味をもってくる。すくなくとも、従来のプロレタリア批評史の検討は、非転向のアクシスを規準として、これに反する論議を転向軸とする観点からなされたものと、このような観点の正当性を注意ぶかく宣誓した後、若干の修正意見を加えるものとにかぎられてきた。それならば、当然、この非転向的な観点が、プロレタリア批評史のなかに足跡をのこした、《大衆》概念の誤謬と、芸術概念の誤謬とは、永久に正当化されるほかないのである。このような、非転向軸に内在する誤謬こそが、《大衆》的動向からの無にひとしい孤立となって将来されたのであるという立場は、存在権を主張する理由を、近代批評史論のなかにもっていることが強調されなければならない。

一九三二年から一九三四年にわたって、林房雄・亀井勝一郎・徳永直・貴司山治などが、プロレタリア文学批評における《大衆》概念と芸術概念にたいする不信の形で提出した論議を、《大衆》的動向自体の転換によって対応づけるとき、これを転向の前段階として理解することができる。このような立場をとれば、作家同盟の解体直後におこなわれた社会主義リアリズム論議は、これを転向論議のなかに包括することができる。

プロレタリア文学批評史における社会主義リアリズム論は、あたかもソヴィエトにおいて〝ラップ〟が解散してソヴィエト作家同盟が創立されたとき、〝ラップ〟の主導的な理論家アヴェルバッハが批判された契機が、どこにあるかを中心として行われた。キルポチンがソヴィエト作家同盟の第一回大会でおこなった報告のうち「芸術はその他の上部構造と密接な関係がある。たとへば芸術は政治の作用と指導をうける。しかしこの芸術と政治との、それから芸術とイデオロギーとの依存関係は、同志アヴエルバツハが考へたやうに、しかく一直線でも、単純でもない。芸術の複雑性、それをアヴエルバツハの如く単純化するときは、作家に対する官僚的支配へと、必然的に導いてゆく。単に思想的にしか指導を必要としない場合に、それ以上に作家を取締ること、なるのだ。」というような個処は、いわば、アヴェルバッハを蔵原惟人らのプロレタリア文学批評家とみたてて、転向軸の側からは《大衆》概念と《芸術》概念にたいする不信の盾としてもちいられた。

徳永直の「創作方法上の新転換」では、キルポチンの盾が蔵原惟人の主導理論である《唯物弁証法的創作方法》の排撃に使われ、ソヴィエト作家同盟の創作方法上のスローガン《社会主義的リアリズムと革命的ロマンチシズム》も、いきなり移植すべきではないと主張される。注目すべきは、「これらのスローガンは、ソヴエートの社会情勢第二次五ケ年計画を遂行しつつある、社会主義的社会の、大衆の現実に即したスローガンなのだ。日本とロシアとのこの差異・大衆の生活・客観的現実の相違——そして、特殊な上部構造たる文学芸術の自ら規定さるる限界——。これらがまづもつて照応されなければならぬ。」という発言が、はじめてプロレタリア文学批評史にあらわれたことである。

モダニズム—インターナショナリズムである非転向軸の芸術理論にたいする最初の不信は、日本とロシアとの差異の強調としてあらわれ、いわば転向軸の芸術理論の最初の兆候は社会主義リアリズム論議のなかにあらわれたのである。徳永直の場合、これにかわる創作方法は、プロレタリアリアリズムとして主張された。大衆の現実の生活に密着しなければならないというのが、徳永直の思考変換にあらわれた方法であった。

川口浩「否定的リアリズム」（『文学評論』昭和九年四月）では、否定的リアリズムが主張される。伊藤貞助「社会主義的リアリズムか！　日和見主義的リアリズムか！」（『文化集団』昭和九年四月）、久保栄「社会主義リアリズムと革命的（反資本主義）リアリズム」（『文学評論』昭和十年五月）などにあらわれている思考法もまた、日本とロシアとの現実的政治的な基礎の相違ということが根柢になっている。

転向軸系統の社会主義リアリズム論は、プロレタリアリアリズム・否定的リアリズム・革命的リアリズム・反資本主義リアリズムなどのニュアンスの相違はあるが、つまるところは、かつては〝ラップ〟

の芸術理論をまるのみに移植して、作家同盟を主導し、いままた、ソヴィエト作家同盟の社会主義リアリズムのスローガンをまるのみに移植しようとする非転向軸の見解は誤りであり、そこに社会主義社会であるロシアと資本主義下における日本との差異を考慮すべきであるという点にあった。

非転向軸系統の社会主義リアリズム論は、中条百合子「社会主義リアリズムの問題について」(『文化集団』昭和八年十一月)、中野重治「社会主義的リアリズムの問題」(『文学評論』昭和十年二月)などにあらわれたように〝ラップ〟の解体とソヴィエト作家同盟の結成、社会主義リアリズムの問題提起は、超階級的な技術偏重論でもないし、卑俗現実主義的な大衆追随でもない。日本のプロレタリア文学運動の主導的な理論、唯物弁証法的方法のスローガンもあやまりではなく、歴史的成果をあげた。機械的適用があった点は自己批判されなければならないが、ソヴィエトと日本との現実がちがうから、社会主義リアリズムのスローガンは、そのまま日本に適用できないという論議は、成立たない。世界プロレタリアートと人間の文学史が到達した最高の芸術創造方法は、すべての人のものとならないはずがない。向うは社会主義国であり、こっちは資本主義国であるからとて、芸術創造方法の最新の原則が、いたるところで学びえず、わがものとなしえないという論理は成立たないのだ。以上のような主張に要約される。

プロレタリア文学批評史にあらわれた、この転向軸と非転向軸の最初の切れ目は、日本的転向と非転向の特徴をあきらかにしている。勿論、この場合、転向軸にあらわれた主張は、正系軸を生みだす契機をはらんでいるかぎりでは正当であった。非転向軸の理論によれば《大衆》的動向がその社会、その時点において如何なる方向をしめしても、それとは無関係にソヴィエト文学運動の提起したスローガンを固守しなければならない。固守するかぎり権力的強制による転向か孤立か以外の道は、絶対に存在しない。また、ここにあらわれた転向軸の理論を徹底してたどれば、《大衆》的動向が転換したとき、それにともなって、なしくずし的に権力のままに《転向》しなければならなくなる。勿論、これは、事実となってあらわれたのである。このように、社会主義リアリズム論議において、はじめて転向軸と非転向軸の確執の様相がはっきりとあらわれた。そこには、不可避的に孤立、転向にみちびかれる軸と、《大衆》的動向の転換によって不可避的になしくずし転向にみちびかれる軸とが分離してきたのである。

3　転向軸の問題Ⅱ

プロレタリア文学批評史における社会主義リアリズム論は、作家同盟の解体を契機とする、プロレタリア文学批評における《大衆》概念への不信と《芸術》概念への不信とから直接的に発している。これに対置された非転向軸の論議は、心情的には種々の自省を含んでいたかもしれないが、論自体にあらわれたかぎりでは、提出された不信にたいする反撥をモチーフとしている。いずれにせよ、社会主義リアリズム論自体は、プロレタリア文学批評の直接の延長線に位置づけることができよう。これに前後した時期に、保田与重郎らにより浪漫主義の主張がおこなわれ、行動的ヒューマニズム論、転向論などが行われている。たとえば、雑誌『コギト』に「『日本浪曼派』広告」が発表されたのは、一九三四年十一月、『文学界』『行動』の創刊が、一九三三年十月である。これらの多様な批評の交錯をささえている文学的情況は、《文芸復興期》と呼ばれている。

《文芸復興期》における批評史の多様性とその交錯現象は、その底流を基本的につぎのような諸点にわけてかんがえることができよう。

(1)　非転向軸のプロレタリア文学批評にあった《大衆》概念と《芸術》概念にあった死角現象の拡大である。この死角にあった現象は、転向軸のプロレタリア文学批評のなかに拡大再生産されている。非転向軸のプロレタリア文学批評の大衆概念は、大衆化論争に典型的にあらわれたように大衆の芸術意識と社会政治意識との分離を拒むものであった。しかし、現実的には、人間の芸術意識と社会政治意識とは機能的に別次元であって、大衆の政治的な欲求がそのまま芸術的欲求にあらわれることは、むしろアブノルマルなものである。大衆コミュニケイション手段の発展は、この時期にはいって大衆の芸術意識と社会政治意識とを極度に分裂させていったのである。この分裂は、転向軸のプロレタリア文学批評と文学作品（林房雄・徳永直等）のなかに象徴されている。政治的にはマルクス主義原則が強調されながら、作品的には大衆娯楽化の傾向をたどらざるをえなかった。また、昭和三年（一九二八）の「形式優位論」（『文芸春秋』「文芸時評」昭和三年十一月）から昭和十年の「純粋小説論」（『改造』昭和十年四月）にいたる横光利一（明治三一年—昭和二二年 一八九八—一九四七）の批評と作品に象徴されるようなモダニズム文学派の指向したものもこの大衆化現象に対応している。

また、非転向軸のプロレタリア文学批評の《芸術》概念は、芸術性と芸術的価値との分裂を強いるものであり、芸術的な価値規準は、社会的（政治的）価値から芸術性とは別個にみちびかれた。この死角は、《文芸復興期》にはいって芸術性と芸術的価値とを一致させようとする欲求となってあらわれたとかんがえられる。転向軸の文学者のみならず、モダニズム派の文学者までが、非転向軸のプロレタリア文学批評の消失によって《一種の解放感》を、この時期に感じとったとするならば、文学概念自体としては、この理由にもとづいている。

(2) 満州事変以後の《大衆》的動向の転換である。いいかえれば、《大衆》の社会政治意識の時代的転換であった。これは、非転向軸のプロレタリア文学批評の主張するように大衆の芸術意識と不可分の関係にあったのではない。《大衆》の政治意識上の転換は、コミュニケイション手段の発展にもとづく文学創造と享受の大衆化現象とは別個のものである。

この《大衆》の社会政治意識上の転換は、たとえば転向軸系統の文学者によって、すでに社会主義論争のとき、日本とソヴィエトとの社会的な差異を創作方法上の問題においてもとらえなければならない、という言い方で、微かに察知されたものであった。また、非転向系の文学者の投獄・獄死・転向（政治運動を行わないという形での）などによって、社会的統制力の面から知られたところであった。横光利一もまた「純粋小説論」のモチーフが、「わが国の文人は、亜細亜のことよりヨーロツパの事の方をよく知つてゐるのである。日本文学の伝統とは、フランス文学であり、ロシア文学だ。もうこの上、日本から日本人としての純粋小説が現れなければむしろ作家は筆を折るに如くはあるまい。」という自省を不可欠の条件の一つとしていることをあきらかにしている。

満州事変以来の《大衆》の政治意識上の転換の原因は、窮極的には、政治的権力からの外部強制力に帰することができる。満州事変の結果つくりあげられた「満州国」なるものは《大衆》の政治意識にとって民族的光栄のシンボルであるかのように考えるよう、強制された。この《大衆》的な動向の転換は、そのまま《文学者》の意識転換と連続していた。しかし、これが文学概念自体に与えた影響は、《文学者》にとって内発的なものに外ならなかった。この内発性は、いいかえれば、インテリゲンチャ意識のなかにある後進性に由来するものとかんがえられる。《大衆》的な転換に遭遇した《文学者》たちは、おそらく、かれらの土着意識と知的な構成力とのあいだにある空虚さを、明るみに出すことを余儀なくされたのである。三木清（明治三一年—昭和二〇年 一八九八—一九四五）は、「不安の思想と其の超克」（『改造』昭和八年六月）において、この時期の一般インテリゲンチャの精神的状況の変化を、外的事件に従って特徴づけ満州事変の影響と呼んだ。三木は満州事変によって、行動はもとより、思想の自由を外部において抑圧される時代がきたため、外部に阻まれたインテリゲンチャの心は、内攻して精神的不安の《内面化》としてあらわれた、とのべている。この見解は、外発的な権力の統制力を主体にみているが、この外部的な原因から、インテリゲンチャが《大衆》的転換との間の切れ目を意識したこともまた不安の内在的な原因をなしたことはうたがいない。

文芸復興期の問題は、批評史的には多様な文学思潮の並立状態を出現し、文学作品史的には昭和文学史を代表するにたりる豊富な文学的成果をうんでいるため、戦後種々の解釈がおこなわれているが、この時期の考察に、もっとも精力的に取組んでいるのは、佐々木基一「『文芸復興』期批評の問題」（『昭和文学の諸問題』昭和三十一年　現代社）、「文芸復興期の問題」（『文学』昭和三十三年四月）、「日本ファシズムと日本的芸術至上主義」（講座『現代芸術』第五巻　昭和三十三年　勁草書房）などである。佐々木の分類にしたがって《文芸復興》期評価の定説を列挙してみる。

第一は、平野謙に代表される意見である。これは、作家同盟の解体によって、非転向系のプロレタリア文学理論の制約を脱した解放感のうえに立って、転向系のプロレタリア文学者と、「私小説論」から「文学者の思想と実生活」論争によって自然主義反対の態度をあきらかにした《真の個人主義文学》を主張した時期の小林秀雄らとの統一戦線の観を呈した雑誌『文学界』創刊の役割に《文芸復興》の主体を考えるものである。

第二は窪川鶴次郎の意見である。これは、プロレタリア文学運動の興隆によって、インテリゲンチャにつきつけられた人生観上の問題が、転向の出現によって解除されたこと。プロレタリア文学者もかならずしも《鉄の人間》ではなかったという《転向》の《人間性》にたいする同感をも意味したこと。ここで自由主義的なインテリゲンチャの発言力と役割が増大し、反ファシズムのたたかいにたいする関心を増大させたこと。これにともなって、モダニズム文学とプロレタリア文学とに挟撃されて沈黙していた自然主義系の老大家が復活したこと。

第三は、日本浪曼派評価に即しながら橋川文三が示唆した意見である。この時期に著しくなった大衆社会化現象にともなう中間インテリゲンチャの不安感・抑圧感が、マス化現象にたいする最大の盾をなした非転向系のプロレタリア文学の敗退後、マス化現象の正面に立たざるをえなくなった。これは文芸復興期の一底流として考えるに充分であるというものである。

第四は、以上のような諸説を概括しながら、横光利一の「純粋小説論」に即して展開された佐々木基一の意見である。佐々木基一によれば、文芸復興期の底流をささえた足は、第一に、インテリゲンチャの理想の喪失・自意識の解体・不安感であり、横光が第四人称の設定ということで提示した問題がこれに相当する。第二に、マルクス主義文学の敗退によって顕在化された独占資本主義下における大衆社会化現象であり、横光が純文学にして通俗小説として考えた純粋小説なる概念は、この情況に即応しようとするものに外ならない。第三に、民族的伝統の問題である。横光が、民族について考える時機がいよいよ来た、ということばで表現しているものは、この問題である。

以上の概括からあきらかなように、佐々木基一の見解は、前説を包括しようとするもので、もっとも綜合的な意見であるということができるが、依然としてそこにはカテゴリーのとり方の混乱があり、最終的な定説とするには、さらに考察をすすめることが必要とかんがえられる。ここで、非転向軸のプロレタリア文学批評における《大衆》概念の導入方法と《芸術》概念の分析法の問題を主軸としてすでにわたしが要約したものは試案のひとつである。

文芸復興期における文学批評の流派は、三つに大別することができる。第一は、行動主義の提唱であり、第二は、日本浪曼派批評の出現であり、第三は、転向論の深化である。この三つはいずれも、文芸復興期の底流と、複雑なかたちでつながっているし、ある部分では、その底流自体を反映しているということができる。

舟橋聖一「芸術派の能動」(『行動』昭和十年一月)によれば、行動主義は、満州事変以来の時代的な反動化にたいする芸術派のポジティヴな転換を意味するものであった。非転向軸のプロレタリア文学にたいして、アンチテーゼの立場にあった芸術派が、その正面の対立物の敗退後、社会情勢の急激な悪化に対応して、「能動的となり、従来の芸術至上主義・芸術のための芸術・芸術的唯心論を止揚して、社会情勢をとり入れ、思想性を持ち、全体性としての傾向性を帯びること」を当為とするものであった。フランスにおけるジイド、フェルナンデスら知識階級連盟の反ファッショ統一行動の思想が、この芸術派の《能動》的転換に影響をあたえたものとかんがえられる。この舟橋聖一の論は、労農派のマルクス主義者大森義太郎の「いはゆる行動主義の迷妄」（『文芸』昭和十年二月）によって、プロレタリアートとの連けいにもとづかない知識階級の能動性、マルクス主義陣営との統一戦線を前提としない自由主義の行動性は、ただ、知識階級の特権を主張する以外の何の意味ももちえないと批判されたが、この批判は行動主義の提唱者のひとり小松清によって、「現在貧弱な結成と組織をしかもたない日本プロレタリアのうちにあつてすら殆ど指導力をもつていないマルクシスト、貴君の言を藉れば社会情勢の急変によつて……勢力を失つたマルクシストと協力することは、忽ち自らの存在を否定し、その生長を若芽のうちに殲滅することに外ならない。のみならず既に徹底的な敗北に自らを導いたマルクシズムの旗旆は今日の無産知識階級やプロレタリアを誘引する魅力をもたない。それに期待した彼らの希望が大きかつたほど、その敗北は彼らの記憶にはあまりに惨めに刻まれてある。」（「大森義太郎氏への公開状」『行動』昭和十年三月）と切りかえされたのである。この応酬によって、すでに日本行動主義論と転向系のプロレタリア文学論のあいだにさえポジティヴな意味で統一戦線の可能性が失われていることをしる。満州事変以後の社会情勢の急変にさいしてポジティヴな転換へ歩もうとした行動主義派と、非転向軸から転向軸へと転換したマルクス主義とは、対立から合流への段階でとどまることはできず、対立から逆対立へと滑り落ちてしまっている。このことは何よりも、フランス知識階級がマルクス主義との連けいによって反ファッショ統一戦線に結集した事情を、日本の場合に実現しえなかった理由であった。

プロレタリア文学理論とその主導のもとに行われた文学運動が、非転向軸から転向軸へ転換する場合に、滑り止めがきかなかったことは、この統一戦線の不可能であった原因に重要な影響を与えている。それとともに、文芸復興期の社会的底流の一つである《大衆》的動向の転換が決定的な作用をおよぼしているのを知るのである。小松清は、強力なプロレタリア群を背景としてもつフランスのインテリゲンチャと、その正反対の客観情勢にある日本のインテリゲンチャとの相違ということばでこの《大衆》的転換を指摘したが、《大衆》的転換の速度がはげしかったため、すでに落盤の上で論議するような不安定な意識を、行動主義論者と転向軸のマルクス主義者の双方に反映させていることが了解される。

日本浪曼派批評の出現は、おそらくそこに満州事変以後の《大衆》的動向の転換、いいかえれば《大衆》の政治意識の転換と、独占資本主義下の大衆社会化現象のコミュニケイション手段への反映、いいかえれば《大衆》の芸術意識のマス化・マス的解体という重層した底流を基盤にしている。したがって、そのあらわれ方は複雑をきわめている。保田与重郎の「混乱は展けない」（『新潮』昭和十二年四月）、「反進歩主義文学論」（『浪曼派的文芸批評』昭和十四年　人文書院）などにあらわれている主張のうち明瞭なのは、《大衆》の芸術意識のマス化・マス的解体現象に追従する文学思想に対する反撥である。これを、転向軸系のプロレタリア文学に対する表面的な、流派的な反撥と混同・同一視するのは誤りで、一応区別した上、相関関係を問題とすべきであるとおもう。保田はかいている。

(1)「武田麟太郎氏や高見順氏の批評家に求めるところは、現在の流行文芸をすべて認めよ、批評家は批評精神などすてよといふ、説である。そのために現代に於ける小説再建時代の重要さといふことを伏線としてゐる。かういふ批評否定の心は、ナチの国の考へに近いものである。ナチの国では戦後国民文化の再建を計つてゐるのに比し、日本の人民派は自分らの市場への計りごとであるとの異同はある。日本の人民派は『文学に対する愛情のある批評家』とは、現状文化と小説界を肯定し、批判を抛棄して、娼婦の愛情売買にあたれと云つてゐる、かういふ宗教的売淫はたしかにむかし東西にあつた文化遺産の封建的マイナスである。作家精神堕落の一典型であるが、これは一般に文壇の一つの潮派である。彼らは政治的悪時代といふことを、自分らの小説擁護を人々にしひる大義名分に利用する。世界のマルキストはこれを慷慨するがよい。」（「混乱は展けない」）

(2)「今日日本浪曼派に加はる青年作家たちは、その経歴のために、たとへ彼らが少年の日にプロレタリア文学の事務所につとめずとも、その運動を目近くみあるひは遠くの田舎にあつて見聞しつゝ、今でも名をプロレタリア作家同盟につらねたに劣らぬ、もつと多くの敵と戦ひ、またいまも戦ひつゝある確信をもつ。この他力の名目を問はず、精神を言ふものこそ、由来すぐれた代々の芸術家の公共の確信である。名を何かにつらねることが立派か、真実に芸術する確信を実行したものが立派か、こゝで安易を好む客観批評家は、現象の皮相を論ずるがよい。真に芸術を愛する大衆は、芸術家の営みを云々する。」（「反進歩主義文学論」）

保田与重郎のこの揚言には、転向軸の挫折感が存在せず、別個の軸を非転向、転向軸のプロレタリア文学に対してもっていることを象徴している。「僕ら日本浪曼派はプロレタリア文学が大風のやうにすぎたあとにあらはれた青年によつてなる。」という別の立言もそれを証左している。明瞭なのは、保田が地を這うようなマス大衆化密着に反撥をしめしていることである。転向軸のプロレタリア文学批評からの転向の深化を象徴しているのは、日本浪曼派では、保田ではなく、むしろ亀井勝一郎であった。亀井は、シェストフのドストエフスキー解釈を借用しながら、たとえば『死の家の記録』にはペトラシェフスキー学会の一員であったドストエフスキーの非転向の確信が冷静に再現されているが、それは必然的に『地下生活者の手記』に移行する契機をはらむことを指摘した。いいかえれば科学的思考から密室の《心理学》への転化の過程を指摘し、そこに亀井自身の転向軸の深化過程を象徴させている。小林多喜二は倒れたが、生きのびたものはどうなるか。

壁の中にあつて、希望や空想を語ることは、苛酷な現実の反映であつてこよなく美しいとは思ふ、元来浪漫主義とは壁に向つて真直ぐに立ち上つたもの、歌だ。だが、その情熱が飽和点に達してくると我々は心の翼に肉の翼を並み揃ひたい慾望を起す。その浪漫主義に疲労しきつて、身をかはさうとしたところに僕はいまひとつの浪漫主義を考へたい。満ちあふれた空想と希望とをもつて、再び現実の中に立ち帰ることだ。（「現代の浪漫的思惟」『文学界』昭和十年一月）

亀井勝一郎の浪漫主義理解のなかには、日本浪曼派が、転向軸のプロレタリア文学からの転向の飽和点にえがかれた、再生の側面をもつ所以のものがあきらかに示されている。満ちあふれた空想と希望をもって、再び現実の中に立ち帰ったとき、それは、満州事変以後の《大衆》的転換の時期と合致したのである。保田与重郎と亀井勝一郎の浪漫主義理解のなかに、日本浪曼派の両側面があきらかに象徴されている。その意味は、保田において芸術のマス化社会現象にたいする反撥が、亀井において転向軸のプロレタリア文学が、密室の心理学過程を経て現実的動向のなかに再生する典型が示されたということである。

高見順「浪漫的精神と浪漫的動向」（『文化集団』昭和九年十二月）、渋川驍「文芸時評——保田氏の『日本の橋』を中心に」（『人民文庫』昭和十二年五月）は、転向軸のうち政治的現実—社会的現実—生活的現実という密着過程を後退した人民文庫派の日本浪曼派にたいする優れた反措定であった。高見は「栄光は天にあつて格闘を笑ひ、傷を帯びないで戦ひの歌をうたふ浪漫天使の上にはあらず、あくまで地上にとどまつて醜悪に塗れ、苦痛に嚙まれてゐる現実人の上にこそやがて輝き出てくるのではなからうか。」と主張し、渋川は、完膚なきまで日本浪曼派のイロニイとしての《民衆軽蔑》を批判したのである。「人民文庫、日本浪漫派討論会」（1—8）（『報知新聞』昭和十二年六月三日—十一日まで連載）は、人民文庫派のヴィジョンである《民衆》が、すでに現実の《大衆》的動向に背反されて、絶望的に主張されているさまを如実に感じさせるものとなっている。

日本浪曼派批評の問題については、西田勝「『日本浪曼派』の問題」（『新日本文学』昭和二十九年十一月）、橋川文三「日本浪曼派批判序説」（『同時代』昭和三十二年三、七月）、「日本ロマン派の諸問題」（『文学』昭和三十三年四月)、竹内好「近代主義と民族の問題」(『文学』昭和二十六年九月)、中野重治「第二『文学界』・『日本浪漫派』などについて」(『近代日本文学講座』第四巻　昭和二十七年　河出書房)などの論策がある。橋川の論点は、日本ロマン派を福本イズムに象徴される共産主義運動に随伴した革命的なレゾナンツの一つであり、その社会的基礎は、大戦後の急激な大衆的疎外現象――いわゆるマス化アトマイゼーションをともなう二重の疎外に対応するための応急な《過激ロマン主義》の流れであった、とするもので、従来、亀井勝一郎の転向軸の線でなされてきた日本ロマン派理解にたいして、保田与重郎の線を導入しようと試みた、ということができる。竹内好は、日本浪曼派の提起した問題を、民族の問題に集約し、この民族の問題に歯止めがきかず、ウルトラナショナリズムに転化したのは、プロレタリア文学がはじめから、民族の問題を疎外した結果であるとし、現在、近代主義的な日本の文学は民族の問題と対決すべきであると提唱した。西田勝の論文は、竹内と橋川の論点の中間に位し、亀井勝一郎から保田与重郎や浅野晃がとび出した所以を、芸術的デカダンス(政治と文学)から《民族》がとびだした所以として整理した。いわば、亀井の転向軸から保田の反現実密着の線につながる契機を時代的に類型づけたのである。

文芸復興期の批評史の並立現象のうち、その殆んどすべては、転向軸と非転向軸との錯綜した混合現象とその背景をなした満州事変以後の《大衆》的動向の転換、独占資本の急速な展開過程に生じたマス社会化現象との照応によりとらえることができる。いいかえれば、窮極的には転向軸・非転向軸のプロレタリア文学批評の残潮として整理しうるとおもわれる。

この場合、わたしたちは三つの例外的な要因を、中野重治と保田与重郎と小林秀雄にみなければならない。

中野重治が、「『文学者に就て』について」(『行動』昭和九年三月)、「エンゲルスについてのF・シルレルの註釈について」(『早稲田文学』昭和十一年五月)、「文学における新官僚主義」(『新潮』昭和十二年三月)、

「一般的なものに対する呪ひ」（『新潮』昭和十二年四月）、「真実は下等であり得るか」（『新潮』昭和十二年九月）、「ねちねちした進み方の必要」（『革新』昭和十二年七月）、などによって展開した批評は、政治的には《日本の革命運動の伝統の革命的批判》として要約できるものであった。プロレタリア文学批評の非転向軸と転向軸とが、いずれか一方を捨象されることなく綜合的に肉付けされる機会と実例とは、ただ、この時期の中野重治のみによって示されたのである。それは、《大衆》的動向のなかに封建的な意識の動向を正の価値として見つけ、これを掘りかえす過程で否定するという重複した思考をたどることによって、この時期の文芸思潮の主線に対峙したのである。

保田与重郎は、たとえば「『日本的なもの』批評について」においてその批評的な立場を宣明する。

第一に、歴史評価の転倒である。日本的近代（西欧的日本）を否定しつつ「ブルジョア文化から正統に発展した将来の世紀文化は、恐らく颯爽とした宣言を過去の最高文化の上に施くであらう。文化はつねに時代の進歩の把手であつた階級のものである。」と主張する。権力肯定と文化の歴史との吻合。「日本の世界文化性が未熟であるといふことを僕らは感じて耐へきれないのである。」「現在の日本のファッショ形態が、官僚に指導されてゐることは、無惨な醜態である、我らの日本は『富めるプロレタリア』を作りつつある西のロシヤと歩を合せて、文化の十八世紀形態の克服へ向ふ結果となるかも知れないといふ希望はしかし僕は新しい官僚にもたない。」

第二に、日本文芸史、歴史の発見は世界精神の所産であるという主張。

第三に、我国の新知識と民衆と伝統を結ぶ日本の橋の必要をかんがえる。

第四は、つぎのような揚言に要約される。「僕を一般に日本主義といふなら御勝手である、僕は現代の日本的なものが大嫌ひであるだけである。僕は現代日本の下らなさを論じた。（中略）現代に於て僕は最も非日本的である、これは僕の日本的出発点である。」（「現代のために」――『浪曼派的文芸批評』所収）

保田与重郎のこの時期の批評は、転向軸と非転向軸のプロレタリア批評史にたいする中野とは対称的なひとつの血路であった。中野には隠微な形で階級的主張が潜在的にあったが、保田にははじめからそれが脱落していた。

昭和二年(一九二七)、「芥川龍之介の美神と宿命」(『大調和』昭和二年九月)において、「自殺——これは芥川氏の生涯に於ける一つの劇である、洵に凄まじい一つの行動である。が、それ以外の何ものでもない。彼の作品と彼の自殺とは何等論理的関係はない。重要なのは自殺なる行動ではなく、自殺の理論である、つまり彼の自殺的宿命である、氏自身の言葉を借りれば彼の『星』である。少くとも僕には、批評の興味といふものは作品から作者の星を発見するといふ事以外にはない。で、僕は多くの人々に依つて芥川氏に貼りつけられた様々の便宜的レッテルを一切無視したい。」という立場に身をおいた小林秀雄は、すでにこの初期評論で「敗北の文学」をかいた宮本顕治や、「芥川龍之介に聯関して」をかいた青野季吉などのプロレタリア文学批評軸と、芥川の死に動揺を感じた横光利一、片岡鉄兵らの新感覚派モダニストとの埒外に立って、文学を人間的宿命との必然的な関係においてみることによって、未成熟な日本近代文学史と近代社会史の両方から隔離されたところに、自我の演ずる劇をみようとする立場を設定したといいうる。この観点から「様々なる意匠」でマルクス主義文学と新感覚派文学と《大衆文芸》とを批判した。この立場を自身の内面的な劇に仮托して極端に純化してみせたのは、「Xへの手紙」(『中央公論』昭和七年九月)であり、初期の小林秀雄の批評を支えた支柱はここで飽和点に達し「若しこの本当の思想史といふものを人が編み出すことが出来たとしたら、恐らくそれは同じ恰好をした数珠玉をつないだ様に見えるであらうと。」とかいた。この同じ恰好をした数珠玉のひとつひとつは、小林秀雄によればそれぞれの《宿命の理論》が内包されているはずである。小林の社会的な立場は、このとき、老衰した資本主義の社会機構は、だれももうこれ以上たえられないほど詭計と複雑さをもってしまった、もっと簡明なもっと人間的な社会機構の到来が熱望されているが、この熱望は正当である。しかしこういう時期の支配的思想は当然極端に政治的であり、そのため解きほぐし難い欺瞞に充ちている、という地点におかれた。いいかえれば、小林秀雄は、マルクス主義の社会的欲求を正当と認め、しかし、その思想が小林のいわゆる個性的、《宿命の理論》から必然的にかけはなれて自己欺瞞を含まざるを得ないことをしりぞけたのである。

ここには、プロレタリア文学批評が、まだ非転向軸にそって展開された時期の小林秀雄の文学的立場がよく措定されている。

「私小説論」（『経済往来』昭和十年五月―八月）において、小林秀雄は、じぶんの批評的力点を若干変換させた。ここで、小林はプロレタリア文学を、個人的な技法のなかに解消しがたい絶対的な普遍的な姿で、社会的思想を文学のなかに登場させたものとしてとらえた。すなわち、小林秀雄の根本的な文学思想である個人の《宿命の理論》のなかに解消できない要素をプロレタリア文学のなかに認めたのである。この評価の力点の移動は、プロレタリア文学がすでに非転向軸から転向軸へ変換した時代的な情況に依存しているもので、敗北したプロレタリア文学にたいする慰藉と安心感とのふたつがこの評価の移動を心情的にうらづけている。「私小説論」において、同時に小林は、新感覚派や新興芸術派の文学運動を、不安な実生活を新しい技巧によって修正しよう、斬新な感覚によって装飾しようという希いがそのモチーフであって、この点これらの文学は、私小説の最後の変種にすぎないと評価した。モダニズム文学を私小説の変種とする小林の見解には、やはり若干の評価の変換がある。小林秀雄の関心は、このときモダニズムから離れて、転向文学の方に若干むきかえられた。小林は、「私小説論」で、マルクス主義文学が実際に征服したのは、わが国のいわゆる私小説であって、マルクス主義とともに輸入された真の個人主義文学ではないとして自身をジイドの社会化された自我に象徴される《真の個人主義文学》の立場に位置づけたのである。したがって、転向文学は、小林にとって、小林とは対称的な立場から《真の個人主義文学》に近接してくるものとしてとらえられた。転向軸のマルクス主義文学者の課題は、自分の信じた社会的思想に、《自我》がどういう具合に堪えるかという自我と社会思想の格闘のうちに成立すると説いたのである。

正宗白鳥との論争の過程にうまれた「文学者の思想と実生活」(『文芸春秋』昭和十一年六月)では、「私小説論」の立場は深化されている。この深化は必然的に矛盾を深化するものであった。「実生活を離れて思想はない。併し実生活に犠牲を要求しない様な思想は、動物の頭に宿つてゐるだけである。社会的秩序とは、実生活が、思想に払つた犠牲に外ならぬ。その実現性の濃淡は、払つた犠牲の深浅に比例する。」ここで実生活にかえらないような思想は、文学的思想で、社会的秩序の実現性は、思想が実生活にかえる度合に比例するという面を無視したとき、小林の《思想》は、転向軸の思想との背離を決定的に拡大したのである。人間はすべて夢だけを信じて生きている。実生活は信じなくても在るからだ、と述べたとき、小林の「夢」(文学的思想)は、実生活とも社会的秩序とも無関係に決定される個人の宿命に還元されたのである。

4 転向軸の平準化の問題

文芸復興期における多様な批評史の交錯現象が、単一な軸に平準化された時期を、どこにもとめるか。佐々木基一は、「日本的ファシズムと日本的芸術至上主義」のなかで、この問題にひとつの示唆をあたえている。

もし、窪川鶴次郎のいうように「プロレタリア文学を退潮せしめた諸事情こそ、同時に文芸復興の現象をもたらした諸事情に他ならなかった」とすれば、プロレタリア文学者に転向を余儀なくさせた外的・内的条件は、同時に「文芸復興」の気運の中ではげしく文学への情熱にかりたてられた純文学者の中にも同じように作用していたはずである。昭和八年にはじまる共産主義者ないしその同調者の転向と、昭和十二年にはじまる純文学者の転向との間に一つの精神的共通項を設定することによって、わたしたちは一そうよく昭和十年代文学を貫通する底流ともいうべきものを探りあてることができるのではなかろうか。そしてその底流と照らし合うことによって、その上にうまれたさまざまな現象の中の、何が未来につながる可能性であり、なにが一時的幻想であったかを、判定できるのではなかろうか。

佐々木はここで、昭和十二年に純文学者の転向を設定することによって大体の転向軸の平準化をこの時期にもとめているようにかんがえられる。ひとつの新しい見解である。

満州事変以後の《大衆》的動向の転換が深化の飽和点に達し、そこで権力からの組織化へと転化した時期は、ほぼ確実に昭和十五年の新体制運動にもとめることができる。ここで、労働者組織は再編されて産報となり、翼賛政治、文化運動が展開された。批評史の平準化の時期は、おそらく単一の時点にはもとめがたいとおもわれる。昭和十二年前後から昭和十五年前後の時期を、文芸復興期における批評諸流派の平準化された時期とするのが妥当であろう。平準化の内的な構造が諸流派においてどのように展開されたかが問題とならなければならない。

転向軸のプロレタリア文学批評の平準化の時期を象徴するものとして林房雄『転向に就いて』（『昭和十六年　湘風会版）という小冊子をあげることができる。林房雄はこの小冊子で転向を完成すべき段階を三つにわけた。第一は、自分は弱くてマルクス主義を捨てたが、マルクス主義は正しいと考えている段階。第二は、マルクス主義をすてて善良な市民にかえる段階。第三は、「たとへへと〳〵になつても」山鹿素行・徳富蘇峰・頭山満のような皇道主義者の境地にまで辿りつく段階。そしてこの第三の段階までゆかねば転向の完成とはいえないとしたのである。林房雄がこの第三の段階を設定せざるをえないように自分を追いつめた内面的な径路にこそ、転向軸のプロレタリア文学批評の痛ましい陥穽があった。

林自身は自分は第二の段階にしかいないとかいて便乗ではなしに、積極的に自己を鞭うったのである。この小冊子には、亀井勝一郎・杉山平助・中野重治・岩倉政治・保田与重郎・徳永直・佐々木孝丸・浅野晃が読後感を記している。そこに、ほとんど暗黒の戦時下をくぐりぬける転向軸プロレタリア文学批評史の内部構造は象徴された。

亀井勝一郎「現在の私の気持を正直にいへば、マルクス主義から何処へ行く、どんな主義、知識、教養へ行くか、さういふ考へ方は捨てるべきだ。それを守つてゐれば一生安心で大丈夫だなどといふ教は何処にもある筈はない。小さな悟りこそ我らを堕落に導くものだとは釈尊も言つてゐるところで、むしろ迷ひや苦行を覚悟し、終生求めてやまざる人間となりたい。」ここに、『人間教育』(昭和十二年 野田書房)から『大和古寺風物誌』(昭和十八年 養徳社)にいたる時期の亀井勝一郎の批評をささえるモチーフは象徴されている。

中野重治「転向の問題は、私に取つては昭和九年以来の問題である。昭和九年以来私は私のそれの実現の道をすゝんでゐる。したがつて私は、その後の林の行蔵をある親しみの念を以て眺めてゐる。」「転向の問題は個人のみの問題ではないから、一個人の転向に対しても多くの批判、意見、忠告の出ることが望ましく、一転向者としての私には、それに出来るだけ多く耳を傾けることが必要なのである。」「実をいへば、私もいつかは私の『転向について』を書きたいと思つてゐる。林もいつてゐるやうにこれは生涯の問題であるから、私に書けるものは完成の報告ではない。一種の中間報告といつたものであらう。」「最後に私は、この問題にかゝはる国中の先輩およびいひ得るならば後輩にも対して、多少の感傷をもまじへてその健康を祈ることを許して貰ひたいと思ふ。」屈服するが如くして屈服せざる、あるいは屈服せざるが如くして屈服する中野重治の「ねちねちした進み方の必要」(『革新』昭和十四年七月)から『斎藤茂吉ノオト』(昭和十七年 筑摩書房)、「鷗外と遺言状」「しげ女の文体」(『鷗外・その側面』昭和二十七年 筑摩書房)にいたる批評上の業蹟はここに根源を見出すことができる。

浅野晃「わたしは思ひます。われわれは日本の国民として許さるべからざる大罪を犯した。本来なら到底生きて居ることの出来ぬ罪である。それにかうして生きて居れるといふのは、ひとへに広大無辺な、聖恩によるのであります。それゆゑわれわれはひたすら下座の行にいそしみ、大君の醜の御楯としていかなる苦難をも厭はず、不断に自己をみそぎし自己をはらひし、私に背いて公に向ひ、願はくば罪のいく分なりともあがなひ、皇恩の万分の一なりと報じ奉るほかに生きる道はないと思ひます。」

林房雄が小冊子で分類した転向の第一段階（と第二段階）で歯止めを加えて、前むきに抗らったのは中野重治と宮本百合子であったと推定される。

この時期、行動主義文学系に、舟橋聖一「岩野泡鳴伝」（『文学界』昭和十一年七月—同十三年十二月）、「北村透谷」論などの労作がのこり、広津和郎は「散文精神について」（『東京日日新聞』昭和十一年十月）から「徳田秋声論」（『八雲』昭和十九年一月）まで強固な歩みをつづけ、石川淳『森鷗外』（昭和十六年　三笠書房）、竹内好『魯迅』（昭和十九年　日本評論社）、岩上順一『歴史文学論』（昭和十七年　中央公論社）、小田切秀雄『万葉の伝統』（昭和十六年　光書房）、宮本顕治『文芸評論』（昭和十二年　六芸社）その他が特筆される。

転向軸の平準化過程において、中野重治とともに、保田与重郎、小林秀雄は、それぞれ特徴ある展開をしめした。

保田与重郎の「戴冠詩人の御一人者」（『コギト』昭和十一年七月）、『後鳥羽院』（昭和十七年　万里閣）、「日本の橋」（『文学界』昭和十一年十月）、『万葉集の精神』（昭和十七年　筑摩書房）などの古典論が、独占資本主義の戦時体制への移行の時期に、大衆社会化現象への反撥、文学思想の現実密着主義への反撥から、絶対主義天皇制への宗教的随従にまで文学思想として転化しているのは、つぎのような事情を底流としている。第一は、戦時体制の強化によって絶対主義天皇制と独占ブルジョワジーの意識指向性が連合形から合体形に移行したため、文学のマス社会化現象にたいする保田の近代主義的な反撥の側面が伝統拝跪の意識と合体したのである。第二は、満州事変以後の《大衆》的転換が新体制によって体制側に組織化されたため、保田のマス社会化文学現象にたいする気質的反撥は、《大衆》的動向とのギャップを解消されかえって促進させられたのである。したがって、太平洋戦争期には、保田はただ絶対主義合体権力の独占ブルジョワジー的側面にギャップをのこすだけであった。《大衆》的動向は、体制的に保田のマス社会化反撥を支持したのである。（たとえば、「戴冠詩人の御一人者」には、マルクス主義史観による古代社会構造の分析方法とある対応性をもった方法がもちいられている。「万葉集の精神」では天皇制にたいする宗教的＝近代主義的拝跪がモチーフをなしている。）

「戦争について」（『改造』昭和十二年十一月）、「歴史と文学」（『改造』昭和十六年三月）、「戦争と平和」（『文学界』昭和十七年二月）を、つらぬいている小林秀雄の情勢論の根柢にあるものは、「僕には戦争に対する文学者の覚悟といふ様な特別な覚悟を考へる事が出来ない。銃をとらねばならぬ時が来たら、喜こんで国の為に死ぬであらう。（中略）文学は平和の為にあるのであつて、戦争の為にあるのではない。文学者は平和に対してはどんな複雑な態度でもとる事が出来るが、戦争の渦中にあつては、たつた一つの態度しかとる事は出来ない。戦は勝たねばならぬ。そして戦は勝たねばならぬといふ理論が、文学といふものの何処を捜しても見付からぬ事に気が付いたら、さつさと文学なぞ止めてしまへばよいのである。」（「戦争について」）というコトバに要約することができる。すでに正宗白鳥との論争で、実生活を離れて思想はないが、実生活に犠牲を要求しないような思想は、動物の頭に宿っているだけだ、という点に思想の本質をもとめ、「人間はすべて夢だけを信じて生きてゐるのである。人間に信ずる事が出来るのは夢だけだからだ。実生活は信じなくても在るからだ。何と云はうが僕等に付纏ひ、追ひかけるものだからだ。」とかいて文学の本質を《夢》というコトバで規定した小林が、こういう戦争観に到達するのは当然であった。すなわち、戦争という現実は、日常生活人としてうけとめられ、国のためには一人の生活人として銃をとるだけだとされる。一方、文学は、それが《夢》である以上実生活とはなれて存在する平和な仕事であるということに帰着する。文学をつくるのは平和な文学人としてであり、戦争に参加するのは日常生活人としてである。このような小林秀雄の観点は、人間の思想史が個人の《宿命の理論》の数珠玉をつなげたようなものだ、とかいた「Xへの手紙」から本質的には変っていない。これを歴史に適用すれば、「歴史を貫く筋金は、僕等の愛惜の念といふものであつて、決して因果の鎖といふ様なものではないと思ひます。」（「歴史と文学」）というところに帰着する。一方で、日中戦争以来の権力的動向と《大衆》的転換が無条件に承認され、一方では『ドストエフスキーの生活』（昭和十四年　創元社）、『無常といふ事』（昭和二十一年　創元社）、などの実質上は戦争と無関係な作品がかかれたのは、このような基本的態度からであった。ここでも社会的動向が影響を与えているとすれば、小林秀雄の《宿命の理論》に濾過された形においてである。どのような現実的な動向のなかにあっても、人間は、自由に自分の宿命の理論にもしたがって生きうるもので、これは政治的自由か統制かという問題とは無関係であるという観点がつらぬかれた。いわば宿命の数珠玉の理論である。

小林秀雄の場合、中野重治やそれと対称的な保田与重郎の場合とちがって、本質的な意味では、歴史的観点も社会政治的観点も存在していない。継続と発展・転向・非転向の問題が存在していない。政治と文学の問題は存在していない。小林秀雄が賞揚し、移植したジイドなどの個人主義文学者の社会化された自我と、社会的現実を自然的秩序のように当然自我を包む容器とかんがえた小林秀雄ら『文学界』の批評家たちの日本的個人主義が、まったく異質であるのはこの点である。また、保田与重郎のように権力的動向への宗教論理的な収斂も、中野重治のような錯綜したコンプレックスもなかったのは、このためである。

5　戦後批評の端緒

敗戦が批評史にあたえた影響はなにか。敗戦によってあたらしくくわわった批評の可能性はなにか。敗戦があたらしく消滅させた批評の要素はなにか。わたしたちは、具体的にプロレタリア文学批評の復活と、日本浪曼派批評の消滅をあげることができる。しかし、ここに注意すべきは、プロレタリア文学批評も、日本浪曼派批評も外からの条件、政治的な強制によって復活または消滅したことである。戦後批評史を、戦前・戦中の批評史と連関した相でとらえようとすれば、当然、図式的には、プロレタリア文学批評は、転向軸の修正・内在批判から出発し、日本浪曼派批評は、絶対主義にたいする収斂から拡散をへて解消へと向わねばならない。このことは、一般に政治史の問題と文学史の問題との差異としてあらわれる。政治的には、敗戦は、絶対主義権力の機能的な停止から封建的側面の分散解体への過程である。

《大衆》的動向にとっては、敗戦は、権力に組織化されていた状態から、権力の機能停止によって組織化を解体された状態である。この組織化の解体は、かならずしも、《大衆》の政治社会意識の転換を意味するものではなく、外発的な強制を解かれて、《大衆》がはじめて内在的な自身の政治社会意識だけで自立した状態である。すくなくとも、《大衆》が、権力的な制約を離れて、自身の社会政治意識で独自に、裸のまま立った敗戦期の状態は、日本の近代史のなかで、最初の大事件であった。かつてない《大衆》的混乱が出現したのはそのためである。

さらに、もう一つの要素がある。絶対主義が、その封建的側面と別の側面としてもった高度の独占資本制と、それにともなうマス社会化現象は、敗戦によってどうなったか、という問題である。この側面は、戦争過程で損害をうけ機能を減少したが、このことは独占資本制の退化ではなく、あくまでも損傷であったことに注意しなければならない。したがって、損傷を補うことによって高度の機能を回復しうる性質のものであった。

戦後のプロレタリア批評史の復活は、このような敗戦による具体的な社会底流の交錯を、とらえることができず、その周辺に転向軸と現象的な便乗派をあつめて、大体において戦前の非転向軸をそのまま復活させて民主主義文学運動と規定するにちかかった。戦後プロレタリア文学批評史の復活は、平野謙・荒正人など「近代文学」派との論争における、蔵原惟人「文化革命と知識層の任務」、宮本顕治「新しい政治と文学」、中野重治「批評の人間性」（三論文とも『民主主義革命期の文学論』昭和二十三年　真理社）などに、象徴されている。

蔵原の論文では、

(1)　大衆はファシズムと戦争に反対しなかったばかりか、かえってこれを支持し、反戦的、反ファシスト的気分をもっていた知識層はまったく孤立してしまった、という事実が承認される。この原因を蔵原は大衆のあいだに伝っている日本の古代的・封建的文化の残存と、明治以後に移植され知識層に伝えられたヨーロッパ文化との分裂にもとめる。そして、この大衆と知識層の文化的断絶を止揚する課題が、文化革命の課題であると結論される。

(2)　現在の段階で知識人の役割は正当に評価されなければならないが、知識層を固定した階層として独立させようとする批評の観点は成りたたないことが強調される。

宮本の論文は、日本共産党の文芸政策の基本線は歴史的経過によってもその正しさを立証されたという観点にたち、文学的には昭和八年の「政治と芸術・政治の優位性に関する問題」をそのまま延長し、政治的には三二年テーゼをそのまま延長して「社会主義への転化の展望をもつ、人民のための民主主義体制」確立が強調される。文学・芸術・文化は社会意識の一形態であり、政治闘争から超然とすることはできないという観点から、文学や人間の自主性という主張は、超階級的な抽象的な人間性も人間も現実にはいないかぎり、ただ社会的現実の階級性を把握しないところからくると「近代文学」派の主張が反論される。ここに再現されているのは、原則論理である。しかも、あまり正当ではない仕方でくりかえされている。《住む家もない人民の生活》や《インフレに加へて高い勤労所得税を加へられる人民》

は言及されても、《抽象的》人民性としてしか、戦争に疲へいした人民は把握されない。文学も人民も内的構造をもった具体的な生きた実体としては説かれない。

中野の「批評の人間性」も、そこに文学にたいする内在的洞察を含みながら、平野・荒の立論に小市民的なインテリゲンチャの自立性の主張・エゴイズムの強調をみとめ、そこに戦後《民主革命》の途上にふさがるインテリゲンチャ至上の思想をよみとったのである。

蔵原・宮本・中野の主張は、ニュアンスの相違はあるが、非転向軸プロレタリア文学批評の《空洞》の十年をとびこえた再生として概括することができる。ただ、十年前とちがう、とかれらが判断したのは、敗戦直後の社会的動向が、平和のうちに歩まれる人民民主主義革命への平坦路であると錯誤したことであった。すなわち、非転向プロレタリア文学（政治）理論を復活させ、それを推進すれば、途上に石ころはころがっていても上り坂の路だとかんがえたのであった。されば、平野・荒は路上の石ころであり、踏みつぶすか、わきに除ければいいとかんがえられたのである。もし、空洞の十年を検討したならば、蔵原・宮本・中野に、非転向のプロレタリア文学批評をそのまま戦後蒸しかえさせてくれたのが、人民大衆の強力な支持ではなく、占領軍の上からの要請であったことを洞察しえたであろう。しかし、大体においてその洞察はなされなかった。

平野謙「ひとつの反措定」「基準の確立」「政治と文学（一）」「政治と文学（二）」「『政治の優位性』とはなにか」「ふたつの論争」（『戦後文芸評論』昭和二十三年　真善美社）などが提出したのは、「私は現在かつてのマルクス主義文学運動をいはばそつくりそのまま蘇らせようとする機運にいささか疑問を抱かざるを得ない。」（「ひとつの反措定」）というように、非転向軸の《大衆》概念と《芸術》概念とを、再生させようとするプロレタリア文学批評にたいする反措定であり、非転向―転向―深化―非転向という恰好で、いわば、もっとも甚だしい転向軸の批評史が、占領軍の上からの措置にのって、戦後、一足とびに非転向軸として再生したことにたいする反措定であった。平野謙の立論の拠点は、転向軸と小林秀雄ら「文学界」系の《個人主義文学》との折衷であったため、その反措定ははじめから及び腰とならざるをえなかった。この反措定のもつ意義は、非転向軸のプロレタリア文学批評の《芸術》概念の誤謬を指摘しえたこと、また、それによって転向軸のプロレタリア文学批評のそれなりの正当性と、文芸復興期批評の成果を戦後に移植、再生させたことに帰着する。

荒正人「第二の青春」「民衆とはたれか」「終末の日」「民衆はどこにゐる」「三十代の眼」「晴れた時間」「なかの・しげはる論」(『第二の青春』昭和二十一年　八雲書店)などは、ほぼ平野謙とおなじ観点にたつものであった。荒正人の場合、エゴイズムを通過してヒューマニズムへという形で自己主張がなされたが、このことは、非転向軸—転向軸—ヒューマニズムという図式に対応するものであり、《四十代》のプロレタリア文学者が、転向軸(エゴイズム)を媒介せずに戦後、非転向軸の《大衆》概念と《芸術》概念とを再生させようとする情況にたいして一つの反措定をなすものであった。荒正人の評論の他の特徴は『負け犬』(昭和二十二年　真善美社)などにあらわれているように批評の新しいスタイルを近代批評史に導入したことである。これは、花田清輝の『復興期の精神』などとともに、輸入文化の雑知識をつぎ合わせて自己の方法を展開する後進国インテリゲンチャの宿命的方法をつきつめたものである。こういう方法で成功をおさめることはこの《世代》までで、今後は外国文学者が、卑俗なやり方でこの方法を踏襲するだけであろう。しかし、この無対称批評というべきスタイルを導入したことによって、戦後批評史は、作品論・作家論をはなれた相対的に独立した分野を開かれたということができる。

このいわゆる《政治と文学》論争は、転向問題・戦争責任問題・世代論・政治と文学概念の問題、主体性論などを項目に提起したが、いずれも結着にいたらなかった。非転向軸は、その幼時期の文学概念と組織論によって民主主義文学運動を展開し、「近代文学」派は、組織論をもたず、ある場合は転向軸に力点をおいてプロレタリア文学史研究の成果をかさね、ある場合は《個人主義文学》に力点をおいて文壇現象を裁断した。平野謙の『島崎藤村』(昭和二十八年　河出書房)、『芸術と実生活』(昭和三十三年　講談社)、本多秋五の『「白樺」派の文学』(昭和二十九年　講談社)、『転向文学論』、佐々木基一の『リアリズムの探求』(昭和二十八年　未来社)、『革命と芸術』(昭和三十三年　未来社)、荒正人の『市民文学論』(昭和三十年　青木書店)、『宇宙文明論』(昭和三十二年　平凡社)など、この派の主な仕事である。

この《政治と文学》論争が、たとえば「近代文学」派には組織論を、非転向軸の再生派には芸術概念の変革を、それぞれ相互滲透のかたちで迫るという結末をとりえなかったばかりか、同一の文学運動に《身柄》を混合することでおわったために、おそらく、その空隙を埋める仕事は、戦後派マルクス主義者、小田切秀雄「思想における『平和的共存』」「ふたたび思想の平和的共存について」「思想の停滞を破るために」「たたかいとしての平和的共存」「さまざまな思想の新しい関係について」(河出新書『さまざまな思想の新しい関係について』昭和三十一年)などによって組織論の分野の自己改訂の試みとして提出され、佐々木基一「リアリズムの芸術性」「リアリズムの問題」「ルカーチのリアリズム論」「危機のリアリズム」(『リアリズムの探求』)、「革命と芸術」「社会主義と芸術の問題」「マルクス主義の芸術観」「社会主義リアリズム」(『革命と芸術』)などによって非転向軸プロレタリア文学理論の原則論の改訂の試みとして提出されたとみられなくはない。

戦後において、非転向軸のプロレタリア文学批評に、「近代文学」派とも、小田切秀雄・佐々木基一ら「近代文学」修正派ともちがった観点から方法論を対置させているのは、『アヴァンギャルド芸術』(昭和二十九年　未来社)における花田清輝である。この文学理論の意味は、第一に、ダダイズム―アナキズム系の文学者における転向軸―修正―非転向軸の通路を戦中から戦後にかけてつくりあげる方法の問題を示したことである。この方法意識は、基本的に「近代文学」派とおなじ意味をもっている。この意味は花田によって、かつて転向軸プロレタリア批評の社会主義リアリズム論が、日本の社会とソヴィエト社会との差異としてとらえられた問題を、「わたしたちのほんとうの顔は、日本的なものと西洋的なものとの両極間に支えられてつくられた球面の上にあり、そこには、ほとんどまだ誰からも探険されたことのない暗黒地帯が茫々とひろがっており、――それゆえ、その未知の領域を避けてとおりさえすれば、わたしたちの両極間の往復運動は容易であり、妥協も折衷も許されようが、――しかし、それでは永久にわたしたちのほんとうの顔はわからない。」（「仮面の表情」）というようにとらえることによってしめされる。即ち、非転向軸の社会主義リアリズム論のモダニズム―インターナショナリズムに対しては、反措定を、転向軸の日本、ソヴィエト差別論にたいしては、差別のままの架橋性を対置させることによって戦後への脱出過程をしめしている。第二に、リアリズムからアヴァンギャルドの提起した問題を解決することによって社会主義リアリズムへという図式の提示である。これは、非転向―転向―修正―非転向という図式に対応する。修正過程として超現実主義と抽象主義が、本能と理性、下意識と抽象化の対立の極をなし、この止揚過程がかんがえられている。

戦後における再生した非転向軸にたいする反措定は、竹内好「近代主義と民族の問題」「国民文学の問題点」（『国民文学論』）などを契機として、転向軸系統のプロレタリア文学批評と左派国文学者のあいだからおこり、伊藤整・桑原武夫から蔵原惟人などを加えた形で、ある部分は《民族の独立》という政治テーゼと結びつき、ある部分は文壇論と結びついたりして提起された。その提唱の根本的なモチーフは、たとえば、西欧社会では、国民的な規模で保存され、支持される芸術が存在するのに、近代日本では近代主義的なインテリゲンチャ文学として文壇のうちで作品が形成され、民衆の生活はまた伝統からの継続として存在するため、両者の背離現象からは、国民的規模の文学はうみ出されない。これを、打開する方法はどこにあるか、という点に存在した。いいかえれば、文化的後進性が、文化現象のなかにおとした分裂は、どう克服されるかという問題であった。戦前において転向軸のプロレタリア文学批評もおなじような問題意識で提起されている。また、このとき敗戦によって上から消滅させられた日本浪曼派批評は、はじめて戦後に正の価値として移植され、復権の機会をもったということができる。共同の成果は、『国民文学論』（昭和二十九年　厚文社）にあつめられている。結局、国民文学論は、西欧近代の思考法の移植によって形成されてきた近代文学が大衆の思考様式にある伝統、前近代的な要素、生活様式とどのような状態で対応するとき理想型をかんがえることができるかという後進社会における文明、文化型態の問題に帰着し、このことが政治的な戦略論とも、また、文壇文学の内在構造の問題とも相関することになる。解決されるよりも、むしろ近代日本のインテリゲンチャの意識変換の問題であり、意識のなかの封建的残像の問題である。日本の近代資本主義は、これらの論者たちのかんがえるのとよほどちがって後進的ではない。はじめから問題は資本制構造の問題であって、そこでの文化構造の問題にすぎない。いいかえれば伝統的社会様式や思考様式を前近代遺制とかんがえる思考法自体が、前近代的残像の反映にすぎないとかんがえるべきである。

戦後のプロレタリア批評史の問題は、つぎの諸点に要約される。

(1) 蔵原惟人・宮本顕治・中野重治などによって戦後、再生された《大衆》概念と《芸術》概念とは、非転向軸プロレタリア文学批評の無修正的な再現としてかんがえられる。

(2) 平野謙・荒正人など「近代文学」派によって提起された《芸術》概念の変改の試みは、転向軸プロレタリア文学批評と「文学界」派の《個人主義》文学概念とが複合されたものとかんがえることができる。

(3) 佐々木基一・小田切秀雄などの戦後批評史上の位置は、それぞれ非転向軸のプロレタリア批評史の《芸術》概念と《大衆》概念との修正論としてかんがえることができる。

(4) 『アヴァンギャルド芸術』を中心とする花田清輝の批評的な仕事は、独自に非転向―転向―修正―非転向の過程をさぐることによって戦争前後を連結しようとする試みである。

(5) 国民文学論は、文芸復興期批評のうち、転向軸と日本浪曼派批評が正の価値として復権したものと理解される。

(6) 現在もなお、花田清輝・大井広介・荒正人・小田切秀雄・埴谷雄高・佐々木基一などによって

《モラリスト》論争と呼ばれるマルクス主義修正論争がつづけられ決定的な結論はえられない。この問題は、日本の前衛的ないくつかの政党の政治動向と、国際社会主義勢力の政治動向の問題ともからみあって、根本的な決着を今後にのこしている。一応の論争の成果は、花田清輝『政治的動物について』(昭和三十一年　青木書店)、荒正人『雪どけを越えて』(昭和三十二年　近代生活社)、埴谷雄高『鞭と独楽』(昭和三十二年　未来社)などにあつめられている。

昭和文学全体が、政治の問題をぬきにしてかんがえられないとすれば、昭和批評史の問題もまた、何らかの意味で、政治とのかかわりあいをおいて文学概念自体を設定することはできまい。もっとも、非政治的とかんがえられ、転向、非転向の問題から自由であるとかんがえられた保田与重郎や小林秀雄でさえも、《大衆》が権力によって組織化された太平洋戦争期には、小林秀雄のようにおのれの生活社会意識を《大衆》概念自体のなかに埋めるか、あるいは保田与重郎のように権力概念の近くへ上昇させることによって、戦争を肯定的にみないわけにはいかなかった。日本浪曼派批評は、権力概念の近くまで上昇したために、敗戦により消滅したが、「文学界」系の《個人主義文学》は、敗戦によって、何らかの社会批判を展開することなしには、継続的に《個人主義文学》を戦後に展開することは不可能であった。そして、この派の文学概念の戦後における意味づけは、『モオツアルト』(昭和二十一年　創元社)や、「ランボオ論」(『展望』昭和二十二年二月)をかいた小林秀雄よりも、「近代の宿命」「一匹と九十九匹と」「文学に固執する心」「理想人間像について」「人間の名において」(『近代の宿命』昭和二十二年　東西文庫)をかいた福田恆存によってなされたとみることができる。しかも、福田恆存のプロレタリア文学批評への批判の観点によってその位置は了解される。福田は「人間の名において」で、民主主義文学運動のなかに非転向軸プロレタリア文学および批評の復活をみて、反措定を提出している。それは、つぎの諸点に要約される。

(1)　非転向軸プロレタリア文学批評の《芸術》概念は、自我喪失の代償として《世界観の整然たる構図》が精密化されたので、外見とは反対に積極的な主体性はみられない。

(2)　プロレタリア文学作品には、かれらが如何にして日常の生活的現実——人の子であり夫であり父である現実、さらに相手の資本家たると労働者たると、また老人たると少年たるとを問わず、彼等の日常生活において接する隣人に対して素朴に動く人間的感情——などを超えたかがかかれていない。プロレタリア文学は過去の文学的伝統に反旗をひるがえしたように見えながら、私小説の世界に政治をもちこみ、自己を固執するかわりに自己を完全に追放したものである。

(3)　このような自己喪失が世界観の獲取とその理論的正確さの保持を可能ならしめたのは、《因襲と約束とに縛られた生活環境の欠如と性格的な冷酷さ》である。

(4)　転向文学はプロレタリア文学の裏切りではなく、ただそのよけいな飾りを脱ぎ棄てた正体である。大切なのは現実でも社会でも民衆でもない——旧態依然として自己の真実をめぐっての自意識である。

(5)　戦後の《政治と文学》論争で、主体性の問題が論じられているのは不徹底であり、プロレタリア文学はもともと自己喪失者の文学にすぎなかったのだから、非転向軸のプロレタリア文学の発想そのものを徹底的に否定するのでなければ無意味である。

このような批判の根柢にある福田恆存の思想は、それほど複雑なものではない。それは、日本には近代はなかった。ヨーロッパの近代が流入することに防波堤をきずくには、ヨーロッパ近代精神の正統に参入することであり、これ以外に日本が日本としての自律性をかちえることもありえないとする文明観と、このような近代日本のたちおくれた社会では、文学者は、社会人と同在しえず、必然的に背反する。それは、窮極のところ文学と政治とが必然的に背反しなければならない原因である、というところに帰着している。

このような発想とほぼ同じところに、加藤周一・中村真一郎・福永武彦『1946文学的考察』（昭和二十二年　真善美社）が位置している。ここでは、(1)　原書に就いて外国の文学を研究し、自身の文学と比較しようとしたものがいない日本の《文士》の低級さが嘆かれる（福永）。(2)　B29が東京を空襲しているとき、何をしていたと訊ねられて「ヴァージルを読んでゐた、トウロイ落城の条りを、」とこたえるような《私》が、敗戦により、いまこそ世界理性が、日本において人民大衆のなかに強大になるだろうとかんがえる（加藤）。(3)　老荷風の讃美のあとで、「その文明と人間性との燃える燭火を掲げながら、円環を作り、如何なる嵐の中にも、消すことなく、新しい『開かれた世界』へ歩み入らう。それが此の孤独な巨匠への、最も敬意に満ちた感謝である。」ことが主張される（中村）。

このような思想の立脚点に、なによりも存在しているのは、《大衆》的構造にたいする無理解であり、日本の近代社会そのものに対する無洞察である。いわば《芸術》の貌がみえればみえるほど、《大衆》の顔がみえなくなり、西欧の貌がみえればみえるほど、日本の貌はみえなくなるという逆説である。この逆説的な風景のなかでは、西欧近代は日本近代の前方をあるいている。しかし、社会の物的基礎は、同時代しか歩かないし、物的財の投入は、社会を飛躍させる、ということは、とらえがたくなっている。戦争は、日本の《大衆》を、生活的に精神的に破壊した。しかし、社会の物的構造性は発展した。人民大衆は、そうやすやすと世界理性を獲取しないだろうが、物的補修により大衆社会の近代性は急速に回復するだろう。ここでは、文学的インテリゲンチャの自己意識は過大に評価されているが、人民大衆の自己意識と戦争の傷痕とは、最大限に過少評価されている。

福田恆存『芸術とは何か』（昭和二十五年　要書房）、加藤周一『雑種文化』（昭和三十一年　講談社）は、これらの傾向を代表する芸術概念と文明観の達成である。福田の芸術概念の基本構造は、芸術の根本は人間の生の秘密とおなじものである。人間が真に自分自身となるためには《演戯》を必須条件とするので、ここに芸術概念の本質がある。近代ヨーロッパ文学では芸術家が俗人を、あるいは俗物性を《演戯》するところに文学の概念が成立したが、日本の自然主義や私小説では、俗人または鑑賞者としての文学青年が、芸術家を《演戯》しているにすぎない、というところにおかれている。

加藤の文明批評では、西欧社会の根深い近代と匹敵しうるものは、西欧を基準としてみた場合は、日本の古い伝統的なものしかないが、日本を基準とする場合は日本の西欧化が深いという点にしかそれをもとめることができない。この二つの要素の雑種が日本の近代の標識である、というところに基本構造がおかれる。このような認識は、社会科学によって不備な点を、すぐに指摘できるようなものであるが、なによりも加藤周一の文明批評の構造が、日本の西欧的な教養派の最上等の部分がたどりついた日本の近代にたいするぎりぎりの認識であるという点に意義がみとめられる。

おそらく、福田恆存の『近代の宿命』や、加藤周一・中村真一郎・福永武彦『1946文学的考察』とならべて、桑原武夫「第二芸術論」(『世界』昭和二十一年十一月)をとりだすことによって、戦後の近代主義的批評の発端の問題をだしつくすことができよう。桑原は、この論文で専門家の十句と普通人の五句を無署名で並列してみせ、ここでは専門家と素人との区別もつかないばかりか、個性的な独自性もみとめられず、芸術ジャンルとしての自立性をもちえない。現代において現実的人生は俳句には入りえないため、現代俳句はこれを維持するために中世職人組合的な結社の維持につとめざるをえなくなる。さび、しおりなどという超俗的な教説を習慣的にとなえる一方、新しい社会に生きるために、いよいよ持ちまえの世俗的生活技巧を発揮せざるを得なくなっている。結社ギルド性と俳句が近代芸術としての与件をもたないこととは対応する。俳句が大衆的基礎をもつことは、近代芸術が日本で成立しがたいことと対応している。自然または人間社会にひそむ法則性のごときものを忘れ、これをただスナップ・ショット的にとらえんとする俳句精神と今日の科学精神ほど背反するものはないのであると、主張せられた。

桑原武夫の主張は、おなじように西欧近代をウルチプスとして展開されながら福田恆存とは対称的な結論にたっしている。福田恆存では、すでに社会生活意識と文学意識とが日本の社会で背反するものとして、とらえられているが、桑原は、社会意識の強固な基盤のうえに近代芸術の意識が成立していると説く。桑原では、このような主張が日本の戦後社会でもつ啓蒙的な役割がしんじられている。福田では、社会意識と芸術概念とを背反的にとらえるじぶんの主張が、俗化した場合に、文学的には反私小説・反自然主義をとなえながら、社会的には自然主義的な庶民性の肯定にゆきつく危険が意識されていない。事実、福田はこのような二元的な認識のうえにたって、やがて、『平和論に対する疑問』（昭和三十年　文芸春秋新社）をかくのである。

福田恆存の文学思想のカテゴリイには、やがて文芸理論家としての高橋義孝・随筆家としての高橋義孝が、重層的にあらわれるのである。桑原武夫的な認識は、もっと鋭く方法化された形で、鶴見俊輔らの「思想の科学」の業績をみちびく。

戦後批評史の端緒において、復活した非転向軸のプロレタリア文学批評とも、広義の「近代文学」派とも、近代主義者ともちがった独自の反応をしめしたものとして、伊藤整と三好十郎を典型的にあげることができる。伊藤は「憂国の心と小説」（『感動の再建』昭和十七年　四海書房）のような戦時下の屈折を、戦後、「出家遁世の志」（『人間』昭和二十二年四月）のような反射的な自嘲をこめた屈折によって接続することによって出発した。三好十郎は「浮標」（『文学界』昭和十五年六月）のような最も良心的な転向軸の道程を、良心的なゆえに戦後「廃墟」（『世界評論』昭和二十二年六月）のような作品によって内攻的に反射して出発した。日本近代における文学思想の節操の一貫性の問題は、たくさんの欠陥と屈服の時期をもちながら、この両者の敗戦反応のなかにおおくの示唆をふくんでかくされている。しかし、伊藤整が「芸による認識」（『人間』昭和二十四年七月）、「本質移転論」「日本的人格美学」「近代日本人の発想の諸形式」「組織と人間」（新潮文庫『小説の認識』昭和三十三年）などの仕事で、戦後批評史に好い意味でも悪い意味でも最高の達成をしめすのは、そのあとであり、三好十郎が、傷ついたかたちで『日本および日本人』（昭和二十九年　光文社）を進歩的平和論にたいする反措定として提出するのも戦後批評史の後期であった。

天皇制をどうみるか

戦後、奇妙なノイローゼが、われわれ一部の年代に流行したことがある。このノイローゼの特徴的な症状をあげてみると第一期が、天皇とか皇室とかいうコトバを眼にしたり、耳にしたりすると、肋間神経のあたりが痛くなってくるのである。もうすこし症状がすすむと、君が代をきいただけで、逃げだしたくなる。さらに第三期の症状ともなれば、日の丸の旗を、ちらっとみた途端に、血に飢えたサディストを連想して、セキズイのあたりがぞおっと冷たくなってくる。

いやはや、おどろいたことに、わたしも敗戦後、一、二年この症候群にやられた。医者は、戦争ノイローゼの一種だという。治療法はどうかときいたら、積極療法がいちばんだ、ひとつ天皇とか天皇制とかいうのを、徹頭徹尾、論理的に追究してみろ、ということだったので、早速、実行にうつし、どうやら快癒することができた。

しかし、こんど、本欄の井上清や肥後和男の文章をよんで、じぶんが、まだ、正常にもどっていないのをしった。それが証拠に、わたしは両学者とちがって、マス・コミをあげての皇太子の結婚ブームなど、まったく黙殺してしまった。ヤジ馬にもなれなかったし、知的な好奇心の対象にもできなかったのである。井上清のように、皇太子の結婚ブームを、当世の人気スターのブームみたいなものだと意味づけるのも、肥後和男のように、国民がわれわれのなかの皇室と考えている証拠だといいはるのも、正気のさたとはおもわれない。いや、失礼。こちらの方が、まだ、正常になっていないのだ。

わたしのようなノイローゼ既往症にいわせれば、天皇というコトバには、戦争の死者の臭いがこびりついている。敗戦後、天皇の戦争責任を追及する運動がもりあがらなかったのは、肥後和男がいうような大衆が天皇制維持にかたむいたからではなかろう。かれらもまた、わたしと同様にじぶんの精神的、物質的ノイローゼと必死になって格闘していたからだ。その間、生きている大衆が追及しなくても、天皇に筆頭の戦争責任があることを、戦争の死者が無言のうちに追及してきたのだ。わたしのノイローゼ症候には、しばしばこの種の死せる大衆の声がきこえたものである。現に、井上清や肥後和男のような学者が、皇太子の結婚ブームを、大真面目に分析していることも、大衆が結婚パレードを見物しようと道路やテレビのまえにならんだことも、マス・コミが空前の規模でお祭さわぎを演じたことも、天皇の戦争責任がいまも問われていることのアイロニカルな証拠なのだ。

大衆が、天皇とか天皇制とかにどの程度関心をもっているかを測定するのに、新聞、ラジオ、テレビ、週刊誌などが大衆に送った信号と、それに喚起された大衆の反応を手がかりにすることは、根本的にまちがっているとおもう。極論すれば、マス・コミを媒介にしてあらわれる大衆反応は、かれらがなにをかんがえて日常生活をやっているかということと、まったく別問題である。このところは、マス・コミをじぶんの職業の場としている学者、芸術家、文化人がしらずしらずのうちにおちこんでいる錯誤ではあるまいか。マス・コミ反応は、いつも大衆の日常意識と切れたかたちでしかあらわれるはずがない。皇太子の結婚パレードに血道をあげようがあげまいが、そんなことは、大衆のなかに天皇制的な発想が、どの程度のこっていて、日常社会や政治感を支配しているか、という問題とはなんのかかわりもない。

天皇制というものは、現在、法制としてまったく消滅してしまっていると、わたしは理解している。天皇家が会社資本や銀行資本と親せき関係をむすんだりするそのことが、天皇制がすでに国家意志としての独自な役割をうしなったなによりの象徴である。マス・コミにあらわれる大衆反応を、大衆のほんとうの姿であると錯覚している場合は、天皇が脱政治化しているという作り話を大衆が見破れなければ危険だ、という井上清の指摘も成立つとおもう。事実、天皇がその歴史的本質に帰って平和と文化の祈とう者として立ってもらいたいなどという肥後和男の空おそろしい発言を読むと、そう考えたくもなる。

しかし、憲法が改悪されず、憲法を超越する法制が存在しないかぎり、天皇制は墓場から復活できないとおもう。大衆のほんとうの姿を決定するものとして、政治的な支配からの信号のほかに、もうひとつ社会の経済構成がかんがえられるが、すでに日本の農村の経済構成のなかに半封建的な要素はなくなっていると判断できるからである。天皇を本質視したり、ブーム化したりするのは、政治的な作為でなければ、泡沫のような浮動的なものにすぎない。頭の上になにかのせたり、分限者の良風美俗を観賞することに、ひまひまにしかかかわれない大衆は、今後、天皇制をそれだけきりはなした形で問題にはしないとおもう。マス・コミにあらわれないほうの大衆の姿と、その社会的な基盤は、はるかに近代化されているとかんがえられる。

橋川文三への返信

あなたからの信号をうけて、即座にあなたと同種の経験を喚起されました。最近、まったく戦争体験を思想的な記憶としてもっていない戦後世代のコミュニストと話し合ったときのことです。

かれにとって、コミュニズムとは、人類前史がおわったときにかんがえられる世界ヴィジョンであり、たとえば、現在の世界情勢や、それに相関するかたちで存在する日本の社会情勢にたいする判断というものは、すべてその世界ヴィジョンから逆行して考えられるものであるらしいので、その思想把握の方法にびっくりしたことがあります。

そういう発想法は、小生などが徹底的に否定してきたもので、まず、われわれは、予定された常識的ヴィジョンを破壊し、現在における社会の総体にたいするヴィジョンを、できるだけ科学的・感覚的につきつめることによって、未来のヴィジョンが重複して出てくるのだという発想を意識的にとってきたわけです。そして、この発想法こそ、小生が戦争体験を掘りかえし、現代史における転向問題を検討することによって手に入れたものだと考えているわけです。

しかし、件の戦後派コミュニストには、小生のこの発想法が不徹底きわまるものにおもわれるらしいのです。これが、前世代のコミュニストや同世代のコミュニストにたいしてならば、小生の発想法は正当であり、おまえなどは旦那芸コミュニストだ、と確信をもっていい切れるのですが、奇妙なことにその戦後派コミュニストには旦那芸だといいきれないケタ外れの徹底性を感じたのです。

かれにとっては、フルシチョフ路線だろうが、毛沢東路線だろうが、日共路線だろうが、コミュニズムの究極的な世界ヴィジョンに反するものは、駄目で、否定するより外はないわけです。小生は、この思想把握の方法が身についているなと感じたとき、あらたな世代の出現を感じました。

もともと、小生は、前世代の人間を担ぎあげることも、後世代の人間をもちあげることも、嫌いで、『資本論』の序文におけるマルクスではありませんが、「汝の道をあゆめ、しかして人々をして彼らの云うにまかせよ。」というダンテの格言を実践したいと心がけているものです。だから、あらたな世代の出現を感じたとしても、貴方のおっしゃるとおり、「自分の世代的な存在拘束性に悲観」はしませんし、その拘束性をすてて妥協しようなどとは、寸毫も考えません。

しかし、小生などが、いくらか気が重たくないわけではない批判的な仕事を、朝飯前の貌でやってのける戦後派コミュニストを実感できたときには、流石にびっくりし、愉快にもなりました。

あなたが提起された興味ある指摘——即ち、敗戦による日本人の発想法の断絶は世界史的にも稀有ではないかということ、また、明治とは明治十年代までを指すということ——は、はなはだ暗示的で、これを延長すれば、昭和というのは十年代までで、それ以後は昭和ではない何ものかへの過程であるのかもしれません。そして、われわれの世代は、まさに昭和の最後を大戦争の体験によって実感した光栄(?)ある世代であるのかもしれません。そして、われわれは夏目漱石の「心」の先生のように昭和の最後の理想主義者となるべきでしょうか、あるいは芥川龍之介の「将軍」のなかに登場するような、乃木希典の自刃を歯牙にかけないホンガラ青年になるべきでしょうか?

ここで、われわれにとって興味ある思想史的な条件があるようにおもわれます。これは、鶴見俊輔の独創的な指摘に属するわけですが、日本の近代思想史は厳密なかたちでの循環性をもっていて、前に取り上げられた問題が、全く前の状況と同一の仕方で還ってくるということです。小生は鶴見俊輔のこの指摘を大体肯定したいと思います。

さて、その原因ですが、経済学における恐慌の周期則とおなじように、土台の変動が循環性をもったため、思想的な循環性がそれに対応する形ででてくるのだとおもいます。

これが、日本の近代思想史にだけ顕著にあらわれてくるのは、思想の移植性が濃くて、浮動的であるため、土台の変動によりとくに思想が影響されやすいからだとかんがえます。

すると、橋川文三氏が、乃木大将をしらず、《ぎょめいぎょじ》をしらない戦後派の学生諸君より古いか、新しいか、という問題は、循環性の条件を導入することなしには、日本の近代思想史では実体論として論じられないことになります。おなじ理由で、小生の発想法も、件の戦後派コミュニストの発想法に実体概念をあたえる場合、役に立つこともあるかもしれません。

小生は、この一年ばかり、隠微な形で、戦争体験が自分を支配していることを知りました。コトバでかけば失敗するでしょうが、たとえば、学生時代に動員で、土方・センバン工・百姓など実践畑を閲歴したため、戦後、自分を文化の概念から疎外しようとする欲求が根強く発想を支配していることです。もう一つは、集団の組み方ですが、常識では同一集団を組めないほど対立しながら、どこかで他人の立場を認めており、さらに、もっと底の方では、ひとりひとり孤独であるという問題です。

数年前、武田泰淳にたまたま話したら、きみたちの方がおれたちより進んでいるさと保証していました。これこそ、あなたのおっしゃるわれわれの宇宙的（！）体験のもたらした既得権の体系でしょうか？

高村光太郎の世界

「出さずにしまつた手紙の一束」によると、明治四十一年、二十六歳の高村光太郎は、ある晩、モンパルナスのカムパーニュ・プルミエール街の画室で、「身体を大切に、規律を守りて勉強せられよ」という手紙を、父光雲からうけとっている。高村は、手紙をよみながら、深緑の葉の重なり繁った、日本、東京、駒込の藁葺の小さな家に、蚊遣りの烟の中で薄茶色に焼けついた石油灯の下で、一語一語心の底から出た言葉をかきつけている白鬚の父親光雲の顔をありありと眼底におもいうかべずにはおられなかった。

その夜、高村は、モンマルトルの某女史といっしょに、ネアンという不思議な珈琲店へあそびにでかけるつもりであったが、父親からの手紙をみて、急に悪寒を覚えて電報で約束をことわり、ひと晩中、椅子にすわって父と子にまつわる普遍的な、また特殊的な関係について、また、日本の「家」のなりたちについてかんがえこんだ。親と子とは講和できない戦闘をつづけなければならない。親がつよければ子を堕落させて所謂孝子にしてしまうし、子が強ければ鈴虫のように親を喰い殺してしまう。それ以外の結果は、おこるはずがないというのが、その夜高村がつきつめたところであった。

もし、このとき、高村が、日本のおおくの留学生とおなじように、西欧の先進的な社会関係や人間関係や文化の構造を、全面的に肯定し、そこにのめりこんでいた状態にあったならば、「身体を大切に、規律を守りて勉強せられよ」という父光雲の手紙は、一笑に付され、その晩、約束どおり遊びに出かけたはずだ。また、もし、高村が、洋行がえりを先進社会から「みづく白玉」をもちかえる光栄者であるかのように、わけもなく有難がる日本の後進的な社会通念を肯定し、それに便乗しようとする無邪気な留学生にすぎなかったならば、父と子とは講和のできない戦闘をつづけなければならない宿命にある、というようなことを、一晩中かんがえる必要もなかったのだ。

高村光太郎の独特な近代意識は、青年期に西欧社会にふれてつきつめられた父と子の関係にたいする内省から出発している。日本をはなれてつきつめられた父と子の関係は、外挿すれば、先進社会と後進社会の問題にもかかわってゆくし、また逆に内挿してゆけば、自己意識の問題にも収斂せざるをえない。高村の近代意識は、はじめから、西欧社会を、日本の社会のはるか前方を走っている手本であり、これを模倣しこれを移植することが、おのれの目的であるというようには存在しなかった。また、日本の社会は、西欧社会とは別のひとつの特殊社会であり、そこでは独特の社会意識と現実があるのだから、西欧社会から学ぶべきものは存在しない、というようにかんがえることもできなかった。このような二律背反こそ、高村が光雲の手紙をうけとった晩に父と子の関係としてつきつめられた葛藤の社会的意味にほかならなかった。

二十代の高村にとって、西欧社会のすべては、眼もくらむばかりの落差をもって、自己を打ちのめしてくるあらゆる意味での優越社会であったが、同時にそれは、自分がどうしても融けこむことのできない社会であり、また、融けこもうとすれば自分のたっている貧弱な社会的土壌に眼をつぶってみせるほかはないほど、日本の社会はみじめな存在としかおもわれなかったのだ。西欧社会は、人類社会の到達した普遍的な頂点にはちがいないが、それを人類社会の共通の頂点として奉るためには、辺疆の異邦人は己れを忘れなければならぬ。こういうふたつのものの葛藤のなかに、高村の近代意識の出発点の独自性をとくかぎがかくされているとおもわれる。

高村光太郎の処女詩集『道程』を、その前半の作品について特徴づけているのは、このような思考の独自性である。たとえば、高村が詩集『道程』から故意にのぞいた詩「涙」は、このような意識をいだいて帰国した高村が、日本の社会のなかで、どのような反応をしめさねばならなかったかを、もっとも端的にあらわしている。

世は今、いみじき事に悩み
人は日比谷に近く夜ごとに集ひ泣けり
われら心の底に涙を満たして
さりげなく笑みかはし
松本楼の庭前に氷菓を味へば
人はみな、いみじき事の噂に眉をひそめ
かすかに耳なれたる鈴の音す
われら僅かに語り
痛く、するどく、つよく、是非なき
夏の夜の氷菓のこころを嘆き
つめたき銀器をみつめて
君の小さき扇をわれ奪へり
君は暗き路傍に立ちてすすり泣き
われは物言はむとして物言はず
路ゆく人はわれらを見て
かのいみじき事に祈りするものとなせり
あはれ、あはれ

これもまた或るいみじき歎きの為めなれば
よしや姿は艶に過ぎたりとも
人よ、われらが涙をゆるしたまへ

昨年が、明治四十五年であることからあきらかなように、「世は今、いみじき事に悩み　人は日比谷に近く夜ごとに集ひ泣けり」というのは、明治天皇の危篤（死）の報に、民衆が日比谷のあたりに集まって夜ごと泣いている情景をしめしている。故意にふくみ言葉をつかいながら、高村が、天皇の死にわけもなく集まって涙をながしている暗い明治末年の日本のとざされた社会の、暗い民衆の姿を鋭くえぐり出そうとしていることはあきらかである。しかも、恋愛時代の高村と長沼智恵子のすがたを、それに対置させることによって、天皇の危篤（死）よりも、おれたちの恋愛の悩みのほうが「いみじき事」なのだと、主張しようとしているのだ。ここに、屈折されたすがたであるとはいえ、高村が西欧留学によって骨身に刻みこんだ意識が、明治末年の日本の社会のなかで、どのような具体的なすがたであらわれねばならなかったか、がはっきりとつきつめられている。まるで、幽鬼の街をあるいているように、暗い社会と暗い民衆のこころのあいだを、身をすくめるように歩いている高村と長沼智恵子のすがたは、このあまりすぐれた作品とはいえない詩のなかからさえ、あざやかにうかびあがってくる。

高村光太郎が、この時期、長沼せき子（智恵子妹）にあてた書簡から、片鱗をうかがえば、詩「涙」にあらわれた二人の「いみじき歎き」とはつぎのようなものであった。ひとつは、「私はあなたの大事なお姉様を如何なる時でも塵ほども傷けることではございません　世の中に伝はつてゐるきたならしい噂を耳にはして居ります　しかしそれに対しては　噂をする者等こそ自身を愧ぢよとおもつて居るばかりでございます　とにかく私は世間並のきたない人間ではありません　此事だけをよくお含み遊ばされてあまり御心配をすごされ遊ばさぬやうおねがひ申上げます」ということであった。もうひとつは、

「御両親様のおこころもちを漏れなくお伝へ下さるといふ事でした　御両親様のおこころもちをうけたまはるについてはあなたがたつた一つの頼みなのです　お姉様（智恵子―註）はとてもそんな事を知らせては下さらないしあなたまでがお姉様のお言葉の通りにしておいでとしたら私は何日までたつてもうけたまはるときがありません　それては困ります　そのうへ正当な事を避忌するのは卑怯ですもの　どうぞきつとお国元のお話をお聞かせ下さいませ　幾重にもおねがひいたします　私はものを避けるのはイヤです　何にでも正面からぶツかつて行きたうございます　常にさう心懸けて居るのでございます」ということであった。

この書簡のコトバをいい直せば、世間の悪評と、それにともなう「家」の関係からの圧迫というふたつの「いみじき事」が、詩「涙」のなかでの高村と長沼智恵子との「歎き」であるにちがいないことが、暗示されている。そうだとすれば、日比谷のあたりに夜ごと集まって、天皇の危篤などに涙をながしている暗い封鎖された民衆のすがたは、べつの形でおれの恋愛の歎きのほうが、天皇の危篤なんぞよりも、はるかに重要事なのだ、という詩「涙」の高村のモチーフと、根深く対立するものの姿にほかならなかったのだ。

高村光太郎は、このような経験にたいする自省かどうかわからないが、長沼智恵子との得恋、結婚を契機として、思想上の転換をとげている。西欧留学によって骨身に徹してきざみこんできた独自の意識にある修正をくわえていることが、その作品史によって立証される。この修正は、たとえば、恋愛中の「いみじき歎き」をうたった詩「涙」と、得恋の軽快なよろこびをうたった同時期の詩「からくりうた」との差異によってある程度、象徴させることができるものだ。

からくりうた

（覗きからくりの絵の極めてをさなきをめづ）

国はみちのく、二本松のええ
赤の煉瓦の
酒倉越えて
酒の泡からひよつこり生れた
酒のやうなる
よいそれ、女が逃げたええ
逃げたそのさきや吉祥寺
どうせ火になる吉祥寺
阿武隈川のええ
水も此の火は消せなんだとねえ
酒と水とは、つんつれ
ほんに敵同志ぢやええ
酒とねえ、水とはねえ

佐藤春夫の一文に示唆されたわたしの個人的な解釈にすぎないが、この「からくりうた」は、長沼智恵子が「家」からの反対をおしきって、高村との恋愛に一歩をすすめようとしてとび出してきたよろこびをうたったものにちがいないとおもう。「覗きからくりの絵の極めてをさなきをめづ」という副題のコトバは、長沼智恵子の一途な決意の素朴さをほめたたえたものにほかならない。しかし、詩「涙」とくらべるとき、この俗謡調をまねてかかれた得恋の詩は、あまりに軽快にすぎるのではないかという疑問は、とうぜんおこらねばならないはずである。当時のスバル派の詩人の流行にならったものにはちがいないが、この得恋のうたは、高村が俗謡調を逆手にとろうと意識することによって成立っている。いいかえれば、高村は、日本の庶民社会の通念をうらがえすことによって得恋の意志をのべたのである。ここには、強いていえば、高村と長沼智恵子との結婚生活史が象徴されているとみられないことはない。

高村が長沼智恵子との結婚を契機として生活のうえにくわえた思想の変換は、たとえば「自然理性」にもとらず万事ゆがみをもつまいという決意であった。日常の出所進退を自然律にそむかずに行ないたいという願望が、『道程』の後半や『智恵子抄』をささえている思想である。この願望を、唯一の内在律として、日本の庶民社会の通念にじぶんたちの「家」の実体を対決させようとするものであった。このような高村の思考変換は、たとえば、詩「涙」で表現したような、天皇の危篤をきいて日比谷のあたりへ集まって涙をながす閉ざされた民衆社会の通念のありかたを対比させれば、まるで武装もしない手ぶらな状態で、日本的庶民社会の強固な自然秩序と対立しようとするものにひとしかった。当然、高村の近代意識は、このときから敗北すべき契機をはらんでいたとみるべきである。高村と長沼智恵子との孤立した生活によってまもられた意識の独立性や内的必然性は、庶民社会の通念になっている封建的な民衆の自己意識と対決できるだけの強固さをもっていたことは、高村がその生活史のなかでたえず悩まねばならなかった物質的な不如意にもかかわらず、頑強な生活態度をまもりつづけたことによってもあきらかだが、封建的な意識にうらづけられて、まるで自然そのもののように天皇をピラミッドとする強固な秩序をつくっている日本の庶民社会の構造に対決するだけの力はなかったことはあきらかである。

高村と智恵子との生活理念は、たえず同化をせまってくる日本的社会秩序にたいして、内面の「自然律」だけを唯一のとりでとして、つまさきだってこれを拒絶しようとする姿勢にほかならなかったのである。高村が、西欧留学から学びえたところは、これとはちがっていたはずであった。父光雲の昔気質の手紙をうけとって、パリの画室にあってかんがえたものは、すくなくとも、このようなものではなかったはずであった。日本の社会通念に身をひたしては、西欧的な近代意識を固守し、西欧社会の近代意識のがわに身をおいては、日本の庶民社会の閉ざされた孤絶性をえぐり出すという二重の意識操作と複眼を、高村は西欧留学によって会得していたはずだ。この複眼をもって、高村と智恵子との生活が律しられたとしたら、高村の近代意識の敗北は、おこらなかったかもしれないのだ。

しかし、すくなくとも、詩「からくりうた」から詩「道程」(「自然よ　父よ　僕を一人立ちにさせた広大な父よ　僕から目を離さないで守る事をせよ」)にいたる得恋から結婚への詩作品が、はっきりと物語っていることは、高村が西欧留学から手にいれた複眼を、内面の「自然理性」の讃歌へと転換したことである。

高村の庶民社会通念への同化と、近代意識の挫折は、中日戦争の頃からはじまり、太平洋戦争になって完結された。いわば、圧倒的な力でたえず同化をせまってくる庶民社会の秩序意識が、天皇ヒエラルキーのもとで、強化された時期にあたっている。これは、あきらかに高村と智恵子の生活を律した「自然理性」が、「歴史的自然」にひとしい日本社会の通念に破られたことにほかならなかったばかりか、「親がつよければ子を堕落させて所謂孝子にしてしまふ」というパリの一夜の戒めに敗れてゆくことであった。父光雲が江戸庶民的にもっていた天皇崇拝観念が、父光雲の生活理念と思想的に和解した時期に高村光太郎をおしつぶしたのである。たとえば、昭和十七年にかかれた詩「三十年」のなかで、高村はまったく不用意に「三十年はながいやうだ。生れた子が而立(じりつ)のよはひになる年月(ねんげつ)。だが三十年は実にみじかい。おほきみかど神去(かむさ)りましましあの日の事を　おほけなくもついきのふのやうに私は思ふ。」とかいている。

明治四十五年には、詩「涙」のなかで、明治天皇の危篤の報に夜ごと日比谷のあたりに集まって泣く民衆のすがたと対比させて、己れの恋愛の歎きこそ「いみじき事」だとかいた高村が、昭和十七年には、詩「三十年」のなかで、「おほきみかど神去りましましあの日の事を　おほけなくもついきのふのやうに私は思ふ。」とかかねばならなかった。明治天皇の死を、ついきのうのようにおもう、とかいた高村の記憶をささえているのが、長沼智恵子との恋愛の歎きの生々しさであることを、読者はうたがうことができない。それにもかかわらず、天皇の危篤や死のごときは、何ものであるか、という高村のモチーフは、三十年のあいだに「おほきみかど神去りまししあの日」にまで転回してしまったのである。この記憶の転回の過程こそ、高村の自然理性が、ついに日本の庶民社会の歴史的自然秩序のごときものを肯定していった過程にほかならなかったのである。

高村光太郎の生涯の思想をかんがえる場合にいくつかの決定的な転回があるが、この転回は、二十年代における独特の西欧留学の仕方と、三十年代はじめの長沼智恵子との生活をささえるためにみちびかれた自然理性の尊重への転換によって、本質的には決定されたといってもいいすぎではあるまい。昭和の初期に、外からは社会運動の興隆にうながされ、うちからは物質的な窮乏と、生活思想の危機に見舞われて、自分の自然信仰にたいする懐疑を徹底的につきつめた時期があったが、これは、庶民の動向につられて戦争肯定理念のほうへ必然的にながれこんでいったのである。おそらく、高村が戦争へと傾斜していったことが、「必然」ということができるほど一種の確信にみちているのは、高村の出生としての庶民性ということが重要な役割をはたしたからである。このことは認めなければならないとおもう。ことに、高村のように自然理性にたいする過度の信仰をもち、人間性が自然に発揮された態度が、倫理的に美であることを信じていた詩人の場合、出生の庶民性を人間性の自然な発露と錯覚することは、ある意味ではやむをえなかったともいいうる。その詩の作品にもあきらかなように、自己の内面の問題をそのまま吐き出すところに詩の世界をかんがえた高村のような詩人では、とくに詩の創造そのものが、庶民の自然な動向の無条件な肯定につながる傾向をもつものであった。高村は、この出生の庶民性を手がかりにして、日本社会の後進性の問題に同化されていった。知識や体験（西欧留学）をもとにして日本の後進性の問題を思想的につきつめた青年期にも、出生の庶民性という問題はたえず、父と子の問題として自問自答されていたとかんがえられる。

戦後、天皇をかつぎあげた自分の意識を内省したあげく、高村がその自然信仰からとりのけたのは、出生の庶民性ということであった。あるいは、これは逆であったかもしれない。高村のあらゆる思考の原点としてあった出生の庶民性と、ここからうまれた父光雲への反撥や親和感を軸にして、生涯のうち幾度かゆれうごいた自己の思想を、戦後数年かかってまったく根柢から否定したとき、はじめて、絶えずこころをおさえつけていた天皇の問題から脱却したのだというべきかもしれなかった。

だから、戦後の高村の思想は、父光雲への反撥を軸にして日本の庶民社会のありかたを否定し、同時に西欧的な近代意識にも孤絶感をもったあの青年期の状態にもどることはなかったのである。もはや、戦後の高村をとらえたのは、片々たる人間社会の愛憎の問題でもなければ、社会的な対立の問題でもなく、自然の秩序とじぶんのこころとのあいだにひとつの美が成り立つという思想ばかりであった。いいかえれば、高村が智恵子夫人との生活を律するために拠り所とした自然理性にもとるまいとする思想は、中間から、人間と人間との関係や、社会関係をそっくりとりはらって、ただ、自分と自分の内部意識との問題に転化されてしまったのである。

おそらく、近代日本の社会にあって、もっともおそろしい思想的な力となっているのは、社会的な関係や、社会の物質構造がそのまま、自然物のような強固な秩序として認識されるということであろう。近代日本がうみだしたあらゆる思想の背後には、社会的な関係をうちやぶり、文化の概念をうちやぶることを、まるで自然をうちやぶることのように恐怖する意識が内在しているのだ。その恐怖は、ほとんど優性遺伝といってもいいほど、変革思想をも蝕んでいる。たとえば社会主義思想のあいだでもひとたび自分を変革思想の護符で装った思想家たちは、その途端に、その護符を自然物のように固定してすぐに反動化してしまうのである。現代の日本人が複雑な社会生活様式の変化や、たちならぶ高層建築物を、それが社会のやみがたい根柢からうまれたものだとかんがえるよりも、自然の四季をながめるとおなじように認識して浮動してゆくのもそのためである。高村光太郎が、いくどかの思想変換ののち晩年に達した地点は、このような近代日本の社会認識の方法を、あとうかぎり遠くまでつきつめていた道程にほかならなかった。一個の思想詩人としての高村光太郎の世界は、否定するにしても肯定するにしても、一個の人間が形成していった思想の成果として克服することができるかもしれないが、高村が徹底して自己の思想をつきつめることによって、表現している近代日本の思想認識の特質は、これを無価値化するまでに長い年月の努力を必要とするのではあるまいか。

戦争中の現代詩

——ある典型たち——

室生犀星は、昭和十七年、太平洋戦争のさなかにつぎのようにかいている。

これら艱難な最後に来た時代のあらしは、くひ止めることも避けることも出来ない。抜け道はもはや雑誌新聞の文芸欄をあてにしないで、鋭意怠るところなくどんどん書き下ろしを書くべきである。その道だけがのこされてゐるのだ。いかなる貧苦にもなれてゐる文学の徒は、こんなことには大して驚かないし、各作家はその用意ができてゐるであらうから、この艱難なあらしのなかでも泰然として書くべきである。（『新潮』二月号「詩歌小説」）

室生のこのようなコトバは、当時のジャーナリズムでは、きわめてものめずらしい発言であったことはいうまでもない。すでに迎合的な作品しかジャーナリズムを通行できないかのように、心理的に錯覚してしまった文学の情況のなかで、作家はジャーナリズムをはなれて、ほんとうの作品にうちこむよりほかに、文学は維持されないと説いたことは、すぐれた見識であった。ここで、「艱難」というコトバは二度もつかわれているが、べつに反戦の意味をもっているわけでも、抵抗の意味をもっているわけでもない。しかし室生のこのような発言でさえも、ものめずらしい情況に詩人、文学者は追いこまれていったのである。

室生犀星がここで示唆しているのは、文学者が気のもちかたをかえたほうがいいということであった。文学者が作品によって生活をささえ、ジャーナリズムを職業の場にしていると、ジャーナリズムの要請するばくぜんとしたモチーフにあわせることが職業成立の条件であるように錯覚されてくる。たとえば、太平洋戦争のとき、室生のように「雀と金魚」(『文芸』昭和十七年十一月)の詩をかき、花と鳥をうたうことは、けっして弾圧されたのではなかった。ただ、雀や金魚や花や鳥をうたうことが、あたかも禁忌であるかのように詩人たちがおもいならされたにすぎない。それならば、むしろジャーナリズムをはなれるにしくはないというのが室生のかんがえであった。

日本の現代詩は、その成立の基礎をジャーナリズムや文壇のうえにおいてこなかった。したがって室生犀星のような見解は、戦争中の現代詩について成立たないはずであった。むしろジャーナリズムからはなれていることが正常な状態であったのだ。そのような事情にありながら、なぜ、戦争中の現代詩は、一、二の例外をのぞいて、安直な戦争讃歌にうつったのだろうか。原因は、もともと現代詩の根底は情緒の次元を完全にはぬぐいきれず、小説にくらべれば短形式であったため、文学の本質にかかわらない次元で、宣伝の具になりやすいということであったかもしれない。また、詩人というものはもともと安易にくすぐられる素質をもっていたのかもしれない。あるいは、詩のジャンルだけが、戦争中、ジャーナリズムから逆に多量の需要をうけるという関係にあったのかもしれない。そして、ジャーナリズムを職業の場とすることになれていない詩人は、かえって多量の需要につまずきやすかったということであったともかんがえられる。いずれにせよ、作家にくらべて詩人の戦争中の詩ははるかにひどいものであり、おそらく短歌、俳句の場合は、もっとひどいものであった。

小説、詩、短歌、俳句というような、戦争中の文学的な堕落の序列は、短歌、俳句などが詩形としてすでに世界性をもちえないものであり、また、反対に土着性という点でもっともひろい範囲の大衆のこころをおさえていたことと関係している。現代詩の場合は、その歴史的な展開のみちすじが、すでに不安定であり、この不安定さが戦争の時代にゆすぶられていったのである。

わたしたちは、残念なことに戦争中の現代詩で、ジャーナリズムの要請や時代の風潮からさえ自由であった詩人をみつけだすことはきわめて困難である。金子光晴、秋山清、楠田一郎、三好豊一郎、鮎川信夫などが戦争中ひそかにかきためた詩、かぞえたてるだけの詩が、ジャーナリズムをはなれて、また時代の一般的な動向から一歩おくふかいところでこころみられた戦時下の現代詩を戦後につなぎうるこころみであった。ここに、おそらく現代詩の戦時下におけるかくされたひとつの典型があった。

これらの典型は、きわめて個性的であったがために、かえってそこに類型をみつけだすことは困難である。たとえば金子光晴の場合は、「僕はこの戦争で、日本人といふものをすつかり見直した。行雲流水の如く心痕跡をとゞめず、鏡裏もと無なるが如きものがある。僕の、大いにならはんとしてゐるところである。無欲にして恬淡、自然をたのしんで人を怨まず、時とともにいう〳〵と流れてゐるこの人間群のなかにゐて、僕は気楽さと、ある力落しを感じた。こんな位なら僕が戦争中、あんないやな思をして詩を書いて、じぶんをいぢめるがものはなかつたとおもふ。だつて、戦争が終れば、一億一心で、みんなアメリカ人にでもなつてしまひさうな急変ぶりなのだ。」(昭和二十一年四月『コスモス』)とかいているように、戦争へ流れてゆく大衆の方向についていけない内心の自虐心がモチーフとなって、反戦とえん戦の心情をうたった。楠田一郎の「黒い歌」、三好豊一郎の「囚人」、鮎川信夫の「橋上の人」などは、反戦とかえん戦とかというよりも、戦争の現実にありながら自立している精神の様相を、西欧近代詩の手法的な影響下に倫理的なモチーフとして展開したもので、いわばインテリゲンチャの戦時下の内心のドラマをもっとも良心的に定着したものであった。

秋山清の場合、金子光晴とも、楠田、鮎川、三好などともちがって、単純な詩法によりながら、庶民大衆の心情の方向にきわめてよく密着し、しかも庶民のかくれたこころをあかるみに出そうとするものであった。秋山清の詩のなかには、庶民大衆の内心と切れ目のないままに問題を提出しているため、典型としての性格がつよくうち出されている。

伊藤悦太郎

昭和十九年七月
伊藤悦太郎は応召した。
やがて生まれる私の子供へ祝福の言葉を残して。

感傷の胸襟をひらかず
儀礼のかけらもなく
毒舌をかわして十余年。

妻子をいつくしみ
書物をよみ
言辞すくなきにあらず
多きにもあらず。
かつて悲歎をみせず
世の思潮流行に赴かず。
下層に生きて時に慷慨すれど
爽涼、市井野人の風格を失わぬ。

風のたよりにきく
いま、比島にあると。

レイテ、ミンドロの敵上陸。
スール海、リンガエン沖の機動艦隊。
せまる決戦のときをまって
彼は何をしているだろう。

夜々の警報下、満天の星ぞらに
目を放てば
オリオンは西にかたむき
思いをはるかにする。

（昭和二十年作）

まひる

みがかれたようにはれた空の下を
南風がはげしく吹きぬけてゆく。
白く芽立った雑木林の丘は
大波のようにゆれている。
私は麦畑につづく道をあるいていた。
ラジオの声が

風をついてひろがった。
三月二十日以後
硫黄島の味方は通信を絶つという。
報道は二度くりかえされ
「海ゆかば」がそのあとにつづいた。
海ゆかばのうたは
丘と麦畑にひびきわたった。
きらきらと真ひるの太陽は
そらのまんなかにかがやき
地におちてみじかい影となった。
私はそのうえに立った。
硫黄島はすでに通信を絶つという。

（昭和二十年作）

この詩は『批評運動』（一九五八年七月）に発表されたものである。秋山清が、「戦争責任と詩の方法」（『現代詩』昭和三十一年三月）のなかで「われわれの誰かが戦争時代に抵抗の詩をかき得たなどという間違ったことを考えてはならない。全く屈伏のみであったところから、再出発すべきであったと思う。」とのべているように、これらの詩を抵抗の詩と評価することはできないかもしれない。しかし、ここには戦争に無関係な詩もかいたが、一方で戦争讃美の詩をかいた詩人たちとちがって、戦争にかたむいてゆく庶民大衆の心情をつかみあげながら、そのなかで歯止めをくわえている作者のモチーフは、はっきりとみてとれる。

「伊藤悦太郎」は、ひとりの友人が、無名の庶民として、気骨をもって生きながら、応召されて比島にいる。夜の防空警報下の街空をみていると、オリオン星が西の方にかたむいている。それをながめながら「伊藤悦太郎」という友人であり、庶民大衆である一人の人間の、戦場での運命をおもわずにはいられないという作者の心情は、「思いをはるかにする。」という最後の一行で、はっきりとうかびあがってくる。

「まひる」も、まったくおなじように、ラジオが「硫黄島の味方は通信を絶つ」たことをつたえるのをききながら、庶民である兵士たちが、戦争にかりだされて死んでいく、そういう運命を痛ましくおもっている作者の心情が、最後の一行「硫黄島はすでに通信を絶つという。」というコトバで、はっきりと造形されている。

戦争中、ジャーナリズムから独立であった現代詩人が、いわば、庶民の生活意識とおなじ次元まで退きながら、戦争のなかでの人間の運命をいたんでいる典型は、秋山清によってうち出されている。詩としても、戦時下の日本の現代詩を代表するにたりるだけの出来ばえをもっている。これらの作品を、戦時下の現代詩のもっとも優れた作品とすることは、たとえばフランスの抵抗詩人たちや、米英の現代詩人たちの戦時下の詩にくらべて、あまりに貧弱すぎることは事実である。しかし、ジャーナリズムの第一線にあったどんな詩人もこの秋山清の作品以上の詩をのこしていないことを銘記しなければならない。

金子光晴は、戦争下の庶民大衆の戦争への傾斜についていけない孤立した心情を、大衆や戦争屋へのうっせきした自虐的な批判によって詩のなかに表現した。楠田、鮎川、三好などのより若い世代の詩人たちは、インテリゲンチャとしての心情を独立した内面の課題として定着した。秋山清の方法は、庶民の発想を、はっきりとした輪廓によってたどりながら、戦争を庶民にとって運命としながら、その運命から傷つけられないでもらいたい、という希求をえがいた。これらのすべてを、わたしたちは、本来的な意味で抵抗詩とすることはできない。しかし、日本的な抵抗を問題にするとき、こういう抵抗とはいえない戦争下の詩を基礎とするよりほかに論議はなりたたないのだ。

戦争中、金子光晴は、詩人としての本質によってジャーナリズムから自由でありえた。秋山清は、流行詩人でなかった。楠田一郎、鮎川信夫、三好豊一郎は、まだ、若い世代の詩人たちであった。これらの詩人たちの戦時下の底流は、詩の前提としての問題をもはらんでいる。これらの詩人たちの問題は、皮相な戦争賛美の詩もかき、一方で戦争に無関係な詩をかいた詩人たちの問題と峻別しなければならない。かれらオモテコトバとウラコトバの詩人は、完全な戦争謳歌詩人であり、そういう詩人たちの戦争に無関係な詩をもってきて抵抗詩の系列をくみたてるなどは、もっての外のことである。

戦争下のジャーナリズムにあらわれた現代詩の様相は、金子光晴、秋山清、楠田一郎、三好豊一郎、鮎川信夫などが、追及していた詩の主題とは、まったくかかわりなかったといっても、いいすぎではない。日中戦争（支那事変）から太平洋戦争にかけて、戦争詩から愛国詩へのスローガンが主流をしめて、現代詩の方向をみちびいた。神保光太郎は、「国民詩の進撃」（『文芸』昭和十七年二月）でこの間の事情をつぎのようにかいている。

この十ケ年、日本の詩を蚕食に蚕食を重ねた呪ふべき散文主義は、ここに完全に潰え去つたのである。支那事変の渦中から生れた幾多の戦争詩にすら、この散文主義が、蛇の如くまつはりついて離れなかつた。日本の若き詩人達は、歌ふことを忘れて、ひたすら、うなだれながら、つぶやくことに終始してゐたのだ。韻律をもつこと、ひたぶるに歌ふことが、一種の稚気と観られ、いたづらに、難解を誇つたことは、遠い過去ではない。ただ、ただ、視覚化された形式主義の途を走りに走つたこの十ケ年の日本の詩は、今、明確に、歌を奪還したのである。

神保のこのコトバは、ちょうど裏がえすことによって現代詩が戦時下に転落していった過程をしることができる。日中戦争下に素材主義的にあった戦争詩は、いわば日常生活の次元でしか社会が問題とならなかった現代詩に、いちじるしく拡大した素材をあたえた。この素材は、もちろん戦争肯定としての素材にほかならなかったが、それをつきつめてえがけば、どこかで戦争のもつ矛盾が、人間の戦争行為のなかで表現されてくる。神保が戦争詩の「呪ふべき散文主義」とよんでいるものは、戦争の現実を散文的リアリズムで描く過程で、戦争行為のやりきれない暗い矛盾がどうしてもあらわれてくる。それは、本質的に反戦でないため、灰色のおしつぶされたつぶやきのようなものとならざるをえない。神保光太郎のロマン主義にとってこれは「呪ふべき」現象とみえたのである。

太平洋戦争期にはいると、この素材主義的な戦争詩は、根こそぎにされて、いちように戦争賛歌へと転換していった。北原白秋が「天兵」をかくかとおもえば、佐藤惣之助が「殉国の歌」(『読売新聞』昭和十六年十二月十二日)をかく、西条八十は「香港落ちぬ　小夜ふけて　客を送りし街角の　ラジオの声のなつかしさ」(『朝日新聞』昭和十六年十二月二十六日「香港陥ちぬ」)というような流行歌まがいの詩をかく。野口米次郎は「落ちゆく血達磨」(『読売新聞』昭和十六年十二月二十二日)のような詩をかく。土井晩翠は、「星落秋風五丈原」の調子を復活して、「日は昇る大東亜」(昭和十六年十二月二十四日)をかく。木下杢太郎(太田正雄)は、パンの会時代に鬱屈した近代意識のよりどころとしたナンバン趣味を、こんど戦争賛美とむすびつけて「鉄砲伝来の歌」(『文芸』昭和十七年十一月)をかく。

ようするに復活した老近代詩人たちは、戦時下、現代詩の転落をまっさきに主導したということができる。神保光太郎のいうように「歌を奪還」したという側面からかんがえれば、現代詩は戦時下において二十年のこころみのすべてを一朝にうしなって、老近代詩人との差別を見つけだすことができないまでに、おちこんでいった。ノイエ・ザッハリッヒカイトの詩を主張した、もっとも実験的なモダニストの詩人、村野四郎は、たとえばつぎのような詩をかいている。

それは夜と昼をつらぬき
亡霊のごとく存在するもの
私の妻のかたわらにも
長兄のかたわらにも在るもの
そして
われわれの父と祖父達は
骨をその傍に埋めた

いま私が動けば
私の肉体に従ひてうごき
私が坐ると
私の庭前に蹲る
おお　あらゆる日本の藁屋根と庭園の上に懸るもの
日常を占むる巨大な体積
純粋にして
円錐のごとく安定するもの

戦争が始まると
われわれは命を賭けて
それと共にあることをのぞみ

それによつて
民族の未来を占ひ
永遠を考へた

それは　今や何の象徴でもない
厳しき一つの現象
富士のごとく

（『文芸』昭和十七年二月）

この詩は、村野四郎が戦時下にかいた作品のうち、もっともすぐれたものの一つであり、戦争中のモダニズムの詩を代表するにたりる。かつて近代都市の風俗のなかに、線や面や円錐のイメージを描き、『体操詩集』のなかにそのダイナミズムをみた村野四郎は、この詩で、呪術的トーテムのなかに白い円錐をみている。この「白の円錐」のシンボルに天皇制をみるのもよい。また、伝統的なメカニズムをみるのもよい。ただ、日本のモダニズム詩人の機械美や形象美にたいする執着が、原始社会的なトーテムを賛美するために、おなじシンボルをもちいてうつされている。モダニズムの形式主義が、想像力の土壌とかかわりなく、視覚的に移動できるものであることを、これほどあざやかにしめしえた作品はない。そとからみれば、この詩にはモダニズムの手法が遺産として戦時下に継続されているが、そのことによって日本的モダニズムとは何であったかを、ときあかすカギをあたえている。村野四郎の「挙りたて神の裔」（『読売新聞』昭和十六年十二月十六日）、北園克衛「軍艦を思ふ」（『辻詩集』）などの戦争詩を一方におき、この「白の円錐」を他方の極においてかんがえることにより、モダニズムが戦争中に、どのような心情を、フォルマリズムによって外装したか、理解することができる。

三好達治「汝愚なる傀儡よ」（『文芸』昭和十七年二月）、大木実「前夜」、「訣別の朝」（『文芸』昭和十七年四月)、伊東静雄「十二月八日近く思を述ぶ」(『文芸』昭和十七年十二月)、津村信夫「起臥」(『文芸』昭和十七年三月)などによって、戦争中の「四季」派の抒情詩人たちの実体をしることができる。たとえば、津村信夫の「起臥」についてみよう。

起臥

面影にたちくる父に
語らまほし
今日の日のみいくさ
湧きあがる
日の本の勝鬨

亡き父は
フランダースの戦も知らず
ふたとせの昔
しもつき半ば
眉白き齢にもあらで
みまかりぬ
短きやまひに

祖父の顔みしらぬ

稚子ひとり
小床にいねたり
乳房欲り
目さめて泣けば
冬の夜は
いたく冷ゆるなり

起臥ひさし
これのむら里
折々は雪ふる山も
空晴れて
南風吹けば
はや
白梅の花は咲きたり

死んでしまった父に、戦争のこの勝どきをきかせたかった、父はフランダースの戦もしらず、眉の白くなるまえに死んでしまった。そして、いま、祖父の顔もしらぬ自分の子が乳房をほしがっていることの村里には、白梅の花がさきだしている、という津村信夫の詩は、父――自分――子供というような「家」の関係をたどって遡行する発想からも、自然の景観から抒情を喚起されるその発想からも、典型的に「四季」派の抒情詩の、戦争中における傾向を代表しているということができる。ここには、「四季」派の詩人たちが、戦争賛美をローマン的にうたいあげた詩のようなひどい面はない。そして、そのために「四季」派の詩が、どのような戦争賛歌との結びつきかたをするかを本質的に示唆しているということができる。

ひとくちにこれをいえば、戦争というものは、社会的な事件としては、詩のなかにはいってこないことが、おおきな特長といえる。「南風」や「白梅の花」とおなじような次元に、「日の本の勝鬨」がはいってくる。自然にたいする感覚的な認識とおなじものが、戦争にたいする認識としてつかわれる。いわば伝統というものを、自然にたいする認識をとおしてつかまえたものだということができる。戦争は、古代社会の部族間のあらそいであれ、近代資本主義戦争であれ、本質的に差別あるものとしてはつかまれなかった。したがって、戦争下における人間の行為が、人間にたいして何をもたらすのか、そして、人間は戦争のなかにまきこまれながら、なにをかんがえ、どのような矛盾や、あつれきに遭遇するのか、というような問題は、とらえうべくもなかったのである。

わたしは、以前にたびたび、「四季」派の詩の特長が、自然にたいする抒情であることを指摘したことがある。テーマが自然にとられない場合でも、そのとらえかたは、自然認識の範囲をでることができなかった。昭和七、八年を前後して、現代詩のおもな傾向が、自然にたいする抒情詩としてあらわれた事情は、たくさんの問題をはらんでいよう。たとえば、一方に戦争の予感があり、一方には資本社会の重くるしい飽和現象が日常社会のいたるところにみつかるような情勢にあって、現代詩を自然にたいする抒情にくみかえようとすることは、逃避の機制をもっていたのであったのかもしれない。日本の詩は、近代以前において、自然にたいする抒情詩としての長い伝統と修練をへてきている。「四季」派の詩人たちが、戦争の予感におびえ、また、高度の資本社会のゆきづまった社会機構から、眼を自然の方へそらしたとき、そこで近代詩以前の伝統詩の世界との親近性を発見した。このことは、「四季」派の詩人たちが、近代以前の感覚で、戦争をうたい、戦争を認識したことの最大の原因であった。

福田正夫「撃つべし彼等」(『読売新聞』昭和十六年十二月十三日)、白鳥省吾「大砲は生きてる」(『辻詩集』)、大江満雄「海鷲」(『文芸』昭和十七年二月)、浅井十三郎「その美しき涙をたたへよう」、岡本潤「世界地図を見つめてゐると」、小野十三郎「木と鉄と鋼」、倉橋弥一「造船の誓ひ」、田木繁「島々動く」、壺井繁治「鉄瓶に寄せる歌」、中野秀人「街角で」(『辻詩集』)などによって、民衆詩派、プロレタリア詩派の戦時下の様相をあきらかにすることができよう。

戦時下のジャーナリズムの動向が、もっとも悲惨なかたちで作用をおよぼしたのは、この派の詩人たちにたいしてであった。いうまでもなく、この派の詩人たちにとって、プロレタリア詩運動や、その周辺の運動が衰退にむかった昭和七年前後から、昭和十二年の日中戦争(支那事変)をへて、太平洋戦争へむかう時代的なうごきは、詩を発想する場所の変換を意味した。しかも、発想する環境がまったく一つの循環をとじたことを意味したのである。したがって、社会にたいする関心をうしなわないところで、詩を作るためには、昭和七年以前と、太平洋戦争にはいった時期とでは、まったく逆立ちしなければならなかったはずである。

そのあいだに、すくなくともジャーナリズムの要請をはなれて、独自に、詩と思想の体験をほりさげてゆく時期があってもよかったとおもわれるにもかかわらず、これらの詩人たちは、逆立ちした社会情況にたいして、昭和初年にもちいた方法を、まったく逆向きに行使したということができる。ジャーナリズムの問題を軸にしてかんがえるかぎり、この派の詩人たちの挫折は、ただジャーナリズムにたいする乞食根性をすてかねた、という思想や転向以前の問題にしかすぎない。現代詩は当時もいまも、商業ジャーナリズムを独立してもった時期はない。だから、職業としての詩は、まったく成立したことはなかったのだ。もしも、かれらが、詩人としての自分を規定する以前に、ただ、一個の政治的あるいは思想的人間が、詩を創造するのだ、という発想をとりえていたならば、すくなくとも、沈黙によって戦時下をとおりすぎることはできたとおもわれる。ここで、大江満雄の詩「海鷲」についてみよう。

海鷲

われらは内部（うち）にむかつて
汝、海鷲たれと。
悲哀のせまるとき黒潮をおもひ
哀々たるなかれと。
われらの幻想の回帰するところに
海鷲の言葉は光り
崇高（たか）き人性を
天皇（かみ）のために生命（いのち）ささげし言葉を。
海原に光りただよひ
われらの内部（うち）なる言葉をよぶ海鷲は
天皇（かみ）の御歌（みうた）をむねに
天と海に
散華して
死滅なく。
光りの言葉となり
われらをよぶ。
あゝ天皇（かみ）のために心狂ふものの大いなる
崇高（たか）き言葉の
天と海にみちて美（かな）し。

大江満雄のこの作品は、プロレタリア詩やその周辺にあった詩人たちの、戦時下の戦争賛歌として、もっとも優れた作品であろう。すくなくとも、壺井繁治や岡本潤の戦争詩と比較すれば、それはあきらかである。天皇を神にまつりあげることによって、自己の死を納得させて自滅した青年の死を主題にしながら、「心狂ふもの」の客観的な暗さを描き出している。作者はあきらかにこの「海鷲」とおなじ精神の情況を追体験し、それに自分の立場をおくことによって、戦争をまったく「心狂ふ」ごとく肯定しているのだが、その立場において極限であるため、異様な戦争のくらさをシンボライズすることにある程度成功している。この詩が当時、自我意識を超越するものを設定することにより、戦争を肯定し、自己の死滅を肯定しようとした人々の内部の暗闘をあきらかに象徴しているからである。

大江満雄の場合、天皇は「かみ」の代用品であり、実体としての天皇制を意味していない。それは超越者のシンボルであることにより、異教徒的な立場を浮き彫りしている。

おそらく、マルクス主義が、福本イズム的な次元を保ったまま、二段の転向をへたとしたならば、大江満雄のこの詩に典型されるようなものとなったろう。大江は、左翼ヒューマニズムの転向形態としてここにたどりついたのだろうが、すくなくともここには、現代詩のうち民衆詩派的な立場にあった傾向の、戦時下における挫折の本質を、もっとも純粋に象徴する作品がしめされているということができる。

詩人の戦争責任論

——文献的な類型化——

詩人の戦争責任論は、現在すでに完全にひとまわりの循環をへている。かつて、戦後世代のひとりとして、「ひとまわり年の違う」（鮎川信夫「戦争責任論の去就（1）」）詩人たちの戦時下の空白の問題をとりあげた詩人のひとりは、最近になって戦争責任論などをやっているのはセンチメンタリストだなどとはずかしげもなく放言しはじめている。そうかとおもうと、もっともはげしく前世代の詩人たちとの断絶を主張し、詩の方法のうえでそれを実践し、また、実際の行動のうえで実践してきた良心的な詩人の一人、鮎川信夫は、あらたに「戦争責任論の去就（1）」（『現代批評』3号）をかいて、さらにこの問題を深めようとする試みに着手している。また、戦後世代の詩人として自覚しながら出発した詩人たちの一部は、すでに前世代の詩人たちと同一の流派に所属することによって、実質上、戦争責任の問題の根柢をなしくずしてしまっている。これらの事実は、どのひとつをとってみても、詩人の戦争責任論の問題が、ひとまわりの循環をおわったことを示さないものはない。問題は、たとえ、「戦争責任」論というようなコトバを冠するといなとにかかわらず、今後、深化されたかたちで、現代詩の領域のすべてにまたがる問題として、深められ、追尋されることが予想される。

わたしは、ここで、手元にあるかぎりの資料を類型化することによって、あらたな詩人の戦争責任論の展開をささえる標識をつくりたいとかんがえる。資料はかならずしも完全なものではないことを、あらかじめ断っておきたいとおもう。

問題の端緒は、前世代の詩人たちが、戦時下の戦争詩、愛国詩も不問にしたまま、戦後、戦前の詩作品の延長線にたって復活したことにたいする戦後詩人たちの不信に発している。まず、このような前世代の詩人たちは、愛国詩、戦争詩をじぶんの手法の堕落形態としてかきながら、戦争の体験においてはなにも切実さももたなければ、傷つきもしなかったという二重の理由によって、戦後平然と復活できたものであるということができる。このような態度は、戦争を真面目につきつめ、懐疑しながらも、もっとも切実に戦争の前面にたたされ、もっとも傷ついた戦後詩人にとっては、ゆるしがたい空白としてうつらざるをえなかったのである。

北村太郎の「空白はあったか」は、前世代の詩人たちにたいする最初の戦争責任論であり、鮎川信夫が『死の灰詩集』を批判しながら展開したのは、ほぼ北村太郎とおなじ線上にたつものであった。主として鮎川信夫、北村太郎など「荒地」派の詩人たちによって、はじめに提起された戦争責任論は、戦争詩人が戦後になって平和詩人として裏がえされ、戦争讃歌が平和讃歌となって裏がえされたことにたいして、「何よりも、己れ自らのために守るべきものを見出すことが、彼に課された務めであり、決して他者のための仰々しい真理や道徳を見出してはならない」という立場から展開された批判であった。

戦争のための詩といい、平和のための詩といい、そこに時代の多数者の動向に自己の主体を解消することによって名分を、自己に納得させようとする思考法につらぬかれていることには、かわりない。そして、ほんとうにこのような発想こそ、前世代の詩人たちが、「空白」の戦争期に身につけてしまったタイハイであった。たとえば、第二次大戦期のヨーロッパやアメリカの現代詩人たちの戦争詩を支配したのは、こういう思考法ではない。戦争を讃美するとか戦争に反抗するとかいうことを提起するまえに、極限情況のなかで人間主体がそれに耐えようとする無類の格闘を、それはしめしている。そのような詩には、たとえば、戦争詩一般を悪とするという判断を拒否してくる問題をはらんでいる。日本の前世代の詩人たちの戦争詩が、欧米の詩人たちの作品とまったく異質なのは、この点であった。戦争讃歌を手易くかきえたことと、平和讃歌を手易くかきえたこととはまったくおなじことを意味する。

ここで、当然、どのような安直な手法でかかれたにせよ、戦争詩をかいた内的な構造と同一であるにせよ、平和を讃美し抵抗の詩をかくこと自体は悪ではないのではないか、という反論が予想される。そして、じじつ、鮎川信夫の愛国詩批判、『死の灰詩集』批判、抵抗詩批判にたいしてなされた反論は、類型としてこれを出ないものであった。過去に愛国詩をかいたにしろ、いま、善き意志で平和を願っている詩人の既往をとがめるべきではない、という論理と、現に平和讃歌や抵抗詩をかいている詩人を否定するのは、進歩に反するものであるという論理とが支配していた。前者の論理はこれを日本的な健忘と淡泊の論理ともいうべきもので、まったくの庶民的な感傷に属している。そして、この感傷をささえているのは、社会の物質的基礎の貧弱さであり、日本の支配感性のもつ強い内的な統制力である。後者の論理は、いわば目標のない政治論理であり、長期の持続性と一貫性とを欠いた日本的進歩主義に固有の現象的な政治観念としてかんがえることができる。このような政治観念が、転向現象の量産化の最大の理由のひとつとなったということができる。

北村太郎、鮎川信夫などによって展開された戦争責任論の初期の段階で、現代詩人たちが戦争期と戦後を接続した方法と意識上のタイハイは、正確に摘出された。いわば、詩の年少の書き手として戦前と戦中の現代詩に接し、戦後詩人として戦後の現代詩人の仕事を目撃した詩人たちが、直覚的に感じた世代的な断層が、「内なる自己の世界」、単独者としての戦争犠牲者の眼からはっきりとえぐりだされたのである。

現代詩人たちのうち、戦争期に浮動的な庶民通念以外の立場から戦争詩、愛国詩をかいた詩人があるとすれば、高村光太郎と「四季」派の詩人たちをあげなければならない。高村光太郎の場合、それは自我意識に固執しながら、もっとも典型的に日本的な近代性と庶民性との綜合された性格が、必然的に戦争肯定にはいってゆく経路にほかならなかった。「四季」派の場合には、その詩概念のなかにある自然観が風土的、地域的、社会構造的、歴史的、政治形態的といったような要素を綜合したものとして形成された日本の恒常民の自然観をよびおこすだけの類似性があったために、伝統的な感性をほりおこすことによって必然的に絶対主義的な天皇制によって推進された戦争の肯定、讃美、プロパガンダにはいったということができる。

わたしの、「高村光太郎ノート（戦争期について）」は、北村太郎、鮎川信夫などの戦争責任論の展開をふまえながら、自身のもっとも影響をうけた詩人のひとりとしての高村光太郎のなかで、日本的な近代意識と庶民意識との断層がどのように妥協の形をとったかを、戦争期を区切って追求しようとしたものである。わたしは、そこで、高村光太郎の戦争詩の性格を、近代意識の庶民的な意識への接着から、庶民意識を超越的な論理をもちいて積極的に意味づける過程としてとらえた。

つづいて「前世代の詩人たち」で、壺井繁治、岡本潤などの進歩的現代詩人の愛国詩と戦後の抵抗詩が、政治的な関心や社会的な関心を支えとして、まったく裏がえされたものにすぎないのを指摘し、庶民的な意識が戦争中はファシズムのイデオロギーを、戦後はコミュニスムのイデオロギーを外面的に接木した過程としてとらえた。これにたいし、いくつかの反論が提出されている。それは、類型的につぎのように整理することができる。

第一は、岡本潤「詩人の対立」（『詩学』昭和三十一年二月号）に代表されるものである。わたしが庶民的な意識を否定的な面においてとらえ、これを論理化され検証された自我と対立的な概念でつかったのにたいし、岡本潤は、軍部や翼賛議員たちが庶民の圧倒的な支持の下にあったというのは歴史的な偽造であり、庶民の意識は本能的に「オモテことば」と「ウラことば」をつかいわけることにより、肯定的な面をも、もつものであったと主張した。そして、庶民意識にイデオロギーをつぎ木したものとして岡本潤の戦争詩と戦後の抵抗詩をとらえたわたしにたいし、自分が戦争詩や愛国詩をかいたのは、むしろ、庶民の生活意識から背離し孤立化して混迷していたためであると反論された。

ここで、あかるみにだされた対立は、庶民的な動向を評価するばあいに歴史の全体のうごきと対応させて評価するか、または、庶民のうごきを「オモテことば」と「ウラことば」にわけて、「ウラことば」に抵抗的な要素をみとめようとする評価との対立であった。そして、戦争期の文学者や庶民のうごきを、「ウラことば」によって評価するほかに抵抗というようなことをかんがえられないところに日本の現代文学（詩）の問題がはっきりと露呈されたのである。自称、他称の抵抗文学者は、すべて「ウラことば」的な抵抗文学者であり、もちろん、本来的には完全な屈服、戦争肯定の文学者として評価されるべきはずのものであった。

岡本潤のような観点は、「芸術運動の今日的課題」（『現代詩』昭和三十一年八月）のなかで花田清輝によってもくりかえされた。ここで花田清輝は軍需工業新聞で、工場衛生の必要を強調したり、鉢まき生産のかわりにテーラー・システムを強調したことが抵抗であると主張した。しかし、こんなことは一介の動員学生でさえ口先きだけでなく実際的に提起した問題で抵抗でもなんでもない。

この種の「ウラことば」的な行動を、戦後拡大することなしには、前世代の詩人、文学者は、戦後に抵抗者として復活できなかったはずであり、これらの文学者にとっては自衛上やむをえない主張であったともいいうる。もともと、文学上の亡霊としてしか戦後に存在しえない文学者、詩人が戦後に存在し、しかも政治的な前衛権を保つためには、ぜひとも「ウラことば」を動員するひつようがあったのである。

「前世代の詩人たち」にたいする第二の反論は、平林敏彦「ある告発者」（『今日』一九五六年四月）、中村稔「詩論批評」（『詩学』昭和三十一年七月）、谷川雁「党員詩人の戦争責任」（『アカハタ』一九五六年四月三日）などによって代表される。平林は、前世代の詩人たちをはげしく批判するもの自身が、ジュウ！　と焼ゴテをあてられたら、何と叫ぶかしりたいものだというコトバをつかって、いわば、批判者の資格を問題にした。中村稔もほぼおなじ見地にたって「文学批評においては、告発者はいつもじぶんの足もとをみながらしか、発言はできないのである。」という平林敏彦とおなじ論旨を展開した。谷川雁も同様にして「数百万の民族の生命をうばいとった戦争に、子供はいざ知らず、一点の責任もない人間がいるだろうか。問題はそれぞれの責任の質が違い、とるべき償いのあり方が違うということではないか。」とのべて批判者自体がじぶんを無傷な立場においていると批判した。

これらの批判に特有なのは、批判者自身が調停者的であり、折衷的であり、まず、提出された戦争責任論をひろいあげてこれを深化するものではなかった。だからここには、何ら積極的な問題の深化はなかったということができる。どのような善意のうえにたっても、このような批判的な立場からは、問題のなしくずししかおこりようがなかったのである。

第三の立場は、清岡卓行「奇妙な幕間の告白」（『現代詩』昭和三十一年四月）によって代表させることができる。

清岡卓行は、詩人の戦争責任論を、いわば政治と文学とのかかわりあいの問題からはなれて、生粋に詩人の文学的な責任の問題として理解する方法を提出した。戦争を通じて、壺井繁治、岡本潤の文学的な業蹟のなかに矛盾があり、この矛盾を矛盾として論断することの外に一本の糸を通そうとする評価が、あらゆる文学評価の前提でなければならないとした。文学を政治的にまたは社会学的にすくいあげようとするのは不毛の文学批評におちいることが指摘され、吉本、武井などの批判に政治的批判をみたのである。いま、吉本、武井などの批判が、矛盾の底に一本の糸のようにある壺井、岡本の文学的なタイハイを問題にしており、したがって、清岡卓行の批判は、それだけで通用しがたいとしても、そのことは別であり、清岡卓行の論旨の特長は、この問題を、生粋の文学創造と批評の問題と規定したところにあった。

ここから、抵抗の共通の基盤が崩壊してしまった戦争期における個々の詩人の仕事の結果を非難するのは早急であると結論された。ここでも、問題があるとかんがえられる。共通の基盤は喪失されたということからは、積極的に戦争讃歌をかいたという理由は説明しがたい。たとえば、花や鳥や雲をうたった抒情詩がかかれたということであれば、それは現実上の基盤がうしなわれた時期に、生粋の抒情衝動がのこったということで理解できるだろうが、戦争讃歌がかかれたということはそこに何らかの共通の基盤があり、基盤を前提にしてひとつの現実的な態度の撰択がおこなわれたとかんがえるほかはありえない。

清岡卓行の論旨の他のひとつは、批判者である詩人たちが、たとえ、青年であり学生であったとしても、戦争にたいする純粋な誇りをもっているようにみえるのは、「奇妙な疑問」であるというところにおかれ、そこから批判者の資格にたいする疑義が提出された。

戦争の共犯者であり、かつ同時にその犠牲者であるという意識からは、前世代の詩人たちにたいするきびしい批判は提出できないはずだというのが清岡卓行の立脚点であった。

ともあれ、清岡卓行の批判によって、一般に戦争中、生粋の文学愛好者的な青年であり、そのような地点から戦争の流血的な情況にたいしては嫌悪をもち、できるだけその情況から傍観的であろうとつとめた戦後詩人の立場が典型的にうち出された。おそらく、清岡卓行の立脚点は、文学者や文学愛好者の大多数の立場を象徴し、また、同時に庶民の少数の立場を象徴する意義をもつものであった。

わたしは、その当時もいまも、戦争中に文学愛好者的であり、戦争の流血をできるだけじぶんから遠ざけようとした青年、したがって戦争にまきこまれても消極的であり傍観的であった青年を、戦争を肯定しそのために動員に従事し、あるいは特攻機にのって、または戦場にでてたたかった青年よりも戦争にたいする責任が少ないとはかんがえないし、正当であったとはおもわない。えん戦的な情緒は、わたしたちマルクス主義思想が痕跡もなかった戦争期に自己意識をもった世代にとっては、戦争肯定的な態度よりも正しいとはいいえないのである。しかし、マルクス主義思想の洗礼をうけ、あるいはその運動の頂点にたったものが戦争中、その反対の立場で戦争詩をかいたということは、まったく事情がちがっている。これらの詩人たちの戦争責任は、えん戦的な情緒に支配されていた青年よりも、戦争肯定を信じ、それにたいして行動的にも、精神的にもゲタをあずけた青年の方がより追及する理由をもつものであるとかんがえられる。このような逆説的な関係は、清岡卓行の論文からも第二の立場の反論からも、まったく汲みとりえないものであった。だから、このような立場は、社会的な変動のいかんにかかわらず、つねにじぶんを政治の被害者として通路を用意することができる。政治の被害者の立場には、それなりの存在理由があるし、そのような立場をわたし自身も意識のなかに分有している。しかし、その場合もおのれ自身、政治からの被害者であるとする意識を拒否することによってしか、永遠の政治からの被害者の立場は認定できないとかんがえる。わたしは、清岡卓行の立場からも、第二の批判の立場からも、じぶんを政治や歴史からの被害者の立場におきながら、つねに歴史や政治から直撃をうけない場所に身をおいてゆく態度をかんじないではおられなかった。

鮎川信夫、北村太郎などによって提出された詩人の世代的な断層の問題と『死の灰詩集』、抵抗詩論議などを、戦争責任論の第一期とすれば、わたしの「高村光太郎ノート」や「前世代の詩人たち」と、これをめぐる反論は、戦争責任論の第二期であった。この第二期で、だいたい種々の立場からする問題のつかみ方が提出された。詩人の戦争責任論は、これらを踏まえて第三の段階にはいった。第三の段階もこれを種々の立場に類型化することができよう。

第一に、武井昭夫の「戦後の戦争責任と民主主義文学」、秋山清「戦争責任と詩の方法」(以上、『現代詩』一九五六年三月)がある。武井昭夫は、まず戦後責任を主体におしだして、戦争責任の問題を提出した。戦争中、「指の旅」のような愛国詩をかいた壺井が、戦後、「二月二十日——小林多喜二のお母さんへ——」のような詩をかき、そこで「あなたの息子や息子の仲間たちが生命を賭けて逆らった戦争は遂に終りました」とかいたとき、戦争を回避してはじめられた戦後責任がとわれねばならないと指摘された。つづいてこのような壺井繁治の戦中、戦後の接続の方法が、革命運動の敗北の原因、責任の理論的歴史的な追及、当面する状況の分析、把握、日本プロレタリアートの階級的主体の確立、そのうえにたった戦争責任の政治的追及による日本反動とのたたかいの編成などを怠った政治運動の政治責任とパラレルな関係にあり、このような政治的な情況にたいする主体性をうしなった文学者のもたれかかりと、つながっているものであることが指摘された。つづいて、武井昭夫は藤森成吉の戦中、戦後を接続する方法のなかに壺井繁治とおなじ問題をみ、さらに窪川鶴次郎を例にとって、その転向がマルクス主義世界観をうしなって世界観一般の問題に転化され、「芸術の特殊性」の問題に固執された段階から太平洋戦争にはいって、皇国世界観にまで思想が再構成されていった過程が指摘された。武井昭夫の論文は、わたしの「民主主義文学批判（二段階転向論）」とともに、転向の過程の二段階を指摘することによって、戦争後期の「空白」をあきらかにし、それによって戦後の空白の問題をとく方途を求めようとしたもので、まがりなりにも戦争責任論を体系化しようとする発端をふくむものであった。

秋山清の「戦争責任と詩の方法」は、戦後『コスモス』、『新日本文学』、『列島』などによって秋山清がとりあげようとした戦争責任の問題を、あらためて再構成する意企をもつものであった。秋山清の問題意識は、戦争詩、愛国詩と民主的な詩とを同じ方法でかくことは、方法論上の撞着ではないか、というところに集中された。そして、戦争責任の問題を提起した場合に、それを政治的な反動という批判でおしかえし沈黙させてしまう傾向を、権威への屈従ということで説明し、「戦争中は一億一心、文学報国会の下に集結して、外に侵略の太鼓をたたき、内は国民の生活破壊に文学の力を供出した、その弱小世俗な精神と近縁のものである」としたものである。詩の方法が、戦争中につらぬきえなかったのは詩人の自我が崩壊したからであり、この崩壊は、詩人をささえる大衆的な基盤がなくなり、かえって戦争に動員されたとき、その潮流の外にたって、自分を固執する自信をもたなかったことを、秋山清は戦争体験にそくして指摘した。

第二の類型として、加藤新五「詩人の戦争責任」（『現代詩』昭和三十一年四月）がある。ここでは、「前世代の詩人たち」や反論としてかかれた「詩人の対立」などが、庶民意識の論議などに集中され、詩人に要求される「詩」の責任、詩の創造の領域での固有の問題としての検討が不毛にされようとする傾向におちいってはならないことが指摘された。そのうえにたって、壺井、岡本の詩からは、結末がついてしまった過去か、あるいはすでに出来あがった現在しかあたえられず、不測の未来へ、企劃をたてて撰択し、自分の存在をかけてあるいていこうとする詩のダイナミスムがどこにも感じられないことが言及された。加藤新五の論点は、清岡卓行の論旨とおなじように問題をとにかく詩の表現の問題としてとりあげるべきことを提唱する。また、加藤の論旨の特徴は、壺井、岡本の戦争詩、愛国詩を糾弾しようとはしないが、転向し、戦争を讃美し、戦後また再転向した内的な体験から、どのような詩人としての生きかたの自覚をもくみとれなかった点こそ批判にあたいするとされた。「私たちは、被害者であると同時に加害者でもあったのではないか。心では抵抗しながら、戦場へ送り出されれば、人を殺した。空襲下人を押しのけて、生きのびた。一方ではオシャカをつくったかもしれぬが、武器も生産した。」その体験のゆがみを起点にすることなくして、いかなる戦争責任論も不毛ではないかと論じている。

わたしのみるところでは、ここで詩人の戦争責任の問題は、ほとんどあかるみにだされた。それは、要約すればつぎのいくつかの問題に帰着する。

第一に、この問題が詩人の転向体験の方法の問題にかかわってくることである。転向、再転向の問題が、現代詩の創造の方法にかかわる面、詩人の主体の質と態度にかかわる面、政治運動と文学運動の関係にかかわる面、社会的な特質にかかわる面、詩人の意識と大衆の意識にかかわる面などによって多角的な課題を提起される。

第二に、詩人の戦争責任論の提起の仕方にあきらかにふたつの傾向があらわれたことである。ひとつは、この問題を詩（文学）の問題としながら政治や社会にたいする態度や、戦争にたいする倫理の問題とわかつことができないとする立場である。他のひとつは、この問題を、詩人の自意識の変遷や、文学としての詩の方法意識の問題としてかんがえる立場である。このふたつの立場では、すでに戦争詩、愛国詩の評価自体がちがっており、その根柢には戦争体験のちがいがよこたわっている。ひとつの立場からは、第二次大戦を悪であるということをかつて思想として知っており、それを行動の原動力としてきた詩人が、それを善であるとして讃美したことは、どうしても正反対への逆転としかかんがえられない。その逆転は、その戦争を悪であることを知らないことが当然であった戦後世代にたいしても、戦争の死者にたいしても責任をもつものであるとされる。他のひとつの立場からは、その戦争を悪であることを知らないのは当然であっても、その戦争にたいしてどこかで協力したかぎり、逆転した詩人にたいしきびしくありえないとする。このふたつの立場には、根柢的に社会体験の仕方、現実体験の仕方のちがいがよこたわっている。

社会体験というものは、これを純粋に個人の日常生活の体験に限定すれば、そこに社会の総体的な動きにはまるごと包みこまれるが、その社会の総体的な動きに倫理的な関心をもつことをできるだけ除けながら、個的な意識の独自性をたもつことができるものである。このような立場は、一般論として悪ではありえないし、有効さをももつことができよう。しかし、ここからは本質的な意味で責任の問題はでてこない。いわば、社会的に問われる責任の意識は、自己意識から社会の総体にたいして架橋しようとする態度、ある場合には悪徳のようにつきまとってはなれないそのような欲求に根ざしている。本質的な意味で、詩人の戦争責任論をふたつの傾向の立場にわかったものは、このちがいに帰着する。

第三に、詩人の戦争責任の問題が、自己の意識の発展を、社会の時代的なうつりかわりと対応させつつとらえたいという欲求をもとにしていることである。倫理的な規準として帝国主義戦争は悪であるという前提がある。この前提は、実体の段階で、いつもさまざまな問題に遭遇する。前提として悪である第二次大戦のなかで、大衆的な規模で悪がなされたとすれば、この悪は実体の構造を解明するだけの値うちをもっている。さらに、そのなかでの個々の人間の意識が、遭遇した問題は、倫理的な規準をこえて、体験として継承される。個々の人間にとっては、悪の体験も、体験として加算されることなしには継続的な意味をもつことができない。この意味を、前提としての規準から切断して出発しようとするとき不毛であらざるをえない。戦争詩人たちの不毛は、そのすべてが、この問題をはらむものであることがあきらかにされたのである。

第四に、詩人の戦争責任の問題は、前衛的な政治活動のあり方の問題、組織のあり方の問題、社会の動向を分析し、把握する科学的方法の問題、また、イデオロギーとしての思想とは、何を意味するかの問題を、漠然とした形でではあるが提出した。これを契機として問題は深められようとし、すでに現在いくらかの成果がえられている。

詩人（文学者）の戦争責任の問題は、現在、ようやくひとまわりの循環をへて出発点にかえろうとしている。たとえば、前世代の詩人たちの戦争責任の追及者のひとりであった関根弘は、「詩論」（『詩学年鑑』一九五九年版）で、「詩人の戦争責任追求が詩の本質的問題にかかわるように思いこんだのも、老人めいた意識からだった。しかし、老人の意識に徹底すれば却って戦争責任はもんだいではなくなるだろう。狡猾であるということは、悪徳であるよりもむしろ美徳なのだ。これを認めれば、詩人の戦争責任なんてものはセンチメンタリストの世迷い言であって、むしろ、今日、わたしたちが粉砕しなければならないのは、却ってこのようなセンチメンタリストの意識だといえよう。」とかくにいたった。もちろん、このような発言は関根弘のみのものではなく、現在の時点における俗流コミュニストの一般的な心情を代表しているにほかならない。詩人の戦争責任論の問題が、ひとつの循環をへたことを、これほど端的にかたるものはあるまい。

これに対し、鮎川信夫は「詩は青春の文学か」（『現代詩』一九五九年二月号）のなかで、「関根が戦争責任の問題を何とかしてうっちゃりたがっている気持には、私は私なりに同情できるところもある。この問題は、大きな堰になって、流れをくいとめ、押すも引くもならないような状態になっている。夢みる現実主義者であり、熱心な運動家である彼が、流れの停滞に業を煮して、果ては大きな堰を一人で支えている観のある吉本隆明を野次りはじめたのも、彼の立場からはもっともと言えるかもしれない。」と論評した。つづいて鮎川信夫は、抵抗詩批判、『死の灰詩集』批判、反荒地派批判などによって展開した戦争責任論の口火を、あらたに整理し、把握し直し、再展開を基礎づけるために、自己の論点を全面的に再検討しはじめた。その一部は、「戦争責任論の去就（1）」（『現代批評』昭和三十四年四・五月号）に展開されている。ここでは結論的な部分は、まだ提出されてはいないが、かなり大規模な論文となることがすでに予想される。

いずれにせよ、詩人の戦争責任論（この名称はすでに不要であるかもしれないが――）は、あらたな出発点にたっている。かつて、前世代の詩人の戦争責任の追及者とその支持者だったものも、問題を全的に把握できないままに脱落し、また、不毛な足かせをはめられ、追及者の前面にたちふさがって、ふたたび不毛な歴史の循環に加担しはじめている。しかし、ある意味では、もともと不用なヤジ馬が、仮面をうしなって進歩主義的反動の本性をバクロしたにすぎないのであって、かえってこれから日本の詩（文学）と政治と、文化構造や社会構造の本質に迫り、いっさいの既成の価値体系を変革する方法的な手がかりをあたえるような仕事が累積される基盤が用意されつつあるともいうことができる。

異端と正系

さいきん、読んだ転向に関する論議のなかで、ユウウツになったものが二つあった。一つは、杉浦明平「転向についての乱れ書き」(『近代文学』一九五九年四月号)であり、もう一つは、平野謙「革命家失格」(『文学界』一九五九年五月号)である。いずれ、そのうち杉浦の文章に対しては、こっぴどい批判をかいてみたいし、平野謙に対しては厳密な論争をやってみたいと思っているから、ここでは、それらの論自体に、深くたちいるまいと思う。

わたしが、この二つの論文を読んでユウウツ(馬鹿馬鹿しいといっても同じ)になったのは、二人とも共産党(日本では日本共産党)に属していたもの(杉浦の場合には、その周辺にいたものも含めている)が、それから離れるのが転向である、ということだけは、転向の定義として、あたまから信じてうたがわないらしいことが判ったからだ。杉浦は、この前提のうえに立って、わたしも絶対転向しないとは断言できないが、意地にでも、転向しないつもりだなどと力みかえっている。平野は共産主義を官僚主義から清めると称して、共産党から離れたものが、つぎに反共になり、資本主義のチャムピオンになる過程をぬきさしならぬ心理的リアリティをもって信じているのだ。

わたしは、何ともいえずその認識の方法が悲惨な気がした。杉浦や平野の戦前派的な図式のなかでは、共産党員文学者が、一段高い位にあり、その周辺に同伴者文学者やリベラリストが集まり、同伴者やリベラリストは、自分が共産党員になれないため同伴者やリベラリストなのだから、共産党員文学者にたいして、劣等感をもっており、また共産党員文学者は、優越感から同伴者リベラリストを批判しても、反撃する奴には、「おまえ、おれに反撃すれば反共だぞ！」とおどかせば安泰である、というイメージが固定しているらしいのである。だから、杉浦は、「今の学生の大部分が卒業といっしょに、解放運動と絶縁して、役人や課長になりかわるのも、鮮やかな転向ではないか。戦前の転向だけがつねに問題にされて、現在のそれが、『若気のあやまち』くらいに寛大に取扱われているのは、わたしには不可解だ」などと書いている。また、平野は、かつて敗戦後、プロレタリア文学運動の誤った理論が復活しそうなとき、及び腰ながら正論をはいて《政治と文学》論争に打って出たときの左翼反対派的な気構をうしない、同伴者になってしまっている。こういう平野を良しとするのは、本当にくだらない官僚主義者だけである。平野が気骨ある反対派から同伴者にかわったこと、文壇的な《大》批評家になったことは、表裏を同じくする。これは、堕落だぞ、というものがない現在の進歩的風潮を悲しまざるをえない。

杉浦の場合も同じである。その粗雑な丸太ん棒論議は、杉浦の庶民的感情と粗雑な論理性とのカクテルで、つける薬はないから仕方がないが、意地になっても、おれは転向（つまり日本共産党を離れること）しまいぞ、などと見得をきっているのを読むと、杉浦が、日本のプロレタリアートの運命を、一度でも考えたことがあるのかどうか、疑わしくなる。杉浦をうごかしているのは、意地ではないのか、そんなものが転向したって、しなくたって大した問題ではないさと悪たれ口がたたきたくなってくる。

わたしは、今の学生が、卒業して役人や課長になることを、そのことだけで、転向だとは思わない。これが転向ならば、杉浦のように村会議員（町会議員）になって、給料をもらうことも、駄文を集めて本をつくり、印税をもらうということも、等しく、大衆から見れば特権的な生活法であり、転向であるとおもう。

転向とか非転向とかいうことは、決して杉浦や平野が、固定観念としてもっているような図式的な現象論の問題ではない。かつて、人民文学派にあった杉浦の言辞と、現在の杉浦の言辞との間にある差異、かつて《政治と文学》論争をやった平野と、「革命家失格」をかいている平野との間にある差異——転向の問題は、本質的にはこのような思考変換のなかにしか存在しないのだ。

杉浦や平野のなかにぬきがたい図式としてある、党員的優越感と同伴者的劣等感こそ、日本のマルクス主義思想が、インテリゲンチャの封鎖された脳髄の問題としてあり、全人民の問題としてなかった時代の名ごりである。つまり、マルクス主義もリベラリズムも、思想として存在しなかった戦前のイデオロギー把握の形態に外ならない。

わたしたちは、できるかぎりの力をあつめて、このようなイデオロギー把握の形態が、あらゆる組織論の中核につくる誤謬を、うちやぶらなければならないとおもう。

わたしたちは、敗戦後十数年をへた現在の危機的な様相のなかで、杉浦や平野や、自惚れた官僚主義者の固定意識を離れて、はじめてマルクス主義（にかぎらず）思想が、思想として根をおろすべき徴候をむかえているように思われる。それは、一見すると百鬼夜行の混乱をしめし、この混乱の現実的な基礎には、いくつもの陥穽がしかけられている。しかし、この混乱の中からしか、真の思想集団は生れないだろうし、また、大衆と結びつく契機は生れないとおもう。今、わたしたちが、社会の総体的な動向に、くりかえしかかわりあいながらする思想の現実化と肉化の努力を、安易な派バツ的妥協と交換するならば、ふたたび転向の歴史はくりかえされるほかないのだ。

それと共に、杉浦明平のような堕落した転向定義から、転向そのものの問題を引きあげ、切り離さなければならないと思う。「卒業といっしょに」、役人や課長になることが転向なのではなく、役人や課長のなかでおのれの思想を追尋し、現実化する戦いを失うことだけが転向なのであること——そして、杉浦のような下らぬ固定観念に支配されるかぎり、マルクス主義（にかぎらず）思想は、ただ、学者・文化人・芸術家・ジャーナリスト・ブルジョアといったような、大衆の社会的基礎と切れた人間のなかにしか育たず、いつまでも人民的基礎をもちえないこと——そして、そのことによって、前衛的な政治運動が堕落した自惚れの集団に変質してしまうこと——などを、主張として、はっきりと打ち出すべきであると思う。

ただ、単にオーソドックスな思想や集団というものは存在できないし、存在しない。それはいつも背中に異端の思想や集団というものを合わせていることによって、はじめて存在しうる。そして、オーソドックスな思想や集団は、一つの契機により異端に転化し、異端の思想や集団は、一つの契機によりオーソドックスに転化する。これが、人類の思想史をつらぬく科学的原則というものにほかならぬ。このことは、おそらく、マルクス主義（にかぎらず）思想が、根付かなかった戦前や、戦前派の意識の残滓には理解しがたいことであろう。しかし、わたしたちが、現在もっている思想的な徴候は、日本の現代史に、はじめて思想が根付きつつあることを証左しているのだ。

こんど、『現状分析』（No.9）の「日本における転向の特殊性について」というシンポジュウムをよんだ。わたしの『芸術的抵抗と挫折』も、いくらか俎上にのぼっている。わたしの著書にたいする批判だけについて云えば、天皇制権力の特殊な強制力の問題の追及が欠けているという指摘は、これを肯定しなければならないと思う。しかし、わたしがあの一連の仕事で、もっとも格闘したのは、異端と正系という問題であった。そして、ついに到達したのは、正系なくして異端もなく、異端なくして正系もないということ、また、アプリオリな正系も異端もなく、両者は、一つの契機があれば相互転換する相対的なものに外ならないということであった。

このような地点に立って、はじめて、転向の問題を、杉浦明平的な共産党員や、平野謙的な同伴者の理解を離れて、大衆的な規模の問題にまでレベルを引き上げうるようにおもわれたのである。

かつて、東京新聞の匿名批評が、わたしの「転向論」を目して、《得意》の転向論をやっていると書いたことがある。しかし、わたしが、この匿名批評の指摘を肯定しなければならなくなったとき、転向の問題からはなれなければならぬ。また平野謙が「革命家失格」の中で、非転向の獄中コミュニストまで一つの風呂敷に包みこむのは、無茶だといい、花田清輝が岡っ引根性をさらけだして反共よばわりを加えたような固定的な批判に屈するならば、転向を論ずる価値はないのである。要するに、かれらはマルクス主義（にかぎらず）思想の何たるかを知らなかった時代の人間にすぎぬ。かれらの脳髄に一つの変換がおこるまで戦わなければならないと思う。

十四年目の八月十五日

敗戦のとき、まだわたしはひとりの学生であった。ただ、学業を正規にやったのはわずか数カ月で、もっぱら動員にかり出されて生産線にいた。十四年前の八月十五日は辛い日であった。学問をろくにしたことがない学生が、まったくの価値崩壊に出遇って、途方にくれたまま、生産線から学校へ復帰しようとしていた。

最近、わたしは『芸術的抵抗と挫折』、『抒情の論理』という二つの評論集を未来社から出版したが、これは、いわば十四年まえの八月十五日のそのときは客観的に理解できなかった意味を、きわめようとする仕事の一端であるということができる。八月十五日の本質に近づこうとするために、そこにあつめられた論文をかきつづけてきた。いささか、オールド・ゼネレーションの芸術家の仕事とちがうところは、戦中の「ダイヤモンド」は、戦後「灰」のような貌をして「ダイヤモンド」の役割を担い、戦中の「灰」が、戦後も「ダイヤモンド」のような貌をした「灰」にすぎないというポーランドとはちがう日本的思想情況を解明した点にあるとおもっている。

現代詩のむつかしさ

現代詩は、むつかしいとごく普通の読み手がいう。また、おなじように批評家もしばしば、現代詩は難解であるといっている。批評家のばあいは、普通の読み手のいうむつかしいという意味のほかに、末梢的であり、技術的な芸にとらわれすぎるというような意味をふくめて難解だといっているようにおもわれる。たしかに、現代詩もまた、かなり、高度なところまでコトバの技術が専門化しているから、そこからやむをえない難しさがでてくるということがありうるはずだ。

しかし、コトバの技術上の難しさは、詩を享受する読み手にとっては、ほとんどかかわりないといってもよい。コトバの技術を予備知識としてもっていなければ、わからないような詩作品は、芸術としての条件にかけているとかんがえたほうがいいとおもう。これを前提にして、批評家や、読者大衆から、漠然とあがっている現代詩はむつかしい、という輿論を、疑ってみなければならない。

わたしが、じぶんの体験でいえば、現代詩がむつかしいとおもったことは、一度もないといってよい。それにもかかわらず、読んでもわからない現代詩の作品に出会ったことは、きわめてたくさんある。しかも、読んでわからない詩の作品をまえにして、その作品のわからない個処を、わかろうと努力させるほどの魅力ある作品に出会ったことは、ほとんどなかった。

大抵のばあい、わたしは、よんでもうまくわかったと感じられない作品をまえにすると、わかったと感じられる個処をつなぎあわせて作品全体の秩序が受感できれば、その作品の鑑賞をおしまいにするのである。じぶんを普通の読み手として現代詩の鑑賞をかんがえるばあい、わたしはこれだけで満足している。この満足は、じぶんだけのものではなく、普遍化できるものだ、というのが現代詩の書き手として、またそれを批評するものとしてのわたしの立場である。

現代詩の難解さというものはほんとうは、ふたつのばあいにしかおこりえない。ひとつは、現代詩人のもっている思想が（詩の表現以前の）、難解であるばあい。もうひとつは、現代詩人が、孤独な精神世界をもっているばあいである。しかし、わたしたちは、この点については安心していい理由をもっている。日本の現代詩人で、思想的に難解であるような詩人、孤独な他人につうじそうもない精神世界をそだてているような詩人は、まったくいないとかんがえていいとおもう。マス・コミの高度に発達した現代の日本では、詩人のこころの世界も、平準化され、風とおしがよくなっているのである。むしろ、現代詩をよむばあいに、たとえば、近代詩人島崎藤村の詩は易しいが、現代詩人の詩はむつかしいというような固定観念を、ひっくりかえしたほうがいいとおもう。現代詩にむつかしさがあるとすれば、コトバの技術上のむつかしさであり、これは、詩の本質にはかかわりなく、詩を表現する手段の複雑さにほかならない。だからこそ、わたしたちは、わからない詩に出会ったなら、わかるだけの読み方で鑑賞していい理由があるのである。

コトバの技術上の複雑さ、難解さ、というものは、個々の詩人が、自分の独創的な技術であるとかんがえているといないとにかかわらず、近代詩以来の歴史的な蓄積から成立っている。だから、読み手は、なれるにつれて、無意識のうちに詩のコトバの技術の約束をのみこむことができるから、自然に難解でなくなってくる。しかし、思想の難解さ、孤独さということは、なれるにつれてわかるというわけにはいかないので、それが解るためには、読者のこころは、その詩と格闘しなければならない。

わたしが、普通の読み手に目安をおいて、現代詩を鑑賞する原則をのべるとすればふたつに要約できる。第一は、読んでも皆目わからない詩に出会ったら、その詩人がどんな著名な詩人であっても、その作品は芸術としてゼロであると考えること。第二に、読んで漠然としかわからない詩に出会ったら、それで充分鑑賞できたと考えること。

ところで、詩にかぎらないわけだが、芸術の鑑賞には、奥行きがある。鑑賞もある段階までくると、対象である作品をはなれて、それ自体がひとつの創造行為として独立することができる。この段階では、コトバの技術上の約束をのみこむことは必須の条件であり、それとともに受け身であった鑑賞を積極的な鑑賞、いいかえれば分析力をともなった鑑賞にしなければならない。分析力をともなった鑑賞は、やがて、読み手を作品から離して、自分のこころの世界の形成へとつれだしてゆく。

商人

おれは大地の商人になろう
きのこを売ろう　あくまでにがい茶を
色のひとつ足らぬ虹を

夕暮れにむずがゆくなる草を
わびしいたてがみを　ひずめの青を
蜘蛛の巣を　そいつらみんなで

狂った麦を買おう
古びておゝきな共和国をひとつ
それがおれの不幸の全部なら

つめたい時間を荷作りしろ
ひかりは桝にいれるのだ

さて　おれの帳面は森にある
岩蔭にらんぼうな数字が死んでいて

なんとまあ下界いちめんの贋金は
この真昼にも錆びやすいことだ

これは、現代詩のうち難解といわれる部類にぞくする詩であり、この詩の書き手は、じぶんで「難解王」と称している。わたしに、いわせれば、とんだ自惚れである。この詩は、たいへんやさしい単純な思想でかかれているやさしい詩である。一篇の意味は、「じぶんは、大地から育つもの、自然物にねざした土着のもの（思想でもよい）を宣揚する人間となろう。そうすることによって、おれにそうせざるをえない不幸をあたえている、この『古びておゝきな共和国』（日本と解してもよい）と、さしちがえるのだ。都市文明の世界をほんとうの世界だとおもっている連中たちは、さびた贋金みたいなものだ」ということである。

普通の読み手は、「色のひとつ足らぬ虹」とか、「狂った麦」とかいう奇妙なコトバが、なぜつかわれて、どういう意味をもつのか、疑問とせざるをえない。しかし、このばあい、意味の方からセンサクせずに、感覚の方からセンサクすると、容易にこういうコトバを使う作者のこころの状態を理解できる。こういうコトバは、現実にあるもの、（ここでは麦とか虹というもの）に対する作者の不満感、欠乏感を象徴しているのである。だから、ただの「麦」ではなく「狂った麦」であり、ただの「虹」ではなく「色のひとつ足らぬ虹」でなければならない。現実社会、(この場合農村と解してもよい)にたいする作者の苛立ちが、ただの「麦」とか「虹」とかかくことをいさぎよしとさせなかったのである。これだけのことが理解できれば、この詩は、ぜんぶわかったとおなじである。

さて、四聯、五聯はどうであろうか。「つめたい時間を荷作りしろ　ひかりは枡にいれるのだ　さておれの帳面は森にある　岩蔭にらんぼうな数字が死んでいて」、普通の読み手は、つめたい時間とか、それを荷作りしろとか、ひかりを枡にいれるのだとかいうコトバのつかい方、把握の仕方になれていない。しかも、どういうことだか意味がわからないとおもう。

わたしに、いわせれば、この四聯、五聯には、意味がないのである。だから、これは、どういう意味であるか、というようにこの聯をよまずに、時間を荷作りするとか、ひかりを枡にいれるとかいうようないい方で「時間」とか「ひかり」とかいう天然四元を表現している作者は「大地の商人になろう」というじぶんの意志を、相当よく思想としてこなしている証拠としてうけとればいいのだ。この聯には、意味がなく、常識的でない感覚を読み手にあたえる作用だけがあるとかんがえれば足りる。いいかえれば、この四聯、五聯の意味は不明であるとかんがえる普通の読み手の感受性は、きわめて健全であるといわねばならない。ことに、「岩蔭にらんぼうな数字が死んでいて」という行は、作者にしか通じない不完全な暗喩で、わからないのが当然なのである。

現代詩は難解だというが、せいぜい、この程度が、もっとも難解だといわれている部類にぞくしているだけである。しかもその思想は、きわめて単純で、レトリックをはがしたら、なあんだといったようなものである。しかし、この詩などは、典型的だが、現代詩の世界は、レトリックの面白さと思想とが相おぎなって詩の世界をつくっていて、一方の足をとりはずしたら、詩の表現世界はぜんぶ崩れてしまうという場合がおおい。

これは、おそらく、現代詩の世界が、つよい秩序意識を、いいかえれば定型をもっているためではないかとおもう。理想としては、この反対の世界をかんがえたほうがいいのだが、現在秩序破壊的に詩をかく詩人は、しだいに欠乏の傾向にあるということができる。

海老すきと小魚すき

梁塵秘抄のなかに、ふたつみっつ、わたしのすきな俗謡がある。海老すきと小魚すきもそのひとつだ。もともと、俗謡とか民謡とか流行歌とかいうものは、過剰にもちあげると妙なことになってくるが、それが時代をこえておもしろいところがあるのは、発生した個別的な事情がきえてしまって、あとにその時代時代の風俗にうらうちされた、典型的な庶民関係がのこされるからだとおもう。おそらく、わたしたちは、いかに研究をすすめても、俗謡や民謡や流行歌の発生の事情をつきとめるのはむつかしいし、それはあまり意味がないかもしれない。せいぜい、こいつは、いつのまにか口承されたのだぐらいにいっておくのが無難であろう。それにアレゴリカルに庶民関係をみつけだせば、それでいいとおもう。わたしは、梁塵秘抄のなかから、すきな海老すきと小魚すきの俗謡を引用しよう。

海老漉舎人はいづくへぞ。
小魚漉舎人がり行くぞかし。
この江に海老なし下りられよ。
あの江に雑魚の散らぬ間に。

海老とりくんよ、どこへゆくんか。小魚とりのところへいくっていうつもりだな。この河には海老なんぞいねえよ。さっさと下りていったほうがいい。あっちのほうの河で、雑魚がにげちまうじゃないか。

この意訳がいいかどうかはせんさくしないでもらいたい。この俗謡が、なぜおもしろいかは、だれの眼にもはっきりとわかる。たとえば、他人のふところはみんなよさそうにみえるとか、他人のことばかり気になって自分のほうはお留守になるとかいう人間の盲点を、この《海老漉舎人》と《小魚漉舎人》の俗謡がアレゴリカルに感受させることをゆるしているからである。いいかえれば、この俗謡が、おおよそ人間と人間との関係についてアレゴリカルなおきかえをゆるすからである。《海老漉舎人》を前衛とし、《小魚漉舎人》を大衆運動家としてもよい。《海老漉舎人》を芸術とし、《小魚漉舎人》を大衆としてもいい。この俗謡はたくさんのアレゴリカルなおきかえをゆるすのだ。

いま《海老漉舎人》を前衛としておこう。《小魚漉舎人》を大衆論者、サークル指導者、大衆運動家としておこうか。すると、この俗謡は、つぎのように意訳される。

前衛諸君よ、どこへゆくんか。大衆運動家のところへゆくつもりか。よせよせ、そんなところにエビつりにゆくなんぞ、バカの骨頂だ。君が自分の職をおろそかにして、のそのそ出歩いているから、大衆運動家も、ザコをとりにがしてしまうのだ。

このアレゴリイの変形は、はたしていかがなものであろうか。まんざら、すてたものではないとおもうのは、わたしだけだろうか。これで納得できなければ、《海老漉舎人》を芸術とし、《小魚漉舎人》を大衆としておこう。このアレゴリイを意訳すればこうなる。

芸術よ、おまえはどこへゆくんか。大衆のところへゆくつもりか。そこは、おまえなんぞの行くところじゃない。出直せ、出直せ。政治のゆくところへお前なんぞが出かけるから、あっちのザコも、こっちのエビもにげてしまうのだ。たとえば、『現代芸術』（3号）に野間宏の「芸術大衆化について」というながながしい評論がある。わたしの「芸術大衆化論の否定」（『現代批評』3号）に触発され、わたしの論に対抗するつもりでかかれているのだが、これなどは、《海老漉舎人》がじぶんの職分をわすれて、やたらに《小魚漉舎人》になりたがっている見本のようなものである。わたしの理論は、あまり革命的であるため野間宏のような頭の鈍い典型論者には読みこなせなかったのは仕方がないが、野間の論文は《海老漉舎人》にしては、あまりにひどい日和見である。人民文学運動を自己批判して新感覚派とプロレタリア文学評価から出直すのはいいが、左翼日和見がこうひどく右翼日和見にゆれては、この先生のいうことなど、だれも信用しなくなるのではあるまいか。(わたしなど、とうの昔に信用してないが。)

野間のながながしい論文の主張点を要約してみれば、たった数行でつきる。かれは、プロレタリア文学運動の芸術大衆化論は、上からの芸術大衆化にたいし、下からの芸術大衆化を目指した点は正しいのであるが、いかんせん、芸術なるものが資本主義体制のもとでは商品としてあらわれ、芸術家は商品の生産者であるより仕方がないから、芸術の特殊性をかんがえて、芸術商品の市場独占者であり、コミュニケーション媒介の支配人である資本家というやつを仲介人から除外して芸術大衆化をやるのは、まちがいである。資本家を利用して芸術大衆化をやるべきであるというのである。

おどろくべき、珍説である。しかし、この珍説は、野間宏ほど馬鹿正直ではないが、この連中のかんがえそうなことである。こんなことを、大衆運動のなかで主張し、ひとつ資本家を仲買人として、しこたまもうけてやろうなどという経済闘争をやったら、かれは、たちまち進歩的労働者から見むきもされなくなってしまうだろう。野間などは、ルーズな芸術家仲間にいるからこんなことをいってもまだ進歩的な芸術家の看板があげていられるのである。

しかし、野間のように人間の労働の対象化として、芸術をみるかぎり、芸術家は、生活資料を生産する労働者とおなじ原則に支配されることは当然である。したがって、マス・コミを独占している資本家を仲介として下から芸術を大衆化せよという野間の主張が、右翼日和見であることはいうまでもないのである。野間の芸術大衆化論は、なぜ、まちがっているのだろうか。そのひとつは、すでにわたしが、「芸術大衆化論の否定」でふれたように、芸術が表現であり、芸術の創造が表現行為であるという本質によって、創造上のリアリズムというものが、芸術家の現実認識上のリアリズムとなにも直線関係にないということが、社会主義リアリズムの典型論者である野間には、まったく、わかっていないのである。さらに、他のひとつは、野間が、芸術の表現のハンイで政治的であり、大衆的であることが、いわば、相対的な意味しかもちえないということを悟らず、あたかも、そういう主張をおこなうことが、自分を社会現実上の大衆の側におくことであるかのように錯覚しているのである。しかし、野間宏は、じぶんがいかに下からの芸術大衆化を主張しても、それは大衆の側にあることを保証するものではないことを知っておいたほうがいいとおもう。

こういう本質的な問題を、たとえば、日本での数すくない創造的マルクス主義者のひとり黒田寛一はつぎのようにかいている。

芸術が社会的生産の歴史的な発展と直接に対応して発展するわけではないということは、芸術創造のしごとが相対的に独立していることにもとづくのです。

疎外された社会構成のもとでは、芸術もまた、労働や大衆や生活からきりはなされて、相対的に独立化するのです。この独立化は、同時に、たとえ経済社会的な疎外のワク内においてではあるが、この疎外を止揚しようとする傾向、それぞれの時代における人間的な完全性と、よりいっそうの自由をもとめる努力を可能にするのです。(『社会観の探求』)

野間宏やエピゴーネンに、この意味がわかるだろうか。テレビ・ドラマやミュージカルスをかくひまがあったら、こういう本質的な芸術論をケンケンフクヨウすることをすすめたいとおもう。そうすれば、マス・コミ独占者である資本家を仲介者にして、芸術を下から大衆化しようなどとかんがえることが、いかにくだらぬことであるかを知ることができよう。それは、不可能であることが科学的にわかっていることを、やろうとするバカ以外のなにものでもないのである。ただ、わたしは、野間やエピゴーネンたちが生活の資をうるためにテレビ・ドラマをかいたり、ミュージカルスをかいたりすることを否定しているのではないことを断っておかねばならない。芸術とは、本質的に何か、ということもわからぬ癖に、つまらぬ理くつをもてあそんで、自分の職業を正当化するのは、おやめなさいとすすめているだけだ。

二、三年まえは、近代文学史をすべて文壇文学として否定しかねまじき勢いであった野間宏が、こんどは、マス・コミを通じての下からの芸術大衆化などを、本気になってかんがえているとすれば、これからもただ時計の振子のように右にゆれ、左にゆれていくだけだとおもう。時計の機械を新しくするのも、とりかえるのも資本家であり、野間は、振子を大衆向にしたり、沢山くっつけたりしても、振子は時計の機械をうごかせるはずがないからだ。外眼には、振子が時計をうごかしているようにみえるが、それは幼児の認識であり、本質的には機械が振子をうごかしているにすぎないのである。

わたしも、以前は、海老とりアミなどをぶらさげて、そこらをふらふらあるいている《海老漉舎人》のかっこうをした連中を、いくらアミが破れて大アナがあいていても、《海老漉舎人》にはちがいあるまいとおもっていた。しかし、ちかごろは、そうおもうのをやめにした。こんな連中が、いつか海老をごっそりとってみせるなどとおもうよりも、じぶんで海老をとったほうがいいことに気づいたからだ。

野間宏のような「海老漉舎人はいづくへぞ、小魚漉舎人がり行くぞかし」といった芸術大衆化論者が、それでもなお楽天的でありうるのは、芸術というものが、土台にたいし相対的に独自であるゆえんを正と負の両方からかんがえられないところからきている。芸術は、現実にたいして相対的にではあるが独自性をもった表現であるゆえに、あえて、これを大衆化するなどということはなんの意味ももちえないのだ。芸術家が社会的現実をリアルにふまえているかぎり、芸術はその芸術たるゆえんを開花せしめられたとき、かならず大衆にたいして独自なはたらきをしめすことは当然だが、それは、その芸術が大衆化されたためではなく、ただ、すぐれた芸術であるからである。

また、芸術は、現実にたいして相対的にしか独自でないため、芸術表現のワク内で、いかに政治的であり、大衆的であろうと芸術家がつとめても、それは社会構成の土台にたって、政治的機能をもつことは、まったく別問題なのである。《海老漉舎人》を、《芸術》と解するかぎり、それを大衆化したら政治的効用をもつなどということは、ナンセンスにしかすぎない。こういう見解のゆきつくはては、マス・コミの独占者を仲介にして芸術を下から大衆化しようなどという野間宏のおろかな見解にゆきつくのである。

野間宏やエピゴーネンにくらべれば、《海老漉舎人》と《小魚漉舎人》とを、前衛と大衆という問題から、知識人と大衆という問題にそしらぬ風をしてすりかえ、海老とりアミをぶらさげたまま、《小魚漉舎人》になりすまそうとして「偽善の道をつらぬく工作者」などというヴィジョンをつくりだしている谷川雁のほうが、はるかに自己の内部矛盾を激化して悲劇的であるだけ、ましだといわねばならない。

わたしは、谷川雁のインテリ威かしの文章などにあまり感心したことはないし（ただし、『城下の人』覚え書」という『思想の科学』六月号の評論だけは感心した）、その実践家ヅイた発言にもべつに感心もしないが、谷川がインテリたる自己の宿命をすてようとしてもすてきれぬままに、下層大衆からのヒンシュクに耐えている矛盾の深さだけは、評価せざるをえないとおもう。だいいち、谷川は、芸術を大衆化せよなどといわず、その難解（思想が難解なのではなくメタファが難解なだけだが）な詩や散文をおく面もなくかきチラシているところなど、野間宏にセンジテ飲マセタイくらいなものである。谷川も、おそらくただの文化工作者にすぎないかもしれないが、社会的な実践は、社会構成の疎外自体をぶち破ることであることを知り、芸術（詩）の機能などを大衆化することによって政治的実践の代償としようとするさもしい根性がないだけでもみつけものである。おそらく、レーニンやトロツキイが生きていたら、この先生ぐらいは、あるいは芸術家と呼んでくれるかもしれない。

もっとも、この先生は、「東京にゆくな」などという詩をかきながら、わたしのような東京にいるものより、はるかに「東京にゆく」らしいので、ほんとの偽善に落っこちそうな予感がしないではない。わたしなどは、「東京にゆく」と、鶴見俊輔とか日高六郎とかいうような生馬の眼をぬくブルジョア・インテリがたくさんいるから、文化人諸君とはすすんで交際しないことにしている。わたしのようなのを、ほんとうの《小魚澠舎人》というので、先日も、秋山清、中井安男などと上野不忍池で金魚すくいをやってあそんだ。

谷川は、工作者の概念についてこうかいている。

大衆と知識人のどちらにもはげしく対立する工作者の群……双頭の怪獣のような媒体を作らねばならぬ。彼等はどこからも援助を受ける見込みはない遊撃隊として、大衆の沈黙を内的に破壊し、知識人の翻訳法を拒否しなければならぬ。すなわち大衆に向っては断乎たる知識人であり、知識人に対しては鋭い大衆であるところの偽善の道をつらぬく工作者のしかばねの上に萌えるものを、それだけを私は支持する。そして今日、連帯を求めて孤立を恐れないメディアたちの会話があるならば、それこそ明日のために死ぬ言葉であろう。(『文学』一九五八年六月号)

この工作者の概念を、実践的なプログラムとしてよんでいる鶴見や日高は、まったくおめでたいというよりほかはない。わたしにいわせれば、谷川の《工作者》とは、《海老澠舎人》が《小魚澠舎人》になろうとしてもがけば、どういう概念を発明せざるをえないか、の好見本である。

《海老澠舎人》は、そのままのかっこうでは、けっして《小魚澠舎人》にはなれない。せめて服装くらいは、《小魚澠舎人》のかっこうをしなければならない。しかし、谷川は、手に海老とりアミをもって離さないのである。海老とりアミもすてなければならぬ。かれは、手ぶらにならなければならぬ。しかし、《小魚漉舎人》の服装をし、海老とりアミもすてれば、《海老漉舎人》は、《小魚漉舎人》になれるだろうか。なれない。かれは、雑魚とりアミをもたねばならない。しかし、《小魚漉舎人》の装いをし、雑魚とりアミを手にもてば、彼はほんとうの《小魚漉舎人》すなわち、ただの大衆でなければならない。ここまで、根性がすてられないインテリは、工作者になるもよかろうし、アカデミシャンになるもよかろうし、芸術大衆化論者になるもよかろう。わたしなどは、全部ごめんこうむりたいとおもうのだ。

わたしは、ただ、なにものにもなることを拒否しながら、めぐってくる舞台を捕捉しようとしているだけだ。舞台は、社会構成の疎外がむこうからもってきてくれる。わたしは、それを捕捉する。かつて、大衆運動の舞台がわたしにめぐってきたように、こんどは、何かの役割がめぐってくる。ただ、何ものになることをも拒否するたたかいに耐えることによって、どんな舞台にも応じようとしているのだ。

谷川雁の工作者などという概念を、わたしはすこしも実践的だなどとおもってはいないが、これが、鶴見俊輔や日高六郎のような生粋のインテリにあたえる衝撃の意味と、野間宏のような芸術大衆化論者にあたえうる薬効を信ずる。野間宏などは、芸術を下から大衆化せよなどと主張するが、おまえ、そんな不徹底なことをいわずに、大衆になっちまえ、といえば、そんなことをいうのは極左的な言辞で、インテリにはインテリの役割があり、芸術家には芸術家の役割があるのだ、いまさら文筆業の味が忘られようか、とこたえるにきまっているのだ。もちろん、それでいいわけで、なにも、そんなやつはくたばってしまえといっているわけではないが、こういうのが、オーソドックスな革命芸術家のような貌をしているのをみると、虫ずが走ってきてしかたがない。

わたしは、谷川雁もふくめて、インテリゲンチャ（わたしはインテリゲンチャではないが）が、大衆論をやるばあいに、サークル運動や、大衆記録を種にして大衆の性格を論ずるのが不可解でならない。すくなくとも、サークル運動をやったり、大衆記録をかいたりしている大衆は、《小魚漉舎人》ではなく、雑魚とりアミで、海老をすくおうとしはじめている人間である。《小魚漉舎人》は、かならず、いつか、雑魚とりアミで海老をすくい、そのつぎの段階では、《海老漉舎人》の服装をし、そのつぎの段階では、雑魚とりアミをすてて、海老とりアミを手にもつようになるのだろうか。あるいはそうならねばならないのだろうか。

わたしは、不思議なことに、そんなことをいちどもかんがえたことがない。きわめて、逆説的にきこえるかもしれないが、《小魚漉舎人》が、雑魚とりアミで、海老をすくおうなどとかんがえはじめたら、かれは、はてしなく堕落し、ついに《海老漉舎人》になるまで、堕落はとどまるところをしらないような気がする。サークル運動の指導者などというのは、たいてい、《小魚漉舎人》に、海老をとらせようとしているにすぎないのではないかとおもわれる。わたしは、《小魚漉舎人》は、かつてだれももったことのないすばらしい小魚とりアミを創り、それによってかつてだれもとったことのない雑魚をすくうようになるのが、進歩というもので、雑魚とりアミで海老をすくうようになるのが進歩ではないとおもう。したがって、たいていサークル運動などは、見当ちがいの方向にすすんでいるようにおもわれる。

この問題は、おそらく、《海老漉舎人》の場合にもあてはまる。かれは、野間宏のように、海老とりアミで雑魚をすくおうなどとかんがえるべきではなく、かつてだれももったことのない海老とりアミを創り、そのアミでかつてだれもとったことのない海老をとるべきではあるまいか。

藤田省三は「大衆崇拝主義批判の批判」(『民話』第五号)のなかで、「日本人てのは、ぼくなんかも何時も自分についてそういうんだけども、どうしてまあこうも早く自分で自分の救いを発見したくなるのかな。マイナス面を追求するのなら大衆のみならず貴族、知的貴族、つまりインテリなどのすべての日本の精神的マイナス面をなぜ徹底的に剔り出そうとしないのか。プラス面をひき出そうと思えばなぜマイナス面自身のなかにつっこんで行ってマイナスの極致にプラスを発見するという方針をとらないのか。そういうふうにしないから早のみこみの早進歩で駈足でデモクラシー国になっちゃうんだ。日本に一度だって徹底的な絶対主義者が生れたこともないし本格的なスターリニストも出たことはない。」とかいて、《海老漉舎人》が海老とりアミで雑魚をすくう風潮を批判しようとしている。しかし、藤田はイデーとしての大衆とダーザインとしての大衆の分裂などをもちだすことによって、これを折衷的な理解にかえている。たぶん、現実には、イデーとしての大衆とダーザインとしての大衆との分裂など存在していないとおもう。ただ、まがりなりにも、よりよい雑魚とりアミを創ろうとしている大衆と、雑魚とりアミで海老をすくおうとしている大衆とがあり、その分裂を促進している《海老漉舎人》がいるだけである。

もちろん、大衆が、よりよい雑魚とりアミを創ろうとするものと、雑魚とりアミで海老をすくおうとするものとに分裂するのは、ほんとうに、それを促進する《海老漉舎人》がいるためではあるまい。これは、本質的には、社会的な伝達の手段であり、思想形成の手段であるコトバの社会的機能によっている。サークル運動や大衆記録によって、大衆を論じようとしている《海老漉》連中は、大衆がコトバによって思想を形成すると、これが表現のほうへゆくにちがいないし、ゆかせるべきだと錯覚しているのだ。こういわれれば、まさかそんなことはかんがえていないと抗弁するにきまっているが、かれらは、ちゃんと実践によってそれをうらづけているのである。大衆のコトバはその生活過程で思想を形成しても、表現のほうへはゆかずに、現実の生活過程のほうへかえってゆくこともある。大衆の思想の運命は、いつも表現にならずに現実の生活過程にかえっては、ふたたび生活をおしすすめるところに本性がある。これを谷川雁のように、「大衆の沈黙を内的に破壊し」などといいきまいたり、藤田省三のように大衆の「いやらしさ」などといってダーザインとしての大衆をみつけてもはじまらない。大衆は、沈黙もしていなければ、いやったらしくもない。日々、あたらしい雑魚とりアミを創り雑魚を生活そのもののなかからすくいながら、なるべきものになっているにすぎない。大衆が生活のなかでつくっているのが、ほんとうにあたらしい雑魚とりアミであるのか、だんだん安物の雑魚とりアミに変っているだけなのかを、決定しているのは、社会構成の疎外そのものである。かれらが、もともと日々あたらしい雑魚とりアミをつくっているのに、雑魚とりアミで海老をすくえなどとおしえるサークル運動の指導者は、どうかしているといわなければならない。

おそらく、すべての大衆論は、大衆が日々あたらしく雑魚とりアミを創り、それであたらしい雑魚をすくっている生活過程を、本質的にあたらしいものとするためには、経済社会構成の疎外そのものをぶち破らねばならない、という認識が根底にないかぎり無意味である。まして、雑魚とりアミで海老をすくうことをおしえるのは、まったく見当はずれといわなければならない。わたしたちは、大衆を理解しようとするにあたって、大衆の表現意欲と大衆の生活意欲とを峻別し、大衆の文化意欲と大衆の思想形成と解体の過程とを、はっきりとわけなければならないとおもう。

日高六郎は、「大衆論の周辺」（『民話』第六号）のなかで、知識人と大衆とを対立的にあつかって、戦後の大衆運動史（おもにサークル運動史）を、知識人と大衆との交渉史としてかんがえ、その過程で知識人の大衆にたいするイメージが変遷してきたことを指摘している。そして、戦後の大衆引きまわし主義と大衆崇拝主義との大揺れのあとで、「大衆に向っては断固たる知識人であり、知識人に対しては鋭い大衆であるところの偽善の道をつらぬく工作者」という谷川雁が設定した《工作者》概念を評価しながら、この《工作者》概念がかならずしも近代化され、民主化された大衆をプラスと評価するのではなく、大衆が原始共同体的な深意識としてもっている普通マイナスとかんがえられている意識を逆評価することを可能にするものであることをも特徴としてあげている。

しかし、わたしにいわせれば、日高の問題のたてかた自体がちがっており、谷川の《工作者》なるものは、日高式インテリが、ついに実践の過程であげている悲鳴のようなものであり、根本的には、知識人と大衆という問題のたてかたを、まったく、やめるよりほかに谷川の《工作者》概念のような内部矛盾の激化をさけるみちはないとおもう。

日高や谷川は、知識人というものを、根本的には、形成した自己の思想を表現したり再構成したりするもの、大衆とは形成した自己の思想を表現しないで解体させるものとして設定している。だから、表現せずに解体してしまう大衆の思想を表現させること、すなわち、雑魚とりアミで、海老をすくうようになることを進歩だとかんがえ、また、知識人が何らかの形で大衆との接合をもとめること、すなわち、海老とりアミで雑魚をすくうようになることを進歩とこころえているのだ。

しかし、この問題設定は、まったく観念的なものである。たとえば、日高や谷川のような中インテリも、じぶんが形成した思想をすべて表現しているわけではなく、沈黙のうちにその思想を生活過程につぎこんでいるはずなのだ、この過程は、大衆の生活過程と物質的条件のちがいはあっても、まったくおなじはずである。また、大衆といえども、形成した思想を沈黙のうちに解体させているわけではなく、表現し再編成している。（ただ、文学その他のコミュニケーションで表現したり、再構成したりしないだけである。）この大衆の思想形成の過程は、まったく、知識人とおなじものである。日高、谷川などが、知識人と大衆とを対立的な概念としてあつかうとき、この過程をみていないし、また、根本的には、人間の文化意欲というものと現実の生活意欲というものを混合してあつかっているのである。したがって、かれらは、三浦つとむのいうように、指導者（前衛）と大衆という場合の大衆と、知識人と大衆という場合の大衆とを混同しているのである。前者の場合には、大衆を現実の生活過程からみており、後者の場合には大衆の文化意欲とされているのであって、これは、日高・谷川式の知識人と大衆概念では、まったくさけることのできない混同である。

わたしは、以前、砂川基地闘争を視察（ゲキレイ）する文化人たち、という新聞記事をよんだとき、この文化人たちを軽蔑した。かれらは、どうして現場まででかけながら大衆になっちまわなかったのだろうか。大衆になってスクラムのなかに解体するのは抵抗をかんじたのだろうか。おそらく、そうであろう。知識人と大衆の対立という観念的な設定のほうはつきつめるが、自分のなかに表現意欲（文化意欲）となる思想もあれば、表現意欲にはならずに、生活過程にかえってゆく思想もあるということを徹底してつきつめていない文化人たちは、観念と行動のあいだに断層や対立を設定せざるをえないのである。かれらは、観念的生産の原動力は、現実を観念によって再構成する表現意欲からやってくるが、行動は、現実の生活過程から、すなわち表現意欲にならないで生活過程にかえってゆく思想から原動力をうけるものであり、まったく、両者は別次元の過程（関係はあるが）からやってくることをしらないのである。

谷川雁の《工作者》なるものは、いいかえれば、この観念的な設定を極限まで、おしすすめたものであり、設定の内部矛盾の激化されたものに外ならない。かれは、《工作者》などという観念的な設定をするまえに、自分のなかで、実践の原動となるものと表現の原動となるものとが、別次元からやってくることを、よくよく洞察してしかるべきであった。そうすれば、「偽善の道をつらぬく工作者」などと分裂する必要はないのだ。人間は、だれでも大衆的行動をすることができるし観念的生産をおこなうこともできる。ただ、大衆的生産のなかで大衆的であろうとしたりする倒錯は、はじめの出発点がまちがっているためにおこるのである。

わたしたちは、多少、大衆の存在に関心をいだいているインテリゲンチャの発言のなかに、しばしば、この種の倒錯をみつける。野間宏的な芸術大衆化論から、日高六郎的な第三の論理、谷川雁の《工作者》にいたるまで、そこに一貫しているのはこの種の倒錯である。この倒錯からみちびかれる大衆論は、そのほとんどの部分が無用のおしゃべりである。じじつ、わたしは谷川、日高、藤田などの文章のうち大衆について発言された個所は、すべてつまらないとおもわれた。

サークル運動、いいかえれば、大衆の文化意欲の組織的な運動に、なにか現実政治上の効用をもたせたり、もたせようとこころみたりすることはまったくあやまりであろう。ここでは、大衆文化の創造が課題となるべきものであって、そういうものの組織化を政治的な問題にすりかえてはならないはずである。大衆の文化意欲と生活意欲を混同したり、故意に混同することによって、生粋の知識人が、大知識人へのみちをゆく孤独なケンサンにもたえられず、さればとて大衆的な行動にもたえられないで中インテリ的な進歩性にとどまっているほどしまつにわるいものはない。かれらは、いたるところのサークル運動に首をつっこんで、それをサロンにかえてしまう。サークル大衆にむかって、おまえは大衆文化の創造という課題につきすすむつもりなのか、または、社会構成の疎外をぶちやぶるために大衆的行動をおこす課題をつきすすむつもりなのかという二者択一を内面的に強いるほどのリーダーシップを発揮するのではなく、箸にも棒にもかからない大衆文化人をつくりあげることに加勢をする。わたしが、雑魚とりアミで海老をすくうことを教えているという比喩をつかうのは、この点についてである。

サークル運動の実体が、どこでどのようになっているかは、サークル運動の指導者や、大衆論をやっているインテリ文化人たちが、どんなかんがえをもっているかを、鏡にたいする像のように反映する。知識人論の構造をつかめば、サークル文化運動の構造をつかむことができる。この関係は前衛集団の構造が大衆運動にたいし鏡にたいする像のような関係にあるのとおなじだ。

戦後の知識人論は、あたかも日高六郎が指摘するように、知識人エリート主義と知識人を土着の思想、伝統的な思考方式のほうへひきもどそうとするこころみのあいだをゆれている。これは比喩をつかっていえば、《海老漉舎人》が、《小魚漉舎人》のほうへゆかずに、一方は、ますます《この江》で海老をとり、一方は《あの江》で雑魚をすくっていて、次第に支流はわかれわかれになってしまうのではないか、という危惧の念に根ざした知識人論である。藤田省三のいうように、しかしそれにもかかわらず、《海老漉舎人》のほうも《小魚漉舎人》のほうも、ほんとうに《この江》と《あの江》とは、次第にわかれわかれになってしまうかを果しなくつきつめたものはいないのだ。

その原因は、わたしにいわせれば、戦後の知識人論が、いつも政治情勢によって変換してしまうからであって、日高六郎の論などは、まったくおあつらえむきに政治的な情勢の転換によって知識人と大衆との交渉史を三つの段階にわけているくらいである。しかし、これでは、日本知識人も大衆も、したがってその交渉史も、つかみうるはずがないとおもわれる。もともと、知識人にしてもそれに対置する大衆にしても、その正体をつかまえるゆいいつの方法は、政治情況のいかんにむすびつけて論ずるのではなく、社会構成のいかんにむすびつけて論ずることによってしなければならないとおもう。比喩をつかえば、《海老漉舎人》と《小魚漉舎人》が、どこの《江》で獲物をすくっているのかを、その時々に問題にするのではなく、江全体の構造と関連させて問題にしなければならないだろう。

わたしのあまりげんみつではないかんがえでは、日本の知識人がいだいている、大衆とますます分裂してしまうのではないかという危惧と、それの反動としてある大衆密着主義と、その折衷としてある第三の《工作者》論理とが生まれてくるのは、日本の社会構成が「古い型の村落はとうにひっくりかえっています。しかしそれは近代主義者や一部の革命家がいうように消失したのではなく、裏返されたにすぎないのです。むしろ悪しき意味での村はもっと高度の偽装をもって、いま工場のなかにあります。」（『思想の科学』一月号「工作者の論理」）というようなものとして存在しているからではない。それは日本の社会構成全体の様式上のヴァリエーションが階層によってはげしく多様であるためである。大衆は前近代的な土着様式と思考様式をたくさんもち、知識人が西欧近代的な生活様式と思考様式をもっているから、知識人と大衆とは分裂するのであるといったたぐいの、日高・谷川式の考えかたは、まったく日本の社会構成全体との関連において知識人と大衆とを考察しようとせずに、社会構成の一つの局所と、他の一つの局所とを強引に対比させようとするところからうまれている。だから、これらの論者が知識人と大衆との分裂だとか、背離だとかかんがえているところは、大部分日本の社会構成そのものの特質として解消しうるものである。むしろ、論者たちの観念のなかにある西欧近代と日本前近代とが矛盾し、分裂し、そして谷川雁のばあいには解体しつつあるのだということができる。

わたしは、谷川雁のような思考が、うまれつつあることを、とくに谷川のようにコミュニストのあいだからうまれつつあることを、戦後、思想が近代日本においてはじめて根づきつつあるいくつかの徴候のひとつとかんがえている。いわば、過渡的な混乱のひとつの徴候として谷川の《工作者》の概念をみるのだ。おそらく、現代日本における社会構成の多様性、生産様式の多様な併存という現象は、どこにも対比することができないほどの特長をもっている。ここでの思想発生の様相が、西欧的近代を知識人にふりあて、日本的な土着様式を大衆や農民にふりあてて、観念的な対立や分裂や密着を問題にするというような場所で、解明しうるはずがないのである。これらの設定の仕方自体を、移植思想の解体期における混乱の徴候としてみるほかに、わたしは、適当な見方をしらない。

わたしたちは、知識人論や大衆論を、まったく設定の方法をかえて、組み直さなければならない段階をむかえている。戦後十数年をいくつかにわかれて展開されるようなものではなく、社会構成の現代的な特質をふまえたうえで展開されるような、したがって、そのうえにいくつもの蓄積をゆるすような継続的な価値あるものとすべきであるとおもう。これは、知識人や大衆の文化意欲の問題を、文化創造の問題としてかんがえずに、政治主義的にかんがえることによって、政治そのものの問題を文化主義的に変質させてしまうような、従来の大衆論や知識人論から脱却するみちであるとおもう。

転向ファシストの詭弁

○みたいな奴は君のことも、青年将校のことも信用してやしませんよ。もともと、自分自身が信用できない男なんだ。厭な奴です。理論的な「長袖」でね。

（武田泰淳「貴族の階段」より）

歴史のなかには、はっきりと断層をつくって転換するようにみえる時代がある。そこでは、大衆的なスケールでおこなわれる転換が主役をしめる。しかし、大衆的なスケールでは何も意識されないうちに、ひそかに、しかも決定的な転換をとげている時代もある。ほんのわずかの透視者だけが、このような転換を予見し、未来にたいするはっきりとした対策をつくりあげる。わたしは、いま、どうやらこのひそかにめぐりつつある決定的な転換の時期にたって、わたしの敵とたたかおうとしているらしい。わたしが、全能な透視者でないかぎり、わたしのたたかいは、多少とも危険をともなう作業であることをまぬかれないが、わたしのかすかな予見は、この危険な作業をつづけることを強いてやまないのである。

わたしの敵は、歴史のなかの決定的な断層の時代を、ただ、《黒い団服》から《赤い団服》に着かえることによって平然とおしわたってきた思想の典型たちである。もしも、わたしが一撃を加えなければ、かれらは、歴史の断層にうちのめされながらはいあがってきた人民の思想が、戦後十数年をへた今日、かれらのたかをくくったニヒリズムを決定的に転倒させるほど強じんであることをしる機会を、永久になくしてしまうかもしれないのだ。たたかいはあくまでもさけるわけにいかないのである。

たしか、昭和十七年から十八年ごろのことであった。わたしが、東北のY市にある高等工業学校の学生であり、時に応じ、ちかくの農村で、暗渠排水の工事に動員されていた時代である。田圃面にタテヨコ規則ただしく、幅四〇センチメートル余、深さ一メートル余のミゾをほり、その底にソダをしいて、上からもとどおり土をかぶせる、いわば、この原始的な作業は、田圃の灌水を調節するもっとも金のかからぬ方法であった。当時、化学肥料は、軍需生産にきりかえられ、（たとえば、硫安はロケット推進の燐料の中間物であった。）東北の農村には出まわらなくなっていたのである。「ノーチラス号反応あり」（『現代芸術』3号）をよむと、たまたま、このころ花田清輝は、軍閥直属の『軍事工業新聞』で、「責任の科学性」というような社説をかき、「責任生産量の達成のために陣頭指揮を行うには、当然、基礎的なデータが出そろっており、このデータにもとづいてたてられた科学的な生産計画があり、この計画の実施が生産責任者自身によって命令されていなければならない」などと軍需生産の合理的な増強を主張していたらしい。化学肥料の軍需生産への転換と増強にも、花田のような戦力合理化論者の発言が、ひと役かっていたかもしれない。

戦争中、わたしがはめこまれていた社会構成の一場面は、花田清輝のような「ニル・アドミラリをモットー」にした転向ファシストが、活字をもてあそぶ習性をすてかねて迎合していた軍閥の直属新聞とは、なんのかかわりもなかった。しかし、花田ら転向ファシストが、すでにこのときから、わたしたちの潜在的な敵としてあらわれていたことはあきらかである。かれが、戦力増強の「科学的責任」をといていたとき、われわれは、化学肥料の軍需生産的増強の代償として、原始農法的な暗渠排水の工事に無償動員せられていたのである。

戦後の戦争責任論をめぐるわれわれのたたかいが、錯綜したものとならざるをえない兆候は、すでに戦時下のこういう情況のなかで萌していたということができよう。われわれは大戦下の西欧や東欧のように、民族ブルジョワジイと社会主義者とが共同して、戦争権力に抵抗したという記憶をもっていない。わたしの現在の敵は戦争中、戦争権力の傘下にあって戦力を合理的な生産のうえに基礎づけようとしていたプロパガンジストであり、これが戦後は、人民の前衛としてあらわれながら、ついには人民の敵の本性をぬぐいえないという日本的な思想情況の本質は、この戦時下の錯綜した敵とわれわれとの分布を追及することによって、はじめて理解されるのだ。

花田は、「ノーチラス号反応あり」のなかで、じぶんは東方会に寄生していたが、ただのニル・アドミラリにすぎなかったというような、弁解にもならない詭弁を、武井昭夫の無知な理解を逆用したり、楢島兼次とかいう昔のファシスト仲間の私信を引用してならべたてている。なるほど、花田や楢島某などにとっては、中野正剛は「自分とは一応反対の方向、いや、むしろ、否定的な面にさえ立たれる」花田のような転向ファシストをも飼っておく包擁力のある《中野先生》であったかもしれぬが、われわれの世代にとっては、戦争勢力の元兇のひとりであった。花田などにとって、戦争期の現実とは、中野正剛のようなヒットラーかぶれの周辺や、軍閥直属の新聞社や、左翼くずれや右翼くずれのかたちづくる小世界を意味したろうが、われわれにとってそれは一介の学生としての動員生活や、戦争死への、行進や執行猶予であった。わたしと花田とは、戦争中、まったく、縁なき衆生であったろうか。さよう、花田のかいた『軍事工業新聞』の戦争増強の「科学的責任」論などが、現実の因果のくさりをとおって、わたしの動員体験に、過重な労働をしいたことをのぞいては。

しかし、花田的な転向ファシストは、わたしたちのはめこまれていた社会構成のちかくまで触手をのばすことによって、わたしたちと交差したことがあったのである。このとき、わたしたちと花田的転向ファシストとが、いかに対立し、いかなる思想的な矛盾をつくりだしたかを述べてみよう。

暗渠排水時代のことである。われわれの学校にも、お多分にもれずファシスト団体からオルグが派遣されてきた。いま、そのオルグの名をH_1としておこう。かれは、あるときは、黒シャツに赤いネクタイをつけ、髪をオールバックになでつけたいでたちで、あるときはカーキ色の国民服を着てやってきた。かれは、いつも、学生を全員講堂にあつめると、《東亜の有機的未来》についてアジテートしたり、《生産力》増強について強調したり、《指導者の素描》をこころみたり、《労働》問題についてしゃべったりした。わたしが、H_1を記憶しているのは、かれが《学生諸君》とよぶところを《学生君》と呼ぶ個人的な性癖があったためと、もうひとつは、かれのセンドウぶりが、当時流行の農本主義ファシストの粗暴さとはちがって、奇妙に論理的な説得力を感じさせたことであった。

当時、ひとかどの文学青年ではあったが、マルクス主義の残潮もない時代に育ったため、H_1のようなインテリ・ファシストが、転向者であることが理解できず、その奇妙な印象の正体を類型づけられなかった。そのころのわたしは、現在の武井昭夫などとおなじように、ファシストといえば、粗雑な大言壮語をまくしたてたり、ふきだしたくなるようなお題目をとなえる農本主義ファシストしか、念頭になかったのである。

H_1は、オルグのたびに共鳴した学生や、学生のリーダー格を、講習につれていった。当時、クラスの文治派の中心と目されていたわたしは、彼らからは度しがたい人物におもわれていたらしく、一度も、講習の恩典に浴さなかったが、講習からかえったリーダーたちは、ことごとく狐がついたみたいにH_1に感染し、ことあるたびに、「学生時代から社会運動に従事してこられたH_1先生」(当時、このコトバが転向者を意味することを知らなかった)をもち出して猛威をふるったのである。

H_1のファシスト・イデオロギーに感染したリーダーは、三学年になると、われわれ大学進学組を一室にあつめ、「いまは、国家危急のときだ、きみたちは、大学進学など悠長なことをこの際返上して、すぐに軍隊に入るべきではないか。われわれは学長の内意をうけてきた」と弾圧をくわえてきた。この殺し文句は、じつは、すべての進学組にとって痛手であった。われわれ自身もまた、進学をやめて(即ち、死の執行猶予を三年間縮めて)、ただちに死地に入るべきではないか、と思い悩んでいたからである。しかし、「学生時代から社会運動に従事してこられた」転向ファシストH_1やそのエピゴーネンに屈服してなるものか、とおもいきめたわたしは、勇をこして「大学に進学することが、どうして国家のためにならぬのか説明してもらいたい」などという詭弁をつかって反撃し、これに勢いを得た、他の学生とともにリーダーたちを慴伏させた。かくして、わたしたちは、各地の大学に無試験で《配給》されることになり、ろくに学問もしないうちに、また、あらたな動員生活にはいったのである。

　もしも、戦争中、東方会に寄生してファシストの下郎をつとめたり（花田清輝『政治的動物について』—青木書店—を見よ。巧妙なアリバイ提出法にもかかわらず、それを立証している）、『軍事工業新聞』に入って、生産増強の「科学的責任」などを強調していた花田清輝が武井昭夫証人のいうように抵抗者ならば、もちろん、わたしは、このとき堂々たる抵抗者であろう。しかし、わたしが、こんなつまらぬことを拡大して、抵抗だなどと戦後せせり出したならば、われわれの死んだ友人たちは哄笑するほかはないのだ。ここに、わたしたちの戦争責任論が、花田などと断じて両立できない理由がある。花田にとって、戦争責任論は、自己弁護以外のなんの意味ももちえないが、われわれにとっては、戦争体験を客観的責任の問題とむすびつけて検討すべき出発点にほかならない。

　わたしたちの戦争責任論の根底には、いつも死せる同世代の哄笑が存在している。わたしたちは、日本的思想情況の喜劇を暴き出そうとしてきたのであり、これが、わたしたちの論議を、たとえば、《近代文学》派の戦争責任論と本質的に区別している点である。もしも、わたしたちの論調に悲劇性があるとすれば、それは思想的マゾヒズムのためでも、サジズムのためでもなく、わたしたちの敵がポーランドの連中などと似ても似つかぬ喜劇役者であるためである。喜劇役者を笑わせる法はないのだ。

　わたしは、花田清輝のような戦争中の転向ファシスト、戦後の擬制コミュニストとたたかうことは、当然の義務とこころえているにすぎない。いくらか仕事のじゃまにはなるが、ビジネスくらいにしかかんがえてはいないが、それにもかかわらず、花田などの喜劇的な詭弁から、歴史の進路をまもることが、未来につながることを信じないでは、こんな徒労ににた論争はできないのである。

　われわれは、転向ファシストH_1の息のかかったリーダーの強制をしりぞけ、学長の意志を拒んで、大学進学を固守したけれど、内心の悩みは解かれたわけではなかった。戦局は非であり、友人たちは、ひとりひとりY市を去って軍隊に直行していき、われわれは、その最後の一人が、学校と身辺から消えていくのを見送る辛い役目を負わねばならなかった。ある晩、わたしたちは、転向ファシストH_1のもっとも忠実なエピゴーネンの入隊を見送るため、買いあつめた酒をさげて、駅へ出かけ、いつものとおり駅前で大騒ぎを演じた後、彼の列車が消えさるまで立ちつくした。わたしにとっては、敵であったが、かれもまた死地へ一歩を踏みだしたのであり、わたしもかれも口には出さなかったが、最早生きて遇うこともあるまいとおもい挙動によってその夜和解した。

しかし、内心は複雑怪奇であったらしく、わたしたちは帰り道、通りかかったY市の女学校の板柵に、酒ビンを叩きつけたりして、それをY署の私服に見とがめられた。翌日、全員、Y署に拘束され、ふき出しそうなのを我慢しながら、花田清輝などがご自慢らしい取調室や拘置所を体験した。舟橋聖一のように、戦争中に、女と寝ることも抵抗だったなどと称したり、花田清輝のようなファシストくずれのセリフみたいに、奴を刑務所に叩き込んでやりたいなどというのがいっぱしの殺し文句で通用するならば、このふき出したくなるような喜劇的体験も、また抵抗体験にはちがいあるまい。

もちろん、わたしが、こういうエピソードをかいたのは、花田などが一枚看板にしている抵抗などというものが、この程度の喜劇を拡大して、殉教者ぶっていたにすぎない事実を笑殺せんがためばかりではない。

わたしには、戦争中、ファシスト団体に所属した転向ファシストH_1が、どうかんがえても、戦後生きのこり、おれは、戦争中、ファシスト団体にはいたが、ちゃんと資本論をつかって、「現代の課題は、資本制社会の枠内において、まず、いかにしてこの単純再生産の基礎を確立するかにあるのだ」ぐらいなことは、かいてきたのだ、と主張し、いっぱしのコミュニストづらをしているばかりか、戦争中、ファシスト団体に寄生して、生かじりのマルクス主義理論を歪曲してファシズムを合理化した味が忘れられず、戦後は、日本共産党などに所属して、こんどは、聴視覚文化が活字文化を追放するのが現代芸術の課題だなどと、生かじりのスターリニズム芸術理論で、ブルジョワ芸術を合理化しているような気がしてならないのだ。彼は、戦争中所属していたファシスト団体と運命をともにして滅亡することもできなかったように、戦後、日共と運命をともにすることもできず、党と独占ブルジョワジイにふた股をかけている理論的《長袖》以外にはなれないとしても。

わたしは、戦後、ひょっくりH_1と出会うようなことがあったら、即座に射殺（いや、失礼、笑殺ですか）しただろうが、不幸にしてH_1本人と出会うことはできなかった。しかし、戦後に大衆運動の世界や、文学の世界のなかでうたがいもなく同族H_2・H_3・H_4……H_nと出会ったのである。こういう連中の本性をあばきだすことは、今日、文芸批評にたずさわるものの義務でなければなるまいし、また、おそらくわれわれの世代以外によっては遂行できない後世代にたいする責任でもある。

たとえば、鶴見俊輔などは、戦中派が、戦争体験や天皇体験の検討に固執しすぎるため、アプレの世代に飽きられてきているなどと、つまらぬことをいいだしたりしているし、山下肇などは、戦中派と戦後派の断層を埋めるため、いかにして戦争体験を戦後派に伝えるかの方法をかんがえねばならないなどと、ひとごとのように、しゃべっているが、わたしは、とんでもない誤まりだとおもう。花田のような転向ファシストが、戦後十数年偽造の歴史をひけらかして抑圧してきたため、戦中派は、文学の世界でも、大衆運動の世界でも、政治の世界でも、まだ、わずかの自己主張しかしていない。そのために、かえって戦中派と戦後派の断層は、拡大して現状にたちいたってしまったのだ。いまからでも、おそくないとおもう。鶴見や山下などはペテン師たちへのつまらぬ気兼をやめて、歴史を大衆の歴史とするためにわたしたちの陣列の先頭に立つべきである。おそらくそうすることだけが、世代論を止揚するみちなのだ。

花田清輝はかいている。

東方会の一室に事務所があったので、われわれは——すくなくともわたしは、たえず農民運動や労働運動の指導者たちと接触を保つことができた。わたし自身、地方へ出かけていったこともある。その当時、わたしの知り合いになった人びとのなかには、新潟の野口伝兵衛のように死んでしまったひともあるけれども、大部分は、いまもなお、組合運動の第一線に立って活動しているのだ。

わたしたち戦中派がよめば、花田がまったくH_1と同族の転向ファシストであったことをいかんなく暴露したことばだが、戦後派はそうはよむまい。せめて、花田が東北地方のY市などにやってきて、われわれの学生リーダーと接触しなかったのがみつけものであった。東方会と接触をたもっていた労働運動や農民運動の指導者が、社会ファシストだったことはいうまでもないことである。こういう連中が、戦中のファシズム大衆運動の延長線に、「いまなお組合運動の第一線に立って活動している」とすれば、まったく戦りつすべきことがらではないか。だからこそ、戦後の労働運動は、万事こころえ顔をした無原則的な労働ボスに食いあらされてきたのである。もちろん、花田が東方会の事務所で接触した指導者たちが、わたしがのべてきたH_1・H_2・H_3……H_nや、そのエピゴーネンであることはいうまでもないのである。

じじつ、わたしのクラスで、転向ファシストH_1の指導をうけたリーダーの一人は、敗戦で復員すると、新潟のある大工場にはいり、戦後すぐに、組合運動の第一線にたった。わたしは、それをきいたとき暗憺とした。かれらには、ふたたび大衆を破局のほうへつれていくことのほかになにができるだろうか。かれらは、戦後、服を脱ぎかえてはみたが、敗北と便乗の熟練工にしかすぎない。

わたしもまた、わたしなりの道をとおり、敗戦による目もくらむような歴史の断層を、すこしずつ克服しながら、戦後、組合運動を行なうようになった。そこで、H_1・H_2や……これら戦争中の社会ファシストたちが、転向理論をひきずったまま指導する労働運動の堕落とたたかうことなしに、運動を推進できないことを身をもって体験した。

大学をでると職のなかったわたしは、小さな企業につとめ、そこで組合をつくり、指導したという理由で、重だった労働者といっしょに、そこを追われ、一時、特研生となって大学にかえった。二年後、K地区の中小企業にはいり、数年後、また組合活動にはいった。そこで、障害としてたたかわなければならなかったのは、戦中も、戦後も花田のような転向ファシストに指導されてきた労働ボスたちであった。わたしは、いまでも忘れることはできないが、わたしたちヤンガーゼネレーションの執行部でおこなわれた企業創立いらいといわれた闘争を、きりくずしたのは、H_1・H_2……などに指導された分子の活動であった。資本家側は、もっぱら、彼ら（吉本ら）学生上がりの執行部は、企業体の運命も、労働者の生活もかえりみず、ストライキさえやればいいとかんがえている。かれらの指導を排除せよと宣伝した。わたしたちの闘争がきりくずされ、敗北したとき、おどろくべきことに、彼ら（吉本ら）は、日常闘争をかえりみず、ストライキ主義的な指導をおこなったというような資本家側と、まったくおなじセリフのビラをまきちらしたデマゴーグたちは、日共K地区に所属する細胞であった。わたしが、日共内にもH_1・H_2……のような転向ファシストの影響が存在するのではないかと疑ったのは、じつにこのとき以後のことであり、かならずしも、文学の世界にちかづいて花田清輝のような存在を知ってからではなかった。（花田などは、最初、味方のような顔をしてわれわれ「現代批評」の同人に近づいてきたひとりである。）また、伊藤律事件があってからではなかった。

やがて、わたしたちは、転向ファシスト指導下の労働ボスにきりかえられた執行部の冷眼下に、分散たらいまわしのすえ、独力でたたかいながら職を追われた。

かくして、わたしは、文学の世界にちかづいたとき、戦争責任の課題にまず、かかずらわねばならなかった。大衆運動の世界にも、文学の世界にも存在するH_1・H_2……H_nの正体と、その発生の理由を、戦中と戦後の歴史的情況のなかであきらかにするという課題は、わたしの固執してやまなかったところである。花田清輝のような、日共内に巣くった転向ファシストのはげしい抵抗と切りくずしを排除し、日共党員にけちをつけるものは反動であるという威カクを排除しながら、戦争責任論を展開する過程は、多少の感傷語をもってすれば気骨の折れることでないことはなかったが、花田のような転向ファシストの疑似マルクス主義的な言辞とたたかうことなしに、いかなる運動も不可能であるという確信は、ゆらいだことはなかったのである。

花田清輝は、戦争責任論について「ノーチラス号反応あり」のなかで、こうかいている。

わたしは、戦争責任のばあいにも、まず、徹底的に追及されなければならないのは責任の科学性ということだとおもう。しかし、責任の科学的認識にあたっては、データにもとづいて、一歩、一歩、ねばりづよく帰納していく努力が必要であって、そういう手つづきをへて、はじめてそこから実践的なプログラムがひきだせるのである。しかるに、吉本検事の論告は、要するに、『近代文学』流のヒューマニズムを、擬科学的な言辞によって粉飾しただけのものではないか。

読者は、とくにヤンガー・ゼネレーションの読者は、この擬装されたデマゴーグの発言にまどわされてはなるまい。これでは、データにもとづいて、ねばりづよく戦争責任論を展開している男が花田で、それを阻止しようとしているのがわたしのようではないか。盗人たけだけしいいいがかりである。乏しいデータを掘りかえしながら、ねばりづよく戦争責任論を展開し、まがりなりにも体系的な骨格をつくってきたのは、わたし（たち）であって、理解あり気なかおをしながら、もっとも強力に論の展開を切りくずしてきたのは、花田のほうであることを忘れてはならない。

だいいち、わたしの「アクシスの問題」（『近代文学』四月号）が、個人的な体験をこえて、プロレタリア文学評価の問題にふれ、戦争責任の普遍的な課題を提出しているにもかかわらず、花田の「ノーチラス号反応あり」は、自分が東方会ファシストであったか、または、東方会ファシストに寄生していたニヒルな下郎にすぎなかったか、などという一身上の自己弁護以外になにも提出していないのである。おまけに、昔のファシスト仲間の私信まで援用する下司根性にいたっては、辻政信とどこがちがっているのか。わたしは、花田の文章をよみながら、何とか将軍から戦争責任を追及された辻政信が、昔の軍人仲間の「あの将軍は精神病で頭がどうかしているのだ」などという私信を援用している『週刊新潮』の記事をおもいだした。楢島兼次とかいう花田のファシスト仲間の私信に、「吉本という男は狂人ですから」などとかいてないだけ、まだしも、みつけものであろう。花田などは日共においておくのは、もったいない。中野正剛もむかし縁のふかかった自民党にでも入党したらどんなものであろう。河野一郎や辻政信のようなリアル・ポリティシャンといいコンビだとおもう。

高見順は、『昭和文学盛衰史』（二）のなかで、花田清輝を念頭におきながら、つぎのようにかいている。

同人雑誌の作家のなかにもそういう人物（戦争勢力を笠にきた人物——註）がいたことをわたしは知っている。左翼出身なのが右翼団体に加盟して、ナチスばりの黒い団服を着て歩いたりしていた。保身のための戦術だったという口実をあげても、みずから進んで、みずからの意志で暴力的右翼団体に入って、時を得顔に団服をひけらかしていたことは許されない。

わたしは、高見順ほど直線的に花田を糾弾しようとはおもわない。《黒い団服》のしたにも、内面の悲劇や喜劇が存在しているのは当然だからだ。もちろん、これが法廷ならば高見的な見解以外は採用されないだろう。しかし、花田は被告になりたがっているが、わたしは検事でもなければ法廷を公開しているのでもない。だから、花田が黒い団服をひけらかして歩いていたか、どうかにさして関心をもつものではない。こんな連中は、戦争中、東京の街をあるいてみれば、どこにも、ごろごろころがっていた。花田などは、戦争中、べつに文学的な影響力を大衆にもっていたわけではないから、その挙動などは、これら無名のヒットラーかぶれのなかに埋めておけばいいのである。ここで問題としなければならないのは、戦争中の《黒い団服》が、何らの自己批判もなしに、戦後、《赤い団服》をひらひらさせて、奴はリベラリストだとか右翼的偏向だとか、威猛高になってわめき散らしている、そのことにかかっているのだ。わたしは、べつに壺井や岡本のような坊主ざんげを自己批判だとはおもっていないが、花田の芸術理論のなかに擬装されたファシズム理論のほか何があるというのか。いま、《東方会》を《日共》に代え、《ファシズム》を《独占ブルジョワジイ》におきかえてみれば、花田の理論的な構造は、戦中と戦後で、まったく同一であることを了解するには、さして労力を必要としないはずである。

丸山真男や竹内好をはじめ、日本の進歩的な学者は、日本ファシズムの思想や行動を研究するばあいに、例外なく農本主義的なファシズムだけを問題にしている。わたしは、絶対主義天皇制下のファシズムの形態を農本的なファシズムにだけもとめるのは、一面的な理解にすぎないとおもう。この農本的なファシズムは、厳密な意味では、ファシズムとはいいえないのであって、藤田省三のいうように、ある意味では変革のエネルギーが変態的に転化されたものと、いいえないことはない。いわば、盲目的な無智であり、思想以前の問題にすぎない部分をもっている。しかし、丸山学派などがとりあげてこなかった日本ファシズムの他の形態、すなわち、ソレルやベルンシュタイン流の擬制社会主義的な言辞をろうして独占ブルジョワジイに奉仕するファシズムこそ問題としなければならないはずである。

わたしのとぼしい知見のはんいでは、このファシズムの形態を、日本的転向の典型である戦時下、生産力理論の問題として、とりあげたのは、浅田光輝「戦争と社会科学の転回」（青木新書、『近代日本断面史』所収）だけである。浅田は、そこで、風早八十二の『日本社会政策史』や、伊藤律の「日本における農家経済の最近の動向」や、平野義太郎の「太平洋の民族＝政治学」などを批判しながら、これらマルクス主義者の戦時下の屈折の方法を類型づけた。

本来的な意味で、日本における擬制社会主義的なファシズム運動を推進したのは、中野正剛一派の東方会ファシストたちであった。武井昭夫は、「たとえば花田清輝は、同じ戦争中、右翼の政治組織を利用し、そのなかで当時の進歩的な人たちと『文化組織』という雑誌を出して、いろいろな形で戦争体制、日本資本主義体制への批判の運動をしていました。右翼の中で、それといりまじって抵抗運動をすることは、限界は目に見えているけれど、純粋な孤立のなかで自分を守っている、（私のことばで言えば消極的な抵抗）より、はるかに積極的な抵抗だと考えるのです。」（『現代文学講座』第四巻、飯塚書店）などとかいて、花田の弁護をかっているが、何ら実証的手続きもとらず、（とりようがあるまいが）よくも、こういう出鱈目がいえたものである。花田ら東方会ファシストたちは、戦争体制を批判もしなければ、日本資本主義体制を批判もしなかった。

かれらのやったことは、擬制マルクス主義的な方法をつかって、日本資本主義体制を合理化し、（わたしは、「芸術運動とは何か」（『芸術的抵抗と挫折』所収）のなかで、『復興期の精神』からそれを指摘している。）また、生産力増強の「科学的責任」などを主張することによって、戦争体制を合理的な生産のうえに推進させようとこころみたのである。（花田の『軍事工業新聞』の社説をよく分析してみよ。）政治的な東方会ファシストたち、花田ら《文化再出発の会》（いったい何にむかって再出発？）の文化ファシストたちが抵抗し、対立したのは、農本主義的なファシズム、天皇制の封建的側面にたいしてだけであって、資本主義的な側面を合理化することによって戦争体制を積極的に推進したのである。

浅田光輝は、おなじ論文で、風早を批判しながら、「風早は『理論と政策』の序文で『（中日戦争に当面したインテリは）或る者は自己を官僚機構の構成分子に転化し、又多くの者は単に拱手傍観した。然し第三の途はないものであろうか』と書いた。そしてかれはこの第三の途を、戦争遂行のための『「生産力」の拡充という無上命令達成』の上からの立場に乗じ、そのことによって労働力の保全と労働者の組織的自主性の強化を実現しようとする方向に求めた。」とかいているが、二、三のコトバをかえれば、この批判は、第三の途を東方会ファシズムに求めた花田の場合にもあてはめることができる。

武井昭夫が、文学学校であまり熟考もせずにしゃべった記録をとりあげて、正面から批判するのは大人げないことはしっているが、花田が武井の発言を有力な証言として逆用しているかぎりやむをえまい。武井は、おそらく丸山学派や竹内学派の進歩的な学者たちの日本ファシズム論とおなじように、戦時下、天皇制絶対主義下のファシズムが、東方会のような擬制的な社会ファシズムと、大東塾のような農本主義ファシズム(擬制的ファシズム)という二つの現象形態としてあらわれたことを忘れている。いささか、ユーモラスにいえば、西欧や東欧のレジスタンス映画から抵抗のイメージをうけとり、たとえば、共産党員がナチス党籍をもって抵抗したなどという話をおぼえこんで、武井は花田ら《文化再出発の会》の連中にあてはめたのだろうが、それはただの映像思考にすぎぬ。かつて、窪川や壺井の戦時下の二段階転向を指摘した武井が、西欧や東欧などとまったく質を異にした日本の絶対主義体制下の挫折と屈服の本質を知らぬはずはあるまい。

農本主義ファシズムは、戦後、農村ブルジョワ化が促進された現在、浮動的な暴力装置としてしか存在できず、もしも、戦後の思想的情況をふまえて戦争責任を論ずるかぎりたいした問題とはなりえまい。問題としなければならないのは、丸山学派や竹内学派が、とりあげてこなかった擬制的な社会ファシズムの戦後的形態であって、かれらは、戦争中のファシズム的労働運動や農民運動の体験をそのまま延長し、いまなお、労働ボスとして組合運動の前面にあるかもしれないし、前衛的政党の内部にあって、その社会ファシズム理論に粉飾をほどこして、独占ブルジョワジイのイデオローグに転落しつつあるかもしれない。わたしたちが、戦争体験と戦後体験との自己批判をふまえて、たたかわなければならない側面の敵は、ここにこそ存在しているのだ。

花田は「ノーチラス号反応あり」のなかでかいている。

共産党員であるからといって、革命的であるとはかぎらないというかれが（吉本が――註）、東方会員のほうは、頭から反革命的であるときめてかかって、いささかもうたがわないのだから、あまりにも幼稚である。第二次大戦中、ソ連が、米英に対抗するために、ナチスと提携し、さらにまたその後ナチスと対抗するために、米英と提携したことを忘れてはならない。リアル・ポリチックスの世界では、その種の妥協は、常識にすぎないのであるが――しかし、モラリストの眼には、それが、はなはだ許しがたいことのようにみえるのである。

これは、花田が転向ファシストであることをいかんなく自認したことばであるとおもう。なるほど、わたしは、十代の半ばごろ、スターリン主義下のソ連が、ドイツと不可侵条約をむすび、第二次大戦の直前、日本と中立条約をむすび、ナチス・ドイツ軍の電撃戦をくらって、スターリングラードまで敗退したのを記憶している。これらスターリニズム無原則主義が、最近フルシチョフやミコヤンからさえ弾ガイされたことを、花田がしらぬはずがあるまい。スターリンの無原則的なリアル・ポリチックスが、さかのぼってスペイン人民戦線時代、フランコ・ファシズムと勝手に妥協し、それによって人民戦線を崩壊させたことも、戦後、物の本によって理解している。いや、そんなわたしがとりわけ研究したわけではない国際問題をもちださなくてもよい。

戦後、労働運動のなかで、かれら（吉本ら――註）学生上りの執行部は、ストライキだけが闘争だとおもって指導をあやまったなどと、資本家とおなじセリフでわれわれを窮地におうことによって、資本家側と無原則に妥協する日本共産党地区組織のリアル・ポリチックスとやらを、わたしは身をもって体験している。それればかりではあるまい。学生運動はハネ上りだなどという保守的大衆や政治家の《世論》に乗じて、いままた、かれらを孤立化させようとしているのがリアル・ポリティシャンでなければ幸いである。

わたしは、これらの誤謬の根源を、経済社会構成のなかにある疎外（社会主義国ソ連といえども例外ではない）をわすれ、プロレタリアートと支配権力との世界的な対立、矛盾の本質にふたをしたリアル・ポリティシャンたちの責任であるとかんがえている。花田のような床屋政客的な見解の限界は、ニヒリストによってとらえられたマルクス主義理解の限界であるばかりでなく、転向ファシストが自己批判なしに戦後にすべりこんだための限界である。かれらは、張子の虎にすぎないために、マルクス主義の政治や芸術を、きりきり舞いした凄味のある妖怪に仕立てあげずにはいられないのである。

また、わたしは、子供のころ、中野正剛一派の東方会が、ファショ化した社会大衆党と合同しようとした一幕を、当時の新聞でかすかに記憶している。さればこそ、東方会が農本主義ファシズム（擬制ファシズム）とは対立的な、本来的な社会ファシズムの日本的形態であり、ブルジョワ独裁を本性としているゆえに、本来的な反革命であることを知っているのだ。

丸山学派、竹内学派は、農本主義ファシズムを、絶対主義体制下のファシズムの一現象形態であることを理解せずに、これを本来的なファシズムとして拡大しているきらいがある。わたしは、やがて戦後派社会科学者が、東方会に典型されるファシズムの理論と行動を、マルクス主義者の戦時下の生産力理論的な転向との関連において厳密に論及することがあるのを信じている。そのときは、わたしなどの手をまつまでもなく、花田の『復興期の精神』や『自明の理』は、厳密な学問的な追及の俎上にのぼるとおもう。

ようするに、つまらぬ自己弁護などは、三文の値うちもないことをさとらねばならぬ。花田は、《文化再出発の会》とやらの綱領を引用して、「非政治主義の旗じるしを高くかかげることによって、そのころの政治至上主義的な動向にたいして抵抗をしようと試みたのだ。」などとかいているが、何もしらぬ戦後派ならばともかく、わたしにはそう読めない。なるほど、ここには農本主義ファシズムの政治至上主義にたいする対立はあるかもしれないが、抵抗ではありえないことは、この綱領が本来的な社会フアシズムの立場からかかれていることによってあきらかなのだ。

文化再出発の企ては、実に生活の真髄において、何か明朗ならざるもの、希望を阻止するもの、そうしたものを爆撃し、東亜の有機的未来に向って、共同の智嚢をしぼらんとするものであります。文化再出発は、マネキン主義・機械主義から、東亜を絶縁する意味において、その使命をあらゆる運動中の運動たらしめたいと思います。

これを、戦時下の歴史的情況において読んでみるがいい。ここに擬制的な社会ファシズムの戦時下における本質をよみえないものは、盲目でなければなるまい。

花田の論点にとっては、いくらか気の毒な気がしないではないが、わたしの手元に、まったく偶然、戦後、神田の古本屋で二十円でかった《文化再出発の会》発行の赤木健介歌集『意慾』というのがある。装幀及び素描は中野秀人である。冒頭の「決戦」をすべて引用してみよう。

昭和十六年、十二月八日の、朝だつた、
ラジオは告げた、
世紀の決戦を。

その一日（ひとひ）、胸は湧き立ち、
生活の軸は、ことごとく、
揺りうごかされた。

沈痛に、その日一日(ひいちにち)、考へてゐた、
世界歴史の、
新しい発足を。

言葉に出づる、
愛国の詩に、物足らず、
湧き返るこころを、抑へかねてゐた。

大君の、みことのまにまに、
戦ひ進む、
丈夫(ますらを)のこころ、胸に湧き立つ。

生きる日は、
いつを限りと、期しがたいが、
生きねばならぬと思ふ、――あの八日から。

海に陸に、捷報伝はる、日々を、
仕事机に、
落着いて向ふ。

「後記」には、「なほ末筆ながら、この拙い小歌集のために序文を寄せられた土岐善麿氏、装幀・口絵

を工夫して下さつた中野秀人氏、出版について種々尽力を煩はした花田清輝氏の御厚情に、心から御礼申上げると同時に、出版費を補ふべく多数の予約を集めて下さつた友人諸氏に感謝する。」とかいてある。花田は、はたしてリアル・ポリティシャンとして敵である赤木の歌集を出版しようとしたのであろうか。または、赤木を同志とかんがえて《文化再出発の会》の「魚鱗叢書」の一つとして出版したのであろうか。言わぬが花とはこのことだ。わたしは、べつに《文化再出発の会》とやらを、弾ガイする興味もなければ、また、逆に、これを抵抗運動だなどとかんがえたこともない。わたしにとって、かれらが本質的に何者であったか、そしてこの何者かから戦後何を否定的に媒介することによって出発したか、だけにいくらかの関心をいだいているだけだ。

もちろん、花田などが、《文化再出発の会》とやらを、抵抗運動であるかのごとく偽造しようとするとき、われわれの友人たちの死地にとびこんでいった姿を想起し、わたし自身の戦時の動員生活や、戦後、大衆運動の体験を想起して、熱いおもいが胸にこみあげてこないわけではない。そこに、憤怒が走らないわけではない。しかし、花田清輝や、『辻詩集』とか『大東亜聖戦詩集』をよめば、(必要ならばいつでも引用しよう。)国際的水準にたっした(ナチス・ドイツにもないような)戦争讃美の詩をかいている中野秀人や、岡本潤などを個人的に弾ガイするほど、わたしはやきがまわっていないつもりだ。花田は、「その講座(東方会の講堂をつかってひらいた講座——註)をききにきた人びとのなかには、そのころ、まだ十七か八だった関根弘などもいた。かれもまた、こちらがわの証人の一人にちがいない。」などとかいているが、悪あがきはしない方がいい。わたしは、たしか去年の冬ごろ(一昨年かもしれぬ)、『新読書』新聞の詩の座談会があったあと、関根弘、黒田喜夫と神田の飲み屋で、談たまたま花田清輝のことに至ったとき、関根弘の口から「花田は自分でも右翼か左翼かわからんといっているよ」ときいたことがある。わたしはさもありなんとおもってきいた。また、わたしは、岡本潤と『現代詩』で、「その後の二人」という企画の座談会をやったとき、速記をといたあとで、岡本は、「花田君はファシストですよ。日本にはああいうタイプはいないが、独、伊にはあるタイプのファシストですね。」といい、わたしは「わたしもそうおもいます。」と共鳴したことをおぼえている。ただ、関根や岡本の名誉のために弁じておくが、この何れの場合も、花田を非難する雰囲気で発言されたのでもなければ、わたしも、それを怪しからんという雰囲気できいたのでもなかった。しかし、岡本潤も関根弘も、花田が証人として自ら喚問した仲間にはいっているから、仲間でさえそういう評価をするものもあるということは、知っておいても悪くはあるまい。楢島兼次とかいうファシスト仲間の私信などをはずかしげもなく引用して、証拠のつもりで、いい気持にならぬ方がいい。

もちろん、花田が、今後、『アカハタ』などからヒンシュクされ、いくら日本共産党官僚の弁護役をひきうけて、大サービスをしても、ますます見むきもされないという事態がおとずれるのは、わたしの本意ではないし、だいいち、昭和女子大の学生じゃあるまいし、花田のような、戦争中三文芸術家だった男の閲歴のセンサクなどは、それ自体では下らぬことだとおもっているから、関根や岡本が、そんなことは言ったおぼえはないとか、ウラコトバの内証話だとかいえば、直ちに撤回して、岡本、関根に謝罪する用意があることを予め約束しておこう。

わたしの戦争責任に関する論議も、どうやらほんとうの敵を捕捉できる段階まできたらしい。あるものはたのまれもしないのに、みずからわたしたちの敵にまわることによって、あるものは花田とおなじように、わたしたちの論議の体系化と大衆化を、陰に陽にきりくずそうと策動することによって、しだいにその本性をあきらかに露呈しつつある。おそらく、戦時下の絶対主義天皇制のもとで派生した社会ファシズムと農本ファシズムとは、それ自体、現象形態として純粋に抽出することは困難であるように錯綜している。たとえば神山茂夫は、その戦時下の労作、「一九四〇年末の政治的情勢と天皇制」(『天皇制に関する理論的諸問題』葦会)のなかで、この区別をつぎのように一般的に規定しえたにとどまっている。

第一に――(1)絶対主義が封建制解体時代の所産であり、限定された意味においてはブルジョアと地主階級の勢力均衡の土台の上に立つ、一つの歴史的産物たるに反して、ファシズムが戦後の(第一次大戦後の――註)資本主義の一般的危機以後、当該の国の資本主義的危機から脱出するために、帝国主義的ブルジョアジーが採用するブルジョア独裁の新しい形態たること。

(2)絶対主義がその官僚機構特に軍事的警察的権力を基礎として民衆支配の武器とするに反して、ファシズムは自己の大衆的政党――多く小ブルジョアを成員とす――を武器とすること。

(3)絶対主義が専制主義的恣意と、封建的慈恵政策をもって大衆にのぞむに反して、ファシズムが国家社会主義的政綱と一連の社会立法をもって現われること。(傍点吉本)

しかし、戦時下の中野正剛一派の社会ファシストたち、花田ら《文化再出発の会》の文化ファシストたちの本性は、この一般的規定によってすでに十分射ぬかれている。問題は、絶対主義が崩壊した戦後において、これら社会ファシストたちが、いかなる分布をたどったかにかかっている。農本主義的(絶対主義的)ファシズムは、その節操ある部分が敗戦とともに自滅した。しかし、社会ファシストたちは、ほとんど例外なく戦後に生きのこっている。かれらとても、戦後、自己批判のみちをくぐってきたものもあれば、花田のようにひとかけらの自己批判もなく、戦後にすべりこみ、いままた独占ブルジョワジイの支配下にマス・コミ文化を合理化するかたわら、その代償として日本共産党の官僚主義の下僕をつとめざるをえない心理状態においこまれているものもある。この二元的な分裂こそ、戦時下、絶対主義天皇制下で、帝国主義ブルジョワジイの戦争政策を、合理的な生産体制のうえに基礎づけようとしてきた、矛盾の戦後的な形態にほかなるまい。

花田清輝は、「ノーチラス号反応あり」のおわりにちかく、三文映画のセリフを引用しながら、つぎのようにかいている。

カフカの『審判』のかわりに、ホストヴスキーの右の原作をとりあげて、クルウゾーの映画化した『スパイ』は、中立主義的であるという批評をフランスでは受けたということであるが——しかし、その映画のなかにぞろぞろ登場するスパイたちは、たいてい、ダブル・スパイであって、すこしも中立主義的ではない。かれらは、アメリカのあたらしい敵であると同時に、ソ連のあたらしい敵でもあるのだ。埴谷雄高をはじめとする『近代文学』の連中は、あきらかにこの「第三の個人のグループ」に属している。そのなかの一人が、文部大臣から賞をもらったというので、同人一同でお祝いをしたということであるが、いまの日本の政治家たちの眼には、どうやらまだあたらしい敵のすがたが、敵として、ハッキリと認識されてはいないらしい。

わたしは、ソ連の敵でもありアメリカの敵でもあるようなグループのほうが、(近代文学派がそうだとは思わないが。) 花田やそのエピゴーネンのようにソ連の味方でもあり、アメリカの味方でもあるダブル・スパイよりも、はるかに好きだ。どうやら、三文映画でマヒした花田の眼には、この世界はソ連圏とアメリカ圏としてしか視えないため、ふた股をかけていれば絶対安全とでもおもっているらしい。或る日、せっせと日本共産党の政策のチョーチンをもち、或る日、せっせとテレビ・ドラマやミュージカルをかく。(冗談じゃない。日本のプロレタリアートも、真のマルクス主義者も、こんな連中にいつまでも鼻薬をのまされて黙っているほど、ばかではない。「一定の状況における歴史的必然性を認めることは、この状況を歴史的必然性の典型や本質とみなすこととは別だ。」(『マルクス主義の現実的諸問題』森本和夫訳　現代思潮社) というアンリ・ルフェーブルのコトバをまつまでもなく、この世界には、本質的に経済社会構成のなかに疎外があり、人民と支配者のあいだに矛盾と対立があり、それを止揚する課題は、ソ連圏も米国圏をもとらえてはなしはしない。これをわすれて、リアル・ポリティシャンを気取っている連中は、人民の味方のような顔をして、いつ、敵に転化するかわからない。もっとも、花田清輝などは、敵としても堕落した敵で、戦争中、諸君、祖国のために死んでくれ、わたしもあとからゆく！　などと、われわれの世代の青年を特攻攻撃にかりたてながら、じぶんは買だめ物資を飛行機につみこんで、逃げかえった将軍とさして変りばえもしまいが。

いったい、花田はいつから、『芸術と実生活』で、文部大臣賞をもらった平野謙は愚弄のサカナにはなるが、『泥棒論語』で、週刊読売何とか賞をもらったり、スーパー万年筆の広告マンを自ら買ってでたりする花田自身は愚弄のサカナにはならないとかんがえるほど、モウロクしたのだろうか。それとも、昔の転向ファシスト時代のくせが直らず、官僚が勝手にくれる賞をもらうのは悪であるが、自らすすんで万年筆資本家の広告マンをつとめるのは善であるとかんがえているのだろうか。

V

内的な屈折のはらむ意味

――『井之川巨・浅田石二・城戸昇　詩集』――

詩集　拝読しました。小生は　巧い詩をかく方ではありませんので　技術批評は柄に合いません。御許し下さい。貴方の詩や城戸氏の作品に　とくに多い内的な屈折のはらむ意味を考えるとき感激と感銘との混合した複雑な気持になります。小生には三氏の詩が直ぐに通ってくるのです。

小生の考えでは　今後とも相当長い期間　そういう内部的な屈折を掘りさげることが必要な時代がつづくのではありますまいか。

三氏とも完全に独りで歩くことの出来る作品ですので　特に何も云うことができません。小生は　もっとも多く詩をかく年で　一年に十篇です。その場合実際には三十篇くらいの作品があり　それをこわしたり　くっつけたり　何月もほうっておいて、又なおしたりして十篇位になります。それによって「詩を表現した自分」と机の前の「自分」とが対峙するようになって客観的に「自分」がみえるようになったとき止めます。小生は　自意識過剰の方ですから　そうした工程を経ないと自作に嫌悪がわくのです。三氏とも技術的に上手な詩人ですから　もう直しようがないと思われるまで　作品をいじって見られたら如何がでしょうか。小生の考えでは　もう直しようがないという限界は　ほんとうはないとおもいます。もう駄目だとおもっても精々一ヶ月もほっておいて又眺めると穴が見えます。又穴を埋めるわけです。　又　作品を何日か読ませて下さい。貴方の作品は数年前から知っておりました。

堀田善衛『乱世の文学者』

堀田善衛が、この第一エッセイ集でいう乱世とは、戦争とか革命とか権力とか政治的支配や従属というような問題を、あたかも恋愛とか職業とか人間同志の葛藤とかとおなじように身辺の問題として受感し、認識して身を処してゆかざるを得ない時代という意味らしい。堀田は、いかにも乱世の文学者らしく、ここで戦争とか革命とか権力とかの問題を、直ぐそばまで引き寄せて、だが、渦中にとびこむことなく論じている。これは、あきらかに、たとえ恋愛の一コマだって生涯を費すに価する問題をはらんでいるのだといったような発想しかとらない戦前の日本の知識人文学者にくらべて、堀田がもっている戦後作家としての異質さであるということができる。

収録されたエッセイのこういう特長が、いくらか時局解説じみているとしても充分に評価しなければなるまい。

堀田がここでとっている基本的な発想は、小説作品とまったくおなじように、権力メカニズムの判断の非人間性と、人間の認識の人間性とを対置させる方法である。わたしは、このごろやっとはっきりしてきたが、堀田（等等）が使用している非人間的、人間的というコトバは、実際には「非日常」的、「日常」的という程の意味しかもちえていない。非日常的なものは、いつも非人間的であるのではなく、日常的なものは人間的なもののシノニムではない。この微妙な発想のズレが、堀田の「戦争」や「革命」談義を、ともすれば日常人間的な詠嘆に引込んでしまっているのである。

たとえば、このエッセイ集で、二度おなじことが、同じような文章で繰返されているのは、「暗い暗い地下工作者」とマルロオ「人間の条件」を論じた文章のなかの、中国戦勝後、中国の地下工作者にあったら、そこに勝利による慰藉感や解放感などなく、暗い疲労ばかりが目立っているのをみて、人間にたいする寂寥を感じたという個処だが、ここからメカニズムに浸蝕された人間を見つけようとする堀田の発想は、あきらかに少しく改訂の要があるのだ。

暗い疲労によってしかあがない得ないのは、戦争や革命や政治工作ばかりではない。文学もまた、暗い疲労によってのみあがないうるではないか。いら立たしい疲労によってあがないうるのは、商品のみである。

阿部知二他編『講座現代芸術Ⅲ芸術を担う人々』

本巻は、芸術の受け手の性格を、歴史的由来、階級、分布、意識構造の全般にわたって分担論評している。中世の領主・パトロンから現在の大衆社会における大衆の性格にいたるまで、すべて一応の説得力をもってまんべんなく触れられている。最後に、野間宏の「芸術の新しい担い手」にいたって創造者としての大衆が登場して一巻のおわりとなる仕組になっている。読みたい奴は読んだらよかろう、とかけば書評もまた一巻のおわりとなる態のものである。

わたしの知るかぎりでは、芸術大衆化論において、受け手である大衆の意識構造の差別をはじめて俎上にのせたのは林房雄の「プロレタリア大衆文学の問題」という昭和三年にかかれた論文であった。当時の公式では、どうしたら芸術が大衆的な支持をうるかという問題は、まったく書き手の問題であり、原則をまもりながら、芸術の形式と内容にどういう工夫をこらせば大衆にうけ入れられるか、ばかりが論じられて、受け手である大衆は、いったいどういう意識をもち、どういう芸術の受けとり方をするかは、一向に問題とされなかったのである。これで、ろくな芸術運動ができるはずがなかった。いま、本巻の執筆者諸先生が、おおっぴらに、肩をいからしたり、仮想論敵を設定したり、大真面目になったりして、スペクタクル芸術だとか、チャンバラ映画とかいいながら大論文をものしているのをよむと隔世の感をもよおさないわけにはいかなかった。芸術大衆化の問題も戦前にくらべて、はるかにすすんだ観点からとりあげられるようになったことを本巻はあきらかにしている。

しかし、すすんだ観点と論者の水準とは別個のものである。本巻の論者たちの認識は、けっして林房雄などの当時の水準に優ってはいないし、本質的な新しさもしめしてはいない。ただ公開的になっただけだ。もっと褌をしめて論じてもらいたい、などといっても通用しまいが、娯楽にひと理屈をつけていっぱしの論文をかき、それが通用するのは、まったく平和のたまものだから、平和に感激したらよかろう、といいたくなるような論文もないわけではない。現在の大衆芸術論者は、大別して大衆文化の現在的隆盛地であるアメリカとソヴィエトを家元と仰ぐ二流派にわかれるが、日本では、ほとんどこのアメションとソ聯ションとは区別がつかなくなっている。ソ聯ションの方がロカビリイやミュージカルを担ぐかとおもうと、アメションの方がサークル運動を担ぐという場合もある。わたしは、予言しておくが、これらの先生の理論が、またまた大転向を余儀なくされるのは三年以内だとおもう。そのときになって新記録主義のうえにまた「新」をくっつけたりして「新々」などと称えてもはじまらないのである。社会現象をあとから理屈づけているかぎりこれらの先生は、十年のあいだに二十遍くらい転向するだろう。大衆を愚かだなどとばかにしてはいけない。すくなくとも現実認識においてこれらの諸先生の論議を小僧あつかいにする実力が大衆にあるのは確実である。

本巻においてとびぬけて優れた見解をしめしているのは、プロレタリア芸術運動の興隆期を背景に井上良雄論をかいている平野謙と、吉川英治『宮本武蔵』をサンプルにして小説の読者の分布と性格を実証している桑原武夫、多田道太郎、樋口謹一、黒田憲治とである。前者は、現在のマス・コミ論議など歯牙にもかけず、ひたすら青年期の自分の精神形成に影響をあたえたこのインテリゲンチャ批評家の業績を、その筆を折るに至る必然性にまでわたって論じている。文献としても、はじめての井上良雄論である。わたしは平野のこの論文で潜在的な仮想敵になっているらしいが、昂然たる闘志をわきたたせるだけの迫力を感じた。後者では問9「人間の最高の境地は無の境地である。」という武装イデオロギーの設問の仕方と、その読者の反応の仕方に係連した疑念をもったが、優れた研究であることは事実である。もしも、これらの社会学者が、推計学の初歩の原則をまもってサンプリングを行い、データをならべすぎて固苦しくなった、などという無用の気兼をなくしたならば、さらに徹底的な研究が可能なはずである。

草野心平編『宮沢賢治研究』

戦争中、年齢にして十七歳から二十歳のあいだ、わたしは宮沢賢治に傾倒し、二百数十枚の宮沢賢治論をでっち上げて出版しようとした。花巻をおとずれて、例の「雨ニモマケズ」の詩碑のあたりを彷徨した。ポエムをかくがゆえに、わずかにポエトたるの詩人にあらず、化学を専攻するがゆえに、わずかに化学者たるにあらず、農業問題をテーマとする政治運動家なるがゆえに、わずかに実践運動家たるにあらず、といったような宮沢賢治の総合的な性格を、わたしもまた自身に課しうると東北の盆地の町でその時信じていたのだ。戦中・戦後の大断層は、こういうわたしの可能性を、一挙に谷底につき落した。戦後わたしが、いくらかの行為をなしたとすれば何らの可能性なき一介の大衆たるの資格において事を行ったにすぎない。いまも、どのような革命家にも、文学者にも、化学者にもまぶしさを感じたことはないが、この総合的な詩人には、まぶしさを感じないわけにはいかない。わたしは、かつては同じ可能性の線上にありと信じた宮沢の軌道から、はるかに転落した。もはや、敬して遠ざかるより外にすべがないのである。

今回、草野心平編『宮沢賢治研究』を閲読してみて、高村光太郎、横光利一、中原中也、辻潤をはじめとする三分の一ほどの文章は、前記の理由によって、わたしには既知のものの再録であることを知った。黒田三郎、佐々木基一、本郷隆、中村稔らのはじめて読む文章もある。おそらく宮沢賢治は、詩人としては未完の大器にすぎず、作家としては童話作家にすぎず、化学者としては一介の農芸化学技術者にすぎず、農村実践家としては、ラスキン、ウィリアム・モリスの徒にすぎまい。分析的な批評をもってすれば、その作品からも実践からも空想性を指摘されて、欠陥だらけになるほかはない。しかし、総合的な批評というものがあるとすれば、その観点からは、宮沢賢治は、依然として膨大な存在たるをやめない。ここに収録された論文、追想は、いずれも分析的批評で一面をつつくか、または傾倒のあまり大宗教論文のごときものをかいているかのどちらかである。たまにある冷静な批評も、截断力と再現力を欠いている。かけばそういうことになる外はないのは、論者の故ではなく、宮沢賢治の性格によっている。こういう特異な存在を、網にひっかけるような批評の観点が、あみだされないかぎり研究は今後も累積されるとおもう。

戦後学生像の根

――戦中・戦後の手記を読んで――

こんど、学生によってかかれた手記類を、数冊ひとまとめにしてよんだ。それは、戦没学生の手記から戦後の学生運動の記録、セツルメントの体験記などをふくんでいる。山下肇の『駒場』という側面記録もいっしょによませてもらった。予想したとおり、何人も及ばないような優れた政治的見解や社会意識が、未熟な甘ったれた学生根性とすぐとなりあわせになって奇妙に同在していた。いったい、学生というやつは、何者であるかという疑問のまわりを、堂々めぐりしながら、何も解きえないままに、これらの手記類をよみおえてしまったのである。

わたしは、そこで『きけわだつみの声』のあとがきをかいている中野好夫や『同じ喜びと悲しみの中で』のあとがきをかいている山下肇や、『日本の息子たち』のあとがきをかいている小田切秀雄などの巧みな解説にひどく感服した。それと同時にひどく落胆もしたのである。わたしには、とうてい、こういうゆきとどいた理解を学生の実践やその記録にたいしてしめすだけの能力がないとおもわれた。しかも、この能力はけっして才能というようなものではなく、社会的善意とよぶべきものなのだ。中野や、小田切や山下にある善意というものが、わたしにないというのは、どういうことだろうか。こういう疑問は、わたしのなかで、学生とは、いったい何ものなのかという疑問とつながって最後まできえなかったのである。

わたしは戦争中から戦争直後にかけて学生であった。『きけわだつみの声』に集められた手記の書き手は、一部分、わたしなどと同年輩に属している。しかし、ふりかえってみると、わたしは、これらの手記をかいているような典型的な学生ではなかったとかんがえる。これらの手記の書き手は、当時のわたしよりも、よほど知的であるが、同時に当時のわたしよりも社会的に未熟であるとおもった。渡辺一夫は、序文で「初め、僕はかなり過激な日本精神主義的な、或る時には戦争謳歌にも近いような苦手の短文までをも、全部採録するのが『公正』であると主張したのであったが、出版部の方々は、必ずしも僕の意見には賛同の意を表されなかった。」とかいているが、わたしには主張した渡辺のほうも、賛同しなかった出版部の方も、まるで観点をとりちがえているとしかおもえぬ。

戦没学生のなかには、心情のファシストもいれば、心情のリベラリストもいたことは、渡辺の主張するように疑いない。しかし、このことは、学生という「生活責任を疎外された大衆」の場合、かれの出身が社会的に下層的であったか、中層的であったか、上層的であったか、ということとわかちがたく結びついているのだ。もし、『きけわだつみの声』が、近視眼的な配慮にわずらわされず、全階層の戦没学生の手記を集めようと意識的に努力したら、かならず、全戦没大衆の手記を純化した形で象徴しえていたはずだ。そのときは、中野好夫のあとがきも、また、『きけわだつみのこえ』のイデオロギー的な延長線上に展開された戦後学生運動やセツルメント運動の記録につけられた小田切や山下の解説文も、いくらかの改訂をよぎなくされたはずである。そして、そのときは、それをよんだわたしは、落胆をかんじないで済んだかもしれぬとおもう。

問題はそこだけにとどまるはずがない。『きけわだつみの声』のいくらかおあつらえむきな学生像に限定されつつ、反戦、反帝、平和のスローガンをかかげて出発した戦後学生運動自体の性格は、いくらか変ったかもしれないのだ。

わたしは、山下肇の『駒場』と『日本の息子たち』（学生の闘争記録）とを、ならべてよみながら、ある個所へきて竹山道雄とも山下肇ともちがった感慨を禁じえなかった。山下は、出隆が「詩人哲学者」の序に代えて「水の盃を出陣の学徒諸君に献ぐ」という文章をかき、そのなかで「諸君、小我を殺して、美しく死んでくれたまえ。これが私のただ一つの願いである」と記したことを指摘し、この文にはぞっとするが、それあればこそ、逆に出隆は戦後変ったのではないか、とのべている。また、竹山道雄が、それについて、「人が世に迎えられるか迎えられないかということは、じつに分からないものだ」という感想をのべたこともかいている。

当の出隆は、自身の知事立候補の応援中に拘留された十六人の東大生の公判廷で「私はこの学生諸君の学校で教えていた者ですが、私ども教師は、さきにあの侵略戦争をあのままやらせ、この諸君の先輩が戦争にまきこまれて苦しめられたり殺されたりするのを、どうにもすることが出来ないで見ていた……」と演説するのである。出隆が、出陣学徒にむかって、小我を殺して、美しく死んでくれたまえ、とかいたのか、ただ、どうすることもできないで見ていただけなのか、はたいしたちがいではない。そんなことは烏の雌雄にしかすぎないのだ。ただ、いいようもなく事実であることは、戦没学生たち（の世代）が、自明の死に直面したときに、その現実体験のすさまじさに対決しうるだけの思想的指標を、出隆らの世代の何人からも見出すことができず、自ら考えて死と対決せざるをえなかったということだ。

たとえば、戦没学生の死を無駄にしないために、平和を守らねばならないという意志は、『きけわだつみの声』の編集意図のなかにくみとられているかもしれないが、かれらが孤独のうちに追いつめた思想の重量はうまく編者によってうけとめられてはいない。わたしが、山下肇の『駒場』からも、『日本の息子たち』や『同じ喜びと悲しみの中で』からも納得しえなかったのは、その思想の重量であった。すなわち、わたしのような死にそこないの世代が、いまもって冥黙するわけにゆかない所以である。

江藤淳『作家は行動する』

ここで展開されている江藤淳の体系的な文学理論をささえている心情のモチーフは、おそらく、ふたつあるとおもわれる。第一は、作家（文学者）という概念は、現実的な行動をするときに成立つのではなく、行動を禁止された状態にあるときはじめて成立つものであり、そういうサスペンドされた内面の状態が、行動的な作品世界をつくりあげる原動力となるものだ、ということである。第二に、現実の日常社会というものは、素朴実在的なものとしてしか、人間によって生活しようがないものであって、この素朴実在的にしか行動できない現実社会を、構造も奥ゆきもある実体世界として再現するためには、作家の想像力が関与することが必須の条件である、ということである。

この江藤のモチーフを、ありふれたコトバでホンヤクしてみれば、文学者なんてものは、政治的実践とか社会運動なんてすべきものではなく、そんなことをしたければ政治家になればいいのだということになり、日常社会なんてものは、どれもこれも似たりよったりでつまらぬものであり、想像的な持続の世界こそリアリティのある世界だ、ということになる。しかし、四六時中、作品ばかりかいていたり、想像世界に行動したりしている文学者なぞは、いるはずがなく、どうせろくなことはしでかしていないかぎり、文学者でもあり、政治的あるいは社会的実践家であって何故わるいか。日常社会がいかにつまらないものであっても、このつまらないものだけが真であり、文学作品なぞは、文学者にとっていかに大切であろうとも、社会人にとっては「空の空」なるものであるということは、永続的に真理である。すなわち、江藤のモチーフのごときは、ただ、三度の飯よりも文学が好きな男が、眠ても醒めても文学だ、文学だ、とわめいているにすぎない。——

　こういう調子であげ足をとればとれないことはないが、そのように悪意をはたらかせないかぎりは、きわめて示唆にとんだ優れた批評である。

　江藤の体系の前提となっているのは、コトバというものが、作家の主体的な行為ときりはなしえない記号であり、作家の外にある客観的なものでもなければ、道具としてふりまわすことができるものでもなく、作家の主体的な行為ときりはなしえない記号である、ということである。この主体的な記号であるコトバは、「社会的現実」によってダイナミックに規定されるとき客観性をあたえられる。コトバは記号である、というような江藤のいい方にこだわらなければ、江藤はここで、作家の内的意識は、コトバによって成り立ち、この内的な意識は社会的現実とのダイナミックによって規定されているといっているらしいのだ。しかし、コトバによって成立っている内的意識は、江藤のいうように、かならずしも、表現世界に移行するものとはかぎらない。それは、社会的現実の方へ移行することもあるのだ。ここが、江藤の「作家は行動する」と、現実の「人間は行動する」とが、決定的にわかれる地点である。

　江藤は、「作家は行動する」という図式にひっぱってゆくために、主体的な行為ときりはなしえないコトバが、作品世界へ行かず、行動の方へかえってゆく過程を捨象するのである。したがって、三度の飯よりも文学のすきな文学者が図式としては、実体化せられざるを得なくなっている。この俊敏な批評家は、自分のこういう図式のもつ欠点を、おそらく意識していたにちがいない。だから、何としても、現実の「人間は行動する」ことよりも、「作家が行動する」ことの方が、高級であることを、理論的な必然によって立証しなければならなくなるのである。江藤はかいている。

現代の状況はどの時代にもましてわれわれの実際上の行動をしばりあげている。そのような挫折の時代のなかから、真の主体的な行動をおこしうるものは作家や詩人以外にはない。

また、ヘーゲルやマルクスのごときはあきらかに死んだ歴史的記述や古文書の下から、この巨獣の姿を発見しえた人である。が、彼らといえどもなお、生きた全体としての具体的な歴史と、そのなかにふくまれて行為するひとりひとりの具体的な人間の姿を一望のもとに啓示してくれたわけではない。

なるほど、現代の情況は、われわれの行動をしばりつけているかもしれないが、主体的な行動をおこすために、われわれはかならずしも作家や詩人を必要としないことは、あきらかである。また、日常的な素朴実在の世界を想像力をもって実体化する作業は、それほどつまらぬ作業ではないかもしれないが、べつに、口角泡をとばして讃美するほどの作業でもないことは、「生きた全体としての具体的な歴史」のなかで、自明のことなのだ。しかし、江藤の体系的な文学論が、きわめて示唆にとんでいるのも、少数の強固なモチーフと、強固な前提から一貫してくり出された体系が、この種の論理的な背理にゆきつくまで、決定的につきつめられている点にある。もちろん、こういう背理の原因は、コトバを主体的な行為ときりはなしえない記号だといいながら、コトバが表現という行為へも、人間の現実的な行為へもきりはなされずに入ってゆくことができるものであることを、はじめに無視したところからきている。だから、表現としての行動は、江藤にとって文体の問題となってあらわれる。文体と作家の主体との関係を大江健三郎や石原慎太郎や第一次戦後派の作品を例にとって追及する具体的な手つきは、興味ぶかく展開されているが、ここでも、なぜ、文学作品の世界を、文体によって追及するような無理をしなければならないのか、という読者の疑問をうち消すことは、できていないのである。江藤の文学論ははなはだ、健康的な知的冒険にはちがいないが、水飴をガラス瓶の外からナメているように、唾液も分泌するし、咽喉も鳴るが、いっこうに甘さは感得できない。いや、これは云いすぎかもしれぬ。主体的な記号であるコトバに客観性をあたえ、作品世界を閉じられた想像世界ではなく、個性的と歴史的との二つの文体を包括しながら流れる開かれた想像の世界となしうるのは、「社会的現実」とコトバとのダイナミックな関係である、と江藤がいうとき、それは、わたしたちの主張とあたうかぎり近くにいるのだ。しかし、一枚のガラス板がはさまっていて接触をさまたげている。

江藤の文学理論からでてくる理想の作品像というものは、現実世界を想像力によって個性的にも歴史的にも実体化した作品世界が、主体的な時間の持続のなかに展開されているような文学作品なのだが、このとき、一向に作家が「行動する」指標がどこをさしているかは、はっきりしないのである。江藤の理論がゆびさすような作品が実際に存在すれば、わたしなどもそれを優れた作品とするだろうが、（事実、わたしも武田泰淳をもっとも優れた現代作家とかんがえる）また、何ともいえぬ空虚も感ずるにちがいないのだ。

この体系的な評論のなかで、想像力を論じた個処に疑点をかんじたが、それは、大江や石原を高く評価している江藤の観点にたいする疑点とつながっていることを指摘するにとどめたい。

武田泰淳『貴族の階段』

武田泰淳は、この小説で昭和十二年、二・二六事件前後の日本をつきうごかした勢力を、支配階級の巨頭のうごきと、それを利用しようとする軍閥の巨頭のうごきと、支配階級をテロによって謀殺しようとする右翼、青年将校たちのうごきとにふりわけ、支配層の内ふところに視点をすえてえがこうとしている。そのためにつかわれている方法は、西の丸公爵（西園寺公望を連想させる）を祖父にもち、西の丸秀彦（近衛文麿を連想させる）を父にもつ氷見子という十七歳の小娘の手記と記録のかたちでプロットを組みたてる方法である。この作品で武田泰淳がテーマの積極性をライトモチーフとしてねらったとするならば、当然のように成功していない。十七歳の貴族の娘は低能にきまっているから、低能の認識によってかすめとられた人間や現実の関係しか描きようがないからだ。

武田は、もちろんそんなことは計算ずみのはずだから、あえてこの方法をつかったのは、上流支配階級の実体を、内部からえがききるだけの自信がなかったからにちがいない。そんな自信はなくてもいっこうさしつかえないし、かりにえがいてもありふれた人間しかとび出しようがないのだが、権謀術策のブルジョアや貴族に執心すぎている武田は、ときどきよむ方がはずかしくなるようなおあつらえむきの「貴族」をつくりあげている。

しかし、武田泰淳の自信は、べつのところにあったはずだ。十七歳の貴族の小娘は、低能にはちがいないが、これに「気持がわるくなるような」美貌を与えれば、この小娘のセックスによる認識は、男でさえあれはどんな人物でも充分に嗅ぎわけるだけの能力をもたせることができる。だから、この小説は、本当は、氷見子という貴族の小娘の性的な認識にフィルターされてはじめて成立している。西の丸秀彦の息子である革新派の青年将校義人は、皇道派の陸軍大臣種田の娘節子を恋し、この節子は秀彦の情婦であり、同時に手記の書き手氷見子と同性愛関係にあり、氷見子は、また、右翼理論家O博士（大川周明を連想させる）と気まぐれに性関係をむすんでいる。こういう錯綜した性関係が、この小説の本体であり、残念ながら背景となっている。時代の重みも、それを支配者の内ふところから描くという野心的な企図も、この性関係の設定にくらべれば、第二義的なツマミにすぎないという外はなくなっている。

だから、氷見子が、「だが私は、『怪物』と称されるO博士（大川周明）が、女性関係では、カラ意気地がないのを、よく知っている。彼はおそらく、八百屋や魚屋の小僧さんより、はるかに生（性？）の喜びを知らない男なのだ。」と手記のなかにかきこむとき、武田泰淳がこの作品で、上層支配層の内幕をえがく場合につかった方法を、見事に象徴しえているということができる。

人間は、どんな思想家であろうが、社会をロウ断する巨頭であろうが、性的な行動に還元して観察すれば、また社会的位置とべつの法則に支配されている。だから、そこからのぞけば人間なんてものはみんなお見透しだ、という不逞な思想は、『蝮のすゑ』以来、武田泰淳をささえてきた創作衝動のひとつである。この作品でも、貴族の小娘氷見子は、武田のこの思想を吹き込まれて、精いっぱい虚無的なシニカルな眼で、「貴族」や「軍人」や「右翼」などを観察し、記録し、批判するのだが、いかにせん、この小娘の性による認識の限界が、この作品をまっとうな思想小説とすることをさまたげ、上層支配層を舞台にした歴史風俗小説にとどまらせてしまっている。これは、小娘の限界であろうか、武田泰淳の限界であろうか？

これだけの意欲的なテーマを、これだけの筆力でえがきうる作家は、現代の日本では他にもとめられないだろうが、それが結局は、低能な貴族娘の性的な嗅覚によって撰りわけられた歴史的な時代の戯画にすぎないとすれば、歴史のなかを動乱しながら生きてきた人民の運命は、何人の手によっても描かれる望みはないと考えなければならぬ。わたしは、日本の現代文学にたいして「黒い黒い笑い」を笑うほかはない。

久野収・鶴見俊輔・藤田省三『戦後日本の思想』

これは、久野、鶴見、藤田の三者が、討論のかたちで展開した、戦後日本の主要な思想的な源流にたいする検討の成果である。とりあげられた項目は、「近代文学」グループ、「民科」、「日本の保守主義」(「心」グループ)、「大衆の思想」(生活綴り方・サークル運動)、「社会科学者の思想」(大塚久雄・清水幾太郎・丸山真男)を軸として、「戦争体験から何を汲みとったか」といったように、範囲としては文学と社会科学の両方にまたがり、時代的には戦前と戦中と戦後の時間的な切れ目が、検討の方法として、きちんと自覚されており、社会的な構成としては、日本の思想的な担い手と大衆の思想との切れ目が、精密に対照されている。

討論形式の機能が、かならずしも最大限に発揮されているとはいえず、また、逆にとれば、よくねられた論文でやられたような論理の徹底性に欠けるところがあるけれど、戦後思想の研究として、現在まで提出された業績のうち最高のものであるとおもう。

三人とも、センボウに値する自由さと闊達さを武器にし、思想的な概念には、たくみに具象的な比喩をつけてヴィジョンを浮彫りにするし、ハンチュウとハンチュウのあいだには、どんな読者にもわたれるハシゴをつけてやるし、すこし抽象的にすぎる用語のあいだには、新造語のアミを張って折衷化するというような、こまかい配慮がなされている。思想の雑炊でもなければ、PTAでもなく、ましてやレッテルばかりではない。そうみえるところに、ほんとうは三人の学者の独創性がある。

われわれは戦中から戦後にかけて、哲学史論とか思想史論とかいえばいかものばかり喰わされてきた。ただ哲学史などとかいてある表題の本を手にすれば、日本の哲学史などどこにもかいてなかった。社会思想史という本には、日本の思想史など一行もかいてなかった。そして日本哲学史だとか日本社会思想史だとかいえば、皇道哲学や、思想の宣伝であった。

こういうひどい状態を、まっさきにぶち破り、ぶち破った勢いで、同時代の日本の思想にまで、しかも日本の大衆の思想にまで普遍的な概念での分析を適用した功績は、この三人の学者とその属するグループに帰せられるとおもう。これは、思想的な立場の相違をこえて、前提として認めなければならない。つぎに、日本的マルクス主義にも、日本的保守主義にも、いいかえれば日本の思想的な発想法にはどれにも共通している思考の直通性に批判と反省をくわえ、人民から支配階級までの間に、大衆からインテリゲンチャまでの間に、プロレタリアートから前衛までのあいだに、たくさんの社会的構成と思想的構成の段階があり、かつあらねばならないことを発想法として指摘し、プロレタリアが、ちょっと文学をやれば、すぐインテリ文化人になりすまして浮き上り、インテリがちょっと社会的地位をえれば支配階級になったつもりで保守主義におちいり、マルクス主義者が共産党に入れば、とたんに人民の前衛づらをしはじめるような風潮に批判をくわえているのは、三人の学者の方法的な特徴である。

この特徴は、三人の分析法の自由さや闊達さと、わかちがたく結びついている。上をむいては支配階級に気兼ねをし、左をむいては堕落した前衛党に気兼ねをし、右をむいてはマス・コミに気兼ねをし、下をむいては大衆に気兼ねをし、ただ仲間を集めて威張りくさっているような張り子の虎に飽き飽きしたものは、この本にあたうかぎりそういう気兼ねから自由である方法の秘密を知るはずである。また、その気兼ねからの方法的な自由が、社会科学と文学のジャンルをとりはずそうとする端緒をひらいている。

阿部知二『日月の窓』

少年のころこの作者の「街」という新聞小説を、愛読した記憶がある。鎧文吾という行動的な半インテリを主人公にして、シナ事変後の時代に吹きながされて、無気力になってゆくインテリゲンチャと、行動的な庶民の正義感で猪突する主人公を対比させた風俗の活劇であった。いまから考えれば、文吾とインテリゲンチャ鞍馬とは、戦争に傾斜する阿部知二の心情と戦争に傾斜できない心情とを象徴したものであったとおもう。いくらか成長したころ、『冬の宿』、『風雪』、『旅人』、『朝霧』というような作品を、あらためてよんだ。いったいに、この作者の作品は、西田哲学的な観念性と小市民的なケッペキ感とがカクテルになって、奇妙な甘さをもっていた。その甘さは、昭和十年代における「純粋小説論」の標本のようなものであった。

『日月の窓』は、はたして昭和三十年代の純粋小説になりえているだろうか、とおもいながら読みだしたが、これはとうてい小説にすらなっていないと感じた。ここには、戦前に、この作者がしめした、社会風俗にたいするはげしい興味さえなくなっているのである。あるいは、はじめから小説のつもりではなく、文明批評のつもりでかかれたのかもしれないと、おもいかえしてみた。

構成は、作者よりもいくらか低俗化された竹井恭吉という作者の自画像が設定されていて、透視役になる。透視の材料は、深志野家という国家主義的な学界の巨頭の一族と、親族関係にある神門家という実業家の一族とがうつっているアルバムの写真である。竹井という透視役は、自分も一族として関係ある二つの家族のアルバム写真を眺めながら、いつのまにか写真のうつされた時代や、環境や、写真の人物たちの行動や、こころの動きを追い、ついにそのなかに竹井自身が登場すると、大局的な視点から人物のうごきを追うあたりまえの小説の手法にきりかえられる。これが、明治や大正時代の追憶にもつながり、昭和の十五年戦争のさ中と、敗戦後の時代的な動向のなかでの、上層知識人の精神の閲歴の描写にもなっている。この透視が、各章、各節ごとにくりかえされるのである。

小説の手法として、阿部知二がここでつかっている方法に、あたらしい意味があるのかどうかしらない。ただ、あたらしい意味ということを作品の出来高ときりはなしえないものだ、とかんがえるかぎり、ここでとられた方法は、ただ作品の空気を稀薄にし、プロットの組みかたを混乱させ、なお焦点をむすぶことをさまたげているとしかおもえなかった。

「街」のような作品からしだいに戦争に深入りしていった作者と、戦後、一九五〇年前後から、インテリゲンチャとして大衆運動に共感をしめしていった作者とを接合する内面のドラマが展開されるものと期待していたが、それはうらぎられた。たとえば、小説の透視役竹井が、陸軍報道員となって、ジャヴァに出かけ、ジャカルタの古文書博物館でオランダ人やスイス人の学者とゆききする話がでてくる。戦後の場面でも、メーデー事件の被告になるオイの、特別弁護人を引うけるところがある。しかし、前の場合には、オランダ学に深入りしていた竹井が「蘭領東印度」に是非いちどいってみたかったことが報道員となった動機であるとかかれており、後の場合では、大衆運動に共感をあきらかにした後では、竹井にたいする原稿依頼が減り、権門の一族からは、やや異端視されるといったことが、ただ匂いのように描写されているにすぎないのである。

昭和文学史のなかでの数少いインテリゲンチャ作家である阿部知二が、まったくひとり立ちの作家として、戦中、戦後の有為転変を体験しながら、こういうサワリ物のような作品を、時代の窓をのぞいて、かいてしまうのはどういうわけだろうか。

歴史的な体験というものは、体験する現実のほうがまったくおなじであっても、各人は個別的な情況に遭遇する。これは、ごくあたりまえのことである。だが、個別的におなじ情況に遭遇しても、内的な体験はまったく異質であることもありうる。この作品のような大情況を背景にえらび、三代の人物を登場させる大がかりな構成を、成功させようとするならば、個別的におなじ、現実の情況に出会っても、人間は、まったく異質の内的な体験をもちうるものであることを、洞察していることが必須の条件であるとおもう。

しかし、阿部知二は、はじめから低俗化した自画像である英語教師竹井恭吉を設定することにより、歴史のなかの内的な体験の個別性の底をくぐって、現実と人間とのダイナミズムをとらえようとする辛い作業を放棄してしまっている。竹井はもちろん、事業家神門も、国家主義者深志野も、神門の庶子山原鹿一も、竹井のオイ正夫も、それぞれ歴史的な社会と、個別的な人間とのターミナルとして設定されながら、一般的な精神体験のシンボルとしてしか精神活動を行わないのである。だから、実業家というやつは戦争になってももうけ、戦後になってももうけ、国家主義者は戦争中猛威をふるい、戦後はだめになり、ブルジョワの隠し子はスネて自滅し、戦後派学生はメーデー被告になるというように、ただ、境遇のちがいと時代のちがいにより、それぞれ別の行動をとる。人間はめまぐるしくえがかれているが、それぞれの人間が、時代にたいして個別的な精神体験をえらび、それにしたがって、生きているという次第では、作品の人物はえがかれていないのである。しかも、これらの人物が、低俗化されて概念としてしか現実に反応しない竹井という透視役によって、輪廓をくくりつけられているため、どんな問題性もすくいあげられてはいない。

この作者は、戦中の屈服をあえてし、戦後「人民文学」一派の社会ファシストたちに共感した精神の屈折をへながら、なぜ、こういう甘っちょろい作品をかいたのだろうか。ここには、戦中・戦後を有為転変する日本知識人の運命の悲劇も喜劇もなければ、かつて阿部知二が新聞小説としてしめした風俗の活劇もない。もっと透視役竹井恭吉を戯画化するか、作者以上の理想化された人物として設定することによりまず、作者はおのれ自身を救済すべきであったとおもう。現在、阿部知二などを戦後に誘惑した社会ファシストたちは、口をぬぐってアバンガルド芸術家に変貌し、ふたたび独占ブルジョワジイの支配に適応しようとしている。かれらのタイハイを根底からえぐり出すためにも、阿部のようなインテリゲンチャは、このような作品をかくべきではあるまい。

『風前の灯』

『二十四の瞳』、『野菊の如き君なりき』、『遠い雲』、『喜びも悲しみも幾歳月』など、近年、木下恵介が描いてきたものは、日本の庶民意識のなかの情緒的な部分を典型化することであった。もちろん、批判的に典型化することではなく、そのうえに、あぐらをかき、そのうえに多数者意識をよみとろうとしてである。

わたしは、木下の意図などには無関係に、木下が、かなり巧みに、緻密に描いてみせてきた、庶民的多数感情に興味をもって、この系列の作品を、わりあいによく観察してきた。ときとして、そこに、庶民の泣き処を手玉にとって安心しているような木下の表情をよみとり、腹も立てないわけではなかったが、おおむね、これらの作品は、上の部の水準に達していて、わたしが、日本の多数者感情を観察するには、恰好の作品だったのである。

『風前の灯』は、いわば、木下が主系列の作品でおさえてみせた庶民の泣き処が、どれほどの現実観察と現実把握のうえに立つものであるかを、はっきりと示した作品である。楽屋裏がのぞけるし、お手元が見透される作品である。

この映画を、『花咲く港』、『カルメン』物の系列に入る、喜劇映画だというのは当っていない。喜劇などは、どこにもない。あるとすれば、ドタバタと、登場人物の誇張された演技と、誇張された人物の類型的な対照性のなかにしかない。たとえば、田村秋子の扮する「老婆」の強慾ぶりを描くにも、高峰秀子の扮する妻君の悪感情を描くにも、向いあっているときは、さり気ない風を粧い、ドアのかげや、独り居の部屋のなかで、舌を出したり、だまされんぞ、などといわせたりすることによって、辛うじて可笑しさを出しているにすぎない。いわば、喜劇性を、登場人物の内面から描き出すことが出来ないで、楽屋裏を描写することによって繋ぎとめているのである。

情況設定でも、喜劇性は、すこしも描かれていない。一体、何が「風前の灯」なのか、わからない。二人の不良と、一人の田舎出が強盗をたくらむというところが、映画では、何の力にもなっていない。間借人のいざこざも、風来坊の前科六犯も、老婆と息子夫婦の対立も、喜劇的ではない。

しかし、木下が描きたかったのは、喜劇ではあるまい。彼の主系列の作品に登場して、観客の紅（?）涙をしぼらせ、文部大臣を感心させるところの善良な庶民たちもまた、映画以外のところでは、ざっとこんなものだ！　ということを諷刺したかったのだ。また、木下の作品に紅涙をしぼって感動する庶民達も家へかえれば、ざっと、こんなものだ、ということを示したかったのだ。そして、最後に、いくらセンチメンタルな映画ばかりつくっている俺でも、この位の洞察力はあるのだ、ということを木下は示したかったのであろう。わたしは、皮肉をいってるわけではない。

この作品を、日本の庶民社会における「家」の縮図としてみるときは、やはり、相応の出来栄えといわなくてはならない。老婆と息子夫婦は、木下的庶民であり、間借人の娘と大学生たちは、アプレ的庶民であり、いずれも日本の庶民社会の産物であることには、かわりない。かれらは、この作品に登場して、根元はおなじ意識であることを暴露する。

『喜びも悲しみも幾歳月』にとびつくのはお目出たいセンチメンタリストで、太陽映画にとびつくのはドライなリアリストであるなどと、かんがえるのは、それこそセンチメンタリストにすぎない。木下恵介的世界の庶民も、実生活ではすさまじいリアリストであり、太陽映画的世界の「アプレ」も、実生活のセンチメンタリストであることができる。この日本の庶民社会の実相は、とうてい、非情を標榜する単純な批評家の手に負えるものではない。手に負えない部分を、切り捨ててはならないのである。

木下が意図すると否とにかかわらず、『風前の灯』は、日本の庶民的な「家」の悲劇をえがいている。その意味ではあまり、この映画をみて笑うことはできないのである。つまり、あまり喜劇ではないのである。


しかし、木下恵介は、この作品で、誤算をおかしている。なるほど、ここには、庶民的「家」のなかにうごめいていて、たとえば、木下的映画を見物に出かけて涙を流したすぐあとで、強欲張ってみせる老婆や、老婆が早く死ねば財産がころげこむと考えて、最後にどんでん返しを喰う息子夫婦がえがかれ、それに加えて、「アプレ」的青年がとびこんできて、なるほど、庶民意識の典型は一応登場している。しかし、ここには、庶民社会のなかの「家」は描かれていない。社会的情況の設定が、まったく出来ていない。今日、どこを探しても、『風前の灯』に描かれたような「家」の感情のなかで生活している庶民はいないだろう。昭和初年的感覚なのだ。

庶民たちは、現在、社会的情況のために絶えず風穴をあけられながら、危く生活の均衡を支えているのだ。それが、おそらく戦後の日本の庶民社会のなかの「家」の特徴の一つであり、それこそ『風前の灯』なのだ。

しかし、わたしは、別に、木下に社会的視野を要求しようなどとおもっているわけではない。それは、馬を火鉢で測るようなものだから。

『夜の牙』

探偵小説をしこたま読んで相当頭をいかれているものには、この程度のスリラーは直ぐに種が割れてしまって、後には、恋愛ともいえないお粗末な恋愛メロドラマや、演技ともいえない役者の演技だけしか残らないから、まったくつまらないだろうが、わたしは、結構おわりまで種を知らずに面白く見通した。少くとも、わたしがみなれている捕物帖映画と比較すれば、上の部に匹敵している。ついでだから捕物帖との比較をつづければ、石原裕次郎の扮する医者杉浦健吉は、右門とか伝七とか若さま侍とか平次とかに該当し、岡田真澄の扮する掏摸の三太は、伝六とか、獅子ッ鼻の竹とかのような道化役に該当していることになる。

この映画では、石原の扮する医者が、何故、自分が戸籍上死亡者になっていることに、これ程執着して探偵的興味を働かせるのかが、うまく描けていないが、冒頭のこの欠陥を除けば、あとは、快調のテンポで事件は進行し、終りまで娯しめる。

わが捕物帖の主人公達の性格が、古典的倫理感をもった善良な庶民か武士であるのに対し、この現代的捕物帖の主人公は、いささかアプレ的で、自分の助手の女とも関係するし、昔の弟の愛人であり、いまは、犯人の情婦にさせられている女とも関係する。わが捕物帖の主人公たちを探偵的行動にかりたてるのは、庶民的正義感や名人気質であるが、この現代的捕物帖の主人公を動かすのは、スリルと冒険を味わいたい好奇心である。

わが捕物帖の主人公達が、庶民的生活に滲みこんだ中年者であるのに対し、この現代的捕物帖の主人公は、いくらか崩れかかった「坊ちゃん」である。

わたしは、現代の観客が捕物帖を愛するか、この『夜の牙』のような日本的スリラーを愛するかは、ただ、年齢的な差異にしかすぎないだろうと思う。質の差異などは、少しもないのだ。知的な緊張もいらなければ、性格葛藤にたいする心理的緊張もいらない。また、捕物帖の世界から江戸庶民的な倫理感や生活の典型を嗅ぎ出す興味にさそわれるように、この『夜の牙』から現代的風俗感覚やアプレ的な崩れを嗅ぎ出すとしても、まったく、おなじ程度のことしか出来ないだろう。

わたしがこの映画で最も興味をひいたのは、石原裕次郎の扮する探偵医者のマスクと歩きっ振りと動作であり、これを除いたら『夜の牙』の魅力は、半減してしまったとおもわれる。この石原のマスクは、分析的にいえば、「疲労した坊ちゃん」のマスクである。映画のなかで、月丘夢路の扮する犯人の情婦が「さっぱりして少し不良っぽいところがあるような」といったセリフを吐くと、「俺みたいじゃあねえか」などと医者が答えるシーンがあるが、冗談じゃあない。どこに不良っぽいところなどあるものか。不良っぽいとみえる石原のマスクや動作は、もちろん、おあつらえ向きに作ったものであり、本質的には「疲労した」と呼ぶべきマスクや動作である。わたしは、何故に石原のマスクや動作の特長のなかに、生活的疲労ではない「疲労」が若い身空で具わってしまっているのか、知らない。しかし、この石原の「坊ちゃん」と「疲労」との同居が、若い観客のなかの深層意識にあたえる魅力が、『夜の牙』の魅力の大半を占めていることは疑いない。観客は、一応、石原の扮する医者のマスクや動作のなかに、知的な職業（医者）と不良味を帯びた行動性を発見して惹かれるだろうが、このとき、実は、その生活の蔭のない「疲労」に惹かれているのである。

今日の所謂「アプレ」的な現象は、経済的基礎のハイアーなクラスの青年たちにある社会的「疲労」を本質としているにちがいない。彼等の不良性などは、もちろん、不良などという凄味のあるものではなく、社会的「疲労」からくる甘えであるにすぎない。『夜の牙』は、この甘えを逆手にとって、かなり巧みにつくりあげた風俗スリラーであるということができる。

わたしが欲するのは、経済的基礎のロウアーなクラスの青年の「アプレ」的現象の描写であり、社会的基礎をしんかんさせるような「不良性」であるが、今日、こういう「不良」を主人公にしたスリラー映画を製作する意欲をもった監督は、左翼から右翼までひっくるめて一人もいないだろうから、まず、高望みといわなくてはならない。左翼の方は、純愛の涙のなかに、ちょっぴり政治的看板をもちこんだ映画をつくり、右翼の方は、肩で風を切ってキャバレーかなにかに入ってゆくときだけの「不良」を描いてみせてくれる。

わたしは、石原の扮する探偵医者が、額にしわを寄せて明け方の並木路を深刻そうに歩いてゆくラスト・シーンに至って、高田浩吉の扮する伝七親分だったら、事件を解決したあとは、鼻歌を唄って歩いてゆくところだ、とおもいながら、さてあの額に寄せたしわは何ものであるかと思いめぐらしたとき、坊ちゃんの社会的疲労という概念につきあたった次第である。空虚なポーズというよりはましだから『夜の牙』の主人公は、たとえ愛する弟を殺害され、恋人の一人を死なせたとしても、もって瞑すべきではなかろうか。

『大菩薩峠』（完結篇）

敗戦のあと数カ月ごろ、わたしは戦争中もっていた書物をリュクサックにつめこんで神田の古本屋に運んだ。何もかも苛立たしかったが、とりわけ苛立たしかったのは蔵書であった。天皇とか「君が代」とか「日の丸」とかとおなじように、書物というやつが部屋に並んでいるだけで胸がむかつくほどいやらしかった。そこで、動員先にはいつもお供をしたリックサックにつめこんで叩き売ってやったのである。

早速手に入れた代金をもって、別の古本屋にはいると、『国訳大蔵経』を全巻買いこんでかえった。それから一、二年、思い出してはそれを読みはじめた。漢訳を日本語よみにかきなおしているだけの日本の流布仏典というのは、よみづらいばかりか、すこしもピンとこないようにできていたが、我慢してよんだ。ようするに内容が判るとか判らないなどということは、たいした問題じゃあないんだ、おれがこうして古ぼけた仏典をよんでいることにくらべればな。わたしは自分にいいきかせた。その大蔵経のなかで「大智度論」というのはよくわかって感心した。すごくロジカルなもので、何もしらないわたしは、この智度論というのは古代インドの宗教論理学のようなものかな、などと他愛もないことをかんがえながらいかにもわかりそうな個所にぶつかると、そこだけ、世界がひらけるような気になりながら飽きもせず文字をたどった。

「智度論」のなかで、いまでも覚えているわたしのすきなコトバがある。それは、「善悪ふたつながら行わず」というやつである。こんど、映画『大菩薩峠』をみながら、この「智度論」のなかの善悪ふたつとも行うことができないというコトバをおもいだし、いろいろと空想をたくましくすることができて結構たのしかった。監督や俳優やこの映画の構成にはたらいていた芸術家たちには、お気の毒というほかはないが、観客が少いのが居心地がわるく、両脇に専門家が坐っているのには、閉口したが、あたりは暗くわたしの空想をふくらませるのにはさしさわりなかった。映画をみても、映画の方からおしつけてくるような擬（にせ）芸術はあまりすきではない。空想を勝手に行使できる映画が好きだ。

映画『大菩薩峠』にも、ただひとつ向うからおしつけてくる思想があった。それは、輪廻という思想である。因果はめぐり万物は業のなかにあるという思想である。作者中里介山の思想というよりも、仏教思想の模写である。映画の登場人物たちはこの思想にあやつられて、最後に笛吹川の畔にあつまってくるのだ。

映画は、小悪党神尾主膳にわけもなく雇われて、荒れ屋敷に住み、夜になると辻斬にでかける机竜之助を描くところからはじめる。介山によれば竜之助は無明界をさ迷いとうてい救われない修羅なのだが、映画は、片岡千恵蔵が演ずる竜之助が、部屋にとじこもって刀をぬいては、血のりを拭いたりする薄気味わるい場面や、竜之助の幻視のなかで、赤と青の蝶が、おたがいを喰いつくそうとしてひらひらと舞い狂う場面をみせてくれるので、竜之助が、はっきりと精神病理学上の分裂病質であることを判らせてくれるのである。映画というのは、どんな高級な思想も、ようするに気違いさ、と判らせるところが何ともいえず重宝である。どんな非日常的な思想も、ありふれた男の中にしか住まないことを、視覚にみせてくれるからだ。だから、『大菩薩峠』のモチーフである輪廻思想は、映画では、分裂病者、机竜之助の関係妄想のあらわれであることをおしえてくれる。

第一が、荒れ屋敷での竜之助と、顔の半面は大あざのある美女お銀さまの結びつきである。竜之助は、こころのなかで、おれは、同門の知人を試合で殺し、その妻お浜をさらって江戸へ逃亡し、ついにお浜を殺してしまったためにとうてい救われないとおもっている。お銀さまは、じぶんは顔に大あざがあるため男に愛されないがじぶんを嫁に欲しがっている神尾主膳はじぶんの財産が眼あてなのだ、とおもっている。二人は結びつく。暗い荒れ屋敷の一部屋で抱きあうやりきれない男と女は、これすなわち故なくして人を斬り、罪をかさねた報いだぞと介山の思想は強調する。しかし、映画ではお銀さまは竜之助が盲目だからじぶんの醜さは判らないとかんがえ、竜之助は、おれはコンプレックスのある女としか結びつけないのだとおもっているにすぎない。つまり、よくある弱味でつながった男と女の関係にしかすぎない。竜之助が分裂病者でなければ、ここで因果思想は成立たない。

第二に、主膳の焼打ちを逃れて竜之助とお銀さまは、偶然、自分が殺した妻お浜の実家に泊る。大菩薩峠がみえる小高い丘に、悪女大姉という戒名の墓石があり、竜之助は偶然そこに寝ころんでいる。それに気付いた竜之助は、またまた、自分の関係妄想がおびきよせた現実の連鎖を感じてますます分裂病状を悪化させる。映画はもちろん、無明界の住人が、ますます因果の鎖につながれておちてゆく状態をえがいているのだが、ほんとうは、竜之助の関係妄想にとって現実がすべて数珠玉のようにつながって錯覚されているだけだ。

だから、この映画で、竜之助がただ一度、正常な精神状態に立ちかえるのは、現実がすべて因果のようにつながって自分に集中してくるようにみえる妄想を断ちきろうとするときだけだ。即ち、竜之助は、夜中にお浜の実家の屋敷を抜け出し、田んぼ道にでて、田舎娘を殺し、お銀さまに過去帳をつくらせて、記入させる。そして、お銀さまに、おれが怖いなら逃げろ、一緒にいればお浜のようにおれに殺されるだけだから、過去帳の最後にお前の名前をかいておけと、お浜の墓石のそばでいうところが、唯一度、竜之助が正常になるところである。同時に映画の思想的なクライマックスになっている。

この映画程度の出来ばえの映画は、日本の現代物のなかにもざらにあるだろうが、これだけの思想をさりげなく流しこんだ映画は、ざらにあるとはおもえない。このときの机竜之助の思想は、現実の鉄鎖につながれたこころを解放するには、積極的に自ら鉄鎖をつくってみることだ、という思想である。かれは、あたかも因果応報みたいにこれでもかこれでもかと、自分に悪行を課してくる現実を切断するために、こんどは、自分から積極的に悪行を実行するのである。このとき、たとえば、「智度論」の一思想である人間は善と悪も行なうことのできないようなしがない存在にすぎないという大乗観は、たちきられるのである。もちろん、介山の思想も、そしてこの映画も、ここで、竜之助というやつは何と度しがたい悪党であるのか、といいたいわけだが、じつは竜之助がお浜の因果をたち切ろうとして、自ら田舎娘を殺し、過去帳に記入するとき、かれは仏教の輪廻思想の圏外におどり出しているのだ。

わたしの空想は、あきらかにこの思想的クライマックスの場面までできたとき、この映画の枠をとびだしてしまった。わたしは、盲目が快癒し、もはや現実を人間の精神に因果の報いを強いる宿命とみずに、これを可変の構造物とみたてであゆむ竜之助を空想した。このとき、竜之助は、たとえば、宇津木兵馬と一緒に甲府城の牢にぶちこまれている勤皇派の志士である革命的インテリゲンチャのように単純な楽天家ではないかもしれないが、現実のメカニズムに参入し、これを手だまにとることができる革命的サンディカリストではありえただろう。

しかし、映画は、わたしの空想とは反対に進行する。映画は、過去帳まで作って無意味にひとを殺しはじめる竜之助を、決定的に救済しえない下根の人物として描く。竜之助は、まず、幻想のなかでお浜の亡霊に導かれて自分が殺した人物たちの生首が燈籠のように並んでいる道を歩かせられる。お浜の亡霊は「あなたにはじぶんのゆく道がわかりませんのね」とあざける。そして、最後の切り札であるわが子、郁太郎の姿が幻視のなかにあらわれて、竜之助は狂乱する。

一方、竜之助を仇とねらう兵馬とお松は、父親と兄を殺された記憶の地、大菩薩峠に登る。峠には、兵馬仏の与八と竜之助の子、郁太郎が小屋をかけて住んでいる。介山の設定した理想像である与八は、兵馬に和解をすすめるが、兵馬は竜之助が死ぬことによってしか救済できない人物だとかんがえ、お浜の実家の屋敷へ竜之助を斬ろうとして出かける。

竜之助は、わが子、郁太郎が、血の河に溺れかかって救いをもとめる幻聴をきき、幻想に誘われて笛吹川の氾濫のなかにのまれる。兵馬、お松、お銀さま、七兵衛は、この竜之助の最後の狂乱に立ちあわされる。

じつは、映画『大菩薩峠』は、思想的クライマックスの場面へきて、ちょうど、わたしなどの空想と逆方向に展開されるころから、快調なテンポと部分部分に監督の神経がゆきとどいた優れた場面をチラチラさせながら進行し、糸にあやつられるように、竜之助の最後の狂乱に立ちあうため集ってくる登場人物たちを視せておわる。わたしの空想はべつに悪くはないが、映画の進行方向もわるいとはおもわない。この後半の場面は、この映画を時代映画の一級品にしているとおもった。つまり、わたしの空想は、この映画の思想の結末に不満だったが、眼の方は、結構ひきこまれて一気にカタストロフまでたどりつけたのである。

わたしの空想が不満だったのは、たとえばこういうことだ。映画のなかで、竜之助が発作的な幻視や幻聴や狂乱におそわれるのは、いつも二つの原因からである。ひとつは、お浜をふくめて自分が無意味に殺した人間たちが幻視のなかにあらわれるときである。もうひとつは、自分の子供、郁太郎が幻視や幻聴のなかにあらわれるときである。これは、充分に原作者の思想であり、映画もこの点については原作者に忠実である。映画では、この竜之助の発作の場面は、仏教的な罪業意識に見舞われている状態で、このとき竜之助は業罰をうけているために善なのである。善としてえがかれているのである。いわば、こういう悪人もまた、罪の意識にさいなまれたり、肉親の絆にひかれたりする善の意識をのこしているのだ、という思想である。

しかし、精神病理学的には、解釈が逆になってくる。発作は、病状の悪化であり、それを誘発させる原因は、殺人の罪の意識、就中妻お浜を殺し、子供、郁太郎を捨てたという意識である。だから、この発作をたちきるためには、映画が善としている思想をたちきらねばならないのである。そして、その機会は、竜之助が、何の罪もない田舎娘を殺して過去帳に記入しようと決意したときであったはずだ。罪の意識を批判するものは、罪だけだという思想が竜之助をかりたてる。これを、ひきのばしていけば、大乗思想は破産し、この映画の思想は破産する。現代精神病理学は、分裂症が、心理的には過剰の倫理感からくることを、おしえている。いや、これは因果が逆かもしれない。竜之助を破滅させるのは過剰のモラリスムスであり、ファーター・コンプレックスである。女たちが竜之助に惹かれ、殺されるのはホモゼクスアリテートからである。

Ⅵ

飯塚書店版『高村光太郎』あとがき

数年来、かきためてきた高村光太郎に関するノートに手を加えて、この本を編んだ。

時代は、明治末年から敗戦までにわたっていて、一応高村光太郎の生涯の重要な時期は概観できるようになっている。しかし、わたしが高村についてかくべきことは、最初から定っていて、ただ、何遍もくりかえしてそれを追及したにすぎない。資料を探しながらの仕事で、あたらしい資料がみつかるたびに、幾分かずつ観点がかわってきたが、本質的には少しも変らないのは、以上のような理由によるものである。わたしは、こういう遣り方が批評の作法にかなっているかどうかはしらないが、わたしの精神上の問題にはかなっていた。それが、幾らかでも感知されるものであれば、もはや云うべきことはない。

本書にあつめた評論のうち、「のつぽの奴は黙つてゐる」は、高村光太郎ノート（「のつぽの奴は黙つてゐる」について）という題で、『荒地詩集』一九五五年版に、「戦争期」は、高村光太郎ノート（戦争期について）という題で、『現代詩』一九五五年七月号に、『出さずにしまつた手紙の一束』のこと」は、『高村光太郎全集』第一巻の月報に、それぞれ公表したものに幾分か手をいれたものである。

なお、高村光太郎ノート（戦争期について）は、批評家の話題にいくらか上ったこととも関係して、淡路書房刊、吉本・武井『文学者の戦争責任』に収録された。本書に訂正再録するにあたって、書店とのあいだに問題はないことを明記しておきたい。

本書の刊行にあたってお世話になった飯塚書店主飯塚広氏、編輯部秋村宏氏、その他の人々および装幀を引受けて下さった鶴岡政男氏に感謝する。

一九五七年五月

『芸術的抵抗と挫折』あとがき

ここにあつめた文章は、「『民主主義文学』批判」を除いては、既刊の評論集に収められなかったものである。「『民主主義文学』批判」は仕事の系列上、あらためて、ここにいれることになった。「マチウ書試論」の後三分の一以外は、みな雑誌その他に発表したものである。「マチウ書試論」の後三分の一の原稿は、長年、奥野健男が保管していてくれたため消滅をまぬかれた。わたしなどの場合は、自発的にかいた評論も、雑誌の注文に応じてかいた評論も、べつにかわりがなかった。かきながら、じぶんの体系をすこしすすめようと試みたが、通観して感ずることは、まだまだ、既成の権威、価値の破壊作業は、徹底をかいているということである。これらの仕事をすすめながら、たえず焦慮したのは、歴史という奴が、十年ばかりの空洞を胸部にもちながら、大手術もせずに短絡しそうなことであった。はずかしいことに、わたしは大手術をできなかったが、無数の小手術を誘発するために、いくらかの寄与をし、これからも寄与するであろうことは、この評論集をだす場合のわずかな有償性であるとおもう。歴史の空洞をふさいで短絡することなしに、その患部の壁面をつたわってゆく路線を創造する仕事は、ひとりのなしうる業ではない。

「マチウ書試論」は、このなかで、かかれた時期も、とびぬけてはやく、すこし性質がちがっているかもしれないが、自分の思想形成にとって、影響の大きかった新約書に、とりくんでみようと試みた評論である。「マチウ書」というのは、いわゆる「マタイ伝」のことであり、わたしは、ここで勝手に「マチウ書」とかえてしまった。登場人物の名前も、書名もかえてしまった。エンゲルス、ルナン、シュバイツァー、モーリヤック、波多野氏などのキリスト教に関する論策など、手当り次第によんだが、最後によんだアルトゥル・ドレウス『キリスト神話』（原田氏訳　岩波書店）によって、実証研究のすごさをしっておどろき、ドレウスの業績を忠実に信奉した。また、ニイチェの『道徳の系譜』を中心とする全主著が、圧倒的に優れているとおもう。わたしに、キリスト教思想にたいする批判の観点をおしえたのは、ニイチェとマルクスとであった。その影響は試論のなかにあらわれているのではないかとおもう。

この評論集は、書名をはじめ、その他一切について、未来社の松本昌次氏に負っている。録して感謝の意を表する。

『抒情の論理』あとがき

こんど詩論集をだすことになった。このうち「前世代の詩人たち」、「戦後詩人論」は、武井昭夫との共著

『文学者の戦争責任』からぬいたものである。その他は、「エリアンの手記と詩」をのぞいて雑誌や講座に既発表のものばかりである。ここにあつめられたもののほかに共同執筆でかいた詩論や、初期の詩論があるが、枚数の都合であつめられなかった。しかし、こんどよみかえしてあつめるに価しないものばかりであった。

世の中には、生れたときから革命的な芸術家のような貌をしているのが、たくさんいて白々しくて仕方がないので、何としても初期の作品を収録したかった。そのため、「エリアンの手記と詩」、「異神」という初期の幼稚な創作(?)をとくにこの詩論集のなかにいれた。「エリアンの手記と詩」は、昭和二十一年〜二十二年のあいだにかかれたと推定する。少年期から青年前期の印象を手記のかたちでくみたてたフィクションで、未発表のまましまってあった幼稚な原稿をこんどとりだした。これと、『高村光太郎』(飯塚書店　五月書房)のなかの「敗戦期」とが表裏一体の関係にある。これらに『吉本隆明詩集』(ユリイカ)のなかの初期詩篇や『固有時との対話』をあわせ、さらに『芸術的抵抗と挫折』(未来社)のなかの「マチウ書試論」をくわえれば、敗戦前後数年のあいだの彷徨がおおよそあきらかになる仕組になっている。ただ、わたしは日本古典の影響と仏典の影響を検討する仕事をのこしている。古典論はこの詩論集のなかで三つあり、なお初期にみじかい歎異抄論と伊勢物語論があるが、いずれも幼稚なもので、仏典論とともに、いつか全力をあげて取組みたいとおもう。

わたしは、もともと、詩論と文学論と思想論を、じぶんのなかで区別していない。当然、『芸術的抵抗と挫折』の内容は、この詩論集とあわせて、ひとつとすべきものである。わたし自身の感想をいわしてもらえば、前著には可もなく不可もない執着をもつものを集め、この詩論集には、はげしい嫌悪と愛着をもち、また、はずかしさもいだいている、そういうものを集めた。

なお、「政治と文学と前衛の問題」(『短歌研究』五七年五月号)という短歌論を、紙幅の関係でどうしても収録できなかったことを註記しておきたいとおもう。

この詩論集を組みたてるために、松本昌次氏、松田政男氏その他、未来社の人々の直接的な努力が、全ての支えであった。つつしんで感謝のこころを録する。

解題

解題凡例

一、解題は書誌に関する事項を中心に、必要に応じて校異もあわせて記した。

一、各項は、まず初出の紙誌ないし刊本名を記し、発行年月日および月号数（発行日が一日の月刊誌の場合は年月号数のみを記載）、通号数ないし巻号数、発行所名の順序で記した。次に初収録の刊本名、発行年月日、発行所名を記し、さらに再録の刊本を順次記した。著者の著書以外の再録については主要なものに限った。また初出、初収録の表題との異同がある場合はそれを記した。初出の表題や見出しが複数ある場合の言及は最小限にとどめた。

一、校異はまずページ数と行数、本文語句を表示し、そのあとに矢印で底本や初出などとの異同を示した。底本や単行本や初出は〔底〕〔異〕〔初〕などの略号を使用した。

例　五八六・16　悲劇や喜劇＝〔初〕←〔底〕〔異〕悲劇

これは「転向ファシストの詭弁」の本文五八六ページ16行目で、底本と単行本の『異端と正系』では「悲劇」となっているのを、初出に遡って「悲劇や喜劇」と改めていることを示す。

この巻には、一九五七年から一九五九年九月までに発表されたすべての著作を収録した。（ただし、一九五七年発表のほぼすべてと一九五八年発表の「芸術運動とは何か」の第二節、「日本近代詩の源流」の第四、五節は第四巻に収録され、一九五九年九月の「もっと深く絶望せよ」は第六巻に収録されている。また後に『戦後詩史論』に「戦後詩史論」と改題されて収録された「戦後詩史」1〜2は除かれている。）

全体を六部に分ち、Ⅰ部には、五月書房版『高村光太郎』を、Ⅱ部には、一九五八年発表の評論・エッセイを、Ⅲ部には、詩一篇を、Ⅳ部には、一九五九年の九月までに発表の評論・エッセイを、Ⅴ部には、書評・映画評を、Ⅵ部には、単行本のあとがきを収録した。

この巻に収録された著作は、断りのないものは『吉本隆明全著作集』を底本とし、他の刊本、初出を必要に応じて校合し本文を定めた。引用文についてもできうる限り原文に当って校訂した。また編者であった川上春雄旧蔵『全著作集』訂正原本の、主として引用出典との照合赤字入れを参照し、反映させた。

Ⅰ

高村光太郎

『高村光太郎』の表題による最初の書籍は、一九五七年七月一日に飯塚書店から刊行された。この飯塚書店版の目次構成を掲げる。

Ⅰ　幸徳事件前後
Ⅱ　「道程」の方法
Ⅲ　智恵子抄
Ⅳ　「のっぽの奴は黙ってゐる」
Ⅴ　戦争期
Ⅵ　敗戦期の問題
Ⅶ　「出さずにしまった手紙の一束」のこと
　高村光太郎略年譜
　あとがき

このうち第Ⅰ～Ⅲ、Ⅵ章は書き下ろしであるが、第Ⅳ、Ⅴ、Ⅶ章には、以下の初出および飯塚書店版以前の収録がある。

高村光太郎ノート――「のつぽの奴は黙つてゐる」について――（『荒地詩集1955』一九五五年四月一五日、荒地出版社刊）

高村光太郎ノート――戦争期について――（『現代詩』一九五五年七月号、百合出版発行、武井昭夫との共著『文学者の戦争責任』一九五六年九月二〇日、淡路書房刊に収録）

「出さずにしまつた手紙の一束」のこと（『高村光太郎全集』第一巻「月報」、一九五七年三月二五日、筑摩書房刊）

「「出さずにしまつた手紙の一束」のこと」は、ほぼそのまま収録されたが、「高村光太郎ノート」の二篇は、表題を改め、「戦争期について」の題詞（金子光晴「業火」）を削除し、記述の主格を「ぼく」から「わたし」に変更し、全体的に細かな手直しを加えたうえで収録された。

「あとがき」に「数年来、かきためてきた高村光太郎に関するノートに手を加えて、この本を編んだ。」とあるが、「高村光太郎文献」と題する大学ノート四冊、「高村光太郎作品年譜」と題する大学ノート二冊が「川上春雄文庫」（日本近代文学館）に残されている。「高村光太郎文献」の一冊は、「智恵子抄関係」と題が書き出され、また一冊は「高村光太郎の戦争期の詩について」と題が書き出され、それぞれ文献の表題、出典、抜き書きなどからなっている。「高村光太郎作品年譜」の二冊は、それぞれ表題の下に「Ⅰ　明治・大正篇」、「Ⅱ　昭和篇」とあり、ともにその下に「昭和30年6月9日起」とある。年ごとにページを改め、作品名、出典名、年月日が記載されている。

飯塚書店版の「あとがき」は、以後の全著作集版以外の版からは省かれた。また第Ⅶ章は、本全集ではすでに第四巻に収録されているが、その解題に記したように、五月書房版の予告編のような位置づけで、現代作家論全集の第九回配本（中村光夫『志賀直哉』一九五八年九月一〇日）の挟み込み「五月通信」第九号に、「高村光太郎について」と改題の上、全体的な手直しと末尾に加筆がされて掲載された。その予告編を掲げておく。

「平野謙が図書新聞で佐藤春夫の「小説高村光太郎像」を書評したとき、高村光太郎を佐藤春夫にならって、『『和霊』をうちにひそめた巨大なる『ばけもの』』と呼んでいた。わたしはこの平野の評言をすこしも誇張なく正当とかんがえている。だが、そういうことに気づいたのは、残念なことに敗戦後であった。やくたいもない話で、高村の決定的な影響下にすごした青春前期には、わたしもまた「道程」や「智恵子抄」の熱狂的なファンであり、ファン特有の心理から、高村の詩業と精神史と生活史を検討しようと考えもしなかったのである。

　戦後、絶望と虚脱のなかで、自己と現実との関係を回復しなければ生きてゆくことは出来ないと思いはじめたとき、はじめて、高村が自分にあたえた影響の意味を再検討することが、わたしの内部的な日程にのぼったのである。わたしとおなじように高村のファンであった高村研究家北川太一は、敗戦後も高村の影響下に労作「高村光太郎年譜」をつくりその後もすぐれた調査を成しとげていた。おそらく北川君の業績は今後、高村の詩業を検討するさいに基礎文献の一つとして無くてはならないものとなるだろうと信じている。

　高村は、世評とはうらはらな恐るべき詩人であった。そういうことは今後研究がつみかさねられてゆくにつれて、はっきりしてゆくだろうが、いずれにせよわたしたちは「道程」一巻の文学史的位置づけすら満足になされていないという事実から出直さなければならないのだ。他愛もない讃歌と他愛のない否定とは時とともに消えなくてはなるまい。

「道程」一巻も恐るべき詩集である。「智恵子抄」も恐るべき詩集である。前者は、その背後に父光雲の芸術と人間にたいするぞっとするような、愛憎と排反を秘しているからであり、後者は、夫人の自殺未遂、狂死という生活史の陰惨な破滅を支払って高村があがない得たものだからだ。

　わたしは、「道程」をヒューマニズムの詩と評価することにも、「智恵子抄」を比類ない相聞と評価することにも無条件には賛成できない。そういうことを信ずるようになったのは「出さずにしまつた手紙の一束」を読み得、「珈琲店（カフェ）より」を見つけてからであった。

　今泉篤男は、高村の「回想録」のあとがきで「例へば欧米滞留時代のことは、多く語られてゐない。先生自からも、人間の生涯の伝記の中にはどこか一と所位朦朧とした不明の部分があつてもよいなどと話された。」とかいているが、いうまでもなく高村がヨーロッパ留学から持ちかえったのは、口にするにはすこしばかり恐ろしすぎる父光雲の芸術と人間にたいする父子相剋の心理と、西欧にたいする人種的、文化的な劣等感との煮つめられた破壊的な内部世界であった。「出さずにしまつた手紙の一束」はそれを立証しているとおもう。

数年まえ、「スバル」を読みたくて鮎川信夫から新庄嘉章氏あての紹介状をもらって、早大図書館へゆき読みあさりながら「出さずにしまつた手紙の一束」にぶつかったときの驚きをおもいおこす。高村が生涯かたくなな孤立にたてこもった内面的なモチーフがすべて氷解するように合点されたのである。

つぎに「珈琲店(カフェ)より」という短篇をよんでわたしは高村の生涯の内部的な骨組がはっきりつかめたようにおもった。高村は強烈な意志でこの内部の問題を埋めたまま生活し、詩をかいて七十何歳まであるいた。人間はだれでもその心の底に、一度口に出せば世界が凍ってしまうかも知れぬというコトバを秘しているかも知れぬが、たいていは解毒作用をほどこしてそのコトバをなしくずしに表現しておわるのである。だが、高村は、その詩のなかにも、散文のなかにも内的な告白らしいものを何ひとつせずに死んだ。もちろん、芸術とはまさにそうしたものだと高村は考えていた。高村の詩に古典主義的な整合をあたえ、高村の彫刻に抑制をあたえているものはそれである。だが、意志的な抑制の下からでも鎧の袖はちらちらする。わたしは、「道程」一巻も、「智恵子抄」一巻も、読みようによっては恐るべき詩集にかわり、高村光太郎も探求によっては肯定的なヒューマニズムの詩人という単純な評価をはみだすことがあると信じている。わたしが「『和霊』をうちにひそめた巨大なる『ばけもの』」という平野謙の評価を肯う所以も「出さずにしまつた手紙の一束」を高村の自己告白として特記する所以もそこにかかっている。

わたしの追及がいくらかでも固定された高村像をやぶるに役立ち、わたしの切口に、わたしの思想体験が集中できればよいと思う。」

飯塚書店版を改訂した『高村光太郎』は、翌一九五八年一〇月二〇日、現代作家論全集6（第一〇回配本）として、五月書房から刊行された。この五月書房版の目次構成を掲げる。

「道程」前期
「道程」論
「智恵子抄」論
詩の註解
戦争期
敗戦期
戦後期

年譜
参考文献目録

「「道程」前期」から「敗戦期」までは、飯塚書店版の第Ⅰ〜Ⅵ章にそれぞれ対応しており、それらの表題を改めたうえで全面的に加筆、改稿がなされ、新たに「戦後期」が書き下ろされた。「年譜」は飯塚書店版年譜に全体的に加筆され、敗戦後から没時までの記載が加えられ、末尾の註が手直しされた。新たに「参考文献目録」が加えられた。

この五月書房版の本文構成が、以後の『高村光太郎』の基本構成として確定した。

五月書房版『高村光太郎』は、以降、『高村光太郎〈決定版〉』（一九六六年二月一〇日、春秋社刊）、『高村光太郎〈増補決定版〉』（一九七〇年八月一五日、春秋社刊）、『現代の文学25　吉本隆明』（一九七二年九月一六日、講談社刊）、『吉本隆明全著作集8』（一九七三年二月一五日、勁草書房刊）、『高村光太郎』（一九九一年二月一〇日、講談社文芸文庫、講談社刊）に再録された。また「戦後期」の章は『高村光太郎研究』（一九五九年三月二十日、筑摩書房刊）にも再録された。

本全集では講談社文芸文庫版を底本としたが、ルビは適宜省いた。高村光太郎の引用文は、春秋社版『高村光太郎選集』と筑摩書房版『高村光太郎全集』によって校訂したが、「琉球決戦」、「一億の号泣」は著者が引用した『朝日新聞』発表の初出形によった。

なお「年譜」は、『高村光太郎〈決定版〉』の際に没時以降昭和三七年までが追加記載され、そのことについての「追記」が付されたが、本全集ではその版を収録した。

Ⅱ

「戦旗」派の理論的動向

『国文学　解釈と鑑賞』（一九五八年一月号　第二三巻第一号、至文堂発行）に発表され、『芸術的抵抗と挫折』（一九五九年二月二五日、未来社刊）に収録され、『吉本隆明全著作集4』（一九六九年四月二五日、勁草書房刊）に再録された。初出では特集「昭和文学史」のもとに、その一篇として「プロレタリア文学運動」の項に原題「「戦旗」派の動向——理論的過程から——」で掲載されたが、単行本収録にあたって表題のように改められた。なおこの特集をほぼ踏襲する内容構成で刊行された『昭和文学史』（一九五九年三月三〇日、至文堂刊）にも、「「戦旗」派の動向——芸術理論の展開——」の表題で再録されたが、再録にあたって一九六ページ末行の末尾に補足的な加筆がされた。それを掲げておく。

「かれらの見解のなかには、いつも政治運動と芸術運動とが混合されていた。たとえば、蔵原惟人、宮本顕治、小林多喜二などがそうであったように、ある場合には、芸術運動家が政治運動家を代用する役割をはたした。このために、芸術運動のなかに政治至上主義的な要素が導入されるとともに、政治運動のなかに文化至上主義的な要素が混入される結果となった。中央機関紙『戦旗』のまわりに集まった文化的な支持大衆が、いわばいずれも芸術愛好者であるにすぎず、このカッコ付きの大衆の動向をもって、全体の大衆の動向をつかむことはできないことを洞察しえなかったのは、かれらが政治家としては文学的にすぎ、文学者としては政治的にすぎたためである。したがって、プロレタリア文学を大衆のなかにひろめるのは、どうしたらよいかという問題は、はじめから大衆の文化意欲の構造をどう開拓すべきかの問題であり、けっして、大衆の政治意欲または、社会生活の問題ではありえないことは、理解されていなかったのである。」

　初出の明示されている引用文はその初出誌によって校訂したが、蔵原論文の「プロレタリヤ」「プロレタリア」の両用は「プロレタリア」に統一した。また単行本、全著作集に組み落としとおもわれる箇所があり、初出に戻した。その箇所を掲げておく（〔 〕は初出を生かした部分）。

一九七・9　自らの文学を低くして大衆を迎え〔ようとする考え方と、大衆の方を政治的に高くしてプロレタリア文学を迎え〕させようとする考え方

二〇〇・16　その具体的な社会の社会構造と同型〔にあらわれてくる。その社会の具体的な特殊相は、そのまま具体的に大衆の意識の原型〕のなかにくりこまれている。

二〇一・1　大衆の意識構造の分析〔から出発するこ〕とは、

文学の上部構造性

『思想』（一九五八年一月五日　第一号　第四〇三号、岩波書店発行）に発表され、『芸術的抵抗と挫折』に収録され、『吉本隆明全著作集4』に再録された。初出では特集「イデオロギー」のもとに、その一篇として「文学のイデオロギー」の項に原題「上部構造とは何か」で掲載されたが、単行本収録にあたって表題のように改められた。

宗祇論

『ユリイカ』（一九五八年三月号　第三巻第三号、書肆ユリイカ発行）に発表され、『抒情の論理』（一九五九年六月三〇日、未来社刊）に収録され、『吉本隆明全著作集7』（一九六八年一一月二〇日、勁草書房刊）、『マチウ書試論・転向論』（一九九〇年一〇月一〇日、講談社文芸文庫、講談社刊）に再録された。初出では「日本詩歌の伝統6」の連載題のもとに原題「宗祇論――連歌をめぐって――」で掲載されたが、単行本収録にあたって副題が省かれた。

抵抗詩

『批評運動』（一九五八年三月一〇日　第一六号、批評運動発行）に発表され、秋山清詩集『白い花』（一九六

六年一一月一五日、東京・コスモス社刊）に収録され、単行本未収録のまま『吉本隆明全著作集7』に収録された。初出では秋山清の「戦争期の詩三篇」の「解説」として掲載され、『白い花』においても「解説」として収録された。『白い花』収録にあたって、初出冒頭の「今度、秋山清が「批評運動」に戦争期の詩を発表するとき、わたしは、すすんで解説を引き受けた。」と末尾の「わたしは、ここで極く一部しか取上げえなかったことを残念におもう。」が削除された。また『際限のない詩魂——わが出会いの詩人たち——』（二〇〇五年一月一日、詩の森文庫、思潮社刊）にも再録された。

くだらぬ提言はくだらぬ意見を誘発する——加藤周一に——

『詩学』（一九五八年三月三〇日　三月号　第一三巻第四号、詩学社発行）に発表され、『抒情の論理』に収録され、『吉本隆明全著作集5』（一九七〇年六月二五日、勁草書房刊）に再録された。初出では「詩壇共和国」の欄に原題「下らぬ提言は下らぬ意見を誘発する——加藤周一に——」で掲載されたが、単行本収録にあたって表題のように改められた。

三種の詩器

『短歌研究』（一九五八年四月号　第一五巻第四号、日本短歌社発行）に発表され、『抒情の論理』に収録され、『吉本隆明全著作集5』に再録された。初出では特集「〝日本の詩〟をどうするか」のもとに、その一篇として掲載された。

「四季」派の本質——三好達治を中心に——

『文学』（一九五八年四月一〇日　第二六巻第四号、岩波書店発行）に発表され、『抒情の論理』に収録され、『吉本隆明詩集』（一九六八年四月一日、現代詩文庫8、思潮社刊）、『吉本隆明全著作集5』、『詩学叙説』（二〇〇六年一月三一日、思潮社刊）に再録された。初出では特集「昭和の文学　その一——日本浪曼派を中心に——」のもとに「日本浪曼派の古典評価について」の項に掲載された。なお三好達治「昨夜香港落つ」は『文學界』（一九四二年二月号、文藝春秋社発行）発表の初出形で引用されている。

芸術的抵抗と挫折

『講座現代芸術Ⅴ　権力と芸術』（一九五八年四月二五日、勁草書房刊）に発表され、『芸術的抵抗と挫折』に収録され、『吉本隆明全著作集4』、『マチウ書試論・転向論』に再録された。

街のなかの近代

『東京大学新聞』（一九五八年四月三〇日　第三三一号、東京大学新聞会発行）に発表され、単行本未収録のまま『吉本隆明全著作集13』（一九六九年七月一五日、勁草書房刊）に収録された。初出では原題「街のなかの近代——日本近代の検討——その二——」で、ほかに大見出し

「大衆の近代的自我／確立は信じられぬ」があったが、収録にあたって表題のように改められた。

情勢論

1〜5は『世代』（一九五八年六月号　第一巻第六号、同年七月号　第一巻第七号、同年八月号　第一巻第八号、同年九月号　第一巻第九号、同年一〇月号　第一巻第一〇号、世代社発行）に連載発表され、**6**は『図書新聞』（一九五八年一一月一日　第四七四号、図書新聞社発行）に発表され、『芸術的抵抗と挫折』に収録された。初出では、原題が1は「今日の思潮——旧人の発言——／文壇・論壇にみる一九五八年六月」、2は「今日の思潮——新人の発言——／文壇・論壇にみる一九五八年七月」、3は「今日の思潮——大衆・芸術・政治——／文壇・論壇にみる一九五八年八月」、4は「今日の思潮——保守的指標——／文壇・論壇にみる一九五八年九月」、5は「今日の思潮——進歩的指標——／文壇・論壇にみる一九五八年十月」、6は安部公房・企画編集「曲り角の日本」の一篇として「政治と芸術——大衆化現象の中で——」であったが、単行本収録にあたってまとめられ、表題のように改められた。『吉本隆明全著作集13』に再録された。

今月の作品から

『ユリイカ』（一九五八年七月号　第三巻第七号、同年八月号　第三巻第八号、同年九月号　第三巻第九号、同年一〇月号　第三巻第一〇号、同年一一月号　第三巻第一一号、同年一二月号　第三巻第一二号）に「dam 4」の筆名で連載発表され、単行本未収録のまま『吉本隆明全著作集5』に収録された。なお一二月号の「王様の耳」欄に、安西均が前号への応答文「dam 4さん、参りました！」を寄せている。

芥川龍之介の死

『国文学　解釈と鑑賞』（一九五八年八月号　第二三巻第八号）に発表され、『荒地詩集１９５８』（一九五八年一二月一〇日、荒地出版社刊）に収録され、『芸術的抵抗と挫折』に収録された。『吉本隆明全著作集7』、『マチウ書試論・転向論』にも再録された。初出では特集「芥川龍之介・作家論と作品論」のもとに巻頭に掲載された。

転向論

『現代批評』（一九五八年一二月一日　創刊号　第一巻第一号、書肆ユリイカ発行）に発表され、『芸術的抵抗と挫折』に収録された。発表誌の発行日は表紙の表・裏では「十一月二十日」となっているが、奥付の記載を採用した。『現代批評』は、井上光晴・奥野健男・清岡卓行・武井昭夫・吉本隆明を編集同人とする月刊誌として発刊された。『われらの文学22　江藤淳・吉本隆明』（一九六六年一一月一五日、講談社刊）、『吉本隆明全著作集13』、『現代の文学25　吉本隆明』、『吉本隆明全集撰３』（一九八六年一二月一〇日、大和書房刊）、『昭和文学全集27　福田恆存・花田清輝・江藤淳・吉本隆明・竹内好・林達夫』（一九八九年三月一日、小学館刊）、『マチウ書試論・転向論』に再録された。また『戦後日本思想大系13　戦後文学の思想』（一九六九年二月一五日、筑摩書房刊）にも再録された。この項は、外国語表記の変更などわずかな補訂がされた『全集撰3』を底本とした。ただし中野重治の「村の家」と「『文学者に就て』について」の引用文は、初出を参照し著者が引用したとおもわれる『歌のわかれ』（一九四〇年八月一〇日、昭和名作選集、新潮社刊）と『文学のこと・文学以前のこと』（一九四七年一一月一日、解放社刊）の収録形によって校訂した。

中野重治「歌のわかれ」

『現代文学講座Ⅲ』（一九五八年一二月二〇日、飯塚書店刊）に発表され、単行本未収録のまま『吉本隆明全著作集7』に収録された。初出では原題「転向と戦後文学の主体性――中野重治「歌のわかれ」――」であったが、収録にあたって「中野重治」の項に「『歌のわかれ』」とされた。本全集では初出の副題を表題とした。

Ⅲ

死の国の世代へ――闘争開始宣言――

『日本読書新聞』（一九五九年一月一日　第九八三号、日本出版協会発行）に発表され、『異端と正系』（一九六〇年五月五日、現代思潮社刊）に収録され、『吉本隆明全著作集1』（一九六八年一〇月二〇日、勁草書房刊）、『吉本隆明全詩集』（二〇〇三年七月二五日、思潮社刊）、『吉本隆明詩全集5』（二〇〇六年一一月二五日、思潮社刊）に再録された。単行本では表題が「序詩　死の国の世代へ――闘争開始宣言――」とされた。この詩はいわゆる「花田・吉本論争」の戦端が開かれる時点で書かれている。単行本とのわずかな異同を掲げる。

四一・5　「未来」＝［初］→［異］未来
四一・10と11の間　行アキ無し＝［初］→［異］行アキ
四一・12　同志にた＝［初］→［異］同志に

この詩篇から以後の詩篇は、現代仮名遣いの現在の通常の表記のように、拗音・促音の表記を小さく校訂する。一九四六年一一月一六日の内閣告示「当用漢字表の実施」「現代かなづかいの実施」に端を発して、戦後の雑誌・書籍は、旧字・新字、旧仮名遣い・新仮名遣いの混在が、六〇年代にまたがるまでつづいたが、その余韻で新字・新仮名遣いでも拗音・促音を大きく表記する習慣と嗜好がのこっていた。著者の詩篇でも『吉本隆明新詩集第二版』（一九八一年一一月一日、試行出版部刊）まではそのように校訂され、以後の『全詩集』『詩全集』もそれをそのまま踏襲している。本全集では、初出ないし収録書籍のいずれかあるいはいずれもが拗音・促音を小さく表記している「死の国の世代」以降は、現在の表記法にあわせるほうが妥当と判断した。

Ⅳ

不許芸人入山門――花田清輝老への買いコトバ――

『日本読書新聞』（一九五九年一月一二日　第九八四号）に発表され、『異端と正系』に収録され、『吉本隆明全著作集４』に再録された。初出では原題のほかに見出し「素性を語る暇ツブシ理論／卅年前のモダニストのたわごと」があった。文中に言及・引用があるように、花田清輝の「新人診断――冬枯れの避暑地から――」（『日本読書新聞』一九五八年一二月二二日）、「戦後文学大批判」（『群像』一九五九年一月号）、「プロレタリア文学批判をめぐって」（『文学』一九五九年一月一〇日）に対する批判として書かれた。両者の論争の前史を記しておく（表題は初出で記載）。

花田清輝・岡本潤・吉本隆明（鼎談）「芸術運動の今日的課題」（『現代詩』一九五六年八月号）

吉本隆明「まえがき――文学者の戦争責任――」（『文学者の戦争責任』一九五六年九月二〇日）

吉本隆明「民主主義文学者の謬見」（『東京大学学生新聞』一九五六年一〇月一五、二二日）

吉本隆明「前衛的な問題」（『短歌研究』一九五七年五月号）

花田清輝「ヤンガー・ゼネレーションへ」（『文学』一九五七年七月一〇日）

井上光晴・奥野健男・清岡卓行・武井昭夫・吉本隆明（文責　吉本）「・芸術運動とは何か・原理論として　オールド・ジェネレーションへ」（『綜合』一九五七年九月号）

吉本隆明「日本現代詩論争史１」（『現代詩』一九五七年九月号）

吉本隆明「日本現代詩論争史２」（『現代詩』一九五七年一〇月号）

吉本隆明「日本現代詩論争史３」（『現代詩』一九五七年一一月号）

花田清輝「論争の予定」（『群像』一九五八年一月号）

吉本隆明「文学の上部構造性」（『文学』一九五八年一月五日）

吉本隆明「芸術的抵抗と挫折」（『講座現代芸術Ⅴ』一九五八年四月二五日）

吉本隆明「芸術運動とは何か――サークルの問題――」（『現代詩』一九五八年七月号）

dam 4「今月の作品から」（『ユリイカ』一九五八年一〇月号）

吉本隆明「政治と芸術――大衆化現象の中で――」（『図書新聞』一九五八年一一月一日）

鶴見俊輔・橋川文三・吉本隆明（座談会）「すぎゆく時代の群像（中）リーダー論」（『日本読書新聞』一九五八年一二月一日）

「乞食論語」執筆をお奨めする

『日本読書新聞』（一九五九年二月二日　第九八七号）に発表され、『異端と正系』に収録され、『吉本隆明全著作集4』に再録された。初出には副題的な見出し「バカの一つおぼえ〝前衛党なくして〟」があったが、単行本収録にあたって省かれた。文中に言及・引用があるように、花田清輝の「文芸時評　あたらしい国民文学」（『図書新聞』一九五九年一月一七日）、「反論――吉本隆明に――」（『日本読書新聞』一九五九年一月二六日）に対する反論として書かれた。

アクシスの問題

『近代文学』（一九五九年四月号　第一四巻第四号、近代文学社発行）に発表され、『異端と正系』に収録され、『吉本隆明全著作集4』、『吉本隆明全集撰3』に再録された。初出では小特集「転向」のもとにその一篇として掲載された。文中に言及・引用があるように、花田清輝の前出「戦後文学大批判」、「プロレタリア文学批判をめぐって」、「新人診断」をあらためて俎上に載せている。この項は『全集撰3』を底本とした。

芸術大衆化論の否定

『現代批評』（一九五九年四月一五日　三・四月号　第一巻第三号）に発表され、『異端と正系』に収録され、『吉本隆明全著作集4』に再録された。（初出の表紙では「4・5月号」となっているが、目次・奥付によった。）

文中に言及・引用があるように、花田清輝の「戦後文学大批判」をプロレタリア文学運動の「芸術大衆化論の誤謬」と結びつけて批判している。単行本収録にあたって、全体的に文章を刈り込む手直しがされ、全著作集再録の際に一部初出が生かされているが、すべて単行本に戻したうえで、文意がよりはっきりすると判断される箇所は初出を生かした。その箇所を掲げておく（〔　〕は初出を生かした部分）。

四六・13　時代の〔現実の〕

四六・13　指導的な芸術理論〔の政治主義的な錯誤〕

四七・5　いや、〔今日、〕

四七・16　〔政治的に〕何の意味も

四六・17　モダニスト的↑〔底〕〔異〕〔初〕モダニスム的

近代批評の展開

『岩波講座日本文学史』第一四巻（一九五九年五月一一日、岩波書店刊）に発表され、『異端と正系』に収録され、『吉本隆明全著作集4』に再録された。初出では原題「近代批評の展開Ⅱ」であったが、単行本収録にあたって表題のように改められた。（「近代批評の展開Ⅰ」は長谷川泉の執筆であった。）

単行本、全著作集に組み落としとおもわれる箇所があり、初出に戻した。その箇所を掲げておく（〔　〕は初出を生かした部分）。

四七五・2　知識階級の〔能動性、マルクス主義陣営との統一戦線を前提としない自由主義の行動性は、ただ、知識階級の〕特権を
四八九・16　その封建的側面と〔別の側面と〕してもった

天皇制をどうみるか

『読売新聞』夕刊（一九五九年五月二〇日　第二九六四五号、読売新聞社発行）に発表され、単行本未収録のまま『吉本隆明全著作集13』に収録された。初出では「意見と異見　天皇制をどうみるか」欄に原題「マス・コミ反応の背後」で掲載されたが、収録にあたって表題のように改められた。

橋川文三への返信

『日本読書新聞』（一九五九年六月一日　第一〇〇四号）に発表され、『異端と正系』に収録され、『吉本隆明全著作集13』に再録された。初出では総題「驚くべき世代の断絶――戦中派の往復書簡――」のもとに橋川文三と著者の書簡が掲載された。原題は橋川文三の「近衛も東条も知らぬ若い人／吉本隆明に／僕は既に旧弊な人間になったのか」にたいして「どっちが古いか、新しいか／橋川文三に／人々をして彼らの言うにまかせよ」であったが、単行本収録にあたって表題のように改められた。橋川文三の書簡は「ある往復書簡――吉本隆明に――」と改められて『歴史と体験』（一九六四年六月一〇日、春秋社刊）に収録された。

高村光太郎の世界

『近代文学鑑賞講座16　高村光太郎・宮沢賢治』（一九五九年六月三〇日、角川書店刊）に発表され、『高村光太郎〈決定版〉』に収録され、『高村光太郎〈増補決定版〉』、『現代の文学25　吉本隆明』、『吉本隆明全著作集8』、文芸文庫版『高村光太郎』、『際限のない詩魂』に再録された。

戦争中の現代詩――ある典型たち――

『国文学　解釈と鑑賞』（一九五九年七月号　第二四巻第八号）に発表され、単行本未収録のまま『吉本隆明全著作集5』に収録され、『詩学叙説』に再録された。初出では特集「現代詩　三代詩史と鑑賞／現代詩・今日の問題点」のもとに、「三代詩史と鑑賞」の項にその一篇として掲載された。なお文中に引用されている金子光晴の短文は、「業火」の初出掲載誌『コスモス』創刊号（一九四六年四月二〇日、コスモス書店発行）の「コスモス雑記」欄に無題で掲載された全文である。

詩人の戦争責任論――文献的な類型化――

『国文学　解釈と鑑賞』（一九五九年七月号　第二四巻第八号）に発表され、単行本未収録のまま『吉本隆明全著作集13』に収録された。前項に記したおなじ特集の「現代詩・今日の問題点」の項にその一篇として掲載された。

異端と正系

『現代史研究』（一九五九年七月三〇日　第二号、三月書房発行）に発表され、『異端と正系』に収録され、『吉本隆明全著作集13』に再録された。

十四年目の八月十五日

『新刊ニュース』（一九五九年八月号　東京出版販売発行）に発表され、単行本未収録のまま『吉本隆明全著作集5』に収録された。初出では一ページ全体に敷かれた著者の写真の下の余白に掲載され、写真の上に「新しい芸術理論の確立に／前進する詩人吉本隆明氏」の見出しがあった。『背景の記憶』（一九九四年一月一〇日、宝島社刊）とその文庫本（一九九九年一一月一五日、平凡社ライブラリー、平凡社刊）にも再録された。

現代詩のむつかしさ

『新刊ニュース』（一九五九年九月号）に発表され、単行本未収録のまま『吉本隆明全著作集5』に収録された。初出では「抽象絵画と現代詩を如何に理解すべきか（その2）」の欄に原題「現代詩のむづかしさ」で掲載されたが、収録にあたって表題のように改められた。『詩とは何か——世界を凍らせる言葉——』（二〇〇六年三月一日、詩の森文庫、思潮社刊）にも再録された。

海老すきと小魚すき

『民話』（一九五九年九月号　第一二号、未来社発行）に発表され、『異端と正系』に収録され、『吉本隆明全著作集4』に再録された。

五六九・18　あたらしい＝［初］↑［底］［異］あたらしくもない

五七三・8　どこでどのように＝［初］↑［底］［異］どのように

転向ファシストの詭弁

『近代文学』（一九五九年九月号　第一四巻第九号）に発表され、『異端と正系』に収録され、『吉本隆明全著作集4』に再録された。文中に言及・引用があるように、花田清輝の「ノーチラス号反応あり」（『季刊現代芸術』一九五九年六月三〇日　第三号）に対する反論として書かれた。

五八六・16　悲劇や喜劇＝［初］↑［底］［異］悲劇

V

内的な屈折のはらむ意味——『井之川巨・浅田石二・城戸昇　詩集』——

『突堤』（一九五八年一月三一日　第二〇号、南部文学集団発行）に発表され、単行本未収録のまま本全集に収録された。「井之川巨・浅田石二・城戸昇詩集への意見」の総題のもとに、そのまえがきによれば、井之川巨あてに送られた著者と大島博光の手紙の全文が井之川のつけた表題で掲載された。

堀田善衛『乱世の文学者』

『図書新聞』（一九五八年二月二二日　第四三八号、図

書新聞社発行）に発表され、単行本未収録のまま『吉本隆明全著作集5』に収録された。初出では著者名・書名のほかに原題「戦争・革命・権力」が掲出されたが、収録にあたって表題のように改められた。

阿部知二他編『講座現代芸術Ⅲ芸術を担う人々』

『図書新聞』（一九五八年九月二〇日　第四六八号）に発表され、単行本未収録のまま『吉本隆明全著作集5』に収録された。初出では編者名・書名のほかに原題「受け手の性格」が掲出されたが、収録にあたって表題のように改められた。

草野心平編『宮沢賢治研究』

『日本読書新聞』（一九五八年九月二九日　第九七〇号）に発表され、単行本未収録のまま『吉本隆明全著作集5』に収録された。初出では編者名・書名のほかに原題「まぶしさを感ずる総合的な詩人」が掲出されたが、収録にあたって表題のように改められた。

戦後学生像の根――戦中・戦後の手記を読んで――

『日本読書新聞』（一九五九年四月六日　第九九六号）に発表され、単行本未収録のまま『吉本隆明全著作集5』に収録された。収録にあたって副題が省かれたが、初出に戻した。

江藤淳『作家は行動する』

『現代詩』（一九五九年五月号　第六巻第五号、飯塚書店発行）に発表され、単行本未収録のまま『吉本隆明全著作集7』に収録された。初出では著者名・書名のほかにただ「書評」とのみ掲出されたが、収録にあたって表題のように改められた。

武田泰淳『貴族の階段』

『図書新聞』（一九五九年五月一六日　第五〇一号）に発表され、単行本未収録のまま『吉本隆明全著作集5』に収録された。初出では著者名・書名のほかに原題「歴史的時代の戯画」が掲出されたが、収録にあたって表題のように改められた。

久野収・鶴見俊輔・藤田省三『戦後日本の思想』

『日本読書新聞』（一九五九年五月二五日　第一〇〇三号）に発表され、単行本未収録のまま『吉本隆明全著作集5』に収録された。初出では著者名・書名のほかに原題「羨望に値する自由さと闊達さ」が掲出されたが、収録にあたって表題のように改められた。

阿部知二『日月の窓』

『三田文学』（一九五九年七月号　第四九巻第六号、三田文学会発行）に発表され、単行本未収録のまま『吉本隆明全著作集5』に収録された。初出では著者名・書名のほかに「書評」の囲み表示のみがあったが、収録にあたって表題のように改められた。

『風前の灯』

『映画評論』（一九五八年一月号　第一五巻第一号、映画出版社発行）に発表され、単行本未収録のまま『吉本隆明全著作集5』に収録され、『夏を越した映画』（一九八七年六月一〇日、潮出版社刊）に再録された。初出では原題「風前の灯」で掲載されたが、収録にあたって表題のように改められた。

『夜の牙』

『映画評論』（一九五八年二月号　第一五巻第二号）に発表され、単行本未収録のまま『吉本隆明全著作集5』に収録され、『夏を越した映画』に再録された。初出では原題「「夜の牙」と石原裕次郎」であったが、収録にあたって表題のように改められた。

『大菩薩峠』（完結篇）

『キネマ旬報』（一九五九年五月一五日　五月下旬号　第二三三号、キネマ旬報社発行）に発表され、『模写と鏡』（一九六四年一二月五日、春秋社刊）に収録された。初出では「新映画評」の欄に原題「大菩薩峠　完結篇」で掲載されたが、単行本収録にあたって表題のように改められた。『模写と鏡〈増補版〉』（一九六八年一一月一五日、春秋社刊）、『吉本隆明全著作集5』、『夏を越した映画』に再録された。

VI

飯塚書店版『高村光太郎』あとがき

『高村光太郎』（一九五七年七月一日、飯塚書店刊）の「あとがき」として発表された。「吉本隆明」の署名があった。『吉本隆明全著作集8』に収録された。

『芸術的抵抗と挫折』あとがき

『芸術的抵抗と挫折』（一九五九年二月二五日、未来社刊）の「あとがき」として発表された。「吉本隆明」の署名があった。『吉本隆明全著作集5』に収録された。

『抒情の論理』あとがき

『抒情の論理』（一九五九年六月三〇日、未来社刊）の「あとがき」として発表された。「吉本隆明」の署名があった。『吉本隆明全著作集5』に収録された。なお、文中であげられている短歌論「政治と文学と前衛の問題」の表題は、正確には「前衛的な問題」である。

（間宮幹彦）

吉本隆明全集5　一九五七―一九五九

二〇一四年一二月二五日　初版

著者　吉本隆明

発行者　株式会社晶文社

東京都千代田区神田神保町一-一一

郵便番号一〇一-〇〇五一

電話番号〇三-三五一八-四九四〇（代表）

〇三-三五一八-四九四二（編集）

URL http://www.shobunsha.co.jp

印刷　株式会社堀内印刷所

製本　ナショナル製本協同組合

用紙　池口洋紙株式会社

ISBN978-4-7949-7105-0　printed in Japan